Link

Patricia Cornwell

Link

Uitgeverij Luitingh-Sijthoff

Uitgeverij Luitingh Sijthoff en Drukkerij HooibergHaasbeek vinden het belangrijk om op milieuvriendelijke en verantwoorde wijze met natuurlijke bronnen om te gaan.

© 2012 Nederlandse vertaling
Uitgeverij Luitingh ~ Sijthoff B.V., Amsterdam
Oorspronkelijke titel: *The Bone Bed*
Vertaling: Yolande Ligterink en Jan Mellema
Omslagontwerp: DPS/Davy van der Elsken
Omslagfotografie: Chloe Barcelou / Arcangel Images / Hollandse Hoogte BV

ISBN 978 90 218 0584 9
NUR 332

www.lsamsterdam.nl
www.boekenwereld.com
www.patriciacornwell.com
www.watleesjij.nu

Voor Staci
Jij maakt het mogelijk en leuk

Proloog

22 oktober 2012
6.20 uur

In het Peace-district in noordwestelijk Alberta, waar de Red Willow en de Wapiti samenstromen, kolkt en bruist het donkergroene water rond omgevallen bomen en grijze zandeilandjes met witte kiezelstranden.

De hellingen zijn dichtbegroeid met zwarte sparren en espen, en de jonge scheuten staan in scherpe hoeken op rivieroevers en klippen, waar de tengere takjes zich oprichten naar de zon voordat de zwaartekracht ze buigt tot ze knappen.

Het dode hout hoopt zich op langs de oever en vormt nesten van gespleten stammen en versplinterde takken, waar het snelstromende water omheen en doorheen kolkt, en het afval wordt meegesleurd in het eindeloze ritme van bloeiend en stervend leven, van verrotting en wedergeboorte en dood.

Ik zie geen enkel teken van menselijke bewoning, geen door mensen achtergelaten afval of andere vervuiling en geen enkel bouwwerk, en ik stel me een enorme catastrofe voor van zeventig miljoen jaar geleden, waarbij een hele kudde migrerende pachyrhinosaurussen omkwam tijdens een overstroming en honderden dieren verdronken toen ze in paniek de rivier overstaken.

De enorme karkassen werden aangevreten door vleeseters, rotten weg en vielen uit elkaar. Na verloop van tijd werden de botten door aardverschuivingen en waterstromen meegesleurd en gingen op in gletsjerafzettingen en aardlagen die bijna niet te onderscheiden waren van het graniet en losse stenen.

De beelden die over mijn computerscherm trokken hadden

van een ongerepte wildernis kunnen zijn die onberoerd was gebleven sinds het Krijt, op een duidelijk feit na: het videodocu-
ment was gemaakt door iemand die een opnameapparaat vast-
hield terwijl hij over ondiep water scheerde en met een
gevaarlijke snelheid om zandbanken, half boven het water uitstekende rotsblokken en boomstammen heen schoot.

Er waren geen herkenbare details van de romp of het interieur
van de jetboot of van de bestuurder of passagiers te zien, alleen
de metalen reling op het achterdek en een gestalte, zwart in de
gloed van de zon, een scherp afgetekende, diepe schaduw tegen
het heldere, ruisende water en een strakblauwe hemel.

I

Ik kijk op mijn grote titanium horloge met rubberbandje en breng mijn hand naar mijn koffie – zwart zonder zoetstof – als ik verre voetstappen hoor in de gang van het kogelvormige gebouw aan de oostgrens van de campus van het Massachusetts Institute of Technology. Het is nog niet licht geworden op deze vierde maandag van oktober.

Zes verdiepingen onder mijn kantoor boven in het gebouw is het spitsverkeer in dit deel van Cambridge vóór zonsopgang al goed op gang gekomen, ongeacht het seizoen of het weer. De koplampen glijden als heldere insectenogen over de kade, de Charles kabbelt donker voort en aan de andere kant van de Harvard Bridge vormt de stad Boston een glinsterende barrière die het aardse domein van bedrijven en onderwijs scheidt van de havens en baaien die overgaan in de zee.

Het is nog te vroeg voor het personeel, tenzij het een van de lijkschouwers is, maar ik kan geen goede reden bedenken waarom Toby of Sherry of wie er ook dienst heeft op deze verdieping zou komen.

Om eerlijk te zijn heb ik geen idee wie er vanaf middernacht was ingeroosterd, en ik probeer me te herinneren welke auto's er op de parkeerplaats stonden toen ik een uur of wat eerder arriveerde. De gebruikelijke witte suv's en busjes en een van onze vrachtwagens voor forensisch onderzoek, herinner ik me vaag. Ik heb er niet echt op gelet wat er verder nog stond omdat ik bezig was met mijn iPhone, met alarmpjes en berichten die me attendeerden op telefonische vergaderingen en afspraken en een getuigenis die ik vandaag voor de rechtbank moet afleggen. Door dat multitasken let ik niet meer op mijn omgeving, denk ik ongeduldig.

Ik zou meer oog moeten hebben voor wat er om me heen gebeurt, vermaan ik mezelf, maar het is eigenlijk te gek dat ik me moet afvragen wie er dienst heeft. Het is belachelijk. Met enige frustratie denk ik aan Pete Marino, het hoofd van mijn onderzoeksteam, die blijkbaar geen zin meer heeft om de elektronische agenda bij te houden. Hoe moeilijk is het om namen van de ene datum naar de andere te slepen zodat ik kan zien wie er wanneer moet werken? Hij houdt het rooster al een tijdje niet meer bij en is tegenwoordig erg op zichzelf. Misschien moet ik hem eens te eten vragen, iets koken wat hij lekker vindt en informeren hoe het met hem gaat. De gedachte alleen al is een aanslag op mijn geduld, waarvan ik op het moment niet veel lijk te hebben.

*Een of ander geestelijk gestoord individu, of misschien is ver-*dorven *wel het juiste woord.*

Ik spits mijn oren, maar hoor niemand meer rondlopen terwijl ik het internet afzoek, websites aanklik en steeds weer over dezelfde details nadenk, terwijl ik tegelijkertijd besef hoe verslagen ik me voel en hoe boos ik daarvan word.

Je hebt deze keer eens gekregen wat je wilde.

Er is eigenlijk niets smerigs of afgrijselijks meer wat ik niet al gezien heb of waar ik me niet tegen kan wapenen, maar gisteravond overviel het me toch op een rustige zondag thuis met mijn man Benton, met een muziekje op en de MacBook open op het aanrecht voor het geval er iets gebeurde wat ik meteen moest weten. Ik was in een relaxte stemming bezig een van zijn favoriete gerechten klaar te maken, *risotto con spinaci come lo fanno a Sondrio*, en stond te wachten tot het water kookte, onder het genot van een Geheimrat J Riesling die herinneringen opriep aan onze recente reis naar Wenen en de schrijnende reden daarvoor.

Ik verloor me in gedachten aan mensen van wie ik hield terwijl ik een heerlijk maal klaarmaakte en een soepele wijn dronk toen precies om 6.30 uur Eastern Standard Time de e-mail met de bijgevoegde video arriveerde.

Ik herkende de afzender niet: BLiDedwood@stealthmail.com.

Er stond geen bericht bij, alleen een onderwerp in vette Eurostile-hoofdletters: TER ATTENTIE VAN HOOFDLIJKSCHOUWER KAY SCARPETTA.

De eerste keer begreep ik niets van de video, een achttien seconden durend filmpje zonder geluid van een tochtje per jetboot in een deel van de wereld dat ik niet herkende, waarin geknipt en geplakt was. De clip leek onschuldig en zei me niets toen ik hem voor het eerst zag. Ik was er zeker van dat iemand hem bij vergissing naar me gemaild had, tot de opname opeens ophield en plaats maakte voor een jpeg-bestand met een beeld dat duidelijk bedoeld was om te choqueren.

Ik stuur nog een zoekmachine cyberspace in, maar vind niets nuttigs over de pachyrhinosaurus, een plantenetende dinosaurus met een dikke snuit, een gehoornde beenplaat en een afgeplatte knobbel op zijn neus die waarschijnlijk gebruikt werd om al beukend en stekend andere dieren tot overgave te dwingen. Een uniek, vreemd uitziend beest dat wel iets had van een twee ton zware neushoorn op korte poten en met een grotesk, benig masker voor, denk ik als ik kijk naar een tekening van het dier. Een reptiel met een kop waarvan niemand meteen gecharmeerd zou zijn, behalve Emma Shubert, en nu is de achtenveertigjarige paleontoloog een oor kwijt, of ze is dood, of allebei.

De anonieme e-mail was rechtstreeks naar het CFC gestuurd, het Cambridge Forensic Center waarvan ik het hoofd ben, en ik kan alleen aannemen dat dat gebeurd is met de bedoeling mij uit te dagen en te intimideren. Ik stel me een jetboot voor die duizenden kilometers ten noordwesten van hier, in wat wel een vergeten deel van de wereld lijkt, over een rivier scheert. Ik bestudeer de onderbelichte, spookachtige gedaante die op het achterdek zit, mogelijk op een bankje, recht tegenover degene die aan het filmen was.

Wie ben je?

Dan verdwijnen de beelden van de steile rotshelling, waarvan ik nu weet dat die zich langs de Wapiti River bevindt en dat daar een fossielbed met dinosaurussen is, en verschijnt er een jpeg die gewelddadig en wreed is.

2

Het losse menselijke oor heeft een mooie, delicate vorm en er zit geen haar op het gewelfde kraakbeen.

Een rechteroor. Mogelijk blank. Met een lichte huid, gedetailleerder kan ik het niet bepalen. Mogelijk van een vrouw, zeker niet van een volwassen man of een jong kind, maar ik kan niet uitsluiten dat het van een ouder meisje of oudere jongen is geweest.

Er zit één gaatje midden in de oorlel, en het met bloed besmeurde stuk krant waarop het oor is gefotografeerd is gemakkelijk herkenbaar als de *Grande Prairie Daily Herald-Tribune*, de plaatselijke krant in het Peace-district in noordwestelijk Canada, waar Emma Shubert afgelopen zomer heeft gewerkt. Ik zie geen datum, alleen een stuk van een verhaal over de *Dendroctonus ponderosae*, een kever die bomen aantast.

Wat moet je van me?

Ik heb banden met het ministerie van Defensie, met name met de lijkschouwers van het leger oftewel de AFME, en hoewel ik daardoor bevoegdheden heb op federaal niveau, reiken die zeker niet tot in Canada. Als Emma Shubert is vermoord, is dat zeker geen zaak voor mij, of haar lichaam moet in mijn gebied opduiken, duizenden kilometers ten zuidoosten van waar ze is verdwenen.

Wie heeft me dit gestuurd en wat moet ik ervan denken of eraan doen? Misschien wat ik sinds halfzeven gisteravond al gedaan heb.

De politie op de hoogte stellen, me zorgen maken en me boos en vrij nutteloos voelen.

Een biometrisch slot klikt open in het forensische computerlab naast mijn kamer. Het is niet Toby of een andere onderzoeker, maar mijn nicht Lucy, besef ik met verbazing en genoegen. Ik dacht dat ze vandaag niet zou komen. Voor zover ik wist, was ze in haar helikopter onderweg, naar New York misschien, maar dat weet ik niet zeker. Ze heeft het de laatste tijd erg druk met het inrichten van haar stulpje op het platteland, zoals ze het enorme huis in Lincoln noemt, ten noordwesten van hier, dat ze pas heeft gekocht. Ze is voortdurend op weg van en naar Texas om haar brevet te krijgen voor de nieuwe tweemotorige helikopter die onlangs is afgeleverd. Druk met dingen waarmee ik haar niet kan helpen, zegt ze, en mijn nicht heeft geheimen. Die heeft ze altijd gehad, iets wat ze niet voor me verborgen kan houden.

Ben jij dat? sms ik haar. *Koffie?*

Dan staat ze in de deuropening, slank en opmerkelijk fit in een strak zwart T-shirt, een zwartzijden cargobroek en zwartleren schoenen, met zichtbare aderen op haar sterke onderarmen en polsen. Het haar met de rozegouden highlights is nog vochtig van de douche. Ze ziet eruit alsof ze al naar de sportschool is geweest en een afspraak heeft met iemand die ik niet ken, en het is nog geen zeven uur in de morgen.

'Goedemorgen.' Ik weet weer hoe fijn het is om haar om me heen te hebben. 'Ik dacht dat je aan het vliegen was.'

'Jij bent vroeg.'

'Ik heb nog een heleboel achterstallig histologisch onderzoek liggen waar ik hoognodig aan moet beginnen, maar waar ik waarschijnlijk niet aan toe zal komen,' antwoord ik. 'En ik moet vanmiddag naar de rechtbank voor de zaak-Mildred Lott, of misschien moet ik het eerder het spektakel-Mildred Lott noemen. Het is gewoon een stunt van haar om me te dwingen te komen getuigen.'

'Er zou meer achter kunnen zitten.' Lucy's knappe gezicht staat intens bezorgd.

'Ja, het kan gênant worden. Eigenlijk verwacht ik niet anders.' Ik kijk haar nieuwsgierig aan.

'Neem dan in elk geval Marino of iemand anders mee.' Ze is halverwege op het staalgrijze vloerkleed blijven staan en kijkt omhoog naar de geodetische glazen koepel.

'Dat was jij zeker die ik het laatste uur heb horen rondlopen,' zeg ik peilend. 'Ik was al bang dat we een indringer hadden.' Het is mijn manier om te vragen wat er aan de hand is.

'Dat was ik niet,' zegt ze. 'Ik ben hier net en kwam even langs om iets te controleren.'

'Ik weet niet wie er nog meer is, wie er dienst heeft,' zeg ik nog. 'Dus als jij het niet was die ik hoorde, snap ik niet wat iemand hier op deze verdieping te zoeken heeft.'

'Het zal Marino wel zijn. Deze keer tenminste. Het verbaast me dat je zijn benzineslurper niet op de parkeerplaats hebt zien staan.'

Ik zeg maar niet dat zij weinig recht van spreken heeft. Mijn nicht neemt geen genoegen met minder dan vijfhonderd pk, rijdt meestal in een V12 en bij voorkeur in een Italiaanse auto, hoewel haar laatste aankoop Brits is, geloof ik, maar ik kan het mis hebben. Ik heb niet veel verstand van dure auto's en ik heb niet zoveel geld als zij, en als ik het al had, zou ik het niet uitgeven aan Ferrari's en vliegmachines.

'Wat doet hij hier zo vroeg?' vraag ik me hardop af.

'Hij besloot gisteravond zelf de dienst waar te nemen en heeft Toby naar huis gestuurd.'

'Hoe bedoel je, hij besloot zelf de dienst waar te nemen? Hij is gisteravond pas teruggekomen uit Florida. Waarom zou hij een dienst waarnemen? Hij is nooit oproepbaar.' Het slaat nergens op.

'Het is maar goed dat er geen belangrijke dingen binnenkwamen waarvoor iemand naar een plaats delict moest, want ik denk dat Marino heeft geslapen. Of anders heeft hij zitten twitteren,' zegt ze. 'En dat is geen goed idee. Niet na kantooruren, wanneer hij de neiging heeft de teugels een beetje te laten vieren.'

'Ik begrijp er niets van.'

'Heeft hij je niet verteld dat hij een super-de-luxe luchtbed bij Onderzoek heeft neergezet?' zegt ze.

'Het is niet toegestaan hier bedden neer te zetten. De mensen die dienst hebben, mogen niet slapen. Sinds wanneer is hij oproepbaar?' herhaal ik.

'Sinds hij steeds ruzie heeft met hoe heet ze ook weer.'

'Wie?'

'Of als hij zijn flessenverzameling aan het uitbreiden is en niet wil rijden.'

Ik heb geen idee waar Lucy het over heeft.

'En dat gebeurt tegenwoordig nogal vaak.' Ze kijkt me recht aan. 'Hoe heet ze ook weer, die hij op Twitter heeft ontmoet en die hij in meer dan één opzicht heeft moeten blokkeren. Ze heeft hem echt voor gek gezet.'

'Wat voor flessenverzameling?'

'Die kleine flesjes die hij overal uitstalt. Nadat hij de inhoud heeft opgedronken. Dat heb je niet van mij gehoord.'

Ik denk terug aan 11 juli, Marino's verjaardag, nooit een fijne dag voor hem, en dat wordt alleen maar erger naarmate hij ouder wordt.

'Je moet het hem zelf maar vragen, tante Kay,' voegt Lucy eraan toe terwijl ik terugdenk aan mijn bezoek aan zijn nieuwe huis in het westen van Cambridge.

Een huis met houten betimmering op een smal strookje grond, met echte open haarden en hardhouten vloeren, waarover hij voortdurend opschept, en waarin hij een sauna en een werkplaats heeft gemaakt en een boksbal heeft opgehangen die hij graag aan iedereen laat zien. Toen ik aan kwam rijden met een cadeaumand met een zelfgemaakte aspergequiche en een zoete worst met witte chocola stond hij op een ladder om verlichte glazen schedeltjes aan de dakgoot te hangen, kleine wodkaflesjes van Crystal Head die hij *rechtstreeks bij de distilleerderij bestelde en die hij gebruikte om zijn huis te versieren*, zei hij voor ik ernaar kon vragen, waarmee hij suggereerde dat hij honderden lege schedeltjes had gekocht. *Ik ben al bijna klaar voor Halloween*, voegde hij er luidruchtig aan toe, en op dat moment had ik kunnen weten dat hij weer dronk.

'Ik weet niet meer wat jij vandaag ook alweer ging doen, behalve misschien de zoveelste varkensboerderij sluiten,' zeg ik tegen Lucy terwijl ik niet probeer te denken aan alle afschuwelijke dingen die Marino ooit in dronken toestand gedaan heeft.

'Ik moet naar het zuidwesten van Pennsylvania.' Ze laat haar blik steeds rondgaan, alsof er iets in mijn kantoor is veranderd en ze niet ziet wat precies.

Er is niets veranderd. Niets wat ik kan bedenken. De bonsaijeneverbes op de vergadertafel van geborsteld staal is nieuw, maar dat is alles. De foto's, certificaten en diploma's die ze bekijkt zijn dezelfde als altijd, net als de orchideeën, de gardenia's en de sagopalm. Aan mijn niervormige bureau met zwart gelamineerd werkblad, waar ze nu naar staart, is niets veranderd. En ook niet aan de bijpassende bergkast of het zwartgranieten werkblad achter mijn stoel, waar ze nu naartoe loopt.

Niet lang geleden heb ik wel mijn microdissectieset wegge-daan en vervangen door een ScanScope waarmee ik microsco-pische preparaten kan bekijken en ik zie dat Lucy de monitor bekijkt en hem uit en weer aan zet. Ze pakt het toetsenbord en draait het om, en dan gaat haar aandacht naar mijn trouwe Lei-ca-microscoop, die ik nooit zal wegdoen omdat ik nergens zoveel vertrouwen in heb als in mijn eigen ogen.

'Varkens en kippen in Washington County, meer van hetzelf-de,' zegt ze terwijl ze rond blijft lopen en dingen bekijkt, aan-raakt en oppakt.

'De boeren betalen de boete en beginnen gewoon opnieuw,' voegt ze eraan toe. 'Je zou een keer met me mee moeten vliegen om de fokstallen te zien, waar de zeugen als sardientjes naast el-kaar liggen. De mensen behandelen hun dieren afschuwelijk, ook hun honden.'

Er klinkt een suizend geluid als ze een sms krijgt op haar iPhone en ze leest hem.

'De afvalstoffen stromen zo de beekjes en rivieren in.' Ze typt een antwoord met haar duimen en glimlacht alsof het bericht is verzonden door iemand op wie ze erg gesteld is of die ze amusant vindt. 'Hopelijk kunnen we die klootzakken op heterdaad be-trappen en de hele handel sluiten.'

'Ik hoop dat je voorzichtig bent.' Ik ben helemaal niet blij met het feit dat ze weer zo fanatiek aan milieuacties meedoet. 'Als je het mensen onmogelijk maakt hun brood te verdienen, kan het er hard aan toe gaan.'

'Net als bij haar?' Ze wijst naar mijn computer en naar de beelden die ik heb zitten bekijken.

'Ik heb geen idee,' beken ik.

'Maakte Emma Shubert het iemand onmogelijk om zijn brood te verdienen?'

'Ik weet alleen dat ze twee dagen voor haar verdwijning een tand heeft gevonden,' antwoord ik. 'Blijkbaar is het de eerste die is opgegraven in een fossielbed dat nog niet zo lang geleden ont-dekt is. Zij en andere wetenschappers zijn pas een paar zomers geleden begonnen met de opgravingen.'

'Een fossielbed dat heel goed het waardevolste op de wereld kan blijken,' zegt Lucy. 'De begraafplaats van een kudde dinosaurussen die allemaal tegelijk zijn omgekomen, heel ongebruikelijk en misschien wel uniek. Het is een ongelofelijke kans om hele skeletten te reconstrueren en er een museum mee vol te zetten waar toeristen, dinosaurusfanaten en natuurliefhebbers van over de hele wereld op af zullen komen. Tenzij de plek zo vervuild is dat niemand er meer naartoe wil.'

Je kunt niet over Grande Prairie lezen zonder je bewust te worden van het economische belang van de gas- en oliewinning.

'Zevenentwintighonderd kilometer pijplijn waardoor de olie van de teerzanden in Alberta naar raffinaderijen in het Midden-Westen en helemaal tot aan de Golf van Mexico wordt vervoerd,' zegt Lucy terwijl ze mijn badkamer in verdwijnt, waar een koffiezetapparaat van Keurig en een espressoapparaat bij de wasbak staan. 'Vervuiling, de opwarming van de aarde, de totale ondergang.'

'Probeer de Illy MonoDose maar eens. Die zilveren doos,' roep ik naar haar. 'Voor mij een dubbele.'

'Volgens mij is dit een ochtend voor café Cubano.'

'De rietsuiker staat in het kastje,' laat ik weten terwijl ik het laatste slokje van mijn koude koffie opdrink en nog eens op play druk.

Wat heb ik over het hoofd gezien? Ik heb iets over het hoofd gezien.

Ik kan dat gevoel niet van me afzetten en concentreer me weer op de onderbelichte gestalte waarvan het gezicht wordt verduisterd door de felle zon erachter. Zo te zien gaat het om iemand met een bescheiden postuur – een vrouw of een niet al te forse man, of een ouder kind. De persoon in kwestie draagt een zonnehoed met flappen aan de zijkanten en een brede rand die hij of zij met twee vingers van de rechterhand lijkt vast te houden, misschien om te voorkomen dat hij afwaait. Maar dat valt niet met zekerheid te zeggen.

Van het in diepe schaduw verborgen gezicht kan ik geen gelaatstrekken onderscheiden, en van de kleding kan ik ook niet veel zien, behalve een jasje of wijd shirt met lange mouwen en de zonnehoed, en er is een amper waarneembare glinstering bij de rechterslaap die wijst op een bril, misschien een zonnebril. Maar ook dat valt niet met zekerheid te zeggen. Ik weet nu niet veel meer dan een uur of twaalf geleden, toen de bijlage naar me toe werd gemaild.

'Ik heb niets meer van de FBI gehoord, maar Benton heeft voor later op de dag een vergadering belegd, aangenomen dat ik op tijd terug ben van het gerechtshof,' zeg ik boven de stoomstoten van het espressoapparaat uit. 'Het wordt meer een informele discussie, omdat er verder nog niets is gebeurd sinds ik dat filmpje heb ontvangen.'

'Er is wél iets gebeurd,' klinkt Lucy's stem vanuit de badkamer. 'Iemands oor is afgesneden. Tenzij het nep is.'

3

Het uitwendige gedeelte van het afgesneden oor, de pinna, lijkt netjes van de fascie van de musculus temporalis te zijn gesneden.

Ik heb het beeld zo ver mogelijk vergroot zonder dat het wazig wordt, en de zichtbare randen van de snee lijken scherp en regelmatig. Ik zie geen bleekheid of enig ander teken dat het doorgesneden weefsel is gaan krullen of verschrompelen, wat ik zou verwachten bij een verminking die lang na de dood is toegebracht, bijvoorbeeld als het oor van een gebalsemd lichaam of een kadaver van een medische faculteit is verwijderd. Wat ik zie, doet me daar niet aan denken. Het oor en het bloed op de krant zien er niet oud uit.

Maar ik weet niet of het bloed van een mens is, en oren zijn moeilijk. Er lopen niet veel bloedvaten doorheen en het is niet ondenkbaar dat je voor of na iemands dood een oor zou kunnen afsnijden, het wekenlang in de vriezer zou kunnen bewaren en er dan een foto van zou kunnen maken zonder dat vastgesteld kan worden of het slachtoffer dood was of nog leefde toen de verwonding werd toegebracht.

Met andere woorden, de jpeg is lang niet toereikend voor mijn doeleinden, leg ik Lucy uit. Ik moet het oor zelf onderzoeken, controleren hoe de randen van de snijwonden eraan toe zijn en het DNA invoeren in de Nationale DNA Index (NDIS) en het Combined DNA Index System (CODIS) om te controleren of het profiel overeenkomt met dat van iemand met een strafblad.

'Ik heb al min of meer recente foto's van haar opgezocht, er staan er genoeg op verschillende websites, ook een paar die deze zomer in Alberta zijn gemaakt, toen ze daar aan het werk was,' zegt Lucy vanuit mijn badkamer, en we blijven wat harder praten om elkaar te kunnen verstaan. 'Maar we kunnen uiteraard geen een-op-eenvergelijking maken. Ik moet rekening houden met het formaat en precies de juiste hoek opzoeken, maar het goede nieuws is dat we er in zoverre iets aan hebben dat we haar zeker niet kunnen uitsluiten.'

Lucy legt uit dat ze de jpeg naast foto's van Emma Shubert heeft gelegd en de afbeeldingen van haar oren heeft vergeleken met die van het afgesneden oor. We kunnen niet uitsluiten dat het hetzelfde oor is, maar een visuele vergelijking biedt helaas ook geen zekerheid.

'Ik zal het bestand naar je mailen,' voegt ze eraan toe. 'Dan kun je de foto's laten zien aan de mensen die bij de vergadering zijn.'

'Ben je om een uur of vijf terug?'

'Ik wist niet dat ik ook was uitgenodigd,' klinkt haar stem boven het geluid van de tweede espresso die gezet wordt.

'Natuurlijk ben je uitgenodigd.'

'Wie nog meer?'

'Een paar agenten van het FBI-kantoor in Boston. Douglas, geloof ik.' Ik heb het over Douglas Burke, een FBI-agente met een verwarrende naam. 'Ik weet niet zeker wie er nog meer komt. En Benton.'

'Ik heb geen tijd,' antwoordt Lucy. 'Niet als zij komt.'

'Het zou echt helpen als je erbij was. Wat is er mis met Douglas?'

'Iets. Nee, dank je.'

Mijn nicht, die in een eerder leven in de wetshandhaving zowel uit de FBI als de ATF verbannen is, heeft over het algemeen niet veel op met federale instanties, en dat kan lastig voor me zijn, omdat mijn man crimineel informatieanalist of profielschetser bij de FBI is en ik een bijzondere status als reservist heb bij het ministerie van Defensie. We maken allebei deel uit van instanties waar zij wrok tegen koestert en geen enkel respect voor heeft, de federale bureaus die haar hebben afgewezen en ontslagen.

Lucy Farinelli, mijn enige nicht, die ik heb opgevoed als een dochter, is er simpelweg van overtuigd dat regels er zijn voor gewone stervelingen. Ze was een solitaire federale agent en is een solitair technisch genie, en mijn leven zou leeg zijn en zelfs aan diggelen liggen als zij er niet was.

'We hebben te maken met een heel slim iemand.' Ze komt uit de badkamer met twee kopjes en een kleine stalen kan.

'Dit is geen goed teken,' antwoord ik. 'Jij vindt andere mensen zelden slim.'

'Een listige persoon die in sommige opzichten slim is, maar te zelfvoldaan om te beseffen hoeveel hij niet weet.'

Ze schenkt sterke en zoete espresso met een lichtbruine schuimlaag erop, het drankje waaraan ze verslingerd raakte toen ze jaren geleden bij het ATF-kantoor in Miami werkte, voordat ze betrokken raakte bij een schietpartij.

'Het adres BLiDedwood is veelzeggend.' Ze zet een van de kopjes en de kan naast mijn toetsenbord.

'Mij zegt het niets.'

'Billy Deadwood,' verduidelijkt ze.

'Oké.' Ik laat dat tot me doordringen. 'Doe me een lol?'

Lucy komt naar mijn kant van het bureau en tikt op het granieten werkblad achter me om de twee beeldschermen die erop staan te activeren. Er verschijnen screensavers in levendige rode, gouden en blauwe kleuren en naast elkaar de logo's van het CFC en de AFME, een esculaap en een weegschaal, en speelkaarten, twee azen en twee achten, de dodemanshand die Wild Bill Hickok in 1876 bij een spelletje poker in handen zou hebben gehad toen hij werd doodgeschoten.

'Het logo van de AFME.' Ze wijst op de kaarten op het beeldscherm. 'En Wild Bill Hickok of Billy is vermoord in Deadwood in South Dakota. Om je een lol te doen? Ja, tante Kay. Ik hoop maar dat het niet iemand in je eigen achtertuin is.'

'Waarom zou je dat ook maar in de verste verte denken?'

'Misschien omdat er een tijdelijk, gratis e-mailadres is gebruikt dat na een halfuur automatisch vernietigd of gewist wordt?' zegt Lucy. 'Oké, dat is niet zo ongewoon, het zou iedereen kunnen zijn. Maar dan stuurt de afzender je de e-mail via een gratis proxyserver, in het bijzonder eentje die de hoogste anonimiteit biedt en waarvan de host onbekend blijft, maar die zich bevindt in Italië.'

'Zodat niemand op het mailtje kan reageren omdat de tijdelijke account na dertig minuten wordt gewist en dus verdwenen is.'

'Dat is het punt.'

'En niemand kan het ip-adres natrekken om te kijken waarvandaan de e-mail oorspronkelijk is verstuurd.' Ik volg haar logica.

'En dat is precies wat de afzender wil.'

'We worden geacht te geloven dat het mailtje door iemand in Italië verstuurd is.'

'Vanuit Rome, om precies te zijn,' zegt ze.

'Maar dat is misleiding.'

'Absoluut,' zegt ze. 'De afzender bevond zich gisteravond om halfzeven onze tijd zeker niet in Rome.'

'En het font?' Ik kijk naar de onderwerpregel van de e-mail. TER ATTENTIE VAN HOOFDLIJKSCHOUWER KAY SCARPETTA.

'Heeft dat nog betekenis?' vraag ik.

'Heel retro. Doet denken aan de jaren vijftig en zestig, grote vierkante vormen met afgeronde hoeken, die herinneringen moeten oproepen aan de tv-toestellen uit die tijd. Jouw tijd,' plaagt ze.

'Doe zo vroeg op de morgen alsjeblieft niet zo gemeen tegen me.'

'Eurostile is ontworpen door de Italiaanse letterontwerper Aldo Novarese,' legt ze uit. 'Het font is oorspronkelijk gemaakt voor een lettergieterij in Turijn, Nebiolo Printech.'

'En wat denk je dat dat betekent?'

Ze haalt haar schouders op. 'Dat weet ik niet. Ze maken daar papier en technologisch geavanceerde printers.'

'Een mogelijke Italiaanse connectie?'

'Dat betwijfel ik. Ik denk dat degene die je deze e-mail heeft gestuurd ervan uitging dat je het oorspronkelijke ip-adres niet zou kunnen achterhalen,' zegt ze, en ik weet wat er nu komt.

Ik weet wat ze gedaan heeft.

'Met andere woorden,' gaat ze verder, 'dat wij niet te weten zouden komen waarvandaan het mailtje eigenlijk verstuurd is...'

'Lucy,' val ik haar in de rede, 'ik wil niet dat je extreme dingen gaat doen.'

Dat heeft ze al gedaan.

'Er zijn talloze van die anonieme proxyservers,' gaat ze verder alsof ze zich van geen kwaad bewust is, hoewel ik wel beter weet.

'Ik wil niet dat je een proxyserver in Italië of waar dan ook hackt,' zeg ik ronduit.

'De e-mail is naar jou verstuurd door iemand die toegang had tot het draadloze netwerk van Logan,' zegt ze tot mijn verbazing.

'Is hij verstuurd vanaf het vliegveld?'

'De videoclip is je toegestuurd vanaf het draadloze netwerk van Logan Airport, nog geen twaalf kilometer hiervandaan, verdomme,' bevestigt ze, en het is geen wonder dat ze er rekening mee houdt dat er iemand in mijn eigen achtertuin achter zou kunnen zitten.

Ik denk aan mijn assistent, Bryce Clark, aan Pete Marino en verscheidene andere forensisch wetenschappers hier op kantoor. Vorige week zijn personeelsleden van het CFC naar Tampa in Florida geweest voor de jaarlijkse bijeenkomst van de International Association for Identification, en die zijn gisteren allemaal rond de tijd dat deze e-mail anoniem naar het CFC is gestuurd teruggevlogen naar Boston.

'Vóór gisteravond zes uur heeft de afzender ingelogd op het gratis wireless internet van Logan. Dat doen duizenden passagiers per dag. Het betekent niet dat degene die de e-mail verstuurd heeft zich toen ook daadwerkelijk in een vertrek- of aankomsthal of in een vliegtuig bevond.'

Het is ook mogelijk dat hij zich in een parkeergarage of op de stoep bevond, zegt ze, of zelfs in een watertaxi of op een veerboot in de haven, overal waar het draadloze signaal te ontvangen is. Toen de afzender eenmaal verbinding had, heeft hij een tijdelijk e-mailaccount geopend dat BLiDedwood@Stealthmail heette, de onderwerpregel waarschijnlijk via een wordprocessor geschreven in Eurostile en die toen in de e-mail geknipt en geplakt.

'Hij heeft negenentwintig minuten gewacht voordat hij hem verstuurde,' zegt Lucy. 'Jammer dat hij weet dat de mail geopend is. Dat zal hij wel leuk vinden.'

'Hoe kan de afzender weten dat ik de e-mail geopend heb?'

'Hij heeft geen melding gekregen dat de mail niet verstuurd kon worden,' antwoordt ze. 'Die had hij anders een paar seconden voordat het account werd gewist moeten krijgen. Hij heeft geen reden om aan te nemen dat de e-mail niet ontvangen en geopend is.'

Haar stem klinkt anders. Het lijkt wel of ze me een standje geeft.

'Die melding wordt automatisch verstuurd als er spam of berichten met virussen naar het adres van het CFC worden verstuurd,' helpt ze me herinneren. 'Het doel is om de afzender de indruk te geven dat de mail niet afgeleverd kon worden. Afgezien van zeldzame en ongelukkige uitzonderingen gaan alle verdachte e-mails rechtstreeks naar wat ik de quarantaine noem, zodat ik kan zien wat het is en hoe groot de bedreiging is,' benadrukt ze, en nu heb ik door waar ze naartoe wil. 'Ik heb deze e-mail niet gezien omdat hij niet in de quarantaine is beland.'

De zeldzame en ongelukkige uitzondering ben ik zelf.

'De firewalls die ik heb opgezet, hebben de e-mail doorgelaten vanwege de onderwerpregel *ter attentie van hoofdlijkschouwer Kay Scarpetta*,' zegt ze alsof het mijn schuld is, en dat is het ook. 'Iets dat aan jou persoonlijk wordt gestuurd, wordt niet als spam opgevat of tijdelijk in quarantaine gezet omdat jij dat verordonneerd hebt. Tegen mijn wil, weet je nog?'

Ze kijkt me recht aan en ze heeft gelijk, maar ik kan er nu niets meer aan doen.

'Zie je nu wat het voor gevolgen heeft als je mijn beveiligingsadviezen negeert?' vraagt ze.

'Ik begrijp dat het frustrerend is, Lucy. Maar alleen zo kunnen een heleboel mensen die niet mijn precieze CFC-adres hebben, vooral politiemensen en nabestaanden, contact met me opnemen.' Ik heb dit al eerder tegen haar gezegd. 'Ze kunnen gewoon iets sturen ter attentie van mij en ik wil beslist niet dat zulke berichten voor spam worden aangezien.'

'Het is alleen zo jammer dat jij het bericht als eerste hebt geopend,' zegt Lucy. 'Want normaal gesproken had Bryce dat natuurlijk gedaan voordat jij de kans kreeg.'

'Ik ben blij dat hij het niet geopend heeft.' Mijn assistent is behoorlijk teergevoelig en snel van streek.

'Dat zal wel. Maar hij heeft het niet geopend omdat hij op reis is. Hij en verscheidene anderen zijn een week niet op kantoor geweest,' zegt Lucy alsof de timing geen toeval is.

'Ben je bang dat de afzender van het mailtje weet wat er in het CFC omgaat?' vraag ik.

'Daar ben ik bang voor, ja.'

Ze rolt een stoel naar me toe en vult onze kopjes nog eens, en ik ruik de geur van verse grapefruit in haar parfum. Ik ruik het altijd als ik in een lift of een kamer kom waar mijn nicht net is geweest. Ik zou haar opvallende geurtje uit duizenden herkennen.

'Het zou dom zijn om er geen rekening mee te houden dat iemand ons allemaal in de gaten houdt en weet wat we doen,' zegt ze. 'Iemand die van spelletjes houdt en die denkt dat hij slimmer is dan God. Iemand die er een kick van krijgt mensen een trauma te bezorgen en met ze te spelen.'

Ik twijfel er niet aan dat ze daarom al zo vroeg in mijn kantoor rondsnuffelde. Ze is langsgekomen om iets te controleren, omdat ze overdreven beschermend is naar mij toe en altijd waakzaam. Sinds Lucy heeft leren lopen eist ze al mijn aandacht op en houdt ze me als een havik in de gaten.

'Ben je bang dat Marino hierbij betrokken is? Dat hij me bespioneert of me op een of andere manier kwaad probeert te doen?' Ik open mijn e-mailaccount.

'Hij doet in ieder geval genoeg stomme dingen,' zegt ze alsof ze heel specifieke zaken in gedachten heeft. 'Maar zo slim is hij niet, en wat kan hij voor reden hebben? Geen, dat is het antwoord.'

4

Ik scroll door mijn inbox, op zoek naar een e-mail van Bryce of assistent-openbaar aanklager Dan Steward, omdat ik blijf hopen dat ik niet in de rechtszaal zal hoeven verschijnen.

'Kunnen we het beeld niet scherper krijgen? Zodat we misschien kunnen achterhalen wie zich op die jetboot bevond?' Ik heb het over het filmpje, maar ondertussen houdt de zaak-Mildred Lott me bezig.

'Vergeet het maar,' zegt Lucy.

'Het is zo belachelijk,' mompel ik als ik geen verlossend bericht aantref.

Vroeger was een sectierapport genoeg voor de verdediging en was het niet nodig of zelfs maar wenselijk dat ik in de rechtszaal verscheen, maar sinds de Melendez-Diaz-uitspraak van het Amerikaanse hooggerechtshof is er veel veranderd in het leven van elke forensisch deskundige in de Verenigde Staten. Channing Lott wil degene die hem beschuldigt in de ogen kijken. De miljardair en grootindustrieel is aangeklaagd omdat hij opdracht zou hebben gegeven zijn vrouw te laten vermoorden, van wie inmiddels wordt aangenomen dat ze dood is, en hij heeft geëist dat hij vanmiddag om twee uur van mijn gezelschap zal mogen genieten.

'Meer zul je nooit te zien krijgen in dat filmpje.' Lucy drinkt haar glaasje leeg. 'Beter dan dit wordt het niet.'

'We weten zeker dat er geen betere software bestaat dan die wij hier bij het CFC gebruiken?' Ik kan het maar niet accepteren.

'Beter dan wat ik gemaakt heb?' Ze staat op en gaat dichter bij mijn beeldscherm staan. 'Niets komt ook maar in de buurt van wat wij hebben. Het probleem is dat de beelden zo slecht zijn.'

Ze klikt met de muis om het me te laten zien. Om haar wijsvinger zit een zware gouden ring die ze onlangs is gaan dragen, en om haar pols een stalen chronograafhorloge. Ze zet het beeld stil bij de gestalte zonder gezicht achter op de boot en legt uit dat ze het filmpje op diverse manieren heeft bewerkt, dat ze de helderheid heeft aangepast en scherptefilters heeft gebruikt, maar dat het een hopeloze zaak is.

'Degene die filmde, keek recht in de zon,' zegt ze, 'en die over-belichte beelden kunnen gewoon niet hersteld worden. Het beste wat we kunnen doen, is ons op basis van context en omstandig-heden een vermoeden vormen van wie de persoon op die boot zou kunnen zijn.'

Een vermoeden is niet goed genoeg, dus speel ik het filmpje nog eens af en keer terug naar een gedeelte van de rivier dat zich een uur varen van de kale helling bevindt waar de Amerikaanse paleontoloog dr. Emma Shubert voor haar verdwijning bijna ne-gen weken geleden aan het graven was met collega's van de Uni-versity of Alberta. Volgens de verklaringen die tegenover de po-litie zijn afgelegd, is ze op 23 augustus rond tien uur 's avonds voor het laatst gezien toen ze alleen over een bebost terrein bij het kamp bij Pipestone Creek liep, op weg naar haar caravan nadat ze gegeten had. De volgende ochtend stond haar deur op een kier en was zij weg.

Toen ik gisteravond de rechercheur van de Royal Canadian Mounted Police sprak, kreeg ik te horen dat er geen tekenen van een worsteling waren gevonden en dat niets erop wees dat Emma Shubert in haar caravan was aangevallen.

'We moeten erachter zien te komen wie me dit gestuurd heeft,' zeg ik tegen Lucy. 'En waarom. Als zij die gestalte in de jetboot is, wat is er dan gebeurd? Hoe keek ze? Gelukkig? Triest? Bang? Bevond ze zich uit vrije wil op die boot?'

'Dat kan ik je niet zeggen.'

'Ik wil haar gezicht zien.'

'Dat gaat in deze video niet lukken. Er is niets meer te zien.'

'Was ze op weg naar het fossielbed, of kwam ze ervandaan?' vraag ik.

'Te oordelen naar de positie van de zon en de satellietbeelden van dat deel van de rivier voer de jetboot waarschijnlijk naar het westen, wat doet vermoeden dat het ochtend was. Het was duidelijk een zonnige dag, en daar waren er afgelopen augustus in dat deel van de wereld niet veel van. Misschien is het niet heel toevallig dat het twee dagen voor haar verdwijning, op de dag dat ze de tand van de pachyrhino vond, ook zonnig was.'

'Dus jij denkt dat de video op 21 augustus gemaakt is, en dat baseer je op het weer.'

'Ze is die dag blijkbaar wel naar de opgraving gegaan en is per jetboot naar het fossielbed aan de Wapiti River gevaren.' Lucy herhaalt informatie die op het nieuws is geweest. 'Dus kan de video die ochtend tijdens het boottochtje met een iPhone zijn gemaakt. Ze heeft een iPhone. Of had. Zoals je weet, lag die niet in haar caravan. Het is misschien het enige wat ontbreekt, omdat haar andere persoonlijke bezittingen kennelijk onaangeroerd waren.'

'Zijn deze beelden gemaakt met een iPhone?' Dit is nieuwe informatie.

'En de foto van het afgesneden oor ook,' zegt Lucy. 'Een iPhone van de eerste generatie, en die had ze ook.'

Ik ga Lucy niet vragen hoe ze aan die kennis komt. Ik wil het niet weten.

'Ze had nog steeds de eerste die ze gekocht had en heeft niet de moeite gedaan een betere te krijgen, waarschijnlijk vanwege het contract dat ze had bij AT&T.' Lucy staat op en gaat naar de badkamer om onze kopjes af te spoelen, en ik hoor verre stemmen in de gang.

Dan klinkt er een politiesirene, een van de ringtones van Pete Marino. Hij heeft iemand bij zich, Bryce, denk ik, en ze komen deze kant uit. Ze zijn allebei aan het telefoneren en alleen het geluid van hun stemmen komt door, maar aan de opgewonden toon waarop ze praten, hoor ik dat er iets is gebeurd.

'Ik bel je nog wel, en ik ben terug voor het weer omslaat,' zegt Lucy als ze weggaat. 'Het gaat later op de dag echt spoken.'

Dan staat Marino in mijn deuropening. Zijn kaki werkkleren zijn gekreukt alsof hij erin geslapen heeft, zijn gezicht is rood en hij loopt luid telefonerend naar binnen, alsof hij hier woont. Bryce, mijn beeldschone assistent, komt achter hem aan met een merkzonnebril boven op zijn hoofd en in een verbleekte, heel strakke spijkerbroek en een t-shirt, alsof hij zo van de set van *Glee* komt. Ik zie dat hij zich niet meer heeft geschoren sinds ik hem voor het laatst heb gezien, een week geleden, voordat hij naar Florida ging, en gezichtsbeharing of het gebrek daaraan betekent altijd hetzelfde. Bryce Clark neemt steeds verschillende rollen aan terwijl hij auditie blijft doen voor de rol van ster in zijn eigen leven.

'Nou, normaal zou ik nee zeggen,' zegt Marino in zijn telefoon. 'Maar die dame van het aquarium zal zelf aan de lijn moeten komen zodat onze chef het haar persoonlijk kan vertellen en er geen misverstanden kunnen ontstaan...'

'Dat begrijpen we helemaal.' Bryce praat met iemand anders. 'We beseffen heel goed dat niemand erop zit te wachten. Misschien kunnen jullie en de brandweer een muntje opgooien. Grapje. De brandweerboot heeft ongetwijfeld een kuipbrancard, net als u. Er is duidelijk geen behoefte aan een vacuümmatras of halskraag. Natuurlijk is de brandweer beter toegerust om alles naderhand met die grote dekkanonnen schoon te spuiten. Het punt is dat het ons helemaal niets uitmaakt, als iemand maar helpt het zaakje op het droge te brengen, en daarna nemen wij het wel over.' Hij kijkt op zijn horloge. 'Over ongeveer drie kwartier? Iets na negenen? Dat zou echt fantastisch zijn.'

'Wat is er aan de hand?' vraag ik aan Bryce als hij het gesprek heeft beëindigd.

Hij zet zijn handen op zijn heupen en kijkt me kritisch aan. 'Nou, we hebben vanmorgen in ieder geval niet de juiste kleding aan voor een boottochtje, hè?' Hij inspecteert het grijze pakje met krijtstreepje en de pumps die ik vandaag heb aangetrokken omdat ik naar de rechtbank moet. 'Ik ben zo terug, ik ga even een paar dingen pakken, want in die outfit kun jij niet naar de kustwacht toe. Een drijvend lijk opvissen? Godzijdank dat het geen juli is. Niet dat het water in deze streken ooit warm wordt, en ik hoop maar dat het er niet erg lang in gelegen heeft, want dat haat ik echt. Neem me niet kwalijk, maar laten we eerlijk zijn. Wie kan daar nou tegen? Ik weet ook wel dat niemand met opzet in zo'n walgelijke toestand raakt. Maar als ik doodga en er zo aan toe ben, word ik liever niet gevonden.'

Hij heeft mijn kast al open om werkkleren te pakken.

'Dat is een klus waar de jongens van de kustwacht ook niet blij mee zijn, en waarom zouden ze ook?' Hij blijft praten. 'Om zoiets op je boot te krijgen, maar maak je geen zorgen. Ze doen het omdat ik het heel vriendelijk heb gevraagd en hen eraan heb herinnerd dat als jij – en daar bedoel ik jou persoonlijk mee, als hoofd – niet zou weten wat je ermee moet, wie dan wel?'

Hij trekt een werkbroek van een hangertje.

'Je moet het in een dubbele zak doen of wat er ook voor nodig is om hun boot niet een uur in de wind te laten stinken, mag ik je daar even op wijzen? Ik heb het beloofd. Wil je korte mouwen of lange?'

Hij draait zijn hoofd in mijn richting.

'Ik stem voor lang, want het zal daar wel kil zijn met die wind,' zegt hij voordat ik zelfs maar kan bedenken wat ik zal zeggen. 'Dus even zien, je donsjack is ook een goed idee, dat feloranje maar, dat je op een kilometer afstand ziet. Altijd een goed idee op het water. Ik zie dat Marino geen jas heeft, maar ik ga niet over zijn garderobe.'

Bryce geeft me de kleren terwijl Marino blijft praten met iemand die kennelijk op een boot zit.

'We willen niet dat iemand knopen of zoiets doorsnijdt, en als er touwen zijn, moeten ze op een klamp worden belegd,' zegt hij terwijl Bryce mijn CFC-uniform op mijn bureau legt en terugloopt naar de kast om mijn werkschoenen te pakken. 'Ik ga ophangen, dan bel ik je via een vaste lijn. Misschien hebben we dan een betere verbinding en kun je met de baas zelf praten,' voegt Marino eraan toe.

Hij komt naar mijn kant van het bureau en ik hoor de lift in de gang en nog meer stemmen. Lucy is onderweg naar haar helikopter en er arriveren andere personeelsleden. Het is een paar minuten na achten.

'Er zit een enorme prehistorische schildpad in de zuidelijke vaargeul vast,' zegt Marino tegen me terwijl hij de telefoon op mijn bureau pakt.

'Prehistorisch,' roept Bryce uit. 'Dat geloof ik niet.'

'Een lederschildpad. Ze zijn bijna uitgestorven, maar ze bestaan al sinds Jurassic Park.' Marino negeert hem.

'Ik geloof niet dat er toen al een park was,' werpt Bryce nog luider tegen.

'Zo'n beest weegt misschien wel een ton.' Marino blijft tegen me praten terwijl hij een nummer intoetst op mijn telefoon, met een leesbrilletje uit de drogisterij op zijn krachtige neus. 'Iemand die zijn kreeftenpotten aan het nalopen was, ontdekte hem bij zonsopgang en belde het reddingsteam van het aquarium, dat connecties heeft met de brandweer. Toen de brandweerboot ter plekke arriveerde en ze probeerden de schildpad naar boven te halen, bleek er helaas nog iets aan het touw te zitten... Pamela?' zegt hij tegen degene die opneemt. 'Ik geef je dokter Scarpetta.'

Hij geeft me de telefoon, klapt met zijn dikke vingers de brillenpootjes dicht en schuift de bril in zijn borstzak terwijl hij uitlegt: 'Pamela Quick. Ze zit op de brandweerboot, dus misschien is de verbinding niet zo goed.'

De vrouw aan de telefoon stelt zich voor als de marien bioloog van het New England Aquarium, en haar stem klinkt dringend en een beetje vijandig. Ze heeft net per e-mail een foto gestuurd, zegt ze.

'U kunt zelf zien dat we geen tijd te verliezen hebben,' zegt ze kortaf. 'We moeten hem nu aan boord hijsen.'

'Hem?' vraag ik.

'Een met uitsterven bedreigde zeeschildpad die al ik weet niet hoe lang allerlei tuig en andere spullen en overduidelijk een lijk meesleept. Schildpadden moeten ademhalen en hij kan amper zijn neusgaten nog boven water houden. We moeten hem er nu meteen uithalen, anders verdrinkt hij.'

Marino houdt zijn mobiele telefoon voor mijn gezicht, zodat ik de e-mail kan zien met de foto van een jonge, blonde en bruinverbrande vrouw in kakibroek en een groen windjack, die over de reling van de brandweerboot hangt. Met een lange haak haalt ze een lijn in die vastzit aan een schrikbarend groot zeewezen, leerachtig en donker, dat bijna net zo breed is als de boot. Een paar meter van de boven het water uitstekende, enorme kop, en amper zichtbaar in het woelige blauwe water, zijn bleke handen met gelakte nagels en een sliert lang, wit haar te onderscheiden.

Bryce zet een paar lichtgewicht, enkelhoge zwarte werkschoenen met glanzende leren neuzen en nylon bovenkant neer. Hij klaagt dat hij geen sokken kan vinden.

'Kijk eens beneden in mijn kluisje,' raad ik hem aan terwijl ik buk om mijn pumps uit te doen, en ik zeg tegen Pamela Quick: 'Wat we moeten voorkomen, is dat we het lijk kwijtraken of dat het beschadigd wordt. Dus normaal gesproken zou ik niet toestaan...'

'We kunnen dit dier redden,' valt ze me in de rede, en het is glashelder dat het haar niet kan schelen of ze mijn toestemming heeft of niet. 'Maar we moeten het nu doen.' Uit haar toon blijkt overduidelijk dat ze niet wil wachten, niet op mij of wie dan ook, en ik kan het haar niet echt kwalijk nemen.

'Doe wat je moet doen, uiteraard. Maar als iemand het kan filmen of fotograferen, zou dat ons zeer helpen,' zeg ik terwijl ik uit mijn stoel kom, het tapijt voel onder mijn kousenvoeten en eraan word herinnerd dat ik nooit weet wat ik van het ene moment op het andere kan verwachten in het leven. 'Laat de lijnen en de andere brokstukken zo veel mogelijk intact, en zet alles goed vast, zodat we niets kwijtraken,' voeg ik eraan toe.

5

Inmiddels gekleed in werkkleren van donkerblauwe katoen, met het logo van het CFC op mijn shirt en op het feloranje jack dat over mijn arm hangt, stap ik in de lift achter de kantine en even zijn we alleen. Marino zet twee zwarte plastic Pelican-koffers neer en drukt op de knop voor de onderste verdieping.

'Ik begrijp dat je de hele nacht hier bent geweest,' merk ik op terwijl hij ongeduldig nog eens op de knop drukt, een totaal nutteloze gewoonte.

'Ik moest wat papierwerk doen en zo. Het was gemakkelijker om te blijven.'

Hij schuift zijn grote handen in de zakken van zijn werkbroek, en zijn buik bolt zichtbaar over zijn riem. Hij is zwaarder geworden, maar zijn schouders zijn enorm en ik zie aan zijn dikke nek, biceps en benen dat hij nog steeds met gewichten in de weer is in die sportschool op Central Square, een vechtsportclub, of hoe hij het ook noemt, waar veel politiemensen komen, vooral leden van de arrestatieteams.

'Gemakkelijker dan wat?' Ik bespeur de ranzige geur van zweet onder het laagje Brut-aftershave. Misschien heeft hij de hele nacht zitten zuipen en een hele doos wodkaflesjes achterovergeslagen of zo. Ik weet het niet. 'Het was gisteren zondag,' ga ik vriendelijk verder. 'Je hoefde dit weekend niet te werken en was pas weer in de stad terug, dus wat was er nou precies gemakkelijker? En nu we het er toch over hebben, ik heb al een hele tijd geen nieuwe roosters van je gekregen, dus ik wist niet dat je zelf diensten waarnam en blijkbaar...'

'Die elektronische agenda is waardeloos,' valt hij me in de rede. 'Die hele geautomatiseerde klerezooi. Ik wou dat Lucy daar eens mee ophield. Je weet wat je moet weten, en dat is dat iemand doet wat hij moet doen. En die iemand ben ik.'

'Ik was me er niet van bewust dat het hoofd Onderzoek ooit oproepbaar is. Dat is nooit ons beleid geweest, tenzij er een noodgeval is. En het is ook niet ons beleid om te doen of het hier een brandweerkazerne is en te blijven slapen terwijl we wachten tot het alarm gaat, om het zo maar eens te zeggen.'

'Ik zie dat er iemand geklikt heeft. Het is trouwens allemaal haar schuld.' Hij zet zijn zonnebril op, een metalen Ray-Ban die hij al draagt zo lang ik hem ken en die Bryce een *Smokey and the Bandit*-zonnebril noemt.

'De dienstdoende onderzoeker wordt geacht klaarwakker op zijn werkplek te zitten, klaar om de telefoon te beantwoorden.' Ik zeg het vlak en zonder in te gaan op het weerwoord dat hij heeft gegeven. 'En wat is wier schuld?'

'Die trut van een Lucy heeft me op Twitter gekregen en zo is het begonnen.'

Als hij 'die trut van een Lucy' zegt, weet ik dat hij het niet meent. Die twee hebben een hechte band.

'Het lijkt me niet eerlijk om haar de schuld te geven voor jouw getwitter als jij de tweets verstuurt, en ik heb gehoord dat je dat doet,' zeg ik op dezelfde minzame toon. 'En ze heeft je niet echt verklikt, anders had ik sommige dingen al eerder geweten. Als ze al iets gezegd heeft, is dat omdat ze om je geeft, Marino.'

'Ze is niet in beeld, al weken niet, en ik wil het er niet over hebben,' zegt hij terwijl we langzaam in het gebouw afdalen.

'Wie?' vraag ik.

'Die trut met wie ik aan het twitteren was, en verder heb ik er niets over te zeggen. En denk jij echt dat de mensen niet slapen als ze nachtdienst hebben? Ik heb vannacht niets gemist. Elke keer dat de telefoon ging, heb ik hem opgenomen en de zaak afgehandeld. De enige keer dat er echt actie ondernomen moest worden, was met die man die van de trap was gevallen, een heel gewoon ongeluk, en dat heeft Toby waargenomen. Daarna heb ik hem naar huis gestuurd. Het had geen zin om allebei te blijven. En trouwens, hij werkt me op mijn zenuwen. Ik kan hem nooit vinden op de plek waar hij zou moeten zijn, en andere keren zit hij constant op mijn lip.'

'Ik probeer alleen te begrijpen wat er aan de hand is. Meer niet. Ik wil zeker weten dat alles goed met je is.'

'Waarom zou dat niet zo zijn?' Hij staart recht vooruit naar het glanzende, gladde staal en de verlichte LL, de knop van de kelderverdieping op het digitale schermpje. 'Het komt wel vaker voor dat dingen niet lopen zoals ik wil.'

Ik heb geen idee over welke dingen of mensen hij het heeft, en dit is niet het moment om hem te vragen naar een vrouw die hij op internet heeft ontmoet. Ik vermoed tenminste dat hij het over haar heeft. Maar ik moet wel met hem praten over iets wat naar ik vrees een schending is van professionele discretie en vertrouwelijkheid.

'Nu we het er toch over hebben, vraag ik me af waarom je eigenlijk op Twitter zit en waarom Lucy je zou hebben aangemoedigd je met zoiets bezig te houden,' zeg ik tegen hem. 'Ik wil me heus niet bemoeien met jouw privéleven, Marino, maar ik ben niet zo voor die sociale media, tenzij ze vooral bedoeld zijn om op de hoogte te blijven van het nieuws, het enige wat ik volg op Twitter. We hoeven anderen er tenslotte niet op te attenderen wat wij hier doen en we willen er ook geen details over kwijt om vrienden te maken in de grote buitenwereld.'

'Ik zit niet als mezelf op Twitter, ik gebruik niets wat op mij terug te voeren is. Met andere woorden, je ziet mijn eigen naam niet, alleen mijn twitternaam, *The Dude...*'

'*The Dude?*'

'Het personage dat Jeff Bridges speelt in *The Big Lebowski*. Dat is mijn alias. Het punt is dat je nooit zou weten wat ik voor de kost doe tenzij je echt gaat zoeken op Peter Rocco Marino, en wie zou die moeite doen? Ik gebruik tenminste niet zo'n voorgekookte avatar zoals jij, dat is achterlijk.'

'Dus je presenteert jezelf op Twitter met een foto van een filmster die gespeeld heeft in een film over bowlen?'

'Toevallig wel de beste bowlingfilm ooit,' zegt hij verdedigend als de lift tot stilstand komt en de deuren opengaan.

Marino wacht niet af of ik nog iets wil zeggen, pakt de koffers op, een in elke hand, en loopt de lift uit met zijn honkbalpet laag op zijn bruine, kale hoofd en zijn ogen verborgen achter de Ray-Ban. Al die jaren dat ik hem al ken, inmiddels meer dan twintig, heeft hij het altijd overduidelijk laten merken wanneer hij zich gekwetst of niet gezien voelde, hoewel ik geen idee heb wat ik deze keer misdaan heb, behalve dat ik net met hem in discussie heb willen gaan. Maar hij was al uit zijn humeur toen hij mijn kantoor binnenkwam. Er is iets anders aan de hand. Ik vraag me af wat ik in godsnaam gedaan heb. Wat zou het deze keer zijn?

Hij heeft de hele week in Florida gezeten voor een bijeenkomst, dus in die tijd kan ik niets fout gedaan hebben. Daarvoor waren Benton en ik in Oostenrijk en ik bedenk dat dat waarschijnlijk de aanleiding is voor Marino's ongenoegen. Natuurlijk, dat moet het zijn, verdomme. Benton en ik waren samen met Luke Zenner, de adjunct-hoofdlijkschouwer, in Wenen voor de begrafenis van zijn tante, en ik voel me eerst gefrustreerd en vervolgens gepikeerd. Het is verdorie weer het oude liedje. Marino en zijn jaloezie, en Benton ook. Ik krijg wat van de mannen in mijn leven.

Ik moet op mijn woorden passen, want er zijn andere mensen in de buurt. Forensisch wetenschappers, administratieve krachten en onderzoeksmedewerkers lopen van de parkeerplaats aan de achterkant het gebouw in en haasten zich door de brede gang zonder ramen. Marino en ik zeggen niet veel tegen elkaar als we langs de telecomkast lopen, langs de afgesloten metalen deur die naar de enorme technische ruimte leidt en langs het odontologielab. Alles in het ronde gebouw van het CFC vormt een volmaakte cirkel, wat ik af en toe nog steeds lastig vind, vooral als ik probeer iemand de weg te wijzen. Er is geen eerste of laatste kantoor aan de rechter- of linkerkant, en een midden is er ook niet.

We lopen om naar de snijkamers en de röntgenkamers, onze voetstappen gedempt door de rubberzolen, en dan komen we in de ontvangstruimte met de roestvrijstalen inname- en uitgiftekoelcellen en de vriezers met digitale beeldschermpjes boven de zware deuren. Ik groet alle personeelsleden die we tegenkomen, maar blijf niet staan om een praatje te maken, en ik stel de bewaker, die vroeger bij de militaire politie heeft gediend, ervan op de hoogte dat er mogelijk een bijzonder geval binnenkomt.

'Er schijnen ongebruikelijke omstandigheden te zijn,' zeg ik tegen Ron, een krachtig gebouwde man met een donkere huid, die zich achter zijn ruitje nooit bijzonder druk lijkt te maken. 'Ik zeg het maar even voor het geval de media of god mag weten wie komen opdagen. Het is niet te voorspellen hoe groot het circus kan worden.'

'Ja, mevrouw,' zegt hij.

'We geven het wel door als we een idee hebben van wat er deze kant uit komt,' voeg ik er nog aan toe.

'Ja, mevrouw. Dat zou fijn zijn,' antwoordt hij. Hij zegt altijd mevrouw tegen me en volgens mij mag hij me wel, ook al laat hij dat niet merken.

Ik teken het logboek, een groot, zwart register en een van de weinige documenten die ik niet in elektronische vorm wens te hebben. Ik herken Marino's kleine, krampachtige notities over lijken die hier binnengebracht zijn sinds ik rond vijf uur, toen ik aankwam, voor het laatst in het boek gekeken heb, en als ik ze lees, merk ik dat wat Lucy rapporteerde slechts gedeeltelijk waar is. Hoewel er na kantooruren geen onderzoeker is weggeroepen, zijn er vier lichamen waarop sectie moet worden verricht. Degene die heeft besloten dat de lichamen hierheen moesten worden gestuurd voor een autopsie, was de dienstdoende onderzoeker en nu weet ik dat dat Toby was voor de man die vermoedelijk van de trap is gevallen, en Marino voor de rest.

De lichamen die Marino heeft ingeschreven kwamen uit plaatselijke ziekenhuizen of waren dood bij aankomst, twee door verkeersongelukken en een door een vermoedelijke overdosis, een zelfmoordgeval, en het was alleen nodig om naar de plek van de fatale gebeurtenissen te gaan als de politie daarom verzocht. Marino moet de informatie telefonisch hebben gekregen en ik draai me om om hem te vragen naar de zaken die we vandaag tot dusver hebben binnengekregen, maar degene die ik achter me voel, is Marino helemaal niet. Ik schrik een beetje als Luke Zenner opeens vlak achter me blijkt te staan, alsof hij de plaats van Marino heeft ingenomen of zomaar uit het niets is verschenen.

'Het was niet mijn bedoeling je te laten schrikken.' Hij heeft zijn koffertje in de hand en draagt een wit overhemd, met de mouwen opgerold tot aan zijn tengere ellebogen, een smalle das met rode en zwarte strepen, sportschoenen en een spijkerbroek.

'Neem me niet kwalijk. Ik dacht dat je Marino was.'

'Hij liep net op de parkeerplaats tussen de suv's en busjes te snuffelen, op zoek naar de beste met de grootste motor. Maar bedankt omdat je dacht dat ik hem was.' Hij trekt een ironisch glimlachje, zijn ogen staan warm en door zijn Britse accent zou je niet zeggen dat hij uit Oostenrijk komt. 'Ik ga ervan uit dat je het als een compliment bedoelde,' voegt hij er droog aan toe, en ik weet niet zeker of hij net zo'n hekel aan Marino heeft als Marino aan hem, maar ik vermoed dat die gevoelens wederzijds zijn.

Dokter Luke Zenner is in meerdere opzichten nieuw; hij is onlangs gediplomeerd, nog geen drie jaar geleden, en ik heb hem afgelopen juni pas aangenomen, zeer tegen de wens van Marino, moet ik zeggen. Luke is een getalenteerd forensisch patholoog en bovendien de neef van een vriendin van mij van wie we net de begrafenis hebben bijgewoond, dokter Anna Zenner, een psychiater met wie ik meer dan tien jaar geleden, toen ik nog in Richmond woonde, een goede band heb gekregen. Die connectie is de oorzaak van Marino's bezwaren, zo beweert hij althans, hoewel wrok waarschijnlijk een accuratere reden is voor het feit dat hij openlijk onaardig en niet hulpvaardig is tegen een heel vriendelijk ogende, jonge dokter met blonde haren en blauwe ogen, een wereldburger met wie ik persoonlijke banden heb.

'Ga je weg? Naar een plaats delict? Iets met het arrestatie-team? De schietbaan? Een realityshow?' Luke ziet wat ik aanheb en bekijkt me van top tot teen. 'Toch maar niet naar het gerechtshof?'

'We hebben een zaak in Boston, een lichaam in de haven. Het kan moeilijk zijn het op het droge te krijgen vanwege het visgerei en al het andere dat eraan vastzit,' antwoord ik. 'Dat van het gerechtshof weet ik nog niet, maar ik zal er waarschijnlijk wel naartoe moeten. Je hebt tegenwoordig niet veel keus.'

'Vertel mij wat.' Hij kijkt naar een groep forensisch wetenschappers op weg naar de lift, jonge vrouwen die ons verlegen groeten en hun ogen amper van hem kunnen afhouden. 'Je hoeft je initialen maar ergens onder te zetten en je moet al verschijnen.' Zijn aandacht blijft even bij de vrouwen en dat doet me denken aan Marino's beschuldiging dat Luke neemt wat hij wil, wie ze ook is, getrouwd of niet. 'Het is meestal pure pesterij.'

'Soms wel,' beaam ik.

'Ik kan wel meegaan als je hulp nodig hebt. Wat is het voor zaak? Een verdrinking?' Zijn felblauwe ogen zijn nu op mij gericht. 'Ik herinner je er nog maar even aan dat ik ook gediplomeerd duiker ben. We kunnen samen duiken. Het zicht in de haven is ongetwijfeld heel slecht en het water is ijskoud. Je moet niet alleen gaan. Marino duikt niet. Ik doe het met alle plezier.'

'Ik weet op dit moment niet precies waar we mee te maken hebben, maar ik denk dat we het wel redden,' antwoord ik. 'Ik neem aan dat jij de ochtendronde waarneemt en de zaken onder de andere dokters verdeelt. Dat zou ik zeer waarderen.'

'Natuurlijk. Als je even hebt, kunnen we dan eens praten over het rooster of het uitblijven daarvan?'

Hij kijkt me strak aan terwijl ik de deur naar de parkeergarage opendoe, en zijn gretige gezicht lijkt zo op dat van zijn tante dat het me van mijn stuk brengt. Of misschien is het hoe hij naar me kijkt, hoe hij zich van me bedient, wat voor gevoel dat bij me teweegbrengt en de problemen die dat al heeft veroorzaakt.

'Het is nogal een probleem.' Hij zegt eigenlijk dat Marino dat is, en misschien bedoelt hij nog iets meer.

En dat iets meer is waar ik bang voor ben, en ik moet denken aan Wenen, na de dienst, toen Luke Benton en mij meenam over de elegante, met bomen omzoomde paden van het Zentralfriedhof om ons de graven van Brahms en Beethoven en Strauss te laten zien. Benton raakte merkbaar uit zijn humeur. Ik voelde zijn ongenoegen als hagel die in mijn gezicht sloeg.

'Ik begrijp het, en ik zal hem erop aanspreken.' Ik beloof Luke dat ik het probleem met de elektronische agenda zal oplossen, dat ik die voortaan door Bryce zal laten invullen als dat nodig is, en terwijl ik dat allemaal zeg, denk ik terug aan wat er gebeurd is.

Het was afschuwelijk. Bentons zichtbare wrevel was gewekt door het simpele feit dat Luke volmaakt Engels en Duits spreekt en dat hij bij een heel trieste gebeurtenis, de begrafenis van zijn tante, van wie ik oprecht hield, een attente en toegenegen gids kon zijn. Luke, haar enige neef, was galant en dapper en onverstoorbaar charmant, en toen we even bleven staan om naar het monument voor Mozart te kijken, waar mensen kaarsen en bloemen op de marmeren treden hadden gezet, sloeg Luke zijn arm om me heen om me ervoor te bedanken dat ik naar Wenen was gekomen voor de begrafenis van Anna, zijn enige tante en iemand die ik nooit zal vergeten.

Dat was alles, een omhelzing waarbij hij me gedurende één teder moment tegen zich aan trok. Maar het was genoeg. Toen Benton en ik terug waren in ons hotel bij de Ringstrasse, gingen we aan de drank zonder eerst iets te eten en kregen we ruzie.

'Waar is je zelfrespect?' begon het verhoor van mijn man de FBI-agent, en ik wist wat hij bedoelde, maar wilde het niet toegeven. 'Je ziet het echt niet, hè Kay?' Hij beende woedend door de kamer terwijl hij nog een fles champagne openmaakte. 'Zo beginnen die dingen, het is maar dat je het weet.' Hij weigerde me aan te kijken. 'Hij is de neef van een vriendin, je behandelt hem alsof hij familie is en je geeft hem een baan en voor je het weet...' Hij dronk in één teug de helft van zijn glas leeg. 'Hij is Lucy niet. Je doet alsof je zijn enige tante bent, zoals Anna zijn enige tante was, en op de een of andere manier word je daardoor eigenlijk een moeder voor hem, net zoals je een moeder bent voor Lucy, en voor je het weet...'

'Voor ik wát weet, Benton? Voor ik het weet duik ik met hem in bed? Is dat de logische afloop als ik mensen begeleid en een moeder voor ze ben?' Ik voegde er niet aan toe dat ik toch ook niet met mijn nicht naar bed ga.

'Je hebt je zinnen op hem gezet. Je wilt een jonger iemand. Dat gebeurt als we ouder worden, het gebeurt altijd, omdat we onze jeugd vast willen houden, ervoor willen vechten en het terug willen. Dat is het probleem. Het zal altijd een probleem blijven en dat wordt alleen maar erger. En jonge mannen willen je als een trofee.'

'Ik heb mezelf nooit beschouwd als een trofee.'

'En misschien verveel je je.'

'Jij verveelt me nooit, Benton.'

'Ik zei niet dat ík je verveel,' zei hij.

Ik loop door de met beige epoxyverf geschilderde parkeergarage, die zo groot is als een kleine hangar, en zoals deze week al een aantal keren is gebeurd, komt de gedachte bij me op dat ik niet het gevoel heb dat ik ben uitgekeken op mijn baan of mijn leven, en zeker niet op Benton, dat zeker niet. Het is onmogelijk om verveeld te raken bij zo'n complexe, elegante man, die ik altijd uiterst onweerstaanbaar en onmogelijk te bezitten vind, omdat iets in hem altijd onbereikbaar blijft, hoe intiem we ook worden.

Maar het is waar dat ik naar andere aantrekkelijke mensen kijk, en ik merk het zeker als ze naar mij kijken, en omdat ik niet meer zo jong ben als ik ben geweest, is dat kijken misschien belangrijker geworden. Maar het is gewoon niet waar dat ik me er niet van bewust ben, dat ben ik wel, genoeg om te weten dat het voor vrouwen veel moeilijker is. Moeilijker op een manier die mannen nooit zullen begrijpen, en ik vind het afschuwelijk om herinnerd te worden aan onze ruzie en hoe die is geëindigd, namelijk met Bentons bewering dat ik niet eerlijk tegen mezelf ben.

Ik bedenk dat juist de vrouw tegen wie ik helemaal eerlijk kon zijn degene is die het probleem ongewild veroorzaakt heeft. Anna Zenner, mijn oude vertrouwelinge, die me altijd verhalen vertelde over haar neef Luka, of Luke, zoals wij hem allemaal kennen. Hij vertrok uit Oostenrijk om in Engeland naar een kostschool te gaan, daarna heeft hij in Oxford en aan King's College in Londen medicijnen gestudeerd en uiteindelijk is hij naar Amerika gekomen, waar hij zijn opleiding tot forensisch patholoog afmaakte bij de lijkschouwer van Baltimore, die zo'n beetje de beste faciliteiten ter wereld heeft. Hij kreeg uitstekende referenties mee en heeft veel prestigieuze aanbiedingen gehad, en ik heb geen problemen met hem en zie niet waarom iemand anders zou twijfelen aan zijn kwaliteiten of het gevoel zou hebben dat ik hem een gunst heb bewezen door hem aan te nemen.

De roldeur is omhoog en aan de andere kant van de betonnen ruimte zijn door de grote, vierkante opening het asfalt en de schone, blauwe lucht te zien. De auto's en CFC-wagens, allemaal wit, glanzen in het licht van deze herfstochtend. Het terrein wordt afgeschermd door een hek met pvc-coating, waar je niet overheen kunt klimmen, en daarbovenuit verheffen zich de MIT-labs van baksteen en glas met de radarschotels en antennes op het dak, die aan twee kanten boven mijn met titanium afgewerkte gebouw uit steken. In het westen ligt Harvard met de theologische faculteit vlak bij mijn huis, dat ik natuurlijk niet kan zien door het dichte, donkere hek dat de wereld weghoudt van de mensen die aan mijn zorg zijn toevertrouwd, mijn patiënten, die allemaal dood zijn.

Als ik op het asfalt stap, komt er grommend een witte Tahoe aan. De lucht is koel en helder als glas, en ik trek mijn jack aan, dankbaar dat Bryce mijn kleding voor die dag heeft uitgekozen. Ik had nooit gedacht dat ik eraan gewend zou raken dat een collega zich om mijn garderobe bekommert. Ik ben iets op prijs gaan stellen waar ik me aanvankelijk tegen verzette, hoewel zijn goede zorgen tot gevolg hebben dat ik zelf vergeetachtig word en me totaal niet meer interesseer voor de relatief onbelangrijke details die hij gemakkelijk aankan. Maar hij had gelijk, ik zal het jack nodig hebben, want het is vast koud op de boot en er is een heel goede kans dat ik nat zal worden. Als er iemand het water in moet, zal ik het zijn. Daar ga ik al van uit.

Ik wil precies kunnen zien waar we mee te maken hebben en ervoor zorgen dat het lichaam op de juiste manier wordt behandeld, met zorg en respect, zodat ons niets kan worden verweten en we ons bij voorbaat indekken tegen beschuldigingen van advocaten, die er altijd zijn. Marino kan me helpen of niet, maar hij is geen duiker en voelt zich niet fijn in een wetsuit of drysuit, omdat hij naar zijn zeggen in zo'n pak het gevoel heeft dat hij stikt. Hij kan ook niet zo goed zwemmen. Hij mag op de boot blijven, ik handel de zaak zelf wel af. Ik ga geen ruzie met hem maken, met niemand niet. Ik ben het zat om ruzie te maken en bang te zijn dat de kleinste dingen verkeerd geïnterpreteerd zullen worden. Alsof ik een verhouding zou beginnen met de neef van Anna Zenner, die zelfs als hij alleenstaand was veel geschikter zou zijn voor Lucy, als haar voorkeuren daar tenminste mee in overeenstemming waren.

Ik ben geen moeder voor Luke, en wat me nog steeds enorm steekt aan Bentons opmerking is de implicatie dat ik oud ben. Zo oud als het Eurostile-font, dat doet denken aan een voorbije tijd, de jaren vijftig en zestig, die ik me amper kan herinneren en die ik niet wil zien als het tijdperk waartoe ik behoor. Ik voel Bentons onuitgesproken suggestie als een inwendige wond die chronisch pijn doet, een deprimerend symptoom van de schade die ik heb opgelopen, waarvan ik me pas bewust werd toen hij in Wenen die boze woorden tegen me sprak. Ik zie mezelf anders sinds hij dat gezegd heeft, en ik weet niet of ik kan herstellen van de diepere wonden die hij me heeft toegebracht.

6

Ik tik het afdekplaatje van de vingerscanner aan de zijkant van het gebouw omhoog en leg mijn linkerduim op het venster. De torsiemotor zoemt, en het loodzware rolluik rolt met veel kabaal aan stalen kettingen omlaag.

'Bij de kustwacht hebben ze vast wel droogpakken,' zeg ik tegen Marino, terwijl ik naast hem in de Tahoe ga zitten. Typisch Marino.

Hij heeft een auto uitgekozen die pas gewassen is en een volle tank heeft, iets wat Luke Zenner niet ontgaan zal zijn toen Marino zijn blik over de voertuigen liet gaan die op de parkeerplaats voorhanden waren. Ik ruik de aangename geur van Armor All, het dashboard glimt en de vloer is smetteloos schoon. Marino houdt van krachtige wagens, hoe meer vermogen en lawaai hoe beter. Ik weet dat hij totaal geen waardering kan opbrengen voor de nieuwe Toyota Sequoia's die ik heb uitgekozen, zuinige, praktische auto's die ik altijd neem omdat ik niemand iets heb te bewijzen.

'In elke auto liggen altijd een paar droogpakken klaar. Dat controleer ik hoogstpersoonlijk.' Marino wil me even inwrijven dat hij zijn taken met toewijding uitvoert, en ik voel dat het gesprek de verkeerde kant uitgaat. 'Er liggen er twee achterin. Heb ik nagekeken.'

'Prima.' Ik doe mijn autogordel om en mijn zonnebril op terwijl hij achteruitrijdt. 'Maar hopelijk zijn die dingen van de kustwacht beter dan die van ons. Grote kans, want die pakken van ons zijn niet veel soeps. Je kunt er wel eenvoudig zoek- en reddingswerk mee doen, maar ze zijn totaal ongeschikt voor het veiligstellen van bewijsmateriaal.'

'Overtollig spul van de overheid,' zegt Marino. Er zit hem iets dwars.

Dat merk ik altijd direct.

'Rotzooi die ze bij Binnenlandse Veiligheid of Defensie voor een prikje op de kop hebben getikt. Vervolgens willen ze er vanaf en wordt de hele handel naar onderen doorgeschoven,' zegt hij. 'Net als die kartonnen dozen met VISVOER erop, die we kregen om organen in op te bergen. Weet je nog? Toen we nog in Richmond zaten?'

'Dat is niet iets wat je snel vergeet.'

Vlak nadat ik Luke had aangenomen, begon Marino te twitteren, en misschien ook wel weer te drinken. Misschien heeft Luke hem gevraagd waar we naartoe gingen en hem eraan herinnerd dat hij PADI-duikcursussen heeft gedaan, er officiële papieren in heeft gehaald en er zelfs les in mag geven, inclusief reddingsduiken.

'Omdat je een zooi geplastificeerde dozen nodig had en er goedkoop aan kon komen?' zegt Marino met enige nostalgie in zijn stem.

'We hebben ze gewoon gebruikt, want we hadden geen keus.'

'Ja, als dat nu gebeurde, zou een advocaat wel weten wat hij ermee zou moeten.'

Ik denk aan Mildred Lott en wat me hoogstwaarschijnlijk te wachten staat. Voor zover ik weet, moet ik nog steeds komen opdraven. Was ik maar wat voorzichtiger geweest. Was ik maar niet zo stom geweest om zulk sullig commentaar te geven. Nu ben ik bang dat de pers ermee aan de haal gaat.

'Misschien hoeven we helemaal niet het water in als ze nog dicht aan het oppervlak is.' Marino remt af als hij bij het zwarte metalen hek komt. 'Op de foto die Pam heeft gestuurd, lijkt het alsof we haar zo kunnen opvissen. Waarschijnlijk kunnen we de lijnen gewoon inhalen zonder een droogpak te hoeven aantrekken, maar wie zal het zeggen.'

'We mogen niet zomaar aannemen dat het om een vrouw gaat.'

'Nagellak.' Hij spreidt zijn vingers alsof hij nagellak op heeft, en dan gaat zijn hand naar de zonneklep en drukt hij op de afstandsbediening. 'Op die foto van Pam was dat goed te zien.' Hij verwijst naar de jong ogende marien biologe alsof ze meteen al erg close zijn. 'Duidelijk nagellak. De kleur kon ik niet zien. Mogelijk roze.'

'Je kunt maar beter geen enkele veronderstelling maken.'

'Nou, we hebben een eigen duikteam nodig. Ik heb erover na zitten denken om zelf een duikbrevet te halen,' zegt hij. Alsof dat ooit zal gebeuren.

Marino zegt altijd dat God ons wel kieuwen gegeven had als we het water in hadden gemoeten. Eens zei hij het zo hard dat Luke het ook gehoord moet hebben, en ik vraag me af of Marino er weet van heeft dat Luke net heeft aangeboden samen met mij te gaan duiken. Misschien hebben ze het er op de parkeerplaats met elkaar over gehad.

'Al die lichamen die we hier uit het water moeten halen,' gaat Marino verder. 'In baaien, meren, rivieren, de zee. De brandweer en de kustwacht en zelfs de reddingsbrigades hebben geen zin om zich met lijken bezig te houden.'

'Dat komt doordat ze daar niet voor zijn aangenomen,' merk ik op. Altijd als hij aan een stuk doorpraat, helemaal vol van zichzelf, ben ik bang dat ik iets te horen zal krijgen waar ik niet blij van word.

'Als we maar een boot hadden. Ik heb een vaarbrevet, dus we kunnen zo beginnen. Met een Zodiac Hurricane zouden we al een heel eind komen, opblaasboot, vormvaste romp, zesenhalve meter lang, tweeënveertig pk. Misschien kunnen we geld lospeuteren voor nieuwe droogpakken en ook voor een boot, die we hier dan op een trailer kunnen stallen, zodat we onze eigen gang kunnen gaan,' zegt hij vol vertrouwen. 'Ik zou me daar met gemak over kunnen buigen. Dat soort dingen kan ik met mijn ogen dicht.'

Het is druk op de weg wanneer we op Memorial Drive invoegen. Het hek blijft roerloos openstaan terwijl andere collega's van het CFC het terrein oprijden.

'Ik zou ervoor zorgen dat alle spullen altijd op voorraad zijn en dat alles keurig schoon op de juiste plaats ligt,' zegt hij. 'Ik zou alles netjes volgens het boekje doen, zodat je niet bang hoeft te zijn dat een advocaat met de beschuldiging komt aanzetten dat het bewijsmateriaal vervuild is. Als je nog steeds van plan bent vanmiddag te gaan, moet ik eigenlijk met je mee. Ik wil niet dat je je in je eentje in de buurt van Channing Lott waagt.'

'Hij zal me in het gerechtsgebouw heus niet aanvliegen, met al die gerechtsbodes om ons heen.'

'Het probleem is wat voor lieden zo'n klootzak buiten heeft rondlopen,' zegt Marino. 'Iemand als hij heeft genoeg geld om iemand in te huren die allerlei smerige klussen voor hem opknapt.'

'Blijkbaar was hij niet van plan iets te betalen toen hij besloot dat zijn vrouw uit de weg geruimd moest worden.'

'Precies. Hij mag van geluk spreken dat ze hem al die tijd hebben vastgehouden. Ik zou me niet op mijn gemak voelen als ik een huurmoordenaar een paar ton had beloofd en me vervolgens niet aan de afspraak had gehouden.'

'Hebben we vervoer?'

'Ja. Toby gaat met een van de busjes naar de kustwachtbasis. Ik heb gezegd dat hij pas over een uur hoeft te gaan rijden.'

Aan de overkant van de drukke straat die om ons gebouw heen loopt, ligt de donkerblauwe rivier glinsterend in de zon. De blaadjes van de hardhoutbomen langs het water worden al geel en rood op plekken waar de lucht door het koude water wordt gekoeld. De herfst heeft dit jaar lang op zich laten wachten, we hebben nog geen enkele keer nachtvorst gehad, en de meeste bomen zijn nog groen en beginnen pas te verkleuren. Ik ben bang dat we dit jaar zonder overgang de winter in duiken, iets wat zo ver noordelijk bijna van de ene op de andere dag kan gebeuren.

'Ik weet van de e-mail,' zegt Marino uiteindelijk. Ik had al verwacht dat hij er op een gegeven moment over zou beginnen.

Ik kon me al niet voorstellen dat Lucy hem er niets over had verteld, en dat zeg ik hem ook.

'Waarom heb je me niet meteen gebeld?' vraagt hij.

Aan de andere kant van de rivier staan de hoge flats van het centrum van Boston, met daar tegenover de binnen- en buiten-havens en de Massachusetts Bay, waar een blusboot voor ons klaar ligt. Ik hoop dat de schildpad het gered heeft. Ik zou het heel naar vinden als dat beest verdronken was.

'Ik wist niet of je nog in het vliegtuig zat of waarom ik je ermee lastig zou vallen,' zeg ik. 'Een gestoord type die me flink aan het schrikken wilde maken en daar helaas in geslaagd is. Ik hoop dat het niets meer dan een smakeloze grap is.'

'Je had me er wel mee moeten lastigvallen, omdat het als een dreigement kan worden opgevat. Een dreigement aan het adres van een overheidsfunctionaris. Het verbaast me dat Benton dat niet ook zo ziet.' Dat zegt Marino meer om me uit de tent te lokken. Waarschijnlijk twijfelt hij er net als altijd aan of Benton zich wel voldoende druk maakt om mijn veiligheid, en zelfs of hij wel een goede echtgenoot voor me is.

'Heeft Lucy je ook verteld vanaf welke locatie het mailtje ver-stuurd is? Het ip-adres?'

'Ja, dat weet ik. Misschien om de indruk te wekken dat het mailtje van een van ons afkomstig was. Van Bryce, van mij, van iemand die gisteren op Logan landde rond de tijd dat je dat mail-tje binnenkreeg. De vraag is wie jou dat idee wil geven, wie er baat bij heeft dat je het gevoel krijgt dat je de mensen om je heen niet meer kunt vertrouwen.'

Hij sorteert rechts voor om de Longfellow Bridge op te kun-nen rijden, met de torens die op peper- en zoutvaatjes lijken. Ik denk terug aan Lucy en hoe ze haar blik door mijn kantoor liet gaan. We stranden in een lange stroom auto's die over de brug richting Beacon Hill gaan. Door de spits komen we nauwelijks vooruit, het verkeer vormt een lange rij over het water tot aan Cambridge Street, tot zover het oog reikt. Ze zei dat het iemand uit onze eigen gelederen was, iemand die we kennen, en ik kan me levendig voorstellen hoe zij en Marino het erover hebben ge-had en allerlei wilde speculaties en verdenkingen de revue heb-ben laten passeren. Al bij het minste of geringste windt ze zich vreselijk op en grijpt ze de strijdbijl.

'Hoor eens, het is algemeen bekend dat ik geen hoge dunk

van hem heb. Want wat weten we per slot van rekening nou helemaal over hem, behalve dat hij de neef van Anna is?' zegt Marino dan. Ik sta er niet van te kijken dat hij het gesprek uiteindelijk op dit onderwerp heeft gebracht. 'Lucy en ik maken ons zorgen over motieven waar jij misschien niet meteen aan zou denken. We proberen een link te leggen, en die is er wel degelijk, via zijn vader.'

'Een link waarmee?'

'Misschien een link met tal van zaken, inclusief dat mailtje dat via Logan in jouw mailbox is beland, en inclusief de mogelijkheid dat er meer tussen jullie is dan... Ik bedoel, het is nogal duidelijk dat je erg van hem gecharmeerd bent...'

'Ik vind het niet fijn dat je dergelijke ideeën met Lucy bespreekt, of met wie dan ook.' Ik onderbreek hem om te voorkomen dat hij hardop een dergelijke beschuldiging over mijn band met Luke verwoordt.

'Zijn vader is in Oostenrijk toch een grote jongen in de financiële wereld?'

'Je moet uitkijken wat voor ideeën je anderen aanpraat.'

'Je hebt Günter toch gezien bij Anna's begrafenis?' Hij blijft het proberen.

Günter is Anna's broer; ze heeft geen zussen meer. Ik heb hem vluchtig gezien tijdens de toespraak bij het graf op het Zentralfriedhof, een uitgemergelde oude man in een lange donkere jas, leunend op een stok, met een onbeschrijfelijk trieste blik in zijn ogen.

'Het blijkt dat hij onder andere in de olie zit,' zegt Marino terwijl we tergend langzaam over de brug rijden. De lage zon schijnt recht in ons gezicht, zo fel als het licht van een brandglas.

'Heeft Lucy dat uitgezocht?'

'Wat van belang is, is dat het waar is,' zegt hij. 'En die pijpleiding van Alberta naar Texas is voor de oliehandel van levensbelang. Ze rekenen er echt op, hebben er zwaar in geïnvesteerd, en verwachten dat hij miljoenen of zelfs miljarden zal gaan opbrengen.'

'Heb je enig idee hoeveel oliehandelaren er wereldwijd zijn?' werp ik tegen.

Dit moet wel een idee van Lucy zijn, en ik vermoed dat ze erachter is gekomen dat Marino vannacht in het CFC is gebleven doordat ze op een gegeven moment naar hem op zoek is gegaan. Misschien wilde ze hem spreken en bleek toen dat hij had zitten drinken en dat hij op het luchtbed in slaap was gevallen, ik weet het niet, en ik reconstrueer wat er gebeurd is nadat ik 's avonds om halfzeven het anonieme mailtje binnenkreeg.

Nadat Benton en ik er een tijdje over hadden zitten praten, heb ik de politie van Grande Prairie gebeld. Ik werd doorverbonden met ene rechercheur Glenn van de Royal Canadian Mounted Police, die met de zaak Emma Shubert belast is vanaf het moment dat ze in augustus is verdwenen. Wat me het meest opviel, was de aarzeling die ik bij hem bespeurde, en wat dat impliceerde, en ik vertelde Lucy er iets over toen we het mailtje telefonisch bespraken.

Dr. Shubert was uiterst bedreven in het reconstrueren van skeletten van dinosaurussen, zei rechercheur Glenn, waarmee hij impliceerde dat iemand die in een lab afgietsels en exacte replica's van botten kan maken, zeer wel in staat is ook andere vervalsingen te produceren, zoals een afgesneden oor.

'Die olieleiding is heel belangrijk voor de wereldolieprijs,' gaat Marino verder. Hij spint een web waarin hij Luke Zenner wil verstrikken.

'Dat zal ongetwijfeld zo zijn,' verklaar ik.

'Daar zijn biljoenen aan handelsbelangen mee gemoeid.'

'Dat zou me niets verbazen.'

'Hoe weet je dan zo zeker dat er geen link is?' Hij kijkt me vanachter het stuur aan.

'Leg jij dan eens uit op welke wijze de oliebelangen van Günter Zenner, kennelijk een van zijn vele zakelijke ondernemingen, iets te maken hebben met de verdwijning van Emma Shubert en met het mailtje dat ik heb gehad?' stel ik onomwonden.

'Misschien is ze verdwenen omdat ze daar zelf voor gekozen heeft. Misschien had ze een conflict met de jongens van het grote geld. Die foto van dat oor en die video die je gekregen hebt, zijn bedoeld om ons te laten denken dat ze dood is.'

'Dat is een aanname die nergens op gebaseerd is.'

'Jij zult het hoe dan ook altijd voor hem opnemen,' zegt Marino. 'En dat is precies waar Lucy en ik ons zorgen over maken.'

'Zijn jullie de hele nacht opgebleven om die losse puzzelstukjes in een beeld te proppen dat jullie met z'n tweeën verzonnen hebben? Is het zo belangrijk voor jullie dat hij aan de kant wordt gezet?'

'Het enige wat ik van je vraag, is dat je de zaken objectief bekijkt, doc,' zegt Marino. 'Ook al is dat onder de gegeven omstandigheden nog zo moeilijk.'

'Ik probeer altijd zo objectief mogelijk te zijn,' antwoord ik rustig. 'Dat raad ik jou en alle anderen ook altijd aan.'

'Ik weet hoe close jij en Anna waren, en zelf vond ik haar ook heel aardig. Toen we nog in Richmond zaten, was ze een van de weinigen van wie ik blij was dat je haar vertrouwde en met haar optrok.'

Alsof Marino mijn vrienden voor me uitzoekt.

'Maar haar familie heeft een schimmig verleden, en het is mijn plicht om je daarop te wijzen, hoe vervelend ik het ook vind,' voegt hij eraan toe.

'In de oorlog hebben er nazi's in het huis van de Zenners gezeten.' Ik weet precies waar hij naartoe wil. 'Dat is niet iets waardoor Anna of haar familie, Luke inbegrepen, een schimmig verleden zouden hebben.'

'Nou, met dat blonde haar en die blauwe ogen past hij wel opvallend goed in het plaatje.'

'Wil je zulke opmerkingen voor je houden, alsjeblieft?'

'Als je de andere kant op kijkt, ben je net zo schuldig als de klootzakken die het doen,' zegt hij. 'De nazi's hebben in het chique kasteel van de Zenners gezeten terwijl iets verderop duizenden mensen werden gemarteld en vermoord. De familie van Anna heeft geen vinger uitgestoken om dat tegen te gaan.'

'Wat hadden ze dan moeten doen?'

'Weet ik veel,' zegt Marino.

'Een moeder, een vader, drie jonge dochters en een zoon?'

'Weet ik veel. Ze hadden in elk geval íéts moeten doen.'

'Wát dan? Het is een wonder dat ze de oorlog hebben overleefd.'

'Misschien zou ik liever zijn doodgegaan dan hebben meegewerkt.'

'Als je in je eigen huis wordt gegijzeld door soldaten die je dochters verkrachten, en god weet wat ze allemaal met dat jongetje hebben uitgespookt, betekent dat nog niet dat je met ze meewerkt.' Anna heeft me haar vreselijke ervaringen toevertrouwd, bij haar achter het huis, toen een woeste wind dode takken en bruine blaadjes door de tuin blies en ik in een schommelstoel zat en me van alle kanten door angst omringd voelde.

Ik durfde nauwelijks adem te halen toen ze me over het *Schloss* vertelde dat al eeuwenlang familiebezit was, bij Linz, aan de Donau. Dag in dag uit waren aan de horizon de wolken des doods van het crematorium bij Mauthausen te zien, waar een diepe krater lag, een granietgroeve waar duizenden gevangenen tewerk waren gesteld. Joden, Spaanse republikeinen, Russen, homo's.

'Je weet niet waar Günter Zenner al zijn geld vandaan heeft,' hoor ik Marino zeggen, terwijl ik zie dat de zon schijnt maar het binnen in me duister blijft. Ik denk aan de avonden in het huis van Anna, in Richmond, tijdens een van de meest aangrijpende periodes van mijn leven. 'Het is een feit dat Günter al vermogend was voordat hij zich in de bankierswereld begaf. Anna en hij erfden een fortuin van hun vader, die nazi's in het familiekasteel toeliet. De Zenners zijn rijk geworden met behulp van Joods geld en granietgroeves. Een daarvan was een concentratiekamp, dat zo dichtbij lag dat ze de rook konden zien die uit de ovens opsteeg.'

'Dat zijn afschuwelijke aantijgingen,' zeg ik tegen hem, terwijl ik naar buiten staar.

'Wat afschuwelijk is, is waar Luke je aan doet denken,' zegt Marino. 'Een periode die je je niet meer voor de geest hoeft te halen nu alles goed gaat. Waarom wil je in godsnaam herinnerd worden aan een tijd waarin alles misging en je het jezelf kwalijk nam dat Benton om het leven was gekomen, althans dat dacht je toen. Je nam jezelf van alles kwalijk, inclusief Lucy. Zij wil dit ook niet. Ze wil ook niet dat je weer helemaal overstuur raakt vanwege haar en dat je denkt dat het allemaal jouw schuld is.'

'Ik had daar nog helemaal niet aan gedacht,' antwoord ik, maar nu hij het weer heeft opgerakeld, denk ik er natuurlijk wel aan.

Ik heb al een hele tijd geen gedachten meer gewijd aan Lucy's begintijd in de Engineering Research Facility van de FBI, maar nu zie ik weer voor me hoe ze toen was, en daar word ik niet blij van. Ze was een getroebleerde tiener die met computers kon toveren en bijna in haar eentje het CAIN opzette, het Criminal Artificial Intelligence Network van de FBI. Ondertussen werd ze verliefd op een psychopaat die ons bijna allemaal fataal werd.

Door mij heeft ze die stage bij de FBI *gekregen,* weet ik nog dat ik verbitterd tegen Anna zei toen ik bij haar in de woonkamer zat, dicht bij de open haard, met alle lampen uit omdat ik in het donker altijd makkelijker praat. *Echt waar. Door mij, haar invloedrijke, hooggeplaatste tante.*

Dat is niet helemaal gegaan zoals je je dat had voorgesteld, hè?

Carrie heeft haar gebruikt...

Is ze door haar lesbisch geworden?

Je kunt iemand niet lesbisch maken, zei ik, en toen stond de psychiater Anna op. Haar fijnbesneden, trotse gezicht werd door de gloed van de open haard beschenen. Ze liep weg, alsof ze een andere afspraak had.

'Ik weet wel dat je het niet wilt horen.' Marino gaat maar door. 'Maar toch wil ik je erop wijzen dat je Luke begin juli hebt aangenomen en dat de dinosaurusdame nauwelijks zes weken daarna is verdwenen uit dezelfde streek als waar de olie wordt gewonnen waarin zijn vader heeft geïnvesteerd.'

Het hele noordwesten van Canada is afhankelijk van de gas- en oliewinning, zegt hij, en als de aanleg van die pijpleiding stagneert, gaat dat de vader van Luke een vermogen kosten, een vermogen dat Luke anders zou erven.

'Hij erft alles,' zegt Marino. 'Hij is de enige die nog over is. We weten dat het mailtje met dat afgesneden oor en mogelijk Emma Shubert in de jetboot vanuit Boston naar je is toegestuurd, vanaf Logan. Waar was Luke gisteravond om halfzeven?'

'Wat heeft de verdwijning van Emma Shubert te maken met de vertraagde of uitgestelde aanleg van een pijpleiding?' vraag ik. 'Leg me eens uit waarom datgene wat jij beweert geen totale onzin is, geen wilde theorie. Want als blijkt dat ze vermoord is en haar brute dood iets te maken heeft met die pijpleiding, zal dat de tegenpartij, de milieuactivisten, alleen nog maar woedender maken. Dan zal de publieke opinie zich alleen maar tegen de oliemaatschappijen keren.'

'Misschien is dat het hem juist,' zegt hij. 'Net als die investeerders die erop rekenden dat de huizenmarkt zou instorten en een gigantische winst maakten toen dat inderdaad gebeurde.'

'Goeie genade, Marino.'

Hij houdt even zijn mond.

'Luister. Ik geef toe dat ik bij het aannemen van personeel niet altijd de meest gelukkige keuzes heb gemaakt.' Zover wil ik hem wel tegemoetkomen, want het is gewoon waar. Ik besluit hem niet in te wrijven dat er mensen zijn die vinden dat hij een van de mensen is die ik nooit had mogen aannemen. 'De mensen die het dichtst bij me staan, kan ik niet altijd goed beoordelen.' Daar valt Pete Marino ook onder, maar dat zal hij nooit van mij horen.

Toen we elkaar meer dan twintig jaar geleden voor het eerst tegenkwamen, werkte hij in Richmond als rechercheur Moordzaken, net overgeplaatst van New York naar de voormalige hoofdstad van de Confederatie, waar ik pas benoemd was als nieuwe hoofdlijkschouwer van Virginia, de eerste vrouw die ooit die positie kreeg. In het begin deed Marino er alles aan om zich te profileren als een bekrompen zak, en hij is me regelmatig afgevallen. Maar ik hou hem aan en zou niemand anders willen, omdat ik trouw ben en om hem geef en hij net zoveel goede als slechte eigenschappen heeft. We zijn een onwaarschijnlijk duo, en dat zal ook wel altijd zo blijven.

'Ik ben me er terdege van bewust dat het voor iedereen consequenties heeft als ik iemand aanstel,' verklaar ik op dezelfde rustige toon, en ik probeer zo geduldig mogelijk met zijn onzekerheden en angsten om te gaan en me ondertussen voor te houden dat ik zelf ook verre van volmaakt ben. 'Maar je moet niet bij voorbaat stellen dat iemand die ik persoonlijk ken wel niet goed in zijn werk zal zijn of zelfs over geen greintje beschaving beschikt.'

'Ongelofelijk dat de Bruins ooit de Stanley-cup hebben gewonnen.' Het is Marino's manier om een gesprek te beëindigen wanneer er voor hem geen winst meer te behalen is. 'Ik vraag me af of ik dat een tweede keer zal meemaken.'

De TD Garden, oftewel de Garden, zoals het stadion door de inwoners van Boston genoemd wordt, doemt links voor ons op. Hier in Commercial Street zijn we nog maar een paar minuten van de kustwachtbasis af.

'Ik heb hier wel eens een paar van die jongens zien rondlopen, samen met hun vrouw, als ze de hond uitlieten. Heel aardige kerels, helemaal niet uit de hoogte of zo,' zegt Marino. Op de kruising verderop staat een agent het verkeer te regelen.

'Volgens mij is er een begrafenis.' Aan de overkant van het ijshockeystadion rijden zwarte lijkwagens, en de weg is afgezet met oranje pylonen.

'Oké. Dan gaan we hier naar rechts en steek ik wel door naar Hanover.' Hij voegt de daad bij het woord. 'Ik heb er wel eens een paar getwitterd, maar ze antwoorden natuurlijk niet als je dat anoniem doet en op je twitter-account niet eens je eigen foto kunt zetten.'

'Misschien reageren ze sowieso niet. Sorry om het te moeten zeggen.'

'Ja, dat krijg je als je vijftigduizend volgers hebt. Ik heb er maar honderdtweeëntwintig,' zegt hij.

'Dat zijn heel wat vrienden.'

'Maar ik heb geen idee wie dat allemaal zijn,' zegt hij. 'Ze denken dat ik Jeff Bridges ben of zo. Je weet wel, van die film. Tig bowlers vinden die fantastisch. Zo'n beetje een cultfilm.'

'Dus jij volgt mensen die je niet kent, en zij volgen jou.'

'Ja, ik weet dat het raar klinkt, en je hebt helemaal gelijk. Ik zou vast veel meer volgers hebben en veel meer mensen zouden me een tweet terugsturen als ik mezelf kon zijn,' zegt hij.

'Waarom is dat zo belangrijk voor je?' Ik kijk naar hem terwijl we langzaam langs de Italiaanse restaurants en cafés van North End rijden, waar het rond deze tijd altijd druk op straat is, hoewel er weinig zaken open zijn, behalve wat koffietenten en taartenwinkeltjes.

'Weet je wat het is, doc? Op een gegeven moment wil je wel eens weten waar je staat in het leven, dat is alles,' zegt hij. 'Zoals die omvallende boom in het bos.'

Zijn grote gezicht staat nadenkend, en in de zon die door de voorruit brandt zie ik bruine vlekjes op zijn gespierde, gebruinde handen, rimpeltjes in zijn verweerde wangen, de dikke plooien rond zijn mond en zijn stoppelbaard, die op wit zand lijkt. Ik denk terug aan de tijd toen hij nog haar op zijn hoofd had, toen hij een succesvolle rechercheur was en altijd rond etenstijd in zijn pick-up voor kwam rijden. We zijn vanaf het begin samen geweest.

'Leg eens uit van die omvallende boom in het bos,' zeg ik.

'Als die boom omvalt, is er dan iemand die dat hoort?' mijmert hij. We rijden deels over de stoep als we een zijstraat ingaan die zo smal is als een steegje.

Aan het eind zie ik Battery Wharf liggen, met de binnenhaven, en in de verte aan de overkant de stenen gebouwen van East Boston.

'Het punt is volgens mij: als er niemand is die het hoort, maakt de omvallende boom dan geluid?' zeg ik tegen hem. 'Zelf produceer je altijd een hele hoop kabaal, Marino, en dat horen we allemaal. Volgens mij hoef jij je nergens zorgen over te maken.'

7

Er staat een snijdende noordoostenwind, die het water opstuwt. Op ondiepe plekken heeft de haven een groene kleur, en verder weg een donkere tint blauw. Ik zit links van de stuurman, een jonge knul met strakke gelaatstrekken en gitzwart haar, en zie zeemeeuwen bij de pier zweven en duiken. Marino stelt zich nog steeds ontzettend aan.

Hij manifesteert zich op luidruchtige wijze, alsof het zin heeft om de strijd aan te gaan met een vijfpuntsgordel waarvan de riemen uit de aard van de zaak lekker bij de grote gesp tussen je benen samenkomen. Door het zwemvest dat hij draagt, lijkt hij groter dan zijn een meter tachtig, en het is of hij een groot deel van de hut inneemt als hij te kennen geeft geen assistentie te hoeven van een zekere Kletty, iemand van het personeel, aan wie we net zijn voorgesteld.

'Ik kan het zelf wel,' zegt Marino nors. Het is niet waar dat hij het zelf wel kan.

Hij zit te worstelen met de riemen alsof de gesp een Chinese puzzel is. Ongeduldig klikt hij riemen vast en haalt ze weer los, draait de gesp en steekt de metalen beugels steeds op de verkeerde punten in. Ik vraag me af wat Bryce precies heeft gezegd toen hij de kustwacht een tijdje geleden aan de lijn had.

Hoe heeft hij hen in godsnaam zover gekregen dat ze deze boot voor ons uitkozen?

Typisch een Defender, tien meter lang, negenhonderd pk, met schokdempende stoelen waarin we als gevechtspiloten vastgesnoerd zitten. Niet het type boot dat we eigenlijk nodig hebben. We hoeven geen wendbare of supersnelle boot, omdat we niemand gaan redden of arresteren. Maar dan herinner ik me flarden van wat mijn chef aan de telefoon zei. Hij schetste een smerig beeld van een ontbonden stoffelijk overschot, had het over het schoonspuiten van het dek en het inzetten van dubbele opbergzakken. Misschien hebben ze daarom gekozen voor een grotere boot met een dichte stuurhut, zodat we onze ongewenste lading zo snel mogelijk aan wal kunnen brengen.

'Het is best wel lastig,' zegt Kletty terwijl hij de riemen van Marino achter me vastklikt.

'Die hoef ik niet om.'

'Toch wel, meneer.'

'Helemaal niet.'

'Sorry, maar we mogen pas vertrekken als iedereen de riemen vastheeft.'

De man controleert mijn riemen, die correct blijken te zijn vastgemaakt, met de gesp en de beugels op de juiste plaats.

'Zo te zien hebt u hier ervaring mee,' zegt hij tegen me, en ik krijg het idee dat hij met me zit te flirten, of misschien is hij alleen maar opgelucht dat ik geen preek afsteek over de protocollen van de Binnenlandse Veiligheidsdienst.

'Ik ben er klaar voor,' zeg ik. Hij gaat naast de roodharige machinist zitten, die volgens mij Sullivan heet. De driekoppige bemanning is heel vriendelijk, en ze zien er in hun marineblauwe pakken en petten en feloranje zwemvesten goed uit.

Steeds als ik knappe jonge knullen tegenkom, realiseer ik me dat ik oud word, of gedraag ik me alsof ik oud word, of krijg ik het gevoel dat ik hun moeder had kunnen zijn, en ik doe mijn best niet steeds naar de stuurman te kijken, die eruitziet als een Armani-model. Hij ziet me kijken en schenkt me een flitsende glimlach, alsof dit een plezierreisje is dat niets met afschuwelijke zaken of de dood te maken heeft.

'Sector een-een-negen-nul-zeven van wal. GAR-score een-twee,' meldt hij over de radio aan de controlepost. Green-Amber-Red (groen-oranje-rood) verwijst naar de risico-inschatting voor deze missie. Blijkbaar is er weinig gevaar aan verbonden.

Het zicht is goed, het water is betrekkelijk rustig en de drie bemanningsleden zijn goed in staat om een forensisch radiologe en een humeurige hoofdinspecteur te vervoeren naar een plek tussen de eilandjes en verraderlijke rotsen bij de zuidelijke vaargeul, waar een paar uur geleden een levenloos lichaam en een zeeschildpad van een bijna uitgestorven soort zijn aangetroffen, verstrikt in touwen, mogelijk met een mosselkor verzwaard.

'Hou je vast!'

De gashendel wordt naar voren geschoven, en binnen een paar minuten hebben we een snelheid van zesendertig knopen bereikt en overstegen. De snelle boot snijdt met blauwe zwaailichten door het water, in het kielzog vormt zich een dubbel spoor van schuimkoppen en achter op de boot ontbreekt de M240. Geweren en mitrailleurs stonden niet op de checklist, aangezien er geen delicten en gewelddadige confrontaties verwacht worden. Los van de Sigs, kaliber 40, die de bemanning aan zijn riem draagt, zijn er geen vuurwapens aan boord, of Marino moet in een enkelholster een pistool hebben meegenomen.

Ik kijk naar de pijpen van zijn kaki cargobroek, naar zijn grote schoenen, en zie geen spoor van een wapen. Hij zit nog steeds te mokken en kijkt naar de gesp die als een ijshockeypuck voor zijn kruis hangt.

'Hou toch eens op.' Ik verhef mijn stem om boven het geraas van de buitenboordmotoren uit te komen en draai me in mijn stoel naar hem toe.

'Maar waarom moet dat ding uitgerekend daar zitten?' Hij legt zijn hand beschermend tussen de gesp en zijn 'edele delen', zoals hij ze noemt.

'De riemen moeten zo zitten dat ze je lichaam op de harde delen tegenhouden.' Ik klink als een stoffige wetenschapper die een snaakse opmerking maakt, en ik ben me bewust van de aanwezigheid van de knappe stuurman, die aan me werd voorgesteld als Giorgio Labella. Ik heb geen moeite namen te onthouden van mensen met een dergelijk uiterlijk. Ik voel dat hij met zijn grote donkere ogen naar me kijkt terwijl ik met Marino praat. Ik voel ze in mijn nek, als een warme tong.

In technische zin ben ik mijn man, Benton Wesley, nooit ontrouw geweest in de bijna twintig jaar dat we nu bij elkaar zijn. Het telt niet dat ik een affaire met hem heb gehad toen hij nog met iemand anders was getrouwd, want daarmee heb ik niet hém bedrogen. Het telt ook niet dat ik in Frankrijk even iets heb gehad met een ATF-agent die aan Interpol was uitgeleend toen Benton voor zijn eigen veiligheid als getuige was ondergedoken en men deed alsof hij niet meer leefde.

Alle affaires die ik vóór Benton gehad heb of toen ik dacht dat hij dood was, zijn niet relevant, en ik denk niet vaak meer aan die mannen terug, ook niet aan een paar over wie ik het nooit zal hebben omdat dat voor alle betrokkenen schadelijke gevolgen zou hebben. Ik gedraag me, maar dat betekent niet dat ik geen interesse meer heb. Dat ik trouw ben aan degenen bij wie ik me betrokken voel, wil nog niet zeggen dat ik nergens meer aan denk of dat ik zo stom ben om ervan uit te gaan dat ik er niet meer toe in staat zou zijn. Als enigszins uitzonderlijke professional in een wereld met overwegend mannen heeft het me nooit aan gelegenheden ontbroken om vreemd te gaan, zelfs nu ik geen dertig meer ben en van sommige mannen zelfs de moeder had kunnen zijn.

Voor de jongemannen die ik beroepshalve tegenkom, ben ik een mooi opgemaakte schotel van rijp fruit en kaas, denk ik. Een tros blauwe druiven met wat vijgen en een zacht Taleggio-kaasje op een schaal met een gedistingeerd familiewapen misschien, of een trofee, zoals Benton opperde. Ik ben een chef. Ik heb een leidinggevende functie. Ik bekleed als speciaal reservist de rang van luchtmachtkolonel, en ik ben belangrijk voor het Pentagon. Macht is de verboden vrucht die de Labella's willen proeven, als ik eerlijk ben, en Benton vindt dat ik dat niet ben. Een trofee, denk ik. Een niet al te jonge trofee, aantrekkelijk voor aantrek-kelijke mensen door wie en wat ik ben.

Het gaat niet echt om mijn uiterlijk of mijn persoonlijkheid, hoewel ik best wel diplomatiek kan zijn, en zelfs charmant als dat nodig is, en niet zo verlopen ben als je misschien zou ver-wachten. Ik ben blond en heb opvallende gelaatstrekken, en mijn Italiaanse botten vormen een stevige structuur en houden me al tientallen jaren in zware tijden vol rampspoed overeind. Ik kan er niets aan doen dat ik slank ben en een lichtgetinte huid heb, en vaak zeg ik grappend dat ik zo goed geconserveerd ben ge-bleven doordat ik regelmatig in raamloze kamers aan formaline ben blootgesteld.

'Ik doe dit ding nu af, hoor.' Marino zit nog steeds naar de dikke klomp plastic tussen zijn benen te kijken, alsof het een bom of een reusachtige bloedzuiger is.

'Het bekken, het sleutelbeen, het borstbeen. Harde delen van het lichaam die een kracht van honderden kilo's kunnen opvan-gen.' Het klinkt alsof ik een anatomische lezing zit te geven, en ik voel dat de bemanning meeluistert. 'Hoeveel trauma's heb je gezien die door veiligheidsriemen veroorzaakt zijn? Duizenden,' roep ik boven het kabaal van de motoren uit, terwijl ik mijn e-mail nog eens check. 'Vooral als de onderste riem om de buik zat in plaats van om het bekken, en wat gebeurt er dan bij een ongeluk? Al die kracht komt dan op het zachte weefsel en de in-wendige organen terecht. Daarom hebben we dit soort riemcon-structies om.'

'Waar kunnen we hier nou tegenaan varen? Er zitten hier ver-domme heus geen walvissen,' verklaart Marino.

'Ik hoop van niet.'

Er staat een korte golfslag als we langs lange werven en pieren varen die nog uit de tijd van Paul Revere stammen, terwijl boven ons een 777 van British Air overkomt en vanuit het oosten op Logan aanvliegt. De landingsbanen liggen aan het water en ko-men er nauwelijks bovenuit. Aan stuurboord steekt het financi-ele district van Boston glanzend tegen de strakblauwe lucht af, en achter ons torent Bunker Hill Memorial als een stenen versie van het Washington Monument boven de marinebasis van Charlestown uit.

'Eens even zien,' zeg ik tegen Marino. 'Waar zijn we nu? Zo'n vierhonderd meter van de terminals af?'

'Hooguit.' Hij zit ingesnoerd op zijn stoel en kijkt door het bedruppelde plexiglas naar buiten.

Het vliegveld strekt zich over honderden hectares uit en neemt een flink deel van de haven in beslag. De glazen verkeerstoren staat tussen twee betonnen kolommen die me aan stelten doen denken. Twee landingsbanen die elkaar kruisen, lopen ver langs het water door. De stenen kade is opmerkelijk dichtbij, nog geen dertig meter links van ons, schat ik.

'Het hangt er natuurlijk van af waar het LAN zich bevindt,' voeg ik eraan toe. Ik ga naar de instellingen op mijn iPhone en activeer de Wi-Fi. 'Ik weet zeker dat ik meer dan eens in het vliegtuig op de startbaan heb gestaan en dan op het draadloze netwerk van Logan kon inloggen. Maar hier heb ik geen bereik,' merk ik op boven het geraas van de motoren en het gedender van de boot uit. 'Het signaal van Logan reikt niet tot hier. Dus als dat mailtje bijvoorbeeld vanaf een boot is verstuurd, denk ik dat het vlak bij die landingsbaan moet zijn geweest.'

'Misschien had de persoon in kwestie een router aan boord,' oppert Marino.

'Lucy is er vrij zeker van dat het mailtje met een iPhone is verstuurd. Maar misschien is er daarnaast een router gebruikt om gemakkelijker op een onbeveiligd netwerk te komen,' denk ik hardop. We varen langs de gekromde glazen gevel van de federale rechtbank en het aangrenzende park bij Fan Pier.

Ik check mijn e-mail weer. Niets, en ik stel nogmaals een berichtje voor Dan Steward op, om hem te laten weten dat ik op weg ben om een lijk uit het water te vissen en aansluitend waarschijnlijk een ingewikkelde sectie zal moeten uitvoeren. *Laat me weten of ik nog om 14.00 uur moet komen opdraven zoals gepland.* Nog steeds hoop ik dat mijn aanwezigheid bij nader inzien niet noodzakelijk is. Dat gaat met een zekere vertwijfeling gepaard.

Het is zonder enige twijfel absurd dat ik door de advocaat van Channing Lott gedagvaard ben, puur om me te pesten, een poging om me te intimideren en te vernederen, maar natuurlijk meld ik dat niet aan Steward. Ik zal nooit meer veel melden in mailtjes of in welke vorm van schriftelijke communicatie dan ook, en ik zie de krantenkoppen van morgen al voor me:

LIJKSCHOUWER ZEGT: VROUW VAN LOTT IS IN ZEEP VERANDERD

In maart van dit jaar verdween Mildred Lott op een zondag-avond uit hun landhuis aan zee in Gloucester, zo'n vijftig kilo-meter noordelijker. Op beelden van infraroodcamera's is te zien dat ze een deur opendoet en de achtertuin in loopt, rond tien uur die avond. Het was erg donker, ze droeg een badjas en pan-toffels, en ze liep in de richting van de zee terwijl ze ogenschijn-lijk tegen iemand praatte, is me verteld. Op de camerabeelden is te zien dat ze niet meer is teruggekomen, en toen haar chauf-feur haar de volgende ochtend wilde ophalen om haar naar een afspraak te brengen, deed ze de deur niet open, en ook nam ze de telefoon niet op. Hij liep om het huis heen en ontdekte dat een van de deuren wijd open stond en het alarmsysteem niet was ingeschakeld.

Gewiste mailtjes die door de politie werden teruggehaald, vormden een spoor van digitale berichten dat direct naar Chan-ning Lott leidde. Ik houd me overigens niet bezig met de ver-dwijning van zijn vrouw. Haar lichaam is niet gevonden, en de enige reden waarom ik ben gedagvaard, is dat ik dit voorjaar een digitaal berichtje heb verstuurd, eigenlijk zonder er veel ge-dachten aan te wijden. Dan Steward wilde weten hoe lang het duurde voordat een lichaam dat in dat seizoen bij Gloucester in zee was gedumpt erover deed om tot ontbinding over te gaan, en wat er dan met de botten zou gebeuren.

Ik heb toen geantwoord dat het lichaam door de lage tempe-ratuur van het water niet onmiddellijk zou ontbinden, al zou het wel door vissen en andere dieren kunnen worden aangevreten. Ik schreef dat het wel een jaar kon duren voordat het lichaam verzeepte en er lijkenvet werd aangemaakt, een gevolg van de anaerobe bacteriële hydrolyse van het lichaamsvet. Met andere woorden: ik beging de fout in mijn mailtje te stellen dat een li-chaam dat lange tijd in het water ligt *in feite in zeep verandert*, en het is deze bewering waarvoor de advocaat van Channing Lott me vandaag voor de rechter ter verantwoording roept.

'Als ik om twee uur in de rechtszaal moet verschijnen, is het misschien een goed idee als je met me meegaat. Dat ben ik met je eens,' zeg ik tegen Marino, want ik weet al wat er gaat gebeuren, namelijk dat ik er niet onderuit kom. 'Misschien kan Bryce ook mee. Ik ben bang dat de media in groten getale aanwezig zullen zijn.'

'Wat een idioot,' zegt Marino. 'Hij bulkt van het geld, en dan zet hij de huurmoordenaar af?'

'Dat is niet de reden waarom ik vanmiddag moet verschijnen, en daar gaat het me ook niet om,' zeg ik enigszins ongeduldig.

'Dus hij duikelt op internet of waar dan ook een of andere klootzak op, en vervolgens staat hij ervan te kijken dat hij tegen de lamp loopt,' zegt Marino.

'Wat ik alleen maar wil zeggen, is dat het rechtssysteem niet voor dit soort dingen bedoeld is,' antwoord ik. 'Het is een aantasting van een eerlijke rechtsgang.'

We zijn voorbij de haven en de reusachtige steenklomp van Fort Independence, het bolwerk dat Boston in de oorlog van 1812 tegen de Britten beschermde. We laten Deer Island achter ons liggen, waar de bezinksilo's van de afvalverwerkende fabriek de vorm van eieren hebben. Het grijze zandstrand van Hull loopt in een bocht om een haven die vol met bootjes ligt, en in de heuvels rijst een sierlijke witte windmolen op. Ik waarschuw Marino dat hij ervoor moet waken niet hetzelfde lot te treffen als ik.

'Het laat weer op ontnuchterende wijze zien wat er zoal kan gebeuren,' zeg ik tegen hem.

De aangeklaagde partij heeft geëist dat ik voor de rechter verantwoording af kom leggen omdat Channing Lott dat wil, enkel op grond van het feit dat hij me daartoe kan dwingen. Lott heeft het recht dat te doen. Een rapport van een forensisch expert spreekt alleen voor zich als beide partijen overeen zijn gekomen dat de forensisch wetenschapper, de lijkschouwer en de onderzoeker zelf niet voor de rechter hoeven te verschijnen. Aan de ene kant snap ik de logica van de Hoge Raad dat je een document niet kunt verhoren, alleen een persoon, maar als gevolg daarvan mogen overbezette, onderbetaalde experts om de haverklap komen opdraven, iets waar ze doodmoe van worden.

Steeds als we een document afleveren dat in een rechtszaak

gebruikt kan worden, kan een van beide partijen ons ter verantwoording roepen, ook als het rapport in kwestie alleen maar over een sms'je gaat of over een paar woorden die op een memoblaadje zijn geschreven. Het gevolg hiervan is dat een aantal belangrijke leden van mijn team zich voor bepaalde zaken drukken. Als ze kunnen voorkomen op een bepaalde plaats delict te verschijnen, als ze een sectie aan een ander kunnen overlaten, als ze als deskundige hun mening voor zich houden en zich zelfs geen enkele opmerking permitteren, ontlopen ze de kans gedagvaard te worden, en dat is een van de redenen waarom ik het niks vind dat Marino de dienstdoende lijkschouwer naar huis stuurt zodat hij zelf in het CFC kan blijven slapen.

'Als je niet uitkijkt,' zeg ik tegen hem, 'kun je op een gegeven moment niet eens meer behoorlijk je werk doen. Ik moet vandaag voor de rechter verschijnen vanwege een mailtje dat ik Steward heb gestuurd toen hij mijn mening vroeg, meer niet. Mijn mening en een terloops geplaatste opmerking in een mailtje, en alles is te achterhalen, elke toets die ik indruk. En nóg vraag je je af waarom ik niet op Twitter zit en zo. Alles kan en zal tegen je gebruikt worden.'

Dat is voorlopig alles wat ik hier op deze boot aan hem kwijt wil, nu de bemanning alles kan horen wat we zeggen. Als het moment daar is, zal ik het met Marino hebben over flessenverzamelingen en wat er verder in zijn leven gaande is, wat er de oorzaak van is dat hij de onderzoeksafdeling van het CFC als een goedkoop motel gebruikt omdat hij niet naar huis kan of wil.

'Hou je vast!' roept onze stuurman, Labella, terwijl hij op de dieptemeter kijkt en andere schepen zich over de radio melden.

De watermassa voor ons waaiert uit in een vergezicht dat begrensd wordt door de noordelijke en zuidelijke vaargeulen met hun talloze eilandjes. We varen langs groene boeien rechts van ons, de boot gaat op en neer, en door de wilde schommelingen word ik in mijn stoel gedrukt.

'Wat is dit voor rampzalige toestand?' zegt Marino als de brandweerboot met zijn rode zwaailichten in zicht komt, en de nieuwshelikopter die erboven cirkelt. 'Wie heeft de media potdomme ingeseind?'

'Scanners,' zegt Labella zonder zich om te draaien. 'Journalisten luisteren onze radio af, precies zoals ze dat op de wal ook doen.'

Hij waarschuwt ons dat hij vaart gaat minderen. We naderen de *James S. Damrell*, een FireStorm van twintig meter lang met een rood-witte boeg en waterkanonnen op het platte dek en op de naar voren hellende stuurhut. Ook liggen er een lichtgrijze Zodiac van de politie, vissersboten en plezierjachten, en een groot schip met rode opgedoekte zeilen. Agenten en nieuwsgierigen, of nieuwsgierige agenten, en ik verheug me niet op de taak die voor me ligt, vooral niet nu er zoveel publiek bij is. Ik denk eraan hoe vernederend het moet zijn om door Jan en alleman te worden aangegaapt als je als een stuk vuil bent gedumpt of op zee bent verdronken.

Een felgroene tanker met vloeibaar gas aan boord glijdt uiterst traag langs. De opvallende brandweerboot geeft hem de ruimte. Labella stuurt de boot dichterbij en laat de motoren stationair draaien. Ik herken de marien biologe van de foto die Marino me heeft laten zien. Pamela Quick en een vijftal dierenbeschermers staan bij elkaar op het onderdek en het duikplatform te kijken naar een beest dat eruitziet als een primitieve kruising tussen een reptiel en een vogel, een evolutionair overblijfsel uit de tijd dat er nog dinosaurussen op aarde rondliepen en het leven zich net begon te ontwikkelen.

De keel van de wel drie meter lange lederschildpad bolt ongelukkig op en zijn krachtige voorpoten zijn strak langs zijn zwarte leerachtige lijf gebonden door een wirwar van gele touwen, die als een dwangbuis over zijn schild lopen. Vastgebonden aan het duikplatform, deinend op het klotsende water, drijft een opgeblazen drijfkussen met daarbovenop een houten plank, waarvan ik aanneem dat die gebruikt is om het monsterlijke wezen aan boord te krijgen.

'Dit is krankzinnig.' Marino lijkt zijn ogen niet te kunnen geloven. 'Jezusmina,' roept hij, terwijl ik me uit mijn riemen bevrijd.

8

Motoren pruttelen als we de stuurhut verlaten, en we worden overvallen door het oorverdovende geraas van een helikopter die zo laag vliegt dat ik zonder enige moeite het staartnummer kan zien, en rechts in de cabine de piloot. De zon schijnt uitbundig, de lucht is strakblauw, maar vanuit het noordoosten komen cumuluswolken opzetten, als een enorme kudde schapen, en ik voel dat de luchtdruk zakt en dat de wind aantrekt. Later op de dag zal het afkoelen en gaan regenen.

'Vijftien voet! Tien voet!' Sullivan en Kletty maken stootkussens aan de reling vast en geven met luide stem de afstanden door aan Labella, die met behulp van de wind langzij komt. We meren af.

'Ik ga als eerste, dan kunnen jullie me de spullen aangeven,' zegt Marino. Hij stapt op de brandweerboot en gaat klaarstaan om de sporenkoffertjes aan te nemen.

Labella legt een beschermende hand op mijn rug en zegt dat ik moet oppassen dat mijn vingers niet tussen stootkussens of relingen bekneld raken, en dat ik goed moet uitkijken waar ik mijn voeten neerzet. De ruimte tussen de twee boten wordt groter en weer kleiner. Labella ondersteunt me als ik over de eerste reling stap en vervolgens over de volgende, en dan ben ik aan boord van de deinende brandweerboot, waar een zware ankerketting vanaf een lier over het grijze antislipdek loopt, tussen twee rode waterkanonnen door, het onstuimige blauwe water in.

Marino zet de koffertjes naast een aluminium trap die naar de stuurhut leidt, waar luitenant Bud Klemens me zwaaiend begroet en blij lijkt om me te zien. Hij gebaart dat ik naar boven moet komen. Nieuwsgierigen cirkelen als zeemeeuwen om de brandweerboot heen, en Marino kijkt misprijzend naar de helikopter die nauwelijks honderdvijftig meter boven ons in de lucht hangt.

'Eikel!' Wild maait hij met zijn armen, alsof hij op die manier het luchtverkeer kan regelen. 'Hé!' schreeuwt hij naar de boot van de kustwacht, naar Kletty, die droogpakken en andere spul-

len in een kuipbrancard doet. 'Kun je geen contact met ze opnemen? Via de radio of zo? Om te zeggen dat ze hier als de so-
demieter weg moeten?'

'Wat?' schreeuwt Kletty terug.

'Die schildpad wordt doodsbang, en door die wind waait alles
weg, verdomme!' fulmineert Marino. 'Ze vliegen veel te laag!'

Terwijl hij de koffers opendoet, ga ik de trap op om met Klemens te gaan praten, de bevelhebber van deze brandweerboot
die afkomstig is van Burroughs Wharf, niet ver van de kustwachtbasis en het New England Aquarium. Als ik boven aan de
trap kom, biedt een tweede brandweerman wiens naam me ont-
schoten is me zijn hand. Ik zoek steun op het bovendek terwijl
het schip op de woelige golven heen en weer schommelt.

'Het weer wordt alleen maar slechter, ben ik bang,' zegt de
brandweerman, een forsgebouwde kerel met wit gemillimeterd
haar. Op zijn gespierde linkerkuit heeft hij een tatoeage van een
beer laten zetten. 'Hoe sneller we hiermee klaar zijn, hoe beter.'

Beide mannen dragen een zomers uniform: een korte marineblauwe cargobroek en een t-shirt. Aan hun schouder hangt een
mobilofoon. Klemens heeft een afstandsbediening om zijn hals
hangen, iets wat eruitziet als een hightech PlayStation-console,
die hij overal op de boot kan gebruiken om tijdens het blussen
van een brand de vier jetmotoren te bedienen.

'Ik ben Jack.' De getatoeëerde brandweerman wijst me erop
dat we elkaar al eens eerder ontmoet hebben. 'De *Sweet Marita*,
die trawler die vorig jaar bij Devil's Back is uitgebrand? Heftig
was dat.'

'Dat klopt.' Het schip vervoerde LPG, en toen er een lek ont-
stond, ontplofte de boel. Er kwamen drie mensen bij om. 'Hoe
staat het ervoor?' vraag ik aan Klemens.

'Een beetje te veel poppenkast naar mijn smaak,' zegt hij, en
ik probeer me niets aan te trekken van het griezelige gevoel van
vertrouwdheid dat hij me geeft.

Met zijn rijzige, zwaargebouwde gestalte, zijn scherpe gelaatstrekken, zijn heldere blauwe ogen en zijn lichtblonde bos haar
ziet hij er precies zo uit als mijn vader eruitgezien zou hebben
als hij de veertig gehaald had. Steeds wanneer Klemens en ik samenwerken, kost het me moeite hem niet aan te staren, want bij

hem heb ik het gevoel alsof de meest dominante persoon uit mijn jeugd uit de dood is opgestaan.

'Ik ben bang dat we een hele menigte op de been hebben gebracht, doc, en ik weet wat voor hekel je daaraan hebt.' Klemens kijkt omhoog en houdt zijn hand boven zijn ogen. 'Ik kan daar verder weinig aan doen, maar ik zie dat die eikel in elk geval in beweging komt, dus misschien kunnen we elkaar weer verstaan.'

De helikopter klimt in een rechte lijn en blijft op een hoogte van zo'n driehonderd meter in de lucht hangen. Ik vraag me af of de kustwacht contact heeft gezocht met de piloot en hem gesommeerd heeft onmiddellijk hoger te gaan vliegen. Of hebben we dat aan de brandweer te danken?

'Veel beter,' zeg ik instemmend. 'Al had ik liever gezien dat dat ding helemaal verdween.'

'Dat zal niet gebeuren.' De brandweerman die Jack heet, tuurt door een verrekijker naar het water. 'Wat een verhaal, zeg. Alsof we Nessie gevangen hebben. De media weten nog niet de helft.'

'Wat weten ze eigenlijk wel?' vraag ik hem.

'Nou, ze weten natuurlijk dat wij hier zijn, en hoe eerder we die grote jongen weer kunnen terugzetten, hoe beter.'

'Over niet al te lange tijd kunnen we hem waarschijnlijk wel vrijlaten, wat maar goed is ook, om verschillende redenen,' zegt Klemens tegen me. 'Kijk eens hoe diep we liggen.'

Door het gewicht van de schildpad en de mensen die eromheen staan, ligt het duikplatform op gelijke hoogte met het water. Het water spoelt eroverheen terwijl de boot op de golven meedeint.

'We kunnen elfhonderd kilo hebben, en dit is echt het maximum. Zo'n grote heb ik nog nooit gezien,' zegt Klemens. 'We komen voortdurend beesten tegen die verstrikt zijn geraakt, en bijna altijd is het dan te laat, maar deze maakt nog een heel goede kans. Wat een monster, zeg.'

Klemens leunt tegen de smalle opblaasbare reddingsboot met ronde boeg, zestig pk. Aan de andere kant van de boot, afgedekt met rood zeil, zie ik de hydraulische lier waarmee de bemanning mensen of een dood gewicht uit het water kan halen, of bijvoorbeeld een reusachtige schildpad. Blijkbaar is dit beest niet met de lier aan boord getrokken, zeg ik tegen Klemens, en dat verbaast me niets. Of het nu gaat om een kegelrob van driehonderdvijftig kilo, een grote karetschildpad of een dolfijn, reddingswerkers proberen altijd te voorkomen dat het dier in kwestie nog meer verwondingen oploopt en zullen dan ook niet gauw een lier inzetten.

'Als de sporen of artefacten maar zo min mogelijk worden aangetast.' Ik herinner Klemens eraan dat ik alles wil weten wat er tot nu toe is gebeurd.

'Nou, volgens mij heeft die schildpad niemand vermoord,' zegt hij quasiserieus.

'Waarschijnlijk niet, maar toch.'

'Ze hebben geen machines gebruikt,' zegt hij ter bevestiging. 'Als we mensen aan boord kunnen hijsen zonder dat ze er iets aan overhouden, moet dat met een schildpad ook zeker lukken, volgens mij. Maar ze hebben het op hun gebruikelijke manier gedaan. Eerst dichterbij gehaald, toen de riemen eromheen, een plank er schuin onder geschoven en lucht in het drijfkussen gepompt. Toen hebben we dat beest met z'n allen op het platform getrokken, uiteraard nadat we zijn poten hadden vastgebonden. Want met die dingen kan hij de hele boot kapotslaan, en ons ook.'

Ik wijs hem op een gele drijver die niet ver van de boot op het water dobbert, aan een touw, en ik vraag of de schildpad daarin verstrikt was geraakt. Ik zie dat er niets is vastgezet.

'Nee,' zegt hij. 'Vislijn, misschien ondertuig van een beug of een sleepnet waaraan hij met zijn linkervoorpoot is vast komen te zitten.'

'Was hij niet verstrikt geraakt in dezelfde touwen als waarin het lichaam vastzat?' Ik snap het niet.

'Niet echt. Waar hij in verstrikt is geraakt, is ongeveer vijftien meter nylon vislijn, drie stuks, en onderlijnen met roestige haken. Ik vermoed dat de lijnen op een gegeven moment zijn losgeraakt van een vissersboei, dat het spul met de stroom is meegedreven en later aan het touw van die drijver is blijven hangen.'

Hij wijst naar het touw waarmee de gele drijver vastzit.

'De schildpad is vervolgens in de vislijnen verstrikt geraakt. Maar wat ik net al zei: het is gokwerk,' zegt Klemens. 'We weten het pas zeker als we alles uit het water hebben gehaald. Ik neem aan dat jij dat gaat doen?'

'Ja. Als we hier klaar zijn en dat beest weer lekker in het water ligt, op veilige afstand.'

'Blijkbaar heeft hij weinig verwondingen, dus ze zullen niet proberen hem te vervoeren. Niet dat ze dat hadden kunnen doen,' zegt Klemens. 'Daar had je dan een dieplader voor nodig gehad, en waarschijnlijk zou dat beest dat niet hebben overleefd. Dat is met geen enkele lederschildpad uit deze streken nog gelukt. Die beesten kennen alleen de open zee, ze zwemmen van het ene naar het andere continent. Als je ze in een bassin zet, blijven ze net zo lang tegen de wand beuken tot ze dood zijn. Zulke diepzeewezens kennen geen begrenzing. Zo'n beetje als mijn zoon van zestien.'

Ik kijk naar de reddingswerkers met hun groene windjacks en latex handschoenen, naar de schildpad die zijn keel opzet en dreigend fluitende en kakelende geluiden maakt, en ik laat mijn blik over het heldere, klotsende water gaan. Ik bedenk wat ik moet gaan doen. Er zijn nu minstens tien boten verschenen, mensen die op het rode zwaailicht en het imposante wezen aan boord zijn afgekomen, en het is ons niet bekend wat er inmiddels al op internet is gezet.

Ik heb geen behoefte aan pottenkijkers als ik het lichaam uit het water haal, en ik wil al helemaal niet dat dat door de media en toeschouwers met hun smartphones wordt gefilmd. Wat een afschuwelijk moment om nu een lijk uit het water te moeten halen. Met enige gêne denk ik aan Mildred Lott en mijn belachelijke bewering dat ze in zeep zou zijn veranderd.

'Die blonde meid daar.' Klemens knikt in de richting van dr. Pamela Quick. 'Ze zegt dat ze nog nooit zo'n grote hebben gezien, mogelijk de grootste die ooit is waargenomen, bijna drie meter lang, meer dan een ton zwaar en misschien wel honderd jaar oud. Kijk nog maar eens goed, doc, want de kans is klein dat je zoiets nog een keer zult tegenkomen. Tegenwoordig worden ze niet meer zo groot. Ze worden overvaren, raken verstrikt en krijgen allerlei rotzooi binnen zoals plastic tassen en ballonnen, die ze voor kwallen aanzien. Weer een voorbeeld dat we deze planeet grondig aan het verpesten zijn.'

Twee treden voeren van het duikplatform naar het dek onder

ons, dat net genoeg ruimte biedt voor de vier marien biologen die daar op een kluitje staan, naast stapels handdoeken en lakens, hardplastic kratten, skitassen en koffers met medicijnen en reddingsmateriaal. Vanaf het punt waar ik sta, aan de lijzijde van de schildpad, ruik ik zijn zilte geur en hoor ik het schurende geluid dat hij op het platform maakt doordat hij probeert zich uit zijn gele dwangbuis te bevrijden. Hij beweegt traag en zwaar, wat een immense fysieke kracht doet vermoeden. Zijn luidruchtige ademstoten klinken als lucht die bij het duiken door de regulator komt. Weer zet hij zijn keel op en stoot een diepe rauwe klank uit, die me doet denken aan leeuwen en draken en King Kong.

'Als je dat 's nachts achter je op een verlaten strand hoort, krijg je geheid een hartaanval,' zegt Klemens.

'Wat hebben ze tot nu toe nog meer gedaan?' vraag ik.

'Ze hebben de lijnen losgesneden.'

'Ik hoop dat ze die bewaard hebben.'

'Wat zou je daar dan uit kunnen opmaken?'

'Dat weet je pas als je ze ziet,' antwoord ik.

'Vlak voordat jullie hier kwamen, is dat beest voorzien van een transponder. Hij houdt duidelijk niet van naalden,' verklaart hij.

Pamela Quick steekt een lange naald in de nek van de schildpad om bloed af te nemen. Een jongeman met een woeste bruine haardos kijkt op een digitale thermometer en roept: 'Zijn temperatuur is twee graden gestegen. Hij wordt te warm.'

'Laten we hem afdekken en nathouden,' besluit dr. Quick. Ze kijkt omhoog, en even kruisen onze blikken elkaar.

Er wordt een nat laken over het schild gelegd, en ik denk aan het telefoongesprek dat ik met de vrouw gevoerd heb en haar keiharde opstelling toen ze me uitlegde wat ze wilde gaan doen. Ik had onmiskenbaar de indruk dat ze vond dat ze mijn toestemming niet nodig had en liever niet had dat ik me ermee ging bemoeien, en nu wierp ze me een haatdragende blik toe, alsof er iets persoonlijks tussen ons is voorgevallen waar ik geen weet van heb.

Ze doet wat gel op de nek van de schildpad en gaat er met een echosonde met ingebouwde luidspreker overheen om de hartslag op te nemen. Het geluid van het bloed dat door de aderen van het enorme beest stroomt, klinkt als een woeste rivier of een sterke wind.

'Normosol om zijn elektrolyten aan te vullen.' Ze scheurt de verpakking open van een zakje vloeistof met een infuus eraan. 'Tien druppels promille. Hij is gestrest.'

'Nou, dat zou ik ook zijn. Waarschijnlijk is hij nog nooit bij mensen in de buurt geweest,' merkt Klemens op. Weer voel ik die merkwaardige vertrouwdheid die eigenlijk los van hem staat.

Een mengeling van droefenis en nieuwsgierigheid trekt als een zwakke elektrische stroomstoot door me heen en verdwijnt dan. Ik stel me voor hoe mijn vader hiernaar gekeken zou hebben. Soms vraag ik me af wat hij zou hebben gevonden van de persoon die ik geworden ben.

'Een dergelijke schildpad schijnt zich in zijn hele leven maar één keer op het land te bevinden, namelijk nadat hij is uitgebroed op een of ander strand aan de andere kant van de wereld. Meteen daarna kruipt hij over het zand naar zee. En vervolgens brengt hij zijn hele leven zwemmend door.' Klemens zet zijn woorden met expressieve handgebaren kracht bij, zoals mijn vader dat ook altijd deed tot hij door kanker bedlegerig werd en zijn handen niet meer kon optillen. 'Dus hij vindt het niet fijn om ergens op te liggen, in dit geval het platform. Ik wil niet grof zijn, maar de enige keer dat hij ergens op ligt, is als hij paart. Wat wil je met haar doen?'

Hij kijkt naar de grote gele langwerpige drijver die op het woeste water meedeint. Ik snap niet goed wat dat ding daar doet, en dat zeg ik ook.

'Denk je dat die aan een mosselkor of een steen vastzit?' vraag ik. 'Hoezo?'

'Ze hebben dat touw naar de boot toe getrokken om de vislijn door te snijden en de schildpad aan boord te hijsen,' zegt hij. 'Een paar minuten dreef het lijk toen aan het wateroppervlak. Haar hoofd althans.'

'Jezus. Ik hoop niet dat we dat op tv te zien krijgen.' Ik kijk omhoog naar de tweede helikopter die verschenen is en nu recht boven ons hangt, een wit tweemotorig toestel, met aan de voorkant ogenschijnlijk een met een gyroscoop uitgebalanceerde camerainstallatie.

'Volgens mij is het hun alleen maar om de schildpad te doen en hebben ze geen idee wat er nog meer in het water ligt.' Hij volgt mijn blik omhoog. 'De eerste helikopter kwam hier pas aan toen we dat beest aan boord hesen, dus ik denk niet dat ze het lijk hebben gefilmd of ervan af weten. Voorlopig nog niet, tenminste.'

'En wat hebben jullie via de radio doorgegeven?' vraag ik.

'Geen noodoproep, om redenen die duidelijk mogen zijn.' Hij bedoelt dat alle berichten over het lijk niet zijn doorgegeven via de gebruikelijke kanalen die door schepen en de media kunnen worden afgeluisterd.

'Heeft iemand het lijk aangeraakt of er op andere wijze iets aan veranderd?'

'Niemand is er ook maar bij in de buurt gekomen, en we hebben de hele operatie met onze boordcamera's opgenomen, doc. Voor het geval je in de rechtszaal moet laten zien hoe het gegaan is.'

'Perfect,' zeg ik tegen hem.

'Toen het lijk boven kwam drijven, kon je net de contouren van een kooi van gaas zien, ongeveer anderhalf bij anderhalf, zou ik zeggen.' Hij staart weer naar de langwerpige drijver, alsof hij nog steeds de kooi kan zien die hij beschrijft. 'Er zit zo'n vijf tot tien meter touw aan die kooi vast, en het is duidelijk dat er iets in zit wat loodzwaar is, keien of stenen, ik kon het niet goed zien.'

'En was het lichaam aan dat touw vastgemaakt? Weten we zeker dat dat nog steeds het geval is? Weten we zeker dat het lijk niet is losgeraakt toen ze de schildpad hebben binnengehaald en hem hebben losgesneden?'

'Ik denk niet dat we die arme vrouw snel kwijt zullen raken. Ze was aan de onderste helft van haar lichaam vastgebonden, mogelijk de benen of de enkels.' Hij tuurt naar de gele drijver die op het water dobbert, en naar het gele touw dat strak omlaag loopt en in het donkerblauwe water verdwijnt. 'Het leek me te gaan om een oudere vrouw met wit haar. Toen ze de schildpad hadden losgesneden, verdween ze weer onder water doordat die verzwaarde kooi haar omlaag trok.'

'Ze zit dus aan het touw van die drijver vast, en dat is mogelijk om haar benen gewikkeld? En toch hangt ze rechtop in het water?' Het kost me moeite voor me te zien wat hij zojuist heeft beschreven.

'Ik weet het niet.'

'Als haar hoofd het eerst naar boven kwam, moet ze zich toch verticaal in het water bevinden?'

'Ja, ze kwam met haar hoofd naar boven drijven,' zegt hij.

'Als die mosselkor en het lichaam en de drijver allemaal aan één touw of lijn vastzitten, vind ik dat wel een beetje vreemd,' blijf ik doorgaan. 'Het lijkt me met elkaar in tegenspraak. Aan de ene kant wordt ze naar beneden getrokken, en aan de andere kant omhoog.'

'Ik heb alles op video. In de stuurhut kun je de beelden bekijken.'

'Als je me de opnamen kunt toesturen, zou ik dat zeer op prijs stellen,' zeg ik. 'Eerst wil ik graag die schildpad bekijken.'

Dat doe ik niet uit nieuwsgierigheid. Vanuit onze positie op het bovendek zie ik dat de schildpad een wond bij zijn zwart met grijswit gestippelde nek heeft zitten, op een ribbel bij de bovenrand van zijn schild, een lichtroze schaafwond die door Pamela Quick met betadinedoekjes wordt schoongemaakt.

'Ik laat het lichaam voorlopig in het water tot ik het aan wal kan brengen,' zeg ik tegen Klemens. Marino klimt de trap op, gekleed in een Tyvek-overall, zijn schoenen afgedekt, latex handschoenen aan. 'Hoe langer het gekoeld blijft, hoe beter,' leg ik uit. 'Ik ben niet zo'n kenner van de visserij,' zeg ik dan, terwijl ik mijn met dons gevoerde jack uitdoe, 'maar waarom neemt iemand een drijver en geen vissersboei voor een kooi om schelpdieren of kreeften in te vangen?'

'Die vissers zijn net eksters. Ze halen overal spullen vandaan,' zegt Klemens.

'We weten niet of er een visser bij betrokken is,' berisp ik hem.

'Flessen van afwasmiddelen en frisdrank en schoonmaakmiddelen,' gaat hij verder, 'piepschuim, stoothout dat van aanlegsteigers valt, alles wat maar een beetje wil drijven en voorhanden is, vooral als het goedkoop is, of zelfs gratis. Maar je hebt gelijk. Dan ga je ervan uit dat het iets met de visserij te maken heeft.'

'Dit heeft in de verste verte niks met de visserij te maken,' zegt

Marino zonder enig gevoel voor tact.

'Het was juist de bedoeling dat ze door dat zware gewicht naar beneden werd getrokken,' zegt Klemens instemmend.

'Dan zou je toch geen boei of wat dan ook gebruiken als dat je enige doel was?' Marino lijkt geen enkele twijfel te koesteren. We trekken beschermende kleding aan. 'Dan zou je er in elk geval geen grote gele drijver aan vastmaken, tenzij het de bedoeling was dat iemand haar ontzettend snel zou vinden.'

'Ik hoop dat ze er inderdaad nog maar kort in ligt,' zeg ik. Hoe beter het lichaam geconserveerd is, hoe groter de kans dat het onderzoek nog iets oplevert.

'Als je überhaupt een drijver of een boei gebruikt? Dat lijkt me ook. Volgens mij was het juist de bedoeling dat iemand haar zou vinden,' vindt ook de brandweerman die Jack heet. 'En ik heb trouwens nog eens tegen u gebowld,' zegt hij tegen Marino. 'U was lang niet slecht.'

'Ik kan me jou niet meer voor de geest halen, en dat zou wel zo zijn als je een beetje op niveau had gespeeld.'

'De Firing Pins, toch?'

'Dat zijn wij inderdaad. O, wacht, nu begint me iets te dagen. Jij was van de Geenpunters.' Marino probeert hem te stangen.

'Welnee.'

'Ik zou het gezworen hebben.'

'Mag ik vragen waar dat voor dient?' Klemens ziet dat ik extra stevige zwarte nitril handschoenen aandoe. 'Waarom doen jullie alsof mijn brandweerboot een plaats delict is?'

'Omdat hij er deel van uitmaakt.' Ik doel op de schildpad, en ik zie hem als bewijsmateriaal.

9

Nadat ik mijn schoenen met een hoesje heb afgedekt, stap ik de trap af, terwijl Marino en Jack proberen elkaar verbaal onderuit te halen.

Ik baan me een weg tussen de reddingswerkers en hun spullen

door. Het dek gaat op en neer, golven kabbelen over het duik-platform en spoelen om mijn voeten. In de verte klinkt het on-ophoudelijk geraas van helikopterbladen, en door de met Tyvek afgedekte schoenen voel ik hoe koud het water is als ik naar Pa-mela Quick toe loop, die druk in de weer is en geen behoefte heeft aan mijn gezelschap.

Ik schat dat ze tegen de veertig loopt. Ze is op een onprettige manier knap, met grote grijze ogen, een hoekige kin, een pinnige mond en lang lichtblond haar dat ze naar achteren gebonden heeft, met een petje eroverheen. Voor iemand die veel met grote dieren omgaat, is ze opvallend klein en fijngebouwd, en met het grootste gemak bewaart ze haar evenwicht op het deinende plat-form, alsof ze een professionele surfer is. Ze leegt een injectie-spuit in een groen reageerbuisje met heparine erin, een middel dat ervoor zorgt dat het bloed niet stolt.

'Ik ben dokter Scarpetta.' Ik vertel haar dat we elkaar vandaag al eerder gesproken hebben, over de telefoon. 'Ik ben hier om de basale feiten op te nemen en om zelf even te kijken, daarna zal ik je niet meer voor de voeten lopen.'

'Ik kan niet toestaan dat je hem nu gaat onderzoeken.' Ze is net zo onprettig en kil als het water en de wind. 'Hij is al gestrest genoeg, en dat vormt op dit moment het grootste risico. De stress.' Ze zegt het met nadruk, alsof ik er de schuld van ben. 'Dit soort beesten is er niet aan gewend om zich op het droge te bevinden en door mensenhanden aangeraakt te worden. De stress kan hem fataal worden. Ik zal je mijn rapport sturen, daar-in zullen al je vragen beantwoord worden.'

'Dat begrijp ik, en ik zou het zeker fijn vinden je rapport te ontvangen,' zeg ik. 'Maar het is belangrijk dat je me nu al vertelt wat je te weten bent gekomen.'

Ze trekt de naald uit het rubberen dopje en zegt: 'Het water is tien graden Celsius, de lucht veertien graden.'

'Wat kun je me over hém vertellen?' Ik voel me gedwongen door te vragen.

'Over hém?' Ze kijkt me aan alsof ik haar beledigd heb. 'Niet echt relevant voor jou.'

'Voorlopig beschouw ik alles als relevant. Misschien maakt hij deel uit van de plaats delict.'

'Hij is een schildpad van een met uitsterven bedreigde soort, en door toedoen van onnadenkende, roekeloze mensen is zijn leven in gevaar gekomen.'

'Ik ben niet een van die onnadenkende, roekeloze mensen.' Ik snap best waarom ze zo vijandig doet. 'Net als jij heb ik het beste met hem voor.'

Ze kijkt me geringschattend en bozig aan.

'Laten we dit nu afhandelen,' zeg ik dan. 'Vertel me wat je weet.'

Ze geeft geen antwoord.

'Ik ben hier niet degene die tijd staat te verknoeien,' zeg ik tegen haar.

'Hartslag zesendertig, RR-interval is twee. Beide waarden gemeten met de echo,' zegt ze. 'Cloaca is drieëntwintig graden.'

Ze druppelt wat bloed in een wit plastic buisje.

'Is het normaal dat zijn lichaamstemperatuur dertien graden hoger is dan het water waarin hij zich bevindt?'

'Lederschildpadden zijn niet ectotherm.'

'Dus ze kunnen hun lichaamstemperatuur op een vast peil houden, onafhankelijk van de omgevingstemperatuur,' zeg ik. 'Dat is opmerkelijk, niet wat je zou verwachten.'

'Net als dinosaurussen kunnen ze net zo goed overleven in tropische wateren als in zeeën die zo koud zijn dat de mens binnen enkele minuten dood zou zijn.'

'Dat stelt mijn beeld van reptielen weer flink bij.' Ik ga op mijn hurken bij haar zitten. De boot schommelt heen en weer, en het water spat op.

'Toch valt de biologie van dinosaurussen niet te verklaren vanuit de fysiologie van reptielen.'

'Je noemt dit beest toch geen dinosaurus?' Ik ben overdonderd en voel me op het verkeerde been gezet, zeker gezien het begin van mijn dag.

'Een reusachtig reptiel dat al meer dan vijfenzestig miljoen jaar op aarde is, de laatste nog in leven zijnde dinosaurus.' Ze doet nog steeds alsof dat mijn schuld is. 'En deze soort dreigt uit te sterven, net als bij de dinosaurussen gebeurd is.'

Ze doet het zakje in een bloedanalyseapparaat terwijl ijskoud water dat over het platform spoelt mijn overall van onderen doordrenkt en in de pijpen van de broek trekt die ik eronder aanheb.

'Vistuig, onwetende lieden die hun eieren rapen, stropers, speedboten, olievervuiling en plastic in het water,' gaat ze verder, met onverholen walging. 'Minstens een derde van alle lederschildpadden heeft plastic in de maag. En die beesten doen ons helemaal geen kwaad. Ze willen alleen maar zwemmen en kwallen eten en zich voortplanten.'

De schildpad doet zijn meloengrote kop omhoog en kijkt me recht aan, alsof hij wil benadrukken wat zijn beschermvrouw heeft gezegd. Zijn neusgaten briesen wanneer hij lucht uitstoot, en zijn uitpuilende ogen liggen als twee donkere poelen aan weerszijden van een snavelachtige mond, die me aan een uitgesneden halloweenmasker doet denken.

'Ik begrijp je helemaal, beter dan je denkt, en ik wil je zo min mogelijk voor de voeten lopen,' zeg ik tegen Pamela Quick. 'Maar eerst moet ik zijn verwondingen inventariseren voordat ik de boel hier kan afronden.'

'Lichte schaafplekken op de overgang van het schild en de huid, vanaf de schouder links distaal tot ongeveer drie centimeter naar de posterieur-distale rand van de linkervoorpoot,' beschrijft ze op ijzige toon. 'Samengaand met een schaafplek, distaal, voorkant.' Ze kijkt op het digitale scherm van het bloedanalyseapparaat.

'En hoe is hij er verder aan toe?' vraag ik.

'Kenmerkend voor lederschildpadden die verstrikt zijn geraakt. Een milde hypernatremie, maar dat overleeft hij wel. Tot hij weer in afval verstrikt raakt, of overvaren wordt.'

'Ik snap hoe je je hieronder voelt...'

'Daar snap je echt niks van,' zegt ze.

'Ik moet je vragen of je het vistuig bewaard hebt.'

'Je mag het hebben.' Ze doet een skitas open.

'Zou je kunnen reconstrueren wat er gebeurd is, afgaand op je expertise?'

'Hetzelfde wat deze beesten altijd overkomt,' antwoordt ze. 'Ze komen tegen een lijn aan die verticaal in het water hangt, raken in paniek en beginnen rondjes te draaien, waardoor ze juist verstrikt raken. Hoe meer ze hun best doen om los te komen, hoe erger het wordt, en in dit geval sleepte hij een zware kooi en een lijk met zich mee, god mag weten hoe lang.'

'En die drijver sleepte hij ook mee.'

'Ja, die ook.' Ze reikt me een doorzichtige plastic zak aan waarin een wirwar van meerdere vislijnen zit, met roestige haken eraan.

'Hoe weet je dat het lichaam en de kooi zijn meegesleept? Blijkbaar ga je ervan uit dat ze eerst ergens anders waren. Zou het kunnen dat hij hier verstrikt is geraakt, op de plek waar hij gevonden is?' Ik markeer de zak met een viltstift.

'Lederschildpadden zijn constant in beweging,' verklaart ze. 'Het vissnoer zat waarschijnlijk al aan het touw van de drijver vast. Zeker is dat hij op een gegeven moment tegen het vissnoer aan is gezwommen en dat hij daar toen met zijn linkerpoot in verstrikt is geraakt, maar hij moet steeds blijven zwemmen. Daarbij is het snoer kennelijk steeds strakker om hem heen gaan zitten. Tegen de tijd dat we hem vonden, kon hij zijn linkerpoot nauwelijks nog bewegen en zonk hij bijna.'

'Enig idee hoe ver hij is gekomen, zijn normale snelheid in acht nemend?' vraag ik.

'We zullen dit gesprek later voortzetten.' Ze kijkt me nauwelijks aan.

'Alles wat ik nu te weten kan komen, is heel belangrijk,' zeg ik met nadruk. 'Aan de hand daarvan kunnen we misschien bepalen waar het lichaam te water is geraakt.'

'Die persoon leeft niet meer. Maar deze schildpad nog wel.'

'Het zou hier om een moord kunnen gaan. Ik denk niet dat iemand ervan beschuldigd wil worden het onderzoek te belemmeren.'

'Ik weet alleen dat een lederschildpad een snelheid van ongeveer vijfendertig kilometer per uur kan halen,' antwoordt ze op vlakke toon, 'maar zo snel kan hij onmogelijk zijn gegaan als hij die boel achter zich aan sleepte. Ik heb geen idee waar hij verstrikt is geraakt, maar daarna kan hij niet ver meer zijn gekomen. Hooguit een paar kilometer, tot hij zijn krachten verspeeld had, onder water getrokken werd en zijn kop nauwelijks nog boven water kon houden.'

'Dus het ligt niet voor de hand dat hij op open zee verstrikt is geraakt.' Ik tuur naar de horizon. De buitenhaven wordt van de open Atlantische Oceaan gescheiden door zo'n honderd kilometer aan baaien, schiereilanden en eilandjes. 'Dat is hier te ver vandaan.'

'Dat is inderdaad onmogelijk,' zegt ze instemmend. 'Ik denk eerder in uren, zelfs geen volledige dag, gezien zijn verwondingen en goede conditie. Er is niets mis met hem dat niet vanzelf in het zoute water zal genezen. Alleen wat lichte schaafplekken aan deze poot en een lichte dorsale schaafplek op zijn kop, zoals je ziet. Die roze plek heeft er niets mee te maken, hoor.'

Met haar in latex gestoken hand tikt ze op de rozige veeg boven op zijn donkere gespikkelde kop. Ze lijkt nu iets minder gespannen, alsof ze vindt dat ik bij nader inzien toch wel meeval.

'Elke lederschildpad heeft een uniek kenmerk,' legt ze uit. 'Deze heeft bijvoorbeeld een opvallende plek op de kop. Ik weet niet goed waar die voor dient. Het zou een soort sensor kunnen zijn waarmee hij licht kan waarnemen, of waarmee hij zijn positie in de zee kan bepalen.'

'Mag ik nog even naar zijn verwondingen kijken? Dan beloof ik dat ik je daarna met rust zal laten.'

Ze trekt het natte laken een stukje terug, en ik ruik zijn sterke visachtige geur als ik me naar hem toe buig en mijn hoofd tot een paar centimeter van zijn verstrikte linkerpoot breng, die minstens anderhalve meter lang is. Ook ruik ik de penetrante ammoniageur van urine.

'Dat is een goede zaak.' Blijkbaar ruikt zij het ook. 'Hoe alerter en actiever, hoe beter. We zien graag dat alles het weer doet. Zoals ik al zei, vallen zijn verwondingen erg mee. Het ergste is dit. Een deel van de schaal van een zeepok die hier aan de rand in zijn schild is blijven zitten. Ik wilde het er net uithalen.'

Ze wijst naar zijn schild, een plek vlak boven zijn nek, waar de leerachtige huid geschaafd en ontstoken is. Er zit iets in wat op een witte schelp of een glasscherf lijkt.

'Je zou denken dat hij ergens tegenaan is gekomen waar zeepokken op zaten,' denk ik hardop.

'Ik zou denken dat iets met zeepokken erop tegen hém aan is gekomen,' zegt ze daarop, en meteen denk ik dat ik het niet met haar eens ben, maar dan zie ik de schelpachtige omhulsels van een aantal zeepokken die zich op het rubberachtige schild hebben vastgezet. 'Toen hij in het snoer verstrikt was geraakt en dat gewicht achter zich aan sleepte, is er misschien een boot over hem heen gevaren, of is hij ergens tegenaangekomen, een boei, een paal, een rots, wie zal het zeggen. In elk geval iets waar zeepokken op zaten. Normaal gesproken zou ik dit in formaline bewaren.'

'Het is beter als ik dat doe.'

Dat lijkt ze maar niets te vinden, want ze begint te protesteren.

'Echt, hoor,' dring ik aan.

Ze doet er het zwijgen toe, en ik gebaar naar Marino dat hij een sporenkoffertje moet ophalen, de Pelican 1620, vertel ik hem. Ik verzeker Pamela Quick dat ik het bewijsmateriaal dusdanig zal veiligstellen dat de schildpad er geen last van zal hebben, en ik ga zo snel mogelijk te werk. Ik scheur het plastic van een wegwerptangetje en sta er versteld van hoe glad en koel het rugschild van het beest aanvoelt, als een gepolijste steen of een ingevet stuk hard leer.

Ik heb nog nooit iets aangeraakt dat zo compact aanvoelt als zijn poot, behalve misschien ballistische gelatine, en ik breng mijn hoofd er dicht naartoe. Ik draag een hoofdbandloep met twee lenzen, 3,5X acryl, lichtgewicht frame, zodat ik mijn handen vrij heb. Ik voel dat het beest gespannen is en zich verzet, ik hoor zijn ademstoten en ben me bewust van zijn kracht. Als hij zich zou losrukken, zouden zijn poten net zo gevaarlijk zijn als de staart van een walvis. Met zijn schaarachtige kaken lijkt hij in staat in één keer een arm of een been kapot te bijten als hij er de kans toe kreeg.

Ik kijk door de loep en zie dat de witte materie die uit zijn schild steekt een paarlen glans en de vorm van een schelp heeft, met een donker spierachtig steeltje dat ik behoedzaam met het tangetje beetpak terwijl ik mijn rechterhand voorzichtig op de enorme kop van de schildpad leg. Die is zo koel en glad als versteend bot, en ik voel dat hij traag en zwaar beweegt. Ik ben me er constant van bewust waar zijn kaken zich ten opzichte van mij bevinden, hoor zijn ademstoten en voel zijn zachte, rozegetinte nek tegen mijn been terwijl hij uitademt en luid kreunt, gevolgd door een zacht gebrom.

'Je moet niet zo bokkig doen,' zeg ik tegen hem. 'Niemand doet je kwaad, en straks ben je weer helemaal de oude.'

Ik doe mijn best de schelpachtige structuur niet te breken of te beschadigen terwijl ik hem uit de leerachtige huid trek, en dan heb ik hem en ga ik opzij zodat Pamela Quick de wond kan verzorgen, een wond die er anders uitziet dan ik zou hebben verwacht als het beest was geraakt door iets wat onder de zeepokken zat die met hun glasachtige schelp in het schild waren gedrongen. Ze dept de ondiepe wond met betadine, en ik leg de zeepok in mijn met latex bedekte hand. Ik zie dat er iets op zit, iets wat lijkt op verf, een felle geelgroene tint, op het deel dat het verst van de steel verwijderd is, een heel klein vlekje maar, bij de rand van de schelp waar die is afgebroken.

In gedachten zie ik voor me hoe de schildpad in contact komt met een voorwerp dat begroeid is met zeepokken, zo heftig dat de bovenkant van de schelp in het harde leerachtige schild dringt en de zeepok loskomt van het oppervlak waar hij zich op had vastgezet. Maar dat er ook verfsporen zijn meegekomen, of wat daar althans op lijkt, past niet in zo'n scenario. Ik denk aan de tanker met LPG die nog geen uur geleden langskwam. De tankers die ik heb gezien, waren in bonte kleuren gelakt, geelgroen en blauwgroen, felblauw of oranje.

'Iets wat geelgroen is geverfd,' denk ik hardop terwijl ik de zeepok in een plastic bakje doe. 'Waarschijnlijk geen rots of paal, maar eerder een boot of een jetski waar hij tegenaan is gekomen, of die tegen hem op is gevaren.'

'Een tamelijk onbeduidende botsing, als dat inderdaad het geval is,' mijmert Pamela. 'Zeker niet het normale beeld dat we bij een aanvaring met een boot tegenkomen. Als deze dieren naar boven zwemmen om lucht te happen en dan door een snelle boot of tanker worden geraakt, heeft dat meestal ernstige gevolgen. Hij moet door iets zijn geschampt of zelf heel licht ergens tegenaan zijn gekomen.'

'Iets met felgroene verf erop?'

'Ik zou het niet weten,' zegt ze.

Ik markeer het bakje en merk dat de boot flink schommelt. De golfslag wordt heftiger. De temperatuur zakt en ik krijg het steeds kouder door het kille water dat rond mijn voeten stroomt. Mijn broek onder het witte Tyvek is tot aan mijn knieën doorweekt.

'Nou, als het inderdaad een boot is geweest waar hij tegenaan is gekomen, of andersom, is dat wel een beetje vreemd,' zeg ik, 'aangezien de meeste boten worden voorzien van een laagje antifouling, een soort laklaag om te voorkomen dat zeepokken of andere organismen zich op de romp vastzetten.'

'Boten die goed onderhouden worden wel, ja.' Ze doet weer afwerend en wil dat ik wegga.

'Ik denk dat die zeepok al op het schild zat, niet op datgene waar hij tegenaan is gekomen,' concludeer ik. 'Daarbij is er verf of iets groengeligs op terechtgekomen.'

'Misschien,' zegt ze afwezig. Ik merk dat ze het belang ervan niet inziet en liever wil dat ik haar met rust laat.

'We zullen het naar het lab sturen om te kijken wat het precies is,' zeg ik.

Marino maakt foto's terwijl ik de lederschildpad aan een laatste inspectie onderwerp. Ik leg mijn gehandschoende hand onder zijn kop om te voorkomen dat hij zijn kaken van elkaar doet als ik er dichtbij ben. Ik trek het doornatte laken verder van zijn enorme lijf. In tegenstelling tot andere schildpadsoorten heeft deze geen plat botachtig schild, maar een tonvormige rug die disproportioneel breed om de schouders valt en taps toeloopt naar korte achterpoten en een lange staart. Omdat me niets opvalt dat forensisch van belang kan zijn, laat ik Pamela Quick weten dat ik haar patiënt verder niet lastig zal vallen.

'Kun je me vertellen hoe je de zaak wilt aanpakken, want ik moet zelf nog het water in,' zeg ik tegen haar. 'Ik wil er liever niet in wanneer dat beest wordt losgelaten, en het lijkt me ook niet handig als hij tegen hetzelfde touw aankomt en weer verstrikt raakt.'

'Ga je hier het water in? Of daar?' Ze wijst naar de boot van de kustwacht.

Ik kom overeind en zoek steun omdat de brandweerboot heftiger begint te schommelen. Er staat een snijdende wind, en het zoute water is door mijn beschermende kledij gedrongen, tot in mijn schoenen. Natuurlijk ben ik niet van plan vanaf een boot vol dierenbeschermers een lijk boven water te halen.

'Weet je wat ik ga doen?' zeg ik. 'Marino en ik gaan weer aan boord van de boot van de kustwacht en halen de boei naar ons toe, zodat we kunnen doen wat ons te doen staat. En zo gauw we hier van boord zijn, zou je luitenant Klemens kunnen vragen of hij een eind verderop wil gaan liggen zodat je de schildpad vrij kunt laten zonder dat dat problemen oplevert.'

Ik klim het trapje naar het onderdek op en pak mijn jas, terwijl Marino zich over de sporenkoffertjes ontfermt. Vervolgens lopen we terug naar de voorplecht.

'Leuk voor het oog, maar ze zal nooit een persoonlijkheidsprijs winnen,' zegt hij.

'Ze probeert gewoon haar werk te doen en wil daar liever niet bij gestoord worden,' antwoord ik. 'Dat kun je haar niet kwalijk nemen.'

'Misschien niet, maar het maakt haar kennelijk geen moer uit dat er een dooie in het water ligt. Ze toont geen enkele interesse.'

Marino kijkt nog eens achterom naar Pamela Quick terwijl we onze handschoenen en de rest van de beschermende kleding uittrekken en alles in een rode afvalzak doen.

'Sommige dierenbeschermers zijn echt zo,' zegt hij. 'Fanatiekelingen. Van die gestoorde types die je met rode verf bekogelen of je in elkaar slaan omdat je een bontkraag of schoenen van slangenleer draagt. Ik heb zelf laarzen van ratelslangenleer, en reken maar dat ik van alles naar mijn hoofd geslingerd krijg als ik ze aanheb.'

Hij tilt de koffertjes over de reling en reikt ze Labella aan terwijl de twee boten zich als een accordeon van elkaar verwijderen en weer naar elkaar toe drijven.

'Gelakt ratelslangenleer, maatschoenen, op eBay gekocht.' Marino houdt maar niet op.

'Klinkt walgelijk.' Ik zwaai een been over de eerste reling, en Labella strekt zijn armen naar me uit.

'Nou, ik draag ze niet in kutplaatsen als Concord of Lincoln, in *Thoreau*ville' – Marino is vlak achter me – 'waar je meteen wordt opgepakt als je alleen maar een boom omzaagt,' roept hij er keihard achteraan.

Na drie stoten op de scheepshoorn vaart de brandweerboot achteruit van zijn ankerplaats, waarna de boeg naar een witte vuurtoren draait die zich aan de horizon aftekent. De motoren laten het water kolken en schuimen en trekken vervolgens een blank spoor als de brandweermannen en de reddingswerkers de schildpad naar open zee brengen en de rest aan ons overlaten.

Ik hoop dat de media en de pottenkijkers niets weten van de taak waarvoor ik me nu gesteld zie, en ik kijk uit over de zonovergoten golven om te zien of de toeschouwers en de tv-ploegen inderdaad wegvaren om getuige te zijn van de vrijlating van de schildpad. Ik wil iedereen hier weg hebben. Ik wil de dode discreet en met respect bergen, en tegelijkertijd wil ik de grote oude schildpad beschermen en ben ik woedend om de zelfzuchtigheid en onwetendheid van de mens.

Laat hem in godsnaam met rust, denk ik. Ik stel me de afschuwelijke dingen voor die kunnen gebeuren met een bijna uitgestorven wezen dat alleen wil eten, zwemmen en paren. Ik ken de verhalen over mensen die te dicht bij walvissen en andere magnifieke dieren gaan varen om foto's te maken, ze te voeren en aan te raken en ze op die manier onbedoeld verminken of doden. Dus zie ik met ontzetting en stijgende woede hoe de ankers gelicht en de motoren gestart worden. De nieuwshelikopter heeft de achtervolging al ingezet en vliegt hoog in de lucht.

'Ze blijven tenminste niet hier rondhangen,' zegt Labella.

Hij zit op zijn hurken naast de kuipbrancard en controleert de gordels en lijnen om zich ervan te verzekeren dat alles naar behoren functioneert. We kunnen niet hebben dat het lijk in het water valt als we het aan boord proberen te hijsen.

'Dat betekent dat ze niet weten wat wij hier doen,' voegt hij eraan toe.

'Misschien niet, maar wat denk je daarvan?' Ik kijk op naar de witte, tweemotorige helikopter die volgens mijn schatting zo'n driehonderd meter boven ons hangt. 'Die gaat zo te zien nergens heen.'

'Het is geen nieuwshelikopter.' Hij tuurt met zijn hand boven zijn ogen omhoog. 'En ook geen traumahelikopter. Niet van de politie van Boston, de staatspolitie of Binnenlandse Veiligheid. Het zou een Sikorsky kunnen zijn, zo'n groot ding, maar het is er zeker niet een van ons. Ik denk dat het een privétoestel is. Iemand vloog daar rond en vroeg zich zeker af wat hier beneden aan de hand is.'

'Er zit een camera op.' Met een onheilspellend gevoel zie ik hoe het glanzend witte toestel boven ons blijft hangen, met de neus naar ons gericht, de zon spiegelend in het glas van de cabine.

'Misschien een tv-camera. Maar het kan ook een infraroodcamera zijn,' zegt Labella. 'Dat kan ik van hier af niet zien.'

De enige privépiloot die volgens mij een infraroodcamera op de helikopter zou kunnen hebben, is mijn nicht Lucy. Maar ik zeg niets en ik vind het vervelend dat ik haar nieuwe toestel, een tweemotorige Bell die amper een maand geleden bij haar is afgeleverd, nog niet heb gezien. Lucy zou nooit een witte helikopter nemen, houd ik mezelf voor. Zwart of donkergrijs, niet wit met een blauwe streep over de staart. Ik herken het staartnummer van dit toestel ook niet. Ik vraag me af of Marino haar nieuwe helikopter al gezien heeft, maar hij is druk bezig met Sullivan en let niet op wat er boven zijn hoofd gebeurt.

'Nou, het is walgelijk en zou verboden moeten worden.' Ik maak me alweer druk over de schildpad en over de kwalijke kanten van de menselijke aard terwijl ik de bootjes achter de brandweerboot aan zie varen. 'Er bestaat gewoon geen respect of gezond verstand meer. Als een of andere idioot over die schildpad heen vaart na alles wat het dier heeft doorgemaakt...'

'Het is verboden om op zeeschildpadden te jagen of ze lastig te vallen of te verwonden.' Labella komt overeind met een opgevouwen droogpak onder zijn arm. 'Er staat een boete op van honderdduizend dollar, wat dacht je daarvan?'

'Wat dacht je van een gevangenisstraf.'

'Jij bent een harde.'

'Vandaag wel.'

'We starten de motoren om naar die drijver te gaan,' zegt hij, terwijl Kletty een aluminium duikladder aan het achterdek bevestigt en Marino de sporenkoffertjes weer openmaakt en een luid gesprek met Sullivan voert over motorfietsen en hoe slecht de wegen hier in het noordoosten zijn. 'Maar we zetten ze uiteraard uit als jij het water in gaat.'

'Dank je. Ik ben niet dol op draaiende schoepen in mijn buurt,' antwoord ik.

'Ja, mevrouw. Begrepen.' Labella glimlacht, en ik probeer zijn uiterlijk en mijn gevoelens te negeren.

Het oranje met zwarte nylon ritselt als hij het droogpak uitvouwt en aan mij geeft. Hij vraagt of ik hulp nodig heb bij het aantrekken. Ik zeg nee, dank je, en ga op een bank zitten om mijn natte schoenen en sokken uit te trekken. Het liefst zou ik mijn natte cargobroek en shirt met lange mouwen ook uitdoen. Het slimste zou zijn om alleen mijn ondergoed aan te houden en een onderpak aan te trekken, maar ik pieker er niet over dat te doen op een boot zonder toilet en vol mannen, waar ik me opeens heel preuts voel. Maar je kunt het je niet veroorloven preuts te zijn als je een beroep hebt waarbij je soms in belabberde omstandigheden moet werken, bijvoorbeeld in de openlucht zonder toilet bij de hand en met je neus boven stinkende lichaamsvloeistoffen en maden. Ik heb me vaak genoeg bij een wasbak in een benzinestation moeten wassen en me moeten omkleden op de achterbank van een auto of achter in een busje zonder dat ik me iets van mijn omgeving aantrok.

Dat stoïcijnse is een tweede natuur geworden. Ik word geacht onverschillig te zijn en geen boodschap te hebben aan anderen. Ik ben er verdomme wel aan gewend dat mannelijke collega's naar mijn tieten en kont kijken. Daar heb ik nooit mee gezeten, vroeger tenminste niet, omdat ik toen in staat was het van me af te zetten en alleen te denken aan wat ik moest doen.

Het is niets voor mij om me zo bewust te zijn van mijn lichaam, en ik vind het stom dat ik aan dingen denk die niets te maken hebben met mijn verantwoordelijkheden, wettelijke kwesties of de onaangename dingen die me onder water wachten. Ik moet steeds denken aan wat Benton pas zei en hoor Marino's irritante, luide gebral tegen Kletty en Sullivan, inmiddels over boten, over wat een goed idee het zou zijn als het CFC er een had en wat een ervaren stuurman hij wel niet is.

Doordat ik zo onzeker ben, of misschien doordat ik boos en

gekwetst ben, ben ik extra gevoelig, en ik probeer me te concentreren op wat er gedaan moet worden en hoe ik dat moet aanpakken. Ik stel een heel nauwkeurige strategie op en probeer te bedenken wat nuttig kan zijn en wat verkeerd kan uitpakken in de rechtszaal, want ik moet er altijd van uitgaan dat alles daar terechtkomt.

'Heb je een onderpak?' Ik hak de knoop door.

'Dat wilde ik ook al voorstellen.' Volgens mij zegt Labella niet wat hij denkt, namelijk dat er nergens aan boord een aparte ruimte is waar ik me kan omkleden.

'Vooruit.' Ik sta op van de bank.

In de hut maakt hij een kist met stalen bekleding open en haalt er grijze Polartec-onderpakken uit tot hij de kleinste maat gevonden heeft.

'Weet je zeker dat je niemand mee wilt hebben?' Hij blijft in de deuropening staan en kijk me met zijn donkere ogen aan. 'Ik doe met plezier een duikpak aan. Net als de anderen. Levende mensen kunnen net zo erg stinken als dode.'

'Volgens mij niet.'

'Neem nou maar van mij aan dat we er heus wel tegen kunnen.'

Ik doe het deksel van de kist dicht, ga erop zitten en zeg dat ik er niet aan begin. Het is juridisch gezien geen goed idee. Ik leg uit dat het duidelijk een verdacht geval is en dat ik ervan uitga dat het om moord gaat. Elke bemoeienis van derden levert onnodige complicaties op, die funest kunnen zijn voor de zaak. Verdachten worden tegenwoordig om het minste of geringste vrijgesproken. Hij zegt dat hij het helemaal met me eens is. Hij heeft op het nieuws vaak genoeg gehoord over dergelijke wanvertoningen en hoort voortdurend klachten over plaatsen delict die besmet zijn door burgers die te veel tv hebben gekeken en op eigen houtje sporen verzamelen en op onderzoek uitgaan om de politie die moeite te besparen. Het CSI-effect noemt hij dat. Iedereen is opeens een deskundige.

Dat klopt, beaam ik wrang. Deze dans doe ik in mijn eentje, een dans die ik maar al te goed ken. Ik zal de koude duisternis in springen waar ik amper iets kan zien, ik zal me met de stroming mee laten voeren en de lijnen inspecteren voordat ik de dode op het droge breng. Ik zeg tegen Labella dat ze allemaal een Tyvek-pak en handschoenen moeten aantrekken, een deel van het achterdek moeten afdekken met geplastificeerde lakens en twee open en in elkaar geschoven lijkzakken in de kuipbrancard moeten leggen. Marino heeft lakens en zakken bij zich, nieuwe uiteraard, die nog schoon zijn. Ik wil niet dat er ook maar iets in contact komt met het lijk wat er sporen op zou kunnen achterlaten, instrueer ik.

'Nou, als je me een paar minuten de tijd kunt geven,' zeg ik tegen Labella. 'Daarna kun je weer binnenkomen en de motoren starten.'

Wanneer hij bij Kletty, Sullivan en Marino op het achterdek staat, doe ik mijn cargobroek en shirt uit. Met mijn rug naar de deur trek ik haastig het zachte, absorberende droogpak aan. De sluiting zit aan de voorkant en ik duw mijn blote voeten door de neopreen manchetten en trek de pijpen omhoog. Ik laat mijn armen in de mouwen glijden, wring mijn handen en hoofd door de seals aan de polsen en de hals, en trek dan de metalen rits dicht die diagonaal over mijn borst loopt.

Ik stap de hut uit, Labella gaat weer naar binnen om de motoren te starten en ik kijk op naar de grote witte helikopter, die nog steeds dreunend boven ons hangt.

'Dit staat me helemaal niet aan,' zeg ik luid tegen niemand in het bijzonder. 'Ik hoop verdomme maar dat ze niet zitten te filmen.' Ik denk weer aan Lucy, maar zij kan het niet zijn.

Ze zit in Pennsylvania en is daar ongetwijfeld bezig illegale praktijken van varkensboeren aan te pakken. Ik vraag Kletty en Sullivan om droge Gore-Tex sokken en schoenen, en om koudwaterhandschoenen, een duikmes, een kap en een duikmasker. Nadat ik een onopvallend zwemvest met een snelsluiting op het borstharnas heb aangetrokken, trek ik de dunne rubberen seal om mijn hals wat open om lucht uit het droogpak te laten ontsnappen, zodat er in de pijpen geen luchtbellen ontstaan, want dan zou ik ondersteboven in het water kunnen komen te hangen. Labella vaart voorzichtig naar de deinende gele drijver, zet de motoren af en houdt de boot in positie terwijl Marino een aluminium haak met lange steel in het water steekt en voordat ik hem kan tegenhouden de nylon lijn vasthaakt.

'Nee, nee, nee.' Ik schud mijn hoofd. 'Niet trekken. Zo gaan we het niet aan boord brengen. Niet vanaf de boot.'

'Wil je niet dat ik het met de haak binnenhaal? Dat is waarschijnlijk een stuk gemakkelijker en veiliger dan het water ingaan. Misschien hoeft dat niet eens.'

'Nee,' herhaal ik. 'Ik moet eerst zien waar we mee te maken hebben. Dat lijk gaat nergens heen tot ik heb gezien hoe de zaken erbij staan.'

'Oké, wat je wilt.' Hij laat de lijn los.

'Het lijk mag nergens tegenaan komen.' Ik spuw in mijn masker om te voorkomen dat het beslaat en Marino zet de haak weer in de houder. 'Mogelijke verwondingen mogen niet aan ons te wijten zijn.'

Kletty bevestigt een reddingslijn aan de gesp op de achterkant van mijn pak, tussen de schouderbladen. Ik trek het duikmasker over mijn ogen en neus en ga tastend met de neopreen schoentjes de metalen treden van de ladder af. Als ik tot mijn heupen in het water sta, duw ik me af. Ik zwem naar de gele drijver en het droogpak kleeft aan mijn lichaam alsof ik in krimpfolie gewikkeld ben.

Door het reddingsvest blijf ik stabiel in het water drijven. Ik pak het touw van de drijver, steek mijn gezicht in het koude, zoute water en schrik als ik net onder mijn voeten het lijk zie. De dode vrouw is volledig gekleed en hangt rechtop in het water. Haar armen en witte haar steken boven haar uit, en doordat ze langzaam in de stroming draait, is het alsof ze nog leeft. Ik kom boven om in te ademen, duik weer onder en zie dat ze op een groteske en sinistere manier is vastgemaakt.

Met een touw om haar nek is ze aan de gele drijver boven haar vastgebonden, terwijl een tweede touw om haar enkels strak naar beneden gaat en in de duisternis verdwijnt. Er zit duidelijk iets zwaars aan vast. Een manier om haar te martelen door extreme spanning op haar nek uit te oefenen en die uit te rekken en te ontwrichten, misschien met de bedoeling het lichaam uit elkaar te rukken? Of is er een ander doel? Ik vermoed van wel. Ze is speciaal voor ons zo vastgebonden. Ik kom weer boven, kijk nog eens omhoog naar de helikopter, die nog steeds boven ons hangt, houd mijn adem in en laat me weer in het water zakken.

Het zonlicht wordt door het wateroppervlak gefilterd. Net daaronder is het water groen en helder, maar lager heeft het een diepere blauwe tint die steeds donkerder wordt tot het inktzwart is. Ik weet niet hoe diep de baai hier is, maar het voorwerp aan het touw om haar enkels ligt naar alle waarschijnlijkheid niet op de bodem. Misschien is het hier wel tien meter diep. Het touw loopt recht naar beneden, alsof er een heleboel spanning op staat. Ik kom weer boven, haal diep adem en gebaar dat Marino met de haak klaar moet staan.

'Ik kan hier niets met haar doen,' roep ik. 'We zullen de hele zaak naar de boot moeten zien te krijgen zonder al te veel schade aan te richten.'

'Welke hele zaak?' vraagt Marino. 'Zwem gewoon met haar en de boei hiernaartoe. Gaat dat niet?'

'Nee,' antwoord ik. 'We moeten haar naar de boot toe halen, zodat ze langszij komt, dan kunnen we haar lossnijden zonder iets kwijt te raken en haar in de kuipbrancard leggen.'

Ik drijf op het klotsende wateroppervlak met het droogpak strak om me heen, en ik voel door het rubber heen hoe koud het water is.

'Het zal nog een hele klus worden om het touw rond haar enkels los te snijden,' leg ik uit. 'Ik wil die mosselkor of waar het ook aan vast zit niet kwijtraken.'

Ik wil hem per se hebben. Ik wil absoluut voorkomen dat dat ding in de diepte verdwijnt. Ik wil alle onderdelen van deze hele configuratie opvissen, of het nu een mossel of een mosselkor is, een kooi, een container of stenen. Ik vraag hoe diep het hier is. Bijna dertien meter, zegt Labella. Nog steeds ben ik me bewust van de helikopter boven ons. Verdomme, iemand houdt ons nauwkeurig in de gaten en filmt waarschijnlijk alles wat we doen.

'Zo lang hoeft het touw aan de mosselkor niet te zijn.' Ik spuug water uit; de golven klotsen tegen mijn nek en over mijn kin. 'Daardoor wordt ze naar beneden getrokken, en de andere lijn trekt haar naar boven.'

'Welke andere lijn?' schreeuwt Marino. 'Er is toch maar één touw?'

'Er zijn twee touwen die haar elk een andere kant uit trekken,' benadruk ik. 'Het touw aan de drijver is een aparte lijn.'

'Bedoel je dat ze ook nog ergens anders in verstrikt is geraakt?' vraagt Kletty.

'Nee. Ik bedoel dat ze met twee touwen is vastgebonden,' herhaal ik langzaam en luid. 'Een om haar nek, waarmee ze vastzit aan de drijver, en een om haar enkels, dat omlaag loopt naar datgene waarmee ze verzwaard is, een mosselkor of god mag weten wat.' Ik spuw water terwijl ik praat.

Het reddingsvest houdt me als een kurk drijvende, maar de golfslag wordt wilder en de windvlagen worden heftiger. Ik zwem tegen de stroming in om te voorkomen dat ik afdrijf.

'Dus als je te hard trekt, komt de kop eraf,' zegt Marino met zijn gebruikelijke tact.

'Ze valt uit elkaar als we niet heel voorzichtig zijn,' antwoord ik, en intussen ben ik er zeker van dat dat precies de bedoeling is van degene die het lijk gedumpt heeft.

Ik twijfel er niet aan dat er opzet in het spel is. Degene die hier verantwoordelijk voor is, wilde dat ze werd gevonden en dat iemand als ik een afschuwelijke schok zou krijgen als het lichaam als een vorkbeentje uit elkaar zou worden getrokken. Ik zou anders niet weten waarom ze op deze manier is vastgebonden, en ik stel me voor hoe we haar onbedoeld onthoofd zouden hebben als we hard aan het bovenste touw hadden getrokken, zoals Marino even geleden wilde doen. We zouden alleen haar hoofd hebben kunnen bergen, of waarschijnlijk helemaal niets.

Dan zouden we gedwongen zijn een duikteam op te roepen of zelf een duikpak aan te trekken en de bodem van de baai af te zoeken om te kijken of we nog iets konden vinden. Misschien wel helemaal niets tot wat er nog over was aan het oppervlak kwam en aanspoelde. Het is heel goed mogelijk dat er dan nooit meer iets van haar zou worden teruggevonden. Ik kan me amper voorstellen hoe een dergelijk gruwelijk scenario in de rechtbank over zou komen, vooral als we gefilmd zouden zijn door een televisieploeg die in een helikopter boven ons hing. Het is onaanvaardbaar.

De jury zou van ons walgen als de gebeurtenissen waren veroorzaakt door onverschilligheid, achteloosheid of volslagen incompetentie van onze kant. Ik weet niet of de juryleden zouden begrijpen dat iemand er op een duivelse manier voor gezorgd had dat deze dode vrouw nooit intact en misschien überhaupt nooit geborgen zou worden. Een zeer kwaadaardige moordenaar wilde dat we zijn werk van heel dichtbij zouden kunnen bekijken voor het voor onze ogen verdween. Misschien wilde hij dat we nooit met zekerheid zouden kunnen vaststellen wie ze is, en dat zal wellicht het geval zijn als we haar lichaam niet veilig uit het water weten te krijgen.

Wat te doen? Snel neem ik de verschillende mogelijkheden door, maar er is eigenlijk maar één werkbare oplossing, en ook dan zijn er geen garanties dat het goed gaat. We moeten geduldig en voorzichtig te werk gaan en een beetje geluk hebben.

'Als we het touw om haar nek nu eens doorsnijden?' oppert Kletty, en ik zie dat ze allemaal in wit Tyvek gekleed zijn, wat vanuit de lucht een vreemd gezicht moet zijn. 'Als we haar lossnijden van de drijver, staat er geen spanning meer op haar nek,' zegt hij.

'Dat gaat niet,' antwoord ik. 'Ik kan niet garanderen dat ik haar dan vast kan houden. Ik ben bang dat het gewicht aan haar enkels haar naar beneden zal trekken, zodat ze buiten ons bereik komt. Op de een of andere manier moeten we de lijn om haar nek binnenhalen zonder haar schade toe te brengen.' Ik zeg het laatste tegen Marino terwijl ik watertrap om op mijn positie te blijven.

'We moeten haar heel voorzichtig naar de boot toe halen en heel precies samenwerken. Het is te hopen dat ze heel blijft,' ga ik verder. 'Ik breng haar zo dichtbij dat je de lijn met de haak kunt inhalen en kunt vastpakken, maar trek er niet aan. Je moet aan mij trekken, niet aan haar, dan zwem ik met haar naar je toe en probeer het touw om haar nek zo slap mogelijk te houden. Laat de kuipbrancard zakken en trek zachtjes aan mij, niet aan haar,' herhaal ik, en ik voel de spanning in de lijn tussen mijn schouderbladen toenemen.

Ze laten de kuipbrancard zakken, waarin twee open lijkzakken in elkaar zijn geschoven, en ik leid de haak tot Marino hem om het touw heeft geslagen. Hij brengt het touw dichter bij de boot en steekt zijn hand ernaar uit, en opeens zijn net onder het oppervlak haar bleke vingers met de gelakte nagels te zien. Haar witte haar komt omhoog en even duikt haar gezicht op in een golfdal.

11

'Voorzichtig!' roep ik tegen Marino. 'Vasthouden! Vasthouden! Niet trekken.' Ik schuif mijn duikmasker omhoog. 'Hou de lijn vast, dan doe ik de rest wel.'

Ik ruik haar geur, schimmelig en weerzinwekkend, en ik breng mijn handen naar beneden om haar onder haar armen beet te pakken. Ik draai mijn rug naar de boot toe en houd haar stevig van achteren vast.

'Laat de lijn zo veel mogelijk vieren,' roep ik. Met mijn rechterschouder duw ik het touw van de gele drijver iets naar beneden om de druk op haar hals te verlichten. 'Trek me naar jullie toe, heel langzaam, dan houd ik haar vast. Haal mij binnen, niet haar.'

Er wordt aan mijn rug getrokken en ik voel het gewicht van wat er onder aan het touw zit waarmee haar enkels zijn vastgebonden. Ze is koud, minstens zo koud als het water, en haar huid is gerimpeld en hard. Haar armen zijn betrekkelijk soepel, maar verder is ze verstijfd door de kou, zo stijf als maar mogelijk is. De rigor mortis is al weken of misschien zelfs maanden verstreken, in de tijd dat ze was weggestopt, ergens waar het heel droog en koud was.

Als ze eenmaal warmer wordt, zullen er geen post mortem artefacten zichtbaar worden waaruit ik kan afleiden wanneer en waar ze om het leven gekomen is en in welke positie ze zich toen precies bevond, omdat het daar nu veel te laat voor is. Ik zal het moeten doen met wat er op dit moment te zien is. Vanuit deze koude en goed geconserveerde staat zal het ontbindingsproces snel in gang treden.

Tussen haar natte witte haar door is er een talklaag op haar perkamentachtige huid te zien. Haar oren en het puntje van haar neus zijn bruin verkleurd, en op haar gezicht en in haar hals ligt een flinterdun laagje vlekkerige witte schimmel. Ze is al zo lang dood dat het mummificatieproces op gang is gekomen en ze moet ergens een flinke tijd opgeborgen zijn voordat ze in het water is gedumpt. Ik trek haar heel voorzichtig mee, met mijn kin op haar kruin, en maak me zorgen of ik haar wel intact aan boord krijg. Met mijn schouder druk ik tegen het touw van de drijver en ik voel het hard en ruw tegen mijn kaak schuren.

Ik doe mijn uiterste best om te voorkomen dat ze door de drijver naar boven wordt getrokken. Het ding dobbert voor ons uit als een dikke gele vis die traag door het water zwemt, en dan komen we bij de deinende kuipbrancard aan de zijkant van de boot. Ik draai ons beiden een halve slag om, met het gezicht naar de boot toe, vertel Marino dat hij zijn lijn strak moet houden, zodat het lijk dicht aan het wateroppervlak blijft, en vraag Sullivan en Kletty om de lijnen te laten vieren die aan de brancard en aan mij vastzitten.

'Ik wil de brancard onder haar zien te krijgen. Ze moet zo hoog mogelijk in het water komen te liggen zodat ik de brancard onder water kan duwen en hem onder haar kan krijgen.' Ik spuug water uit wanneer er golven tegen mijn gezicht klotsen en ik via mijn mond en neus water binnenkrijg. 'Maar eerst moeten we die mosselkor omhooghalen en de touwen ervan doorsnijden om te voorkomen dat het lichaam nog meer te lijden heeft. Daarna kan ik haar gemakkelijker manoeuvreren.'

Ik haal diep adem, doe mijn masker voor, duik onder het lichaam door en pak het touw waarmee het aan de ballast in de diepte vastzit. Rond haar middel bollen een donkere jas en bloes op, en haar grijze rok waaiert bij haar heupen uit, waardoor haar slipje en haar bleke, dunne blote benen te zien zijn. De kleren bewegen golvend mee op de stroming van het water. Het gele touw is meer dan eens om haar enkels geslagen, loopt recht naar beneden en verdwijnt in de diepte, waar het water donker en ondoordringbaar is.

Ik trek aan het touw en voel dat de ballast onderaan vrij beweegt, wat geen indicatie van het gewicht is, want massa verandert onderwater weliswaar niet, maar het gewicht wel, door de opwaartse kracht. Het lukt me mijn schouder onder het touw te krijgen, en zo beweeg ik me moeizaam weer naar boven. Na een paar happen lucht zwem ik naar de brancard toe, waar Marino klaarstaat om me te helpen. Hij staat over de reling gebogen en strekt zijn grote hand naar me uit. Kletty pakt het touw van de drijver en Marino maakt de lijn vast die ik hem heb aangereikt. Ik draai haar in het water op haar buik en laveer de brancard langszij.

Ik voel de golven duwen en de stroming trekken en kantel haar zodat ze op haar rug in de brancard terechtkomt. Haar gerimpelde gezicht staart wezenloos omhoog, met vertroebelde ogen die door dehydratie ingedroogd en verschrompeld zijn.

'Houd alle lijnen strak!' Ik haal het duikersmes uit de rubberen schede die om mijn linker onderbeen zit. 'Ik ga haar lossnijden. Eerst het touw van de drijver, dan het andere. Houd de lijnen goed strak!'

Ik snij beide touwen zo'n dertig centimeter van de knopen bij haar hals en enkels af. De twee zakken waarin ze ligt, rits ik dicht.

'Schrijf op dat het touw van de drijver om haar hals zat, en het andere touw om haar enkels,' roep ik, waarna de morbide zwarte vracht omhoog wordt gehesen. 'We moeten de afgesneden eindjes labelen.' Ik zwem naar de achterkant van de boot. 'Misschien kan iemand dat meteen al doen. We moeten ook de gps-coördinaten noteren.'

Ik klim het trapje op. De brancard ligt op een laken naast de grote gele drijver en het afgesneden gele touw, dat iemand netjes heeft opgerold. Ik doe mijn duikmasker en mijn cap af en mijn handschoenen uit terwijl Marino de andere gele lijn binnenhaalt. Er komt iets vierkants vanuit de diepte omhoog, iets zilverkleurigs dat door de breking van het licht in het water vervormt en dan groter blijkt. Het komt aan het oppervlak, water stroomt er door het gaas aan de zijkanten uit, een soort kooi. Een kluwen manillatouw en vislijn zit verstrengeld aan een deurtje dat met een schuif vergrendeld is en door een afgeknapte bamboestok is doorboord en verbogen.

'Ik kan wel wat hulp gebruiken!' roept Marino, waarop Kletty en Sullivan naar hem toe snellen om hem te helpen met het aan boord hijsen van een fijnmazige kooi die van onderen dicht is en er tamelijk nieuw uitziet. In de kooi liggen groenzwarte zakken, gevuld met iets.

'Wat krijgen we nou?' roept Marino uit. Ze zetten het ding op het dek neer. Het lijkt op een inklapbare hondenkooi waaraan vistuig is blijven haken.

'Kattenbakvulling?' zegt Marino vol ongeloof.

'World's Best Cat Litter,' leest hij, de tekst die op de zijkant van de zakken staat. 's Werelds beste kattenbakstrooisel. 'Vijf zakken van vijftien kilo per stuk, gevuld met stompzinnige kattengrit? Moet dit een zieke grap voorstellen of zo?'

'Ik weet niet wat dit moet voorstellen.' Ik denk terug aan wat Lucy vanmorgen bij me op kantoor zei, wat inmiddels een eeuw geleden lijkt.

Een listige persoon die in sommige opzichten slim is, maar te zelfvoldaan is om te beseffen hoeveel hij niet weet.

'Misschien gepakt wat toevallig als ballast voorhanden was?' oppert Labella. 'Iemand die huisdieren heeft? Dat is heel wat makkelijker dan op zoek gaan naar een mosselkor, als je geen visser van beroep bent.'

'Bovendien overal verkrijgbaar.' Ik kijk nog eens beter. 'Een hele klus om te achterhalen waar iemand een bench en kattenbakstrooisel heeft gekocht, tenzij die persoon er een prijsstickertje voor ons op heeft laten zitten. Maar misschien verwachtte de persoon in kwestie niet dat we zo ver zouden komen. Ik weet niet of het wel de bedoeling was dat we dit of wat dan ook boven water zouden halen.'

'Dat lijkt mij ook,' zegt Marino. 'Het mag een godswonder heten dat het lijk niet kapot is getrokken. Dat zou zonder enige twijfel gebeurd zijn als jij het water niet in was gegaan. Als je niet precies datgene had gedaan wat je hebt gedaan.'

Ik kijk naar de helikopter die nog steeds boven ons in de lucht hangt, en dan draait de grote witte vogel naar het westen en vliegt richting Boston. Het toestel wordt steeds kleiner, het kabaal sterft weg, en ik wacht om te kijken of het naar Logan Airport afbuigt, maar dat gebeurt niet. Het toestel blijft in de richting van de stad vliegen, naar de Charles River, en uiteindelijk zie ik het niet meer.

'Hoe zit het hiermee?' Ik wijs naar de wirwar aan vistuig,

loodjes en wartels en haken, allemaal bruin verroest. 'Denk je dat het hetzelfde spul is waar de schildpad in verstrikt is geraakt?'

'Zo te zien wel. Commerciële beugvisserij,' zegt Marino tegen me.

Hij vertelt dat een beug eigenlijk een lange horizontale draad is waar verticale lijnen aan zitten, bijvoorbeeld om op makreel te vissen, gezien de manier waarop de haken gebogen zijn. Het bamboe dient als markering.

'Zie je dat stukje metaal aan het uiteinde?' legt hij uit. 'Daardoor bleef alles rechtop in het water staan, en waarschijnlijk hadden ze er ook een stel kurken aan vastgemaakt, en een vlaggetje.'

Het ziet er allemaal heel oud uit, en misschien komt het wel van heel ver weg. Marino vermoedt dat de schildpad ertegenaan is gezwommen, in een paar lijnen verstrikt is geraakt en de lijnen misschien een tijdje met zich heeft meegetrokken voordat hij in het touw van de drijver vast kwam te zitten.

'Het is zelfs mogelijk dat hij net wilde duiken of naar boven kwam voor lucht toen de kooi en het lijk in het water werden gegooid en dat alles toen verstrengeld is geraakt.'

Ik vraag of hij mijn loep uit de Pelican-koffer wil halen en me een paar handschoenen wil aangeven, en vervolgens neem ik de tijd om elke vierkante centimeter van de kooi te inspecteren, plus de doorweekte zakken met kattengrit. De bamboestok is ongeveer een meter vijfentwintig lang, en de bovenkant is niet al te lang geleden afgebroken, te oordelen naar de staat van het breukvlak, dat niet zo verweerd is als de rest van het hout. De stok is dwars door het hok gegaan, via de bovenkant in een hoek van dertig graden door het deurtje, en ik probeer me voor te stellen hoe dat gebeurd kan zijn.

Ik stel me iemand voor die de kooi vol kattengrit overboord gooit, samen met het vastgebonden lijk en de drijver. De kooi zou dan onmiddellijk zijn gezonken, en de drijver zou op het water zijn blijven dobberen, waardoor de levenloze vrouw in verticale stand in het water bleef hangen, in de positie waarin ik haar heb aangetroffen. Hoe is de kooi in botsing gekomen met de bamboestok en de beuglijnen, en wanneer?

Misschien heeft Marino gelijk. De lederschildpad sleepte het vistuig achter zich aan en kwam misschien boven op het moment dat de kooi en het lichaam in het water zijn gegooid. Ik tuur door de hoofdbandloep, bekijk de uiteinden van de stok en zie dezelfde groengele verf, een vage veeg op het afgebroken uiteinde van de stok die door de bovenkant van de kooi steekt.

Ik geef opdracht de kooi, de drijver en het vistuig in de huidige staat te fotograferen. Daarna zullen we alles in grote plastic zakken stoppen en naar het lab brengen.

'Laten we even controleren of Toby met het busje klaarstaat,' zeg ik tegen Marino terwijl ik het droogpak los rits en de seals over mijn hoofd en polsen trek. 'We moeten haar zo snel mogelijk naar het lab brengen, omdat ze snel zal gaan ontbinden nu ze niet meer in het water ligt. Ik weet niet of ze bevroren is geweest, maar dat zou me niets verbazen.'

'Bevroren?' Labella fronst zijn wenkbrauwen.

'Ik weet het niet zeker,' zeg ik. 'Bevroren of bijna bevroren. Deze dame is al een flinke tijd niet meer in leven, en ik heb zo'n vermoeden dat het de bedoeling was dat we haar zouden vinden, maar dat we haar dan ook meteen zouden kwijtraken. Ik denk dat de opzet was dat we danig gefrustreerd zouden raken. Ze is expres op deze manier in het water gegooid, om te worden onthoofd, geradbraakt en gevierendeeld, om het zo eens te zeggen, zodra we zouden proberen haar aan boord te krijgen. Een kapotgetrokken lijk dat ons uit handen glipt en in de diepte verdwijnt. Nou, jammer dan, wie je ook maar mag zijn,' zeg ik, niet tegen de dode vrouw maar tegen de persoon die dit op zijn geweten heeft. 'We hebben haar geborgen, en hopelijk is dat al meer dan een bepaald persoon voor mogelijk hield.'

Ik rits de lijkenzakken weer open, en haastig bevestig ik labels aan de touwen om haar enkels en hals, om de zakken zo snel mogelijk weer af te sluiten. Ik ga naar de stuurhut en ben blij dat ik daar uit de wind en de kou ben. Ik trek mijn natte kleren niet aan maar blijf in het onderpak zitten. Het past me als een ruimzittende grijze hansop.

Ik trek mijn jas aan en gesp mezelf weer op mijn stoel vast, en ik vertel Labella dat ik hun onderpak aanhoud en dat ik het zal terugbrengen nadat ik het gewassen heb. Kletty haalt het anker op, Labella start de motoren en Marino neemt naast me plaats, aan de andere kant van het gangpad, en gaat de worsteling met de gespen en de riemen aan terwijl ik probeer te bedenken in welke volgorde het een en ander gebeurd moet zijn.

In gedachten zie ik iemand op een boot die met een touw een grote drijver om de hals van de dode vrouw bindt, en daarna een tweede touw om haar enkels, en het andere eind daarvan aan een bench vol zakken met kattengrit. Ik zie hoe hij alles overboord gooit, net op het moment dat er een duizend kilo zwaar reptiel aan komt zwemmen, een beest dat vistuig, bamboe en draad achter zich aan sleept, iets wat dat dier hooguit ongemakkelijk vindt, tot hij in botsing komt met de bench. De bamboestok boort zich door het gaas. Nu zit hij vast aan een gewicht van honderden kilo's, waardoor hij naar beneden wordt getrokken en de vislijnen rond zijn linkerpoot strakker worden aangehaald.

'Wat een vreemde wereld,' besluit ik. 'Het enige wat hij absoluut niet voorzien had.'

Ik heb het over de moordenaar. Ik ben ervan overtuigd dat degene die deze vrouw in het water heeft gegooid ook verantwoordelijk is voor haar dood. Ik zal dit als een moordzaak behandelen tot de feiten anders uitwijzen.

'Wil je weten wat ik denk?' Marino verheft zijn stem om boven de bulderende motoren uit te komen. 'Volgens mij is ze dicht bij waar ze is gevonden overboord gegooid.'

'Daar zou je best wel eens gelijk in kunnen hebben,' zeg ik terwijl we met een flinke vaart naar de binnenhaven van Boston terugvaren. 'Als je ziet hoe dat lichaam was vastgebonden, kan het nooit over grote afstand zijn versleept zonder dat het uit elkaar zou zijn getrokken.'

'Vijf zakken à vijftien kilo per stuk, doordrenkt met water, en als die zooi nat wordt, wordt het alleen maar zwaarder en wordt het één grote klomp beton,' zegt Marino. 'Het is geen spul dat in water oplost en op een gegeven moment uit de zakken zou zijn gestroomd. Tel daar nog het gewicht van de bench bij op. Dan heb je het over zo'n tachtig of misschien zelfs wel honderd kilo dat aan dat lichaam hangt. Dat zet heel wat spanning op die nek.'

'Enig idee hoe lang ze al in het water lag?' Labella draait zich om in zijn stoel, en de boot ketst op het water terwijl we door de baai jakkeren.

'Waarschijnlijk nog niet zo lang.' Ik denk aan het proces tegen Channing Lott, de timing. 'De hamvraag is waar ze is vermoord en waar ze daarna naartoe is gebracht.'

'Ze lijkt niet op haar,' zegt Marino tegen me. Ik begrijp meteen wat hij bedoelt.

Ik weet waar hij aan denkt, en die gedachte is ook bij mij opgekomen, in het begin, heel even, tot ik haar gezicht zag. Ze lijkt in de verste verte niet op haar. Ik heb foto's van Mildred Lott bestudeerd, een jong ogende vijftiger, goed geconserveerd, met lang blond haar en de lichamelijke perfectie die iemand met haar financiële status zich kon veroorloven. Ik ken elke chirurgische ingreep die ze gehad heeft, elke liposuctie en injectie, en ik heb me verdiept in de politierapporten die me zijn toegestuurd nadat ze in maart van dit jaar uit haar huis in Gloucester verdween.

'Ik heb geen idee wie ze is, maar zij is het niet,' zeg ik tegen Marino. Recht voor ons doemt de skyline van Boston op. 'Ook zonder DNA-onderzoek durf ik dat al wel te zeggen.'

'Zolang we geen verklaring naar buiten brengen, zal de pers met veel tamtam beweren dat zij het wel is,' voorspelt hij.

'We treden pas naar buiten als we haar hebben geïdentificeerd en we met een gerust hart een verklaring kunnen opstellen, als dat tenminste niet degene in de kaart speelt die hiervoor verantwoordelijk is.'

'Stel dat ze in stukken was gereten en we haar niet hadden kunnen identificeren. Dan zou iedereen geloven dat het om Mildred Lott gaat.' Marino denkt aan mijn verschijning in de rechtszaal straks. 'Daar zou iedereen dan heilig van overtuigd zijn.' De jury in elk geval wel, wil hij zeggen. 'Ze zullen denken dat ze na al die maanden uiteindelijk gevonden is, en misschien is dat juist de reden waarom ze zo was vastgebonden. Om ervoor te zorgen dat het proces in een vrijspraak zou eindigen, om het te ondermijnen zodat de hele zaak op het laatste moment toch onderuitgaat.'

Hij doelt op de beruchte fratsen van Jill Donoghue, en voor zover ik het goed heb begrepen, ben ik de laatste getuige die door de verdedigende partij is opgeroepen voordat deze zaak wordt afgerond, een zaak die op spectaculaire wijze in het nieuws is geweest.

'Je moet toegeven dat de timing apart is. Of eigenlijk op het griezelige af,' zegt hij. 'Ik vraag me af of er geen opzet in het spel is.'

'Channing Lott zit in de cel,' breng ik hem in herinnering. 'Al sinds april. Bovendien is dit niet zijn vrouw.' Dat zeg ik met veel nadruk. 'Het is iemand anders.'

12

Het is al drie minuten over een als we bij de Longfellow Bridge aankomen, de brug die Boston met Cambridge verbindt.

Aan de overkant hebben de sportvelden en gebouwen van het MIT hun charme verloren; het zijn nu niet meer dan rechthoekige vormen van dof gras, donkere stenen en verbleekt kalksteen onder een dik tapijt van grijze wolken. De bomen, die op de herfst wachten, zien er opeens uit als skeletten, alsof ze hun verdroogde bladeren uit wanhoop van zich af hebben geworpen, en de Charles River wordt ruw beroerd door een stormachtige wind, die past bij de onrust die ik zelf voel.

Ik lees de sms nog eens en vraag me af waarom ik denk dat er nu iets anders zal staan.

Net terug na lunchpauze. Het blijft 2 uur. Sorry. DS.

Ik schrijf niets terug aan Dan Steward, de assistent-openbaar aanklager die er deels of misschien wel geheel verantwoordelijk voor is dat ik op dit uiterst ongunstige tijdstip om een volslagen belachelijke reden in de rechtszaal moet verschijnen.

Van nu af aan wil ik alleen nog telefonisch of persoonlijk contact met hem. Nooit meer schriftelijk, neem ik mezelf voor. Ik kan er gewoon niet over uit. Wat een verschrikking. Ik denk in krantenkoppen en ik maak me zorgen om de dode vrouw in het busje achter ons. Ze verdient mijn volledige aandacht, nu meteen, en die krijgt ze niet. En dat klopt niet.

'Ik heb altijd door microscopen gekeken,' zeg ik tegen Marino. 'Maar nu lig ik er zelf onder en word ik tot in detail ontleed en besproken. Ik weet niet hoe we dit gaan doen.' Ik stop mijn telefoon weer in mijn jaszak.

'Ik ook niet. Ik heb geen idee wie ik als eerste moet bellen, en ik ga zeker niet doen wat de kustwacht zei, namelijk meteen de FBI erbij halen. Ik heb geen zin hun de zaak op een dienblaadje te presenteren omdat de Binnenlandse Veiligheidsdienst dat toevallig zegt.' Hij praat onafgebroken over iets anders. 'Wat een teringzootje met al die jurisdicties. Jezus Christus, deze zaak kan wel door vijf of meer verschillende districten worden opgeëist.'

'Of niet. Dat is nog waarschijnlijker.'

'Zo'n teringzootje heb ik nog nooit gezien.'

Teringzootje schijnt zijn nieuwe favoriete uitdrukking te zijn, en ik vermoed dat hij hem van Lucy heeft overgenomen. Maar wie weet waar hij hem vandaan heeft.

'De FBI wil de zaak natuurlijk hebben omdat er ophef over zal ontstaan. Dit komt groot in het nieuws, dat staat wel vast, misschien wel landelijk. Een rijke oude dame wordt aan een hondenhok vastgebonden en in de haven gegooid. Ze zullen denken dat het Mildred Lott is. En wanneer blijkt dat zij het niet is, wordt de ophef alleen nog maar groter.'

'Een rijke oude dame?'

'Wil je deze even vasthouden?' Hij geeft me zijn Ray-Ban. 'Over rotweer gesproken. Ik moet naar de oogarts, ik zie geen reet meer. Ik moet een receptuurtje hebben in plaats van die brilletjes van de drogist.'

Ik ga hem niet nog eens vertellen dat hij het woord 'receptuurtje' verkeerd gebruikt.

'En nu zie ik veraf ook al niks meer.' Hij tuurt naar de weg. 'Daar word ik zo pissig van, dat alles wazig is. Ik kan me niet meer herinneren hoe ze dat noemen. Presbyfobie.'

'Presbyopie. Ouderdomsverziendheid.'

'Ik kan verdomme niets meer scherp in beeld krijgen.'

'Weet je zeker dat ze rijk was? Waarom denk je dat?' Ik leg zijn zonnebril op mijn schoot, stel het ventilatierooster bij en zet de blower hoger terwijl we in de drukte over de brug kruipen.

'En hoe weet je dat ze oud is?'

'Ze heeft wit haar.'

'Of platinablond. Het kan geverfd zijn. Ik moet het nog bekijken.'

'Mooie kleren. En dan die sieraden. Ik heb ze niet van dichtbij bekeken, maar ze leken me van goud, en ze had een duur horloge om. Ze is oud,' houdt hij vol. 'Minstens zeventig. Ze ziet eruit alsof ze ging lunchen of winkelen of zoiets en toen werd ontvoerd.'

'Ze ziet eruit alsof ze heel erg uitgedroogd en heel erg dood is. Ik weet niets over leeftijd of rijkdom, maar beroving lijkt niet het motief te zijn.'

'Dat zei ik ook niet.'

'Ik zei dat het waarschijnlijk niet zo was. Het blijft gevaarlijk om te vroeg conclusies te trekken,' merk ik op. 'Vooral bij een geval als dit, waarbij we misschien alleen kunnen afgaan op een signalement, in de hoop dat ze ergens in een database staat. Als we zeggen dat het een oudere dame met lang wit haar is terwijl ze eigenlijk in de veertig is en haar haar geblondeerd heeft, kan dat ernstige gevolgen hebben.'

'Iemand als zij zal wel als vermist zijn opgegeven,' zegt Marino.

'Dat zou je denken, maar we kennen de omstandigheden niet.'

'Het zou zeker gemeld zijn,' beweert hij. 'Het valt tegenwoordig op als de kranten zich opstapelen en je brievenbus uitpuilt. Rekeningen worden niet betaald en gas en licht worden afgesloten. De persoon in kwestie verschijnt niet op afspraken en uiteindelijk schakelt iemand de politie in.'

'Dat is vaak zo, ja.'

'En dan hebben we het nog niet eens over de familie die komt klagen dat ma of oma in geen dagen of weken de telefoon heeft opgenomen.'

'Als er al familieleden zijn die iets om haar geven,' antwoord ik. 'Wat ik met redelijke zekerheid kan zeggen, is dat ze geen oude dame met Alzheimer is die is weggelopen uit een gesloten inrichting en is verdwaald en niet meer wist wie ze was of waar ze woonde. Zo iemand komt niet in een baai terecht, vastgebonden aan een drijver en een bench.'

'Je meent het.'

'Ze is vermoord en haar lichaam is een tijdlang opgeslagen en vervolgens getransporteerd en overboord gegooid,' voeg ik eraan toe. 'En dat is ongetwijfeld gedaan met een specifieke bedoeling die nog niet duidelijk is.'

'Een of andere zieke geest.'

'Er lijkt in ieder geval boze opzet in het spel.'

'Hoe lang denk je dat ze ergens weggestopt heeft gelegen?'

'Dat hangt af van de omstandigheden. Weken, in ieder geval. Misschien zelfs maanden,' zeg ik. 'Het ziet ernaar uit dat ze volledig gekleed was toen ze stierf, en ik ben inderdaad bang dat ze ontvoerd is. Maar als dat het geval is, verbaast het me dat er niets over in het nieuws is geweest. In ieder geval niet voor zover ik weet. De politie geeft zulke dingen meestal wel door.'

'Dat wou ik ook maar zeggen. Tenzij ze niet uit Massachusetts komt.'

'Dat is natuurlijk ook mogelijk.'

'Het klinkt een beetje als die dinosaurusdame die in Canada wordt vermist.' Hij slaat links af Memorial Drive op.

'Ik zie niet meteen overeenkomsten,' zeg ik. 'Maar ik weet niet precies hoe Emma Shubert eruitziet. Alleen dat ze kort, grijzend bruin haar had en achtenveertig was toen ze verdween.'

'En deze dame heeft allebei haar oren nog,' bedenkt hij.

'Aangenomen dat de foto die ik gekregen heb echt is en dat dat oor van Emma Shubert is. Er zijn zoveel onzekere factoren.'

Marino kijkt in de achteruitkijkspiegel om zich ervan te verzekeren dat het busje met het lijk nog achter ons rijdt. 'Nou, misschien hebben we geluk en staat deze vrouw in het register van vermiste personen.'

Ik denk niet dat we met deze zaak ook maar enig geluk zullen hebben. Ik kan het gevoel niet van me afzetten dat er niets is gedaan sinds deze vrouw is gestorven omdat niemand in haar omgeving weet dat ze verdwenen is, haar buren niet, haar familie en vrienden niet, en dat is vreemd. Ik vind het ook vreemd en tegenstrijdig dat degene die het lichaam heeft gedumpt niet de moeite heeft genomen haar van haar persoonlijke bezittingen te ontdoen, ook al is lang niet duidelijk wie ze is. Persoonlijke bezittingen kunnen de politie een eind op weg helpen.

Waarom zijn haar kleren en sieraden niet verwijderd?
Waarom hebben we haar lichaam eigenlijk gevonden?
Natuurlijk hadden we haar stoffelijk overschot misschien niet kunnen bergen, bedenk ik. Ik denk eraan hoe geschokt ik was toen ik zag hoe ze was vastgebonden, met een nylon touw om haar nek en nog een om haar enkels. Als haar lichaam uit elkaar was getrokken, en ik heb het sterke vermoeden dat dat de bedoeling was, hadden we wellicht nooit meer iets van haar teruggevonden.

Het had niet veel gescheeld of ons harde werken had enkel een gele drijver opgeleverd, plus wat touw, wat roestig vistuig, en een stukje zeepok en een bamboestengel met iets groens erop. Er schieten allerlei vragen en mogelijkheden door mijn hoofd, maar er komt niets nuttigs uit, alleen meer verwarring en een groeiende angst.

Ik denk aan kwaadaardige manipulatie. Iemand speelt met ons. Er wordt heel opzettelijk een vuil spelletje gespeeld en ik vermoed dat het DNA in geen enkel systeem gevonden zal worden en dat we geen enkel politieverslag of andere melding zullen aantreffen omdat eventuele betrokkenen niet weten dat deze vrouw is verdwenen van de plek waar ze zou moeten zijn. Ik sterf van de kou, dus ik draai de verwarming hoger en richt de ventilatieroosters op mijn gezicht en hals.

'Heel raar, zoals ze vastgebonden was.' Marino zit nog steeds te praten. 'Misschien een bepaalde vorm van knevelen. Daarna wordt ze gedumpt en raakt ze in de knoop met een dinosaurusschildpad. Jezus, ik ga hier dood van de hitte.'

Hij doet zijn ventilatierooster dicht en draait het raam aan zijn kant een stukje open.

'Laten we het woord *dinosaurus* alsjeblieft niet gebruiken.' Dat heb ik al een paar keer gezegd.

'Waarom heb je zo'n rothumeur?'

'Het spijt me als ik een rothumeur lijk te hebben.'

'Dat lijkt zo omdat het zo is.'

'Ik maak me zorgen en ik ben gefrustreerd omdat dit een race tegen de klok is,' zeg ik. 'Ik moet nu meteen met haar aan het werk. We hebben al niet veel tijd, en nu moet ik ook nog om een volkomen belachelijke reden naar de rechtbank toe. Goeie genade, kunnen die auto's nog langzamer rijden?'

'Het is hier altijd druk. Ochtendspits, middagspits, avond-spits. Tussen twee en vier uur 's middags is het nog het rustigst,' zegt hij. 'En denk eraan, hoe nijdiger je wordt, hoe liever ze het hebben.'

Hoe ironisch dat juist hij me eraan moet herinneren hoe nutteloos het is om me door allerlei bijkomende omstandigheden van mijn stuk te laten brengen.

'Haar toestand verslechtert met de minuut,' merk ik op.

'Er zijn wel een paar dingen die we kunnen doen. Maak je geen zorgen, doc,' zegt hij.

We zijn bijna bij mijn kantoor, een silo met een glazen koepel erop in de vorm van een raket, een dumdumkogel of, zoals sommige bloggers het noemen, een forensische erectie. Zeven verdiepingen ultramoderne bouw, afgewerkt met titanium en versterkt met staal. Er zijn eindeloos veel beschrijvingen en grappen over, de meeste oneerbiedig en vulgair. Grote kans dat de kranten er morgen vol mee staan.

Dr. Scarpetta terug naar haar forensische erectie in Cambridge na haar getuigenis dat de vrouw van Lott in zeep is veranderd.

Ik kijk op mijn horloge en voel de woede weer opkomen. Het is precies acht minuten over een, en over nog geen uur moet ik in het getuigenbankje staan. Ik kan onmogelijk met de sectie beginnen en laat die zeker niet door iemand anders doen. De hele situatie is te gek voor woorden.

'Het is een lederschildpad, en zo moeten we hem ook noemen.' Ik ga verder waar ik gebleven was en probeer minder geïrriteerd te klinken. 'We hebben er niets aan als we het dier een dinosaurus blijven noemen.'

'Pam zegt dat lederschildpadden de laatste levende dinosaurussen op aarde zijn.' Marino gaat linksaf om op het parkeerterrein achter het gebouw uit te komen.

'Het probleem is dat er altijd idioten zijn die ernaar gaan zoeken alsof het om Nessie of Bigfoot gaat als je zulke dingen zegt.'

'Ik werk het liefst met Jefferson van de politie van Boston,' zegt Marino vervolgens, alsof hij de rechercheurs voor het uitzoeken heeft en de FBI buitenspel kan zetten, die de zaak volgens mij uiteindelijk over zal nemen. 'De buitenhaven hoort officieel bij Boston.'

'Daar ben ik helemaal niet zo zeker van,' antwoord ik. 'Het hangt af van de lengte- en de breedtegraad, en ik weet niet genoeg over navigatie om aan de coördinaten die wij hebben gekregen te kunnen zien of de plek waar we haar hebben geborgen binnen de grenzen van Hull, Cohasset of zelfs Quincy ligt, nog afgezien van de vraag waar ze in het water is beland, waar ze is gestorven en waarvandaan ze is ontvoerd, aangenomen dat ze is ontvoerd. Waarschijnlijk zal de FBI zich er wel weer tegenaan bemoeien.'

'Ze zullen er als een pitbull hun tanden in zetten en het onderzoek helemaal naar zich toetrekken.' Hij brengt zijn hand naar de zonneklep en drukt op de afstandsbediening van het hek. 'Ik weet zeker dat Benton het prachtig zal vinden om hiermee aan de haal te gaan,' voegt hij eraan toe, alsof mijn man, die informatieanalist is bij de FBI, nooit iets spannends beleeft.

'Niemand wil een zaak als deze,' spreek ik hem tegen terwijl het hek openglijdt. 'Daar maak ik me meer zorgen om. Dat iedereen hem zo snel mogelijk van zich af schuift. We moeten een signalement en een beschrijving van haar persoonlijke bezittingen op NamUs zetten.'

NamUs, het National Missing and Unidentified Persons System, is een relatief nieuwe, centrale database van mensen die zijn verdwenen. Maar toch houd ik sterk het gevoel dat deze vrouw niet als vermist is opgegeven.

'Dat doen we hoe dan ook voor de dag om is. We zullen röntgenfoto's, haar gebitsgegevens en alle opvallende lichamelijke kenmerken op de mail zetten.' Ik werk de lijst af terwijl we de parkeerplaats oprijden. 'Bel Ned of wie er anders aan het eind van de middag beschikbaar is.'

Ned Adams is een van de tandartsen in de stad die gediplomeerd odontoloog is en op wie we een beroep kunnen doen.

'Voordat we naar het gerechtshof gaan, moeten we een paar foto's maken.' Marino parkeert de Tahoe voor het laadplatform.

'Absoluut.' Ik buk om de afvalzak met mijn natte kleren erin te pakken.

'En we moeten haar temperaturen, want dat hebben we op de boot niet gedaan,' zegt hij. 'De temperatuur zal wel hetzelfde zijn als die van de baai, 10,6 graden Celsius. Misschien één of twee graden hoger, want op de boot van de kustwacht en in de bus zal het warmer zijn.'

'Ja, dat doen we nu meteen, en dan moet ik een paar minuten hebben om mijn pakje weer aan te trekken. Zo kan ik natuurlijk niet verschijnen.' Ik stap uit in het onderpak van grijze fleece, mijn oranje donsjack en natte schoenen, waarin ik geen sokken draag.

'Tenzij je wilt dat iedereen denkt dat je malende bent,' zegt Marino terwijl de laaddeur ratelend omhooggaat en het dichte witte busje ervoor tot stilstand komt.

'We moeten foto's en vooral monsters nemen. Hoe sneller ik haar DNA-profiel in NamUs en vooral in NDIS kan invoeren, hoe beter.' Ik werk het lijstje af met wat er meteen gedaan moet worden.

'Ik neem monsters, was haar heel snel en ga naar de rechtbank.' Ik koester de vage hoop dat de politie deze vermiste vrouw op een gegeven moment in het National DNA Index System heeft gezet.

'Zeg tegen Bryce dat hij contact moet opnemen met Dan om hem te laten weten dat we net terug zijn van een lastige plaats delict en dat ik er zo snel mogelijk aankom. Wat een tijdverspilling,' mopper ik vervolgens. 'Belachelijk. Pure pesterij. Ze willen alleen maar lastig doen en van de rechtszaak een kermis maken.'

'Ja, dat heb je nu al vijftig keer gezegd.' Marino pakt de sporenkoffertjes achter uit de suv en ik verzamel de zakken met het vistuig dat Pamela Quick me heeft gegeven en de zeepok die ik uit de huid van de lederschildpad heb getrokken.

We lopen de parkeergarage in en de bus rijdt achter ons aan naar binnen. Het portier zwaait open en Toby springt naar buiten in zijn uniform en met een honkbalpet op zijn kale hoofd, een look die hij wel van Marino zal hebben overgenomen. Het blijft me verbazen hoeveel invloed Marino heeft, zonder dat hij zich daarvan bewust lijkt. Zeker de helft van de mannelijke leden van mijn onderzoeksteam scheert zijn hoofd zo glanzend kaal als een biljartbal en heeft tatoeages. Ook Toby's linkerarm zit vol met afbeeldingen die me doen denken aan de graffiti in tunnels.

Niemand is immuun voor het Marino-effect, zoals ik de behoefte noem die zijn mensen voelen om hem na te doen, in goede en in slechte dingen. Ik heb gehoord dat Sherry de woorden *Mortui vivos docent* op haar rug heeft laten tatoeëren, en Barbara rijdt tegenwoordig rond op een Harley.

'Wat is het plan?' Toby trekt een paar handschoenen aan en maakt de achterklep van het busje open. 'Moet ze naar Decomp? Ik neem aan dat het moord is, dood voordat ze gedumpt werd, zodat ze zou zinken, zeker? Raar geval. Enig idee wie het is?'

'We moeten haar eerst bekijken voordat ze de koeling in gaat, en ga maar helemaal nergens van uit,' zegt Marino nors.

'Doe je haar morgenochtend?'

'Ik ga zeker niet wachten tot morgenochtend,' zeg ik. 'Ik kom na de zitting meteen terug. Haar toestand zal heel snel verslechteren. Laten we haar meteen maar naar Decomp brengen, dan nemen we haar temperatuur op en maken wat foto's. Wegen en meten komen later wel.'

Toby haalt de rem van de brancard met de zwarte lijkzak, die te groot lijkt en akelig plat is, alsof de inhoud tijdens het vervoer gekrompen is.

'En de andere spullen?' vraagt hij.

Achter in de parkeergarage staan de zwarte, in plastic verpakte dingen die uit de baai zijn gevist.

'Dat gaat allemaal naar Sporen, maar niet nu,' zeg ik. 'We leggen alles bij Identificatie.'

Ik geef hem de opdracht een tafel te bedekken met wegwerplakens en daar alle voorwerpen op te leggen, ze te fotograferen en toe te dekken en daarna de deur op slot te doen. Als ik terug ben van het gerechtshof zal ik de lakens openslaan en alles bekijken om eventuele vragen van de politie of de FBI over het vistuig, de drijver en de rest te kunnen beantwoorden. Morgenochtend brengen we de hele zaak naar Sporen, zeg ik tegen Toby, en ik vraag hem Ernie Koppel, het afdelingshoofd, te waarschuwen voor wat er allemaal aankomt.

'Alles veilig achter slot en grendel,' herhaal ik. 'Niemand raakt iets aan zonder eerst met mij te overleggen.'

Ze tillen de brancard uit de bus, slaan de achterklep dicht en rijden het lijk naar de koelruimte terwijl de laaddeur luidruchtig naar beneden rolt. Ik blijf even bij de bewakerspost staan om het logboek te tekenen en zie tot mijn opluchting dat er sinds de laatste keer dat ik erin keek geen andere zaken zijn binnengekomen. Op de twee verkeersslachtoffers is sectie verricht en de lichamen zijn door begrafenisondernemers opgehaald. Dus moeten alleen de gevallen man en de mogelijke zelfmoord door een overdosis drugs nog vrijgegeven worden. Die secties heeft Luke Zenner voor zijn rekening genomen, zie ik, en ik had ook niet anders verwacht. Het ligt in zijn aard om de meest gecompliceerde zaken op te eisen of op zijn eigen naam te zetten, omdat hij ervaring wil opdoen en wel van een uitdaging houdt.

'Is er nog iets wat ik moet weten?' vraag ik Ron door het open raampje.

'Nee, mevrouw,' antwoordt hij. De beeldschermen aan drie van de muren van zijn kantoor zijn opgesplitst in kwadranten, die elk gedeelten van het gebouw tonen die extra beveiligd worden. 'Het is heel rustig. Er zijn maar twee lijken opgehaald en een ander is onderweg.'

'Wij gaan een paar minuten de koelcel in, en dan moet ik naar het gerechtshof,' laat ik hem weten. 'Hopelijk houden ze me daar niet al te lang op. Marino en ik komen meteen terug voor deze sectie.'

'Gaat u haar vandaag nog doen?' vraagt hij tot mijn verbazing.

Ik heb niemand in het gebouw verteld dat het slachtoffer een vrouw is. Dat weten alleen Marino en Toby.

'Ja. Maakt niet uit hoe laat het wordt,' zeg ik terwijl ik het logboek invul. 'We weten niet wie ze is, dus ik omschrijf haar als een ongeïdentificeerde blanke vrouw, gevonden in de Massachusetts Bay.'

Hij begint op zijn computer gegevens in te vullen om een Radio Frequency Identification- of RFID-chip te maken, die op een label wordt aangebracht. Ik kijk in de aantekeningen na wat de gps-coördinaten zijn en geef hem die, en op dat moment komt Toby weer voor de dag, die haastig een lege brancard voor zich uit duwt en luidruchtig de deur tussen de autopsieafdeling en de parkeergarage openschuift. Een laserprinter begint te zoemen en Ron schuift me een gele siliconenarmband en het label toe, waarop de informatie staat die ik hem net heb gegeven over het lijk dat als laatste is binnengebracht.

'Wat heb je allemaal gehoord?' vraag ik terloops, terwijl op de beeldschermen te zien is hoe Toby de brancard naar het witte transportbusje rijdt.

'Nou, Toby zei dat er een ongeïdentificeerde vrouw aankwam en dat het die dame zou kunnen zijn die vermist wordt en waar u voor naar het gerechtshof moet,' zegt Ron. 'Blijkbaar bent u ook gefilmd door cameraploegen toen u in de baai bezig was.'

'Waarom denk je dat er meer dan één cameraploeg aanwezig was?' vraag ik terwijl ik Toby op een van de opgesplitste beeldschermen van verschillende hoeken bekijk.

Hij zet de brancard achter het busje en wijst er met de sleutel naar om de wagen open te maken, en ik zie zijn lippen bewegen. Waarschijnlijk luistert hij zoals gewoonlijk naar zijn iPod en zingt hij mee. Maar dat klopt niet helemaal. Hij lijkt nogal nadrukkelijk te praten. Eigenlijk ziet hij er nogal opgewonden uit, alsof hij ruzie met iemand heeft.

'Voor zover ik kon zien, bevond u zich op verschillende tijdstippen op verschillende locaties en verschillende boten,' legt Ron uit. 'Die van de kustwacht en de brandweerboot met een stel mensen van het aquarium. Een deel ervan was vanuit de lucht gefilmd. Dat weet ik omdat ik de helikopter op de achtergrond kon horen. Maar ik weet het niet helemaal zeker.'

Toby staat te telefoneren. Hij heeft oortjes in, die het geluid doorgeven van zijn iPhone, die in een achterzak van zijn cargobroek zit. Misschien heeft hij weer woorden met zijn vriendin, maar hij wordt geacht geen ruzie te maken of persoonlijke gesprekken te voeren, punt uit. Hij wordt geacht zijn aandacht bij het werk te houden, bij de bewijsstukken waarmee hij bezig is. Het feit dat het personeel net zoveel tijd besteedt aan persoonlijke beslommeringen als aan het werk is een van mijn grootste grieven. Alsof het heel normaal is om betaald te krijgen voor ruziën met een partner, online winkelen of chatten op Facebook of Twitter.

'U deed iets met de grootste schildpad die ik ooit heb gezien,' gaat Ron verder, maar ik luister amper. 'En toen lag u in het water om die vrouw eruit te halen. Een oudere dame, zo te zien, vastgebonden met geel touw.'

'Heb je beelden gezien van toen ik haar uit het water haalde?' Ik zie hoe Toby een laken over de brancard legt en de achterklep opendoet, en zijn gezicht staat nu boos; hij is duidelijk niet blij met wat degene aan de andere kant van de lijn zegt. 'Weet je toevallig op welke tv-zender dat was?'

'Nee mevrouw. Dit is alles wat ik met zekerheid kan zeggen,' beweert Ron. 'Het wordt niet alleen door de plaatselijke stations uitgezonden. CNN in ieder geval, en op Yahoo staat een kop over een prehistorische reuzenschildpad, dat zijn de exacte woorden, en er staat bij dat er een lijk vastzat aan een kooi en dat de schildpad in dat geheel verstrikt is geraakt. Ik geloof dat het zo'n beetje overal op internet staat.'

13

De zeven gangen van het CFC zijn witgeverfd en de tegels van gerecycled glas zijn grijsbruin, de zogenaamde truffeltint. Zachte indirecte led-lampen creëren een rustgevende ambiance, en achter geluidswerende verlaagde plafonnetjes lopen kilometers aan bekabeling terwijl camera's en RFID-trackers de gangen nagaan van allen die hier komen, de levenden en de doden.

Ons ronde hoofdkwartier is ontworpen door een bioresearch-bedrijf dat tegen het eind van het bouwproject failliet is gegaan, en op een enkel minpuntje na is het originele ontwerp ideaal voor wat we doen – eigenlijk een droom voor elke lijkschouwer. Door middel van energie-efficiënte zonneramen hebben we zicht op de buitenwereld terwijl er niemand naar binnen kan kijken, en een energiezuinige HVAC regelt de temperatuur in het gebouw zo nauwkeurig dat we ons eigen op maat gemaakte klimaat hebben. Boilers reduceren de vochtigheid van de lucht voordat die gekoeld wordt, zodat er geen condensatie optreedt en we evenmin last hebben van het vervelende fenomeen dat bekendstaat als 'indoor rain', terwijl robots en HEPA-filters alle ziektekiemen, chemische dampen en kwalijke luchtjes wegzuigen en afbreken.

In het CFC is het schoner dan in de meeste klinieken, de operatiekamer waar ik talloze keren langskom is sterieler dan die in een ziekenhuis. Patiënten die hersendood zijn verklaard worden hiernaartoe vervoerd terwijl ze nog aan de beademing liggen, zodat hun ogen, organen, huid en botten zonder onnodig oponthoud kunnen worden uitgenomen. De doden helpen de levenden en de levenden helpen de doden. De ontwikkelingen die ik in mijn branche heb meegemaakt, vormen geen lineair proces zoals ik me dat ooit had voorgesteld, maar een cirkel, net als de gang waar ik nu loop. Ik heb me net geïdentificeerd en ga een grote röntgenruimte binnen om te kijken of mijn technicus Anne er is.

Haar stoel staat naar achteren geschoven en is omgedraaid, alsof ze net van haar plek is opgestaan, en op platte videoschermen zijn 3D-beelden zichtbaar van een hoofd en een thorax, met in het hersenweefsel helderwitte vlekken van een recente bloeding, en nog wittere botten, een basilaire schedelbreuk die zich naar de holtes uitstrekt, verbrijzelde schouderbladen en gebroken ribben, zo ernstig dat ze van het borstbeen zijn losgeraakt. De zaak van vanochtend, Howard Roth, stomp trauma; ik heb de gegevens van zijn CT-scans gelezen. Een tweeënveertigjarige zwarte man uit Cambridge die naar verluidt van de keldertrap is gevallen. Hij werd gisteren aan het eind van de middag gevonden. *Hier heb ik helemaal geen tijd voor.*

Maar ik kan me er niet van losmaken en bekijk nog meer foto's, waarop het inwendige lichaam vanuit verschillende hoeken te zien is. De grijze vlakken van organen en spieren zijn helderwit waar een bloeding is opgetreden, en donker waar lucht vastzit. Dan een uit elkaar spattende ster en streperige artefacten met een hoge Hounsfieldwaarde van bijna 4000. Zwaar metaal, mogelijk lood. Hoogstwaarschijnlijk oude kogelresten in het zachte weefsel van de linkerheup, en ook aan de achterkant van zijn rechterdijbeen. Een mogelijke indicatie van wat voor leven deze man geleid heeft, maar niet van wat hem fataal is geworden. De ernstige inwendige verwondingen die daarvoor verantwoordelijk zijn, lijken niet te passen bij een val van de trap.

Een fladderthorax associeer ik meer met de zware verwondingen van mensen die onder een of andere machine bekneld zijn geraakt, of die door een tractor of een auto zijn overreden. Mensen die op hun achterhoofd vallen, houden er bovendien meestal geen basilaire fractuur aan over. Ze hebben geen breuken rond het foramen magnum, de opening in de onderkant van de schedel. Ik klik nog meer beelden aan, maar zie geen recente verwondingen aan de armen, handen, voeten of het bekken.

Achter een met lood beveiligd raam tekent het silhouet van de grote CT-scanner zich als een vage witte vorm af tegen het donker. Niemand thuis. Waarschijnlijk is Anne even koffie gaan drinken of naar de wc. Ik schrijf haar een briefje en leg dat op haar toetsenbord, met de mededeling dat ik later op de dag sectie zal verrichten op het lichaam uit de Massachusetts Bay en dat er eerst een scan van moet worden gemaakt.

Moeten Howard Roth bespreken, voeg ik er in een PS aan toe. *Vreemde locatie van breuken & gebrek daaraan. Wil volledige anamnese & gegevens van plaats delict. Lichaam nog niet vrijgeven. Dank. – KS.*

Daarna kijk ik in de snijkamer, waar het stil en glanzend schoon is. De vloer is pas gedweild en nog nat en lange rijen lege stalen tafels staan dof te glimmen in het natuurlijke licht dat door de halftransparante zijramen en de ramen aan de kant van het parkeerterrein naar binnen valt. De sterke lampen aan het tien meter hoge plafond branden niet, de observatieramen hoog in de muren staan open, en ik zie dat er in de practicumlokalen geen licht meer brandt.

Luke Zenner is hier regelmatig te vinden. In alle stilte zit hij hier vaak zijn administratie bij te werken, lopende projecten te controleren, of zijn werkplek op te ruimen, nummer 2, naast die van mij. Maar ik zie hem nu niet, noch iemand anders. De andere vijf pathologen en de leden van mijn onderzoeksteam zitten waarschijnlijk achter hun bureau, zijn naar een van hun vele afspraken of zijn opgeroepen.

Ik toets het wachtwoord van mijn iPhone in om Luke een sms'je te sturen en zie dat Benton me een berichtje heeft gestuurd.

Gaat 5 uur door & alles goed? Heb journaal gezien.

Ik stuur hem een berichtje terug dat ik meteen terugga naar het CFC nadat ik bij de rechter ben geweest en dat ik tot het begin van de avond moet doorwerken. Ik heb tijd voor hem en de andere agenten zo gauw ik de sectie heb afgerond.

Ik bel wel als ik ff adem kan halen, sms ik hem. *Eten? Als het echt laat wordt misschien iets ophalen en hier opeten?*

Mijn telefoon gaat onmiddellijk over, en hij antwoordt: *Ga wel langs Armando's.*

Ik antwoord: *Combo's met xtra kaas, tomaten, paprika, ui. 1 met spinazie & artisjokharten. Zeg dat ze voor mij zijn.* Ik zet erbij dat ik ernaar uitzie hem weer te zien.

Het zal een hele opluchting zijn Benton weer te zien wanneer de rest van deze middag eenmaal achter de rug is. Ik kijk op mijn horloge. Het is achtentwintig minuten over een. Ik stuur Luke een sms'je over Howard Roth en laat hem weten dat we het over de zaak moeten hebben en dat het lichaam nog niet kan worden vrijgegeven. *Ben wsch over paar uur klaar*, tik ik, terwijl ik verder loop, door de wasruimte, de wachtkamer, de kleedkamers met de kluisjes. Nergens is een spoor van Luke of wie dan ook te bekennen, wat kenmerkend is voor dit tijdstip, tenzij we uitzonderlijk veel werk te doen hebben.

Na Antropologie buigt de gang af naar het streng afgeschermde lab dat we onderling aanduiden met de term 'Decomp' en dat gereserveerd is voor het onderzoeken van lichamen met een mogelijke infectieziekte, die besmet zijn geraakt of die in verregaande staat van ontbinding verkeren. Zonder mijn handen te gebruiken druk ik op een knop, waarop een metalen deur openzwaait. Ik loop de luchtsluis in en hang mijn jas op. Nadat ik beschermende kleding van een van de planken heb gepakt, druk ik een tweede knop in, waardoor een tweede deur opengaat en ik Marino ontwaar, die in een tot bovenaan dicht geritste witte Tyvek-overall zijn fotoapparatuur staat te controleren.

De brancard met de zwarte zak erop staat naast een van de drie roestvrijstalen tafels die gekoppeld zijn aan wastafels aan de muur. Achter de observatieramen erboven brandt geen licht. Als ik op een klok kijk die naast de deur van de koelcel hangt, zie ik tot mijn ongenoegen dat het al halftwee is. Over welgeteld dertig minuten word ik geacht voor de rechter te verschijnen, en ik blijf de hoop koesteren dat de hele zaak op het laatst zal worden afgeblazen, iets wat met de minuut onwaarschijnlijker wordt. Misschien lopen ze bij de rechtbank achter op schema en heeft de rechter er alle begrip voor dat dat ook bij mij het geval is.

'Ik was al bang dat je verdwaald was,' zegt Marino. Hij bedekt zijn hoofd met een design operatiemuts, deze keer een met een beschilderde schedel erop. Hij maakt de doek achter zijn hoofd vast, als een stoere motormuis.

'Misschien hebben we een problematische zaak.'

'Niet nog een.'

'Die man die zogenaamd van de trap is gevallen,' leg ik uit. 'Ik zie er geen val in, of hij moet al van tien hoog naar beneden zijn gesmakt en onderweg nog een paar dingen hebben geraakt. Toby heeft die melding toch aangenomen?'

'Hij is ernaartoe geweest en zei dat het duidelijk een ongeval was.'

Ik leun tegen een werkblad en doe hoesjes over mijn natte schoenen.

'Ken jij de bijzonderheden?' vraag ik.

'Die zaak is van Machado.'

'Was hij vanmorgen bij de sectie?' wil ik weten.

'Ons Portugees Oorlogsschip is er altijd bij als er iets goors te zien is. Hij zei in elk geval dat hij zou gaan. Ik zal het navragen als ik tijd heb, anders kan ik later wel bij hem langsgaan en even op zijn deur bonzen.'

Marino en rechercheur Sil Machado wonen in hetzelfde huizenblok in het westen van Cambridge en gaan vaak samen op de motor een eindje toeren. Ze doen allebei aan boksen en zitten bij dezelfde sportschool. Kennelijk is er tussen hen een hechte vriendschap ontstaan.

'Gisteravond kon Toby me bijna niks vertellen. Toen was er nog niet veel bekend,' voegt Marino eraan toe. 'Het slachtoffer was een chronische alcoholist. Blijkbaar heeft hij de verkeerde deur genomen toen hij naar de wc moest en is hij van de keldertrap gevallen.'

'Ik hoop dat Luke het alcoholpercentage gemeten heeft. Heb je Bryce al gesproken of iets van hem gehoord?' Ik doe een operatiemuts op.

'Hij is rond elven vertrokken.' Marino bekijkt me van top tot teen. 'Je moet een overall aandoen voordat je hier binnenkomt,' zegt hij, alsof ik de protocollen niet ken.

'Vertrokken? Hoe bedoel je? Waarvandaan? Vanuit het CFC?'

'Het schijnt dat hij met zijn kat naar de dierenarts moest. Een noodgeval, beweert hij. Hij zei dat hij Steward al had ingeseind dat we net van een plaats delict terugkwamen. Blijkbaar moet hij de getuige verhoren die net voor jou aan de beurt is, en duurt het nogal lang. Daarna wil hij pauze nemen.' Marino pakt een plastic liniaal van vijftien centimeter en plakt er een blanco sticker op. 'Maar als ik jou was, zou ik er maar niet van uitgaan dat ze er wel begrip voor zullen hebben als je te laat komt, niet als je dat superteam van die klootzak tegenover je hebt.'

Hij bedoelt de advocaten van Channing Lott.

'Dat ik te laat kom, is wel zeker,' zeg ik. 'Ik hoop dat Dan de rechter duidelijk kan maken dat het hier momenteel even uit de klauwen loopt.'

'Als we er nu naartoe gaan, kom je nog wel op tijd.'

Ik zie al voor me dat ik de rechtszaal binnenkom in mijn natte schoenen en een onderpak. Wat zouden de advocaten van Channing Lott daarvan smullen.

'Hebben we een zaaknummer?' Marino trekt een laatje met viltstiften open.

Ik vertel hem wat het nummer is, en hij noteert het samen met de datum op het etiket op de liniaal. Ik vouw een wergwerplabjas open, die ritselt als ik hem over mijn onderpak aantrek. Ik vind het jammer dat ik dat onderpak binnenkort zal moeten uittrekken. Ik heb het nog steeds koud, alsof mijn bloed een paar graden killer is dan zou moeten.

'Wat heeft die kat van Bryce dan?' vraag ik. 'Niets ernstigs, hoop ik?'

'Uien van de chili die ze gisteren hebben gegeten. Dat is mijn theorie, en daar blijf ik bij, ook al zegt Bryce dat ze altijd heel goed uitkijken als ze uien gebruiken. Er valt nooit een stukje ui op de grond, en ze laten ook geen vieze kommen staan waar die kat dan aan kan gaan likken. Zie je het voor je? Ethan en hij. Meneer Sloddervos en meneer Netjes.'

'Ik vraag me af hoe jij weet wat ze gisteren gegeten hebben.'

Ik haal twee onderzoekshandschoenen uit een doos.

'Bryce had vanmorgen een restje chili voor me meegenomen, en dat heb ik als ontbijt gehad. Ik proefde duidelijk ui. Zo gauw ik hoorde dat zijn kat ziek was, zei ik bingo, nu weet je wat er met dat beest aan de hand is,' zegt Marino. 'Natuurlijk denkt hij zelf dat het een of ander griepvirus is dat dat beest in de trimsalon heeft opgelopen. Braken en diarree.'

'Is Ethan bij hem?'

'Breek me de bek niet open.' Hij bukt zich en haalt een grote plastic koffer uit een kast. 'Ik heb geen idee waarom ze met z'n tweeën mee moesten met die vlooienbaal, hoe heet dat beest ook al weer, Indy Anna? Moeten ze er nou per se allebei bij zijn als die kat naar de dierenarts moet?'

Luidruchtig klikt Marino de koffer open en haalt er een lamp uit, de Xenon-arc booglamp.

'Je moet niet zo onaardig doen over hun kat. Bryce was zelfs zo attent om je in alle vroegte een bakje chili te geven. Ik heb die lamp trouwens niet nodig.'

Daar hebben we geen tijd meer voor, en bovendien zou ik in deze zaak de Xenon toch niet gebruiken, althans niet om het lichaam te onderzoeken.

'Nou, Ethan had dat mormel toch in zo'n draagbare poezenmand kunnen stoppen en in z'n eentje kunnen gaan?' Marino negeert mijn opmerking, zet de lamp op het werkblad en stopt de stekker in het stopcontact. 'Hij werkt toch de helft van de tijd thuis? Dus waar hebben we het helemaal over?'

'Mag ik aannemen dat je ze hebt verteld over je theorietje dat de poes ui heeft gegeten?' Ik doe etiketten op een rekje reageerbuisjes, hoewel ik die misschien niet eens nodig heb.

'Ja.'

'Nou, dan snap ik waarom ze er zo'n heisa van maken.' Ik doe een fijnstofmasker voor. 'Honden en katten kunnen niet tegen ui en knoflook, en de meeste baasjes weten dat.'

'Tjonge, je bent net Darth Vader.' Marino kijkt naar mijn masker. 'Misschien moet je dat ding ophouden als je naar de rechtbank gaat, kijken hoe ze zullen reageren.'

'Als Bryce al niet helemaal gestrest was voordat jij je ermee ging bemoeien, is hij dat nu in elk geval wel.'

'Wanneer is hij eens niet gestrest?' zegt Marino op dezelfde moppertoon. Hij doet alsof hij Bryce niet mag, maar dat is absoluut niet waar.

Die twee vinden het blijkbaar leuk om elkaar op het werk ongenadig af te maken, maar een paar minuten later zie je ze dan samen koffiedrinken of lunchen, en Marino gaat minstens een keer per maand bij Bryce en Ethan eten of barbecueën.

'Waarschijnlijk heeft hij het journaal niet gezien en weet hij niet wat er aan de hand is.' Ik rits de buitenste zak open. 'En daarom wisten wij er ook niets van.' Ik rits de binnenste zak open.

14

Ze ligt zielig verschrompeld in het zwarte plastic, en haar lange witte haar plakt aan haar leerachtige gezicht. Haar tengere lichaam oogt nietig in de lange grijze rok, de donkere bloes die paars of bordeauxrood is en het marineblauwe jasje met de verkleurde metalen knopen. Alle kleren lijken minstens vier maten te groot.

'Wat was er dan voor bijzonders op het journaal?' Marino trekt zijn mondkapje naar beneden.

'Er worden blijkbaar overal videobeelden vertoond van toen ik de lederschildpad onderzocht en het lichaam aan het bergen was.' Ik trek de zakken open en ruik schimmelig oud vlees. 'Laten we foto's maken van de manier waarop ze is vastgebonden. Ik moet het touw om haar enkels verwijderen als ik monsters wil nemen.'

'Een dubbele vissersknoop. Dat is de extra lus. De knopen in de twee touwen zijn precies hetzelfde,' merkt Marino op.

Hij fotografeert de afgesneden stukken geel nylontouw die om de enkels en de hals van de dode vrouw zijn geknoopt.

'Het woord zegt het al,' zegt hij. 'Je maakt de eerste knoop, deze hier, in wezen een dubbele overhandse knoop. En dan maak je er voor de zekerheid nog een.'

Hij wijst met zijn in blauw gestoken vinger.

'Een dubbele knoop om ervoor te zorgen dat alles stevig vastzit,' voegt hij eraan toe. 'Iemand heeft twee touwen om haar enkels en haar nek gebonden, in elk daarvan twee knopen gemaakt
en de lange uiteinden vastgemaakt aan de bench en de drijver.
Het zal interessant zijn om te zien wat daarbij voor knopen zijn
gebruikt. Precies dezelfde, wed ik.'

Hij kijkt op naar de klok en schudt zijn hoofd.

'Je vraagt erom, doc.'

'Bestaat er volgens jou een specifieke reden om dit soort knopen te gebruiken?' Ik zet een nieuw lemmet vast in het handvat
van een scalpel.

'Geen logische. Normaal gesproken gebruik je een dubbele
overhandse knoop om twee verschillende vislijnen of touwen
aan elkaar vast te binden, maar daar is hier geen sprake van.
Dus er is geen goede reden voor, behalve dat de dader waarschijnlijk uit gewoonte deze knopen heeft gebruikt. Je komt veel
te laat, en dit is geen afspraak bij de kapper.'

'Je kunt heel wat over iemand te weten komen aan de hand
van zijn gewoonten.'

'Ik denk dat we al weten dat ze vanuit een boot gedumpt is,'
zegt hij. 'Ik wil maar zeggen, ze is niet uit een vliegtuig of een
helikopter geduwd.'

'Ik weet helemaal niet waar ze uit geduwd is.'

Ik trek de kleren opzij en maak een kleine incisie aan de rechterkant van haar bovenbuik.

'Een visser, iemand die vaart,' zegt Marino terwijl ik een thermometer in de lever steek om haar kerntemperatuur te meten.
'Iemand die iets weet over touwen en knopen. Je maakt zulke
knopen niet bij toeval.'

Ik pak een chirurgisch mes van een karretje, snijd het gele
touw door dat drie keer strak om haar enkels is gewikkeld en
plak een stuk tape aan de uiteinden zodat ik weet welk stuk
waaraan vastzat. Ik meet de lengte en de diameter van het touw
en laat de knopen intact.

'Er zitten heel oppervlakkige schaafplekjes op de enkels,'
merk ik op. 'Geen groeven of blauwe plekken. De touwen hebben amper sporen achtergelaten. In haar hals zal het wel net zo
zijn, maar daar kijken we later naar.'

'Ze was al lang dood toen ze werd vastgebonden.' Hij maakt close-upfoto's van de vage lijnen om haar enkels.

'Dat staat vast,' beaam ik. 'De teennagels zijn lichtroze gelakt en beschadigd. Er zit iets roods op haar voetzolen, en dat is vreemd.'

'Misschien heeft ze rode sokken of schoenen aangehad die hebben afgegeven.' Marino bukt om haar voetzolen te fotograferen en de sluiter van de camera klikt herhaaldelijk.

'Het ziet er eerder uit of ze met blote voeten ergens in heeft gestaan.' Ik kijk met een lamp en door een loep naar de donkerrode vlekken op de gerimpelde onderkant van haar tenen, de bal van haar voeten en haar hakken. 'Iets wat duidelijk niet in water oplost en waar ze in gestaan zou kunnen hebben. Zo ziet het er volgens mij uit. Wat het ook is, de kleur is in haar huid getrokken.'

Met het scalpel schraap ik voorzichtig iets van de verkleurde huid van haar linker voetzool en veeg de rode huidschilfers van het lemmet in een envelop. Intussen vertel ik Marino wat Ron tegen me gezegd heeft.

'Het is op de plaatselijke tv-stations, maar ook op de nationale nieuwszenders. Vrij ver ingezoomde videobeelden, waarvan een gedeelte uit de lucht is genomen. Ik weet niet zeker of alles vanuit helikopters is geschoten,' leg ik uit. 'We weten dat er een nieuwshelikopter boven ons hing toen we op de brandweerboot zaten, maar hoe zat het toen we met zijn tweeën op de boot van de kustwacht aan het werk waren? Laten we lakens over een van de tafels leggen.'

Ik trek de beschermingslaag van een label met chip, plak het op de gele siliconenarmband en maak die om haar rechterpols vast. Haar huid is gerimpeld en stug als nat leer. Op haar vingernagels zit dezelfde kleur lak als op haar teennagels, een subtiel perzikroze, maar ze zijn helemaal kapot en de lak is gebarsten, bekrast en geschilferd, alsof ze haar nagels ergens in heeft gezet of met haar blote handen heeft gegraven.

'De andere helikopter moet de beelden hebben gemaakt toen je in het water lag.' Marino schudt een geplastificeerd laken open.

'Tenzij iemand vanuit een boot heeft gefilmd.' Aan haar linkerwijsvinger zit een ring met een zilveren munt uit 1862 van drie dollarcent in een zwaar gouden montuur. 'Er waren een heleboel bootjes in de buurt,' zeg ik ten overvloede.

'Die grote witte helikopter die de hele tijd boven ons hing terwijl jij haar uit het water haalde,' concludeert Marino. 'Ik had verdomme het staartnummer moeten noteren.'

Ik beweeg de ring van de ene naar de andere kant, verbaasd over het formaat en het feit dat hij strak om de wijsvinger zit, wat niet zou moeten. Ik vraag me af of ze hem altijd om een dunnere vinger heeft gedragen en of de ring wel van haar is. Hij past nu om haar wijsvinger, maar dat kan niet zo geweest zijn toen ze doodging, want als een lichaam mummificeert, droogt het helemaal uit en verschrompelt het, net als fruit, groenten en vlees als je ze droogt. Sieraden, schoenen en kleren zitten niet meer zoals toen ze nog leefde, en ik stel me voor dat iemand het lichaam uit de opslagruimte heeft gehaald en haar ring aan een andere vinger heeft gedaan of haar misschien andere kleren heeft aangetrokken voordat hij haar vastbond en in de baai gooide.

Waarom?

Om ervoor te zorgen dat de ring werd gevonden? Dat al haar persoonlijke bezittingen werden geborgen?

'Ik heb het staartnummer opgeschreven,' zeg ik tegen Marino terwijl ik over deze vragen nadenk. 'We kunnen het opzoeken in de database van de FAA.'

'Het toestel zal wel gefinancierd blijken te zijn door een bank of eigendom zijn van een lege bv. Zo doet Lucy het ook. Als de politie dan achter een van haar batmobielen aan zit, kunnen ze haar kenteken wel natrekken, maar komen ze er nog niet achter wie ze is, en verkeerstorens kunnen die lieve radiostem van haar niet aan een naam koppelen.'

Zijn in Tyvek gestoken voeten maken een glijdend geluid als hij loopt.

'Je hebt er zelden iets aan om een helikopter na te trekken, zelfs niet die van de nieuwsdiensten,' zegt hij. 'En vooral niet als ze privébezit zijn. Toen ik bij de politie ging, was de wereld nog niet zo verdomde anoniem. Je komt hartstikke te laat. Je redt het nooit op tijd, of je moet al een jetpack hebben.'

'Ik had het idee dat die witte helikopter met blauwe strepen op de staartboom een privé- of bedrijfstoestel was.' Ik pak haar linkerhand, houd hem met mijn beide in handschoenen gestoken handen vast en kijk naar het horloge, waarvan de zwartzijden band strak om haar pols zit. 'Alleen die camera die erop zat, klopte niet. Aangenomen dat het een videocamera was en geen infraroodcamera. Maar die zie je geen van beide vaak op een toestel dat privébezit of eigendom van een bedrijf is.'

'Ik weet vrij zeker dat ik dat toestel hier nooit eerder heb gezien.' Marino schudt een tweede laken open. 'En dat is vreemd, want de meeste vliegen van of naar Logan wel een keer over de rivier, via wat ze de Fenway Route noemen. Ik heb in ieder geval geen idee of hij van een tv-zender is en van welke dan wel, en ik weet ook niet hoe ze verdomme wisten wat wij daar deden. Ik weet dat rechter Conry je graag mag, maar je laat het er nu wel heel erg op aankomen.'

'Het kan niet anders,' antwoord ik. 'Deze vrouw kan niet wachten.'

'Laten we maar hopen dat de rechter het ook zo ziet.'

Het horloge lijkt art deco en is van witgoud of platina. De rand is ingelegd met diamanten of andere transparante edelstenen en het heeft een mechanisch uurwerk. De wijzers op de witte, rechthoekige wijzerplaat staan stil op vier minuten over zes, maar ik weet natuurlijk niet of dat 's ochtends of 's middags is. En ik kan ook nergens aan aflezen op welke datum het horloge is blijven stilstaan.

'Misschien werd er voor een ander doel gefilmd,' bedenkt Marino. 'Voor een film of een reclamespotje hier in de buurt. Dan heeft de piloot toevallig gezien wat we aan het doen waren en wat beelden gemaakt.'

'Het is duidelijk niet het nieuwe toestel van Lucy.'

'Dat heb ik nog niet gezien,' zegt hij. 'Ze zit zo fanatiek achter die varkensboeren aan dat ze geen tijd heeft me eens mee te nemen.'

'We laten haar sieraden voorlopig zitten, maar we maken wel foto's, een heleboel foto's. Als we terugkomen, zal ze er heel anders uitzien.'

'Ik heb er al een hele lading, maar ik zal er nog meer maken.'

'Hoe meer hoe beter.'

'Waarom zou het de helikopter van Lucy zijn?' Voor de foto legt hij de liniaal naast de pols met het horloge. 'Ze klust heus niet bij voor een tv-station of filmploeg, en ze zou ook nooit beelden van jou op internet zetten.'

'Natuurlijk niet.'

'Je moet haar het staartnummer geven en vragen of ze het wil natrekken,' zegt hij. 'Ik garandeer je dat zij er wel achter kan komen wie het waren en waarom ze ons bespioneerden.'

'We weten helemaal niet of de mensen in die witte helikopter ons bespioneerden. Misschien waren ze gewoon nieuwsgierig. Er was ook een zeilboot in de buurt,' herinner ik me. 'Een groot schip met rode, opgedoekte zeilen. Het lag misschien honderd meter van ons vandaan toen we haar met al die troep naar boven haalden, en het is al die tijd op dezelfde plek blijven liggen. Ik zal het staartnummer naar Lucy e-mailen.'

Ik doop wattenstaafjes in gedistilleerd water.

'Als we erachter kunnen komen waar deze vrouw is gestorven, zou ik daar stukjes van haar vingernagels moeten kunnen vinden,' concludeer ik. 'Voor zover ik kan zien, zijn er geen defensieve trauma's, maar ze heeft iets gedaan waardoor al haar nagels gebroken zijn. Teennagels, vingernagels, allemaal.'

Ik haal wattenstaafjes onder elke vingernagel langs en de watjes worden een beetje rood.

'Dezelfde rode kleurstof als onder haar voeten?' vraag ik me af. 'Wat het ook is, ik kan het niet helemaal wegkrijgen. Het zit heel diep onder de nagels.'

Ik houd de rood verkleurde wattenstaafjes onder de lamp en bekijk ze door de loep.

'Iets van vezels misschien,' merk ik op. 'Het doet me denken aan fiberglasisolatie, maar dan korreliger, als stof of aarde, en donkerder van kleur.'

Met een klein schaartje knip ik haar nagels, en de roze gelakte stukjes vallen met zachte tikjes in een papieren envelop die ik openhoud.

'Ik leg ze even onder de microscoop en dan kijk ik wat Ernie erover te zeggen heeft,' zeg ik nog, en ik ben me bewust van de wegtikkende seconden en van het feit dat de tijd voor de dode vrouw en voor mij opraakt.

Ik zou in de problemen kunnen komen, dat is goed mogelijk. Ik label de afgeknipte nagels en de wattenstaafjes voor de afdelingen Sporen en DNA en terwijl de wijzers van de wandklok steeds dichter naar de twee uur glijden, zet ik een rij spuiten met verschillende formaten naalden op een karretje. Mijn hartslag versnelt, maar ik kan nu niet ophouden, en ik zet buisjes met EDTA voor het bloed klaar en leg er FTA-kaartjes bij, hoewel ik zeker weet dat het heel moeilijk zal worden om bloed bij haar af te nemen. Het zal allang via de vaatwanden zijn weggelekt en ik mag al blij zijn als ik genoeg te pakken krijg om een druppel op een van de kaartjes te kunnen laten vallen.

'Jij schrijft en neemt foto's, dan gaat het lekker snel.' Ik controleer de flexibiliteit van de nek en de armen en probeer de benen uit elkaar te krijgen, maar die werken niet mee. 'Rigor varieert,' dicteer ik, en Marino maakt een notitie van mijn observatie terwijl ik de thermometer uit het sneetje in haar buik haal. 'De levertemperatuur is vijf komma zes graden. Dat is interessant. Zijn we zeker van de watertemperatuur in de baai? Pamela Quick zei dat die tien komma zes graden was.'

'De gps van de kustwachtboot gaf tien komma zes graden aan,' bevestigt Marino. 'Het zal in dieper water natuurlijk iets kouder zijn geweest.'

'Vijf graden kouder op de diepte waarop zij door de touwen op haar plek werd gehouden?' Dat betwijfel ik. 'En ze is natuurlijk niet kouder geworden in water dat warmer is dan zij. Dat betekent dat ze kouder was dan vijf komma zes graden toen ze in het water belandde.'

'Misschien is ze ergens in een vriezer bewaard.'

'Ze is niet door vissen of andere zeewezens aangevreten, en dat zou waarschijnlijk wel het geval zijn geweest als ze zelfs maar een dag of twee in het water had gelegen. Ik twijfel er ernstig aan dat ze er lang genoeg in heeft gelegen om te ontdooien,' besluit ik. 'Ze was al aan het ontdooien toen ze erin werd gegooid, of anders is ze op een koude plek bewaard zonder echt te bevriezen.'

Ik kleed haar uit. De kleren zijn doornat, vies en korrelig, en de geur van verrotting wordt sterker. De smerige, zure stank kruipt in mijn voorhoofdsholten en tussen mijn tanden, en het zal niet lang duren voor het zo erg is dat mijn ogen ervan gaan prikken.

'Verdomme,' klaagt Marino, en hij verruilt zijn mondkapje voor een exemplaar met een filter.

Ik wurm het met zijde gevoerde, blauwe kasjmier over haar schouders, trek onwillige armen uit lange, plakkerige mouwen en houd het jasje omhoog om het van voren en van achteren te bekijken. Ik zie geen gaten, geen scheuren, geen beschadiging. Maar de drie bruinige metalen knopen passen er niet bij en zien er erg oud uit.

'Waarschijnlijk antiek. Misschien legerknopen,' zeg ik tegen Marino. 'Maak er close-ups van. En ook van de ring met die oude munt. Ze zijn ongewoon, dus kunnen ze belangrijk zijn.'

Ik spreid het doornatte jasje uit op de met een laken bedekte tafel en kijk naar de lange rug, de getailleerde snit en het borduursel op de zijpanden en de mouwen.

'Volgens het etiket is het van *Tulle Clothing*, maat zesendertig. Nou, ze heeft nu geen maat zesendertig meer. Eerder maat nul,' merk ik op.

'Hoe spel je *Tulle?*'

Ik vertel het hem en hij schrijft het in een kledingdiagram. 'Het is heel opvallend,' voeg ik eraan toe. 'Een soort Tallulah-stijl.'

'Ik heb geen idee wat dat is.' Hij maakt foto's van de knopen.

'Retro vormgeving, met brede schouders en revers, en sierstiksel in dezelfde kleur als de stof,' leg ik uit. 'Denk maar aan Tallulah Bankhead.'

'Iemand met geld die van glamour houdt,' zegt hij. 'We hebben er niets aan als niemand weet dat ze vermist wordt.'

'Iemand weet het. Degene die haar in de baai heeft gegooid weet het.' Ik bekijk de knopen door een loep.

15

Op elk van de doffe vergulde koperen knopen staat een adelaar. Met behulp van het ijzeren oogje aan de achterkant zijn ze met dik donker garen op het jasje genaaid.

'Amerikaanse burgeroorlog. Authentiek spul. Ongeveer van dezelfde datum als het muntje in haar ring.' Marino gaat er met zijn neus bovenop zitten en tuurt door zijn leesbril. 'Jeetje, dit is fantastisch.'

Ik loop terug naar de brancard, en de smerige lucht wordt sterker als ik het bloesje openknoop. Ze rot weg alsof er een zwerm onzichtbare insecten door haar heen trekt, en terwijl we ons werk doen en de tijd verstrijkt, valt het lijk steeds meer ten prooi aan het ontbindingsproces. Ondertussen wordt de kans steeds groter dat ik beschuldigd zal worden van minachting voor de rechtbank.

'Waarschijnlijk niet van een gewone soldaat. Officiersknopen, denk ik.' Marino pakt een loep, en op afkeurende toon zegt hij: 'De meeste mensen die oude knopen verzamelen, naaien ze niet op hun kleding. Een normaal mens doet zoiets niet.'

'Het lijkt inderdaad wat ongebruikelijk,' zeg ik. 'Dat iemand antieke of kostbare juwelen draagt is tot daaraan toe, maar om ze op je kleren te naaien gaat misschien iets te ver.'

'Dat zie je helemaal goed. Wie knopen verzamelt, doet zoiets gewoonweg niet.'

Hij laat zich op onverzoenlijke en veroordelende toon uit, alsof hij zijn mening over de dode vrouw al klaar heeft.

'Ze leggen ze in een vitrine, lijsten ze in, ruilen ze, verkopen ze, geven ze soms weg aan musea, als ze echt de moeite waard zijn,' zegt Marino. 'Ik heb dergelijke knopen wel voor honderden of zelfs duizenden dollars van eigenaar zien wisselen.'

Met behulp van de loep bestudeert hij de drie knopen aandachtig en kantelt ze met een van zijn gehandschoende vingers.

'Als je ze van opzij bekijkt' – hij laat het me zien – 'zie je dat er nog geen krasje op zit en dat ze in perfecte staat zijn, waardoor ze alleen nog maar meer waard zijn. Zoiets als dit zou je nooit op een jasje naaien. Wie is er in godsnaam zo gek om zoiets te doen?'

'Nou, zij dus, of iemand anders,' zeg ik.

Ik ontdoe haar van haar natte bloes en zie nu dat hij paars is, niet bordeauxrood. Op het etiketje achter in de kraag staat *Audry Marybeth*, maat zes.

'Misschien deed ze iets met antiek,' merk ik op. 'Misschien verzamelde ze antiek of handelde ze erin, of waren de knopen van iemand uit haar familiekring.'

De beha die eronder zit, hangt ruim om haar heen, de cupmaat is vele maten te groot, en ik vermoed dat het lichaam als gevolg van uitdroging minstens twintig procent van het oorspronkelijke gewicht is kwijtgeraakt. Ze moet zijn uitgedroogd toen ze een tijd lang in bevroren of bijna bevroren toestand is bewaard, zo koud dat de bacteriën geen kans kregen zich te vermeerderen en het ontbindingsproces in werking te stellen dat nu in volle hevigheid op gang komt. Met de minuut wordt haar geur sterker en raak ik verder in de problemen. Ik zie al voor me hoe rechter Conry de advocaten bij zich roept omdat hij wil weten waar ik blijf, eerst discreet, daarna verontwaardigd.

'Er zijn heel wat Amerikanen die die dingen verzamelen.' Marino krijgt een harde uitdrukking op zijn gezicht, en zijn humeur lijkt om te slaan. 'Soms kun je in rommelwinkels heel bijzondere knopen vinden, allerlei soorten. Politie, brandweer, spoorwegen, het leger. Maar die naai je niet op kleding, ook niet als het om van die vernikkelde dingen gaat die je al voor vijf dollar kunt krijgen. En zelfs niet als ze in slechte staat zijn en je ze in grote hoeveelheden tegelijk kunt kopen.'

'Sinds wanneer weet jij zoveel van bijzondere knopen af?' Ik leg de bloes opengevouwen naast het jasje.

'Dat wil je echt niet weten.' Hij kijkt op de klok. Het is op de minuut af twee uur.

'Waar het mij op dit moment om gaat, is wat we kunnen onderzoeken nu we nog de kans hebben.'

Meestal denk ik dan aan DNA. Ik heb wel meegemaakt dat er na een opmerkelijk lange tijd nog sperma bij het slachtoffer werd aangetroffen, in lichaamsopeningen, de maag, de luchtpijp, diep in de vaginale holte, en ik ga er niet op voorhand van uit dat er op dit lichaam niets meer te vinden is, ook al is ze al heel lang dood. Bacteriën zijn de vijand van DNA. Ze vermeerderen zich ongemerkt en razendsnel en zullen haar letterlijk met huid en haar verzwelgen.

Ik kan de mate van ontbinding in grote lijnen afleiden uit de geur die het lichaam verspreidt, eerst nog smerig maar subtiel, en daarna steeds penetranter. Al snel ruik je dan een weerzinwekkende stank van organismen die oorspronkelijk in haar ingewanden zaten, maar tijdelijk in hun ontwikkeling werden belemmerd toen hun gastvrouw in een droge en ijskoude omgeving werd opgeslagen. Naarmate het lichaam steeds enkele graden warmer werd, in de baai, in de boot en het busje, en nu in dit vertrek, zien de bacteriën die het lichaam aantasten hun kans schoon. Er is een proces in werking gezet dat ik enigszins kan vertragen door het lichaam te koelen, maar tot stilstand brengen gaat niet meer. De dode vrouw rot in feite voor onze ogen weg.

'Weet je nog toen ik helemaal gek was van metaaldetectoren?' vraagt Marino. Ik kan het me niet meer herinneren.

'Vaag.' Ik breng mijn hand achter haar om haar lange grijze rok los te ritsen en ontdek dat de band is ingenomen.
Enkele centimeters van de stof zijn bij elkaar getrokken en vastgezet met drie stevige nietjes. Roestvrij staal, geen roestvorming.

'Waar is dat goed voor?' Marino kijkt toe.

'Zoals ik al zei, heeft ze geen maatje zes meer.'

'Als ze dat ooit al gehad heeft.'

'Toen ze nog leefde, was ze dikker dan nu,' leg ik uit. 'Dat is gewoon een feit.'

'Maar ook al zakte de rok af omdat hij te groot was, dan zou hij toch nooit zoek zijn geraakt vanwege het touw rond haar enkels en die bench,' zegt hij. 'Waarom dan al die moeite?'

'Het hangt ervan af wanneer die rok is ingenomen. Het enige wat ik met zekerheid kan zeggen, is dat iemand die rokband strakker heeft gemaakt.' Ik trek de rok over haar gerimpelde blote bleke benen naar beneden en ontdek tot mijn verbazing de resten van een pantybroekje.

De kousen zijn halverwege de bovenbenen afgescheurd, en in gedachten zie ik haar voor me toen ze nog leefde. Ze is doodsbang, zit ergens gevangen en probeert te ontsnappen.

Ze krabt aan de deur, beukt erop, breekt haar nagels. In paniek verplaatst ze zich zonder schoenen over een ondergrond die bedekt is met iets donkerroods.

Dan niets: het beeld lost op. Ik kan niet visualiseren wat er gebeurd kan zijn en weet alleen dat de panty niet met iets scherps is afgeknipt. In de panty zitten ladders die helemaal door het versterkte broekje lopen, en wat er van de kousen over is, is kapotgetrokken en ongelijkmatig afgescheurd en hangt losjes als rafelig gaas om haar geelbleke dode huid. Heeft ze haar panty zelf kapotgescheurd? En zo ja, waarom?

Of heeft iemand anders dat gedaan?

Dezelfde persoon die de rok met nietjes heeft ingenomen en ervoor gezorgd heeft dat de sieraden niet zoek zouden raken en verloren zouden gaan.

Net als het jasje is de rok opvallend stijlvol. Hij bestaat uit twee lagen jersey die uitlopen in een onafgewerkte zakdoek zoom, *Peruvian Connection*, maat zes. Ik leg hem op het laken te drogen terwijl Marino weer herinneringen ophaalt aan onze begintijd in Richmond, toen hij als schatgraver blijkbaar heel wat successen boekte met een metaaldetector die hij altijd achter in zijn Ford had liggen om plaatsen delict mee te onderzoeken, voornamelijk als die ergens in de openlucht waren, om metalen voorwerpen op te sporen, zoals hulzen.

'Voornamelijk als ik in de avonddienst zat en het grootste deel van de dag vrij had,' zegt hij, maar hij wordt niet vrolijk en geanimeerd van die herinnering, wat normaal gesproken wel zo is als hij het verleden ophaalt.

Hij praat op een onverzoenlijke, hardvochtige toon, en ik moet denken aan een spade die op steen stuit.

'Dan ging ik 's morgens in alle vroegte naar oude slagvelden, bossen of rivieroevers om muntjes en knopen en dat soort dingen te zoeken. Zo heb ik eens een gesp gevonden die ik weer helemaal schoon heb kunnen krijgen. Waarschijnlijk weet je dat nog wel.'

Volgens mij niet, maar ik ben zo wijs om mijn mond te houden.

'Die heb ik toen nog meegenomen naar je kantoor om hem te laten zien,' zegt hij. Hij is altijd dol geweest op grote gespen, vooral die van motorrijders. 'Ovaal, met heel groot US in het gegoten koper gestanst.'

Ik leg haar vleeskleurig slipje, de panty en de beha op een laken en trek de operatielamp dichterbij om haar op livor mortis te onderzoeken. Ondertussen bekijkt Marino de antieke knopen nog eens. Hij brengt zijn gezicht er vlakbij en laat er licht op schijnen.

'Geen spoor van anterieure livor mortis,' merk ik op.

'Als iemand al heel lang dood is en in een koeler of vriezer is gestopt, zijn er misschien geen lijkvlekken meer te zien.'

'In tegenstelling tot rigor mortis verdwijnt livor mortis nooit helemaal. Het laat altijd sporen na.' Ik laat mijn blik van top tot teen over haar heen glijden en neem er de tijd voor, tijd die ik niet heb. Ik verplaats de lamp en zoek naar vlekken die zijn ontstaan toen haar bloed niet meer werd rondgepompt, zodat het door de zwaartekracht naar het laagste punt werd getrokken.

'Uiteindelijk heb ik die gesp voor vijfhonderd dollar verkocht. Daar heb ik nu nog spijt van, want dat ding was heel wat meer waard.' Marino heeft het weer over zijn schatgraverssuccessen. 'Net als een tweedelige gesp van de geconfedereerden die ik in Dinwiddie gevonden heb. Daar had ik een paar mille voor kunnen krijgen als ik niet snel wat geld nodig had gehad toen Doris ervandoor ging en mij voor al haar schulden liet opdraaien. Waarschijnlijk is ze nu nog met die lul van een autoverkoper, met dit verschil dat hij nu ongetwijfeld in verzekeringen doet.'

'Misschien zou je dat eens kunnen nagaan.'

'Mooi niet, al kreeg ik er geld op toe. Ze is een echte ondernemer geworden,' zegt hij sarcastisch. 'Ze doet doekjes om bakstenen en verkoopt die vervolgens als deurstoppers, eerlijk waar, ik bedoel, moet je nagaan. Symbolisch, hè? Iets wat in de weg ligt, een obstakel, letterlijk een struikelblok, maar zo kijkt zij er natuurlijk niet tegenaan.'

'Misschien moet je haar eens opbellen om te vragen hoe zij ertegenaan kijkt.'

'Ze staat op internet,' zegt hij bozig. 'Open Says Me. Zo heet haar website. *Ik houd een wereld aan mogelijkheden open.* Niet te geloven.'

Uitgerekend nu begint hij over zijn ex, nu we daar geen tijd voor hebben. Ik draai het lijk op de linkerzij. Het lichaam voelt zo licht aan dat het net lijkt of het hol is.

'Er mag dan heel wat geld gemoeid zijn met historische spullen als knopen, medailles en oude munten, maar er bestaat ook nog zoiets als respect.' Daar heeft hij het nu dus weer over. 'Wat je in geen geval doet, is antieke legerknopen op een colbertje of jas naaien om zo'n belachelijk *fashion statement* te maken.'

'Kijk, hier is het te zien. Livor mortis. Een vlek van gehemolyseerd bloed.' Ik druk mijn vingers op een paar plekken op de rug. 'Geen verkleuring, omdat het bloed uit de vaatwanden is gestroomd. Nadat ze is doodgegaan, heeft ze dus plat op haar rug gelegen, minstens zo lang tot livor mortis intrad, waarschijnlijk twaalf uur, mogelijk langer. Het zou kunnen dat ze daarna de hele tijd in die stand bewaard is tot ze naar de baai is gebracht en daar in het water is gegooid.'

'Je laat je jasje natuurlijk niet stomen als er voor duizend dollar aan antieke knopen op zit.' Hij gaat er maar over door. 'Maar het geld is niet het punt.'

'Matige mummificatie, de huid is vochtig maar hard en uitgedroogd, met lichte sporen van een vlekkerige witte schimmel op haar gezicht en in haar hals,' dicteer ik, en Marino noteert. 'Ogen weggezakt en verschrompeld.' Ik duw haar mond open. 'Wangen ingevallen.' Ik strijk met een wattenstaafje langs de binnenkant van haar wangen. 'Geen verwondingen aan de lippen, de tong of het gebit,' zeg ik, terwijl ik met een lampje in haar mond schijn. 'Geen verkleuringen op de hals.' Ik kijk omhoog naar de klok.

Het is elf minuten over twee. Ik onderzoek de onderste delen van het lichaam en vind nog meer sporen van matige mummificatie, maar geen verwondingen, en ik duw haar benen van elkaar. Ik vraag Marino of hij me het PERK-koffertje wil geven, de Physical Evidence Recovery Kit, wat in politiekringen vaak het verkrachtingskoffertje wordt genoemd, en ik kijk verbaasd naar hem als hij naar een kast loopt. Zijn gezicht staat verstoord en verontwaardigd, alsof deze dode vrouw hem persoonlijk beledigd heeft.

'We moeten in elk geval foto's van de knopen en haar sieraden naar NamUs mailen,' zeg ik. 'Ze zijn zo bijzonder dat ze van belang kunnen zijn. Vooral als het ongebruikelijk is om kostbare antieke knopen op kleding te zetten.'

'Het getuigt verdomme van een totaal gebrek aan respect.'

Hij geeft me een plastic speculum en doet het witte kartonnen PERK-koffertje open.

'Dergelijke spullen zijn vaak van mensen geweest die tijdens een oorlogshandeling zijn gesneuveld en in een veld of bos zijn achtergelaten.'

Hij legt zakjes, wattenstaafjes en een kam op een schone ondergrond klaar.

'Honderdvijftig jaar na dato komt er iemand met een metaaldetector langs die knopen van hun jas en hun gesp opgraaft, en als je dat soort spullen vindt, krijg je het idee dat je per ongeluk een graf hebt blootgelegd, en zo is het dan namelijk precies.'

Weer kijk ik op de klok terwijl ik bedenk wat ik tegen Dan Steward en Jill Donoghue zal zeggen als ik ze zie, een verontschuldigende verklaring waarvan ik verwacht dat die door een van hen of allebei aan de rechter zal worden overgebracht. Ik moest kiezen tussen het kwijtraken van mogelijk essentieel bewijsmateriaal en te laat voor de rechtbank verschijnen, en ik zal me zeer schuldbewust opstellen.

'Zelfs als dit spul gewoon op zolder lag,' zegt Marino, 'gaat het nog steeds om respect, want het is van iemand geweest die het ultieme offer heeft gebracht.'

Hij begint formulieren in te vullen aan de hand van de zeer beperkte gegevens die we hebben, en blijft maar doormekkeren.

'Je naait geen knopen of epauletten op je jas. Het tasje dat een gesneuvelde soldaat aan zijn riem had zitten, doe je niet aan je eigen riem, en je trekt zijn bebloede sokken ook niet aan. Je gaat geen oud uniform verknippen om er een quilt van te maken, en al helemaal niet als de naam van de soldaat er nog op staat.'

Hij geeft me zakjes om de wattenstaafjes in te doen.

'Als je niet op Parris Island of de officiersopleiding hebt gezeten, trek je geen officiële leger-t-shirts aan, en je gaat er zeker geen tas van maken. Jezus, wat voor figuren doen dat soort flauwekul eigenlijk?'

'Ik zie geen sporen van seksueel misbruik. Dat betekent natuurlijk nog niet dat dat dan ook niet heeft plaatsgevonden.' Ik verwijder het speculum en gooi het ding in de afvalbak. 'Maar blijkbaar zijn haar benen geschoren, vlak voordat ze is overleden.'

Ik zie donkere stoppels, waarvan met een loep te zien is dat ze zijn afgeschoren.

'Een aantal dagen voor haar dood, te oordelen naar de stoppels,' voeg ik eraan toe. 'De haartjes lijken natuurlijk wat langer doordat ze is uitgedroogd. Als ze ontvoerd is, hebben ze haar waarschijnlijk niet al te lang in leven gelaten.'

Marino heeft een donkerrode kleur gekregen, en hij zet grote ogen op, alsof hij denkt aan iets wat hem erg stoort.

'Wat heb jij ineens?' Ik steek een 18 gauge-naald in de slagader van de linkerdij.

'Niks.' De toon van zijn stem zegt me dat er wel degelijk iets is.

Daarna probeer ik de subclavia; ik steek een naald onder het sleutelbeen. Het zit me niet mee. Ik probeer op het knooppunt de slagader te pakken te krijgen en slaag erin een paar druppels op te vangen. Wanneer ik haar later op de dag opensnijd, zal ik ontdekken dat haar bloedvaten bijna helemaal leeg zijn. De vaatwanden zullen bruin zijn van de hemoglobine, alsof er roest op zit. Het is voornamelijk ijzer wat er van het bloed over is.

Ik druppel lobbig donker bloed op twee FTA-microkaartjes en leg ze in een luchtontvochtigingsapparaat om ze te laten drogen.

'Breng haar maar terug naar de koelcel, en deze kamer gaat op slot. Niemand mag hier naar binnen,' zeg ik tegen Marino. Ik trek mijn labjas uit. 'Bel DNA, zeg maar tegen Gloria dat ze de kaart binnen een uur kunnen ophalen, want tegen die tijd is hij wel droog. We moeten zo snel mogelijk een DNA-profiel hebben, en ze moeten dat ook in NamUs en NDIS invoeren, ook zo snel mogelijk.'

Ik gooi de labjas, de schoenhoesjes en de handschoenen in een felrode afvalbak en duw de deur van de luchtsluis open, en daarna de deur die naar de gang leidt. Het is twintig over twee. Ik kan me niet heugen dat ik ooit zoveel te laat ben gekomen voor een afspraak met de rechtbank, of beter gezegd, zoveel te laat als ik weet dat ik straks zal zijn. Het wordt minstens kwart voor drie, en waarschijnlijk zelfs kwart over drie, schat ik, eer Marino me naar Fan Pier heeft gebracht, aan het water. En dat alleen als het verkeer meezit.

Nadat de liftdeuren op mijn verdieping zijn opengegaan, ren ik over de gang, zonder me erom te bekommeren hoe ik eruitzie, met een grijs onderpak en werkschoenen aan, een oranje jack en een tas in mijn handen. Ik druk mijn duim tegen de scanner om mijn kantoor binnen te kunnen, loop haastig door en schrik als Bryce uit het toilet komt. Hij heeft zijn jas aan en een zonnebril op zijn hoofd, en hij draagt de roestvrijstalen kan en de espressokopjes waar Lucy en ik café Cubano uit dronken, nu lichtjaren geleden.

'Ik dacht dat je naar de dierenarts moest.' Ik laat mijn jas en de tas met natte kleren uit mijn handen vallen en buk me om mijn schoenen uit te doen. 'Ik ben echt heel erg laat. Heb je nog wat van Dan Steward gehoord? Hoe gaat het met je kat?'

'Lieve hemel, wat heb jij nou aan?' Bryce kijkt afkeurend naar de kleren die ik aanheb. 'Ben je ternauwernood aan de barbaren ontsnapt? Had de vijand je gevangengenomen? Ben je radioactief besmet geraakt? Eigenlijk best sexy, een soort pluizig duikpak, maar waarom grijs? Deze gaan in de vaatwasser. Lucy zal wel weer hebben opgeruimd. Klopt dat? Aangekoekte melk, zo plakkerig dat er een complete zwerm kolibries op af zou kunnen komen.'

'Ik ben aan de late kant, moet zo naar de rechtbank, dus jij moet snel weg zodat ik me kan omkleden. Wat doe je hier trouwens, en weet Dan hoe de zaken ervoor staan?'

'Bijna geen koffie meer, en ook geen mineraalwater *avec gas et sans*, geen nootjes, suikervrije muesli, energiedrankjes en die afschuwelijke koekjes van zogenaamd volkorenmeel of rijst of spaanplaat. Dan probeert tijd te rekken en ondervraagt de getuige die vlak voor jou aan de beurt is...'

'Goddank.' Ik loop op blote voeten naar mijn bureau en graaf in de stapels dossiers.

'Maar blijkbaar wilde de rechter weten waar je bleef. Dan heeft hem verteld wat er aan de hand is, maar hij zei ook dat rechters geen boodschap hebben aan smoesjes en dat je haast moest maken.'

'Heb je dat dossier van Mildred Lott ergens gezien?'

'Ik ben dus naar Whole Foods gegaan en ben net een minuutje terug.' Hij doet mijn kastdeur open. 'Natuurlijk zag ik onmiddellijk dat het in de badkamer een troepje is, zoals gebruikelijk als Lucy hier geweest is. Ze moet hoognodig op zoek naar een leuke vrouw, want ze kan de boel gewoon niet netjes houden. Naast de microscoop, waar je het zelf hebt neergelegd. Onder die histologierapporten.'

Hij haalt mijn pak en bloes voor de dag.

'Ik weet niet wat je met je panty hebt uitgespookt. Je zult hem wel hebben weggegooid. Die dingen gaan nooit lang mee.'

Ik heb geen idee wat ik met mijn panty gedaan heb. Waarschijnlijk heb ik hem ergens in een bureaula gestopt. Ik kan me er op dit moment niet druk om maken.

Hij drapeert mijn kleren over de vergadertafel.

'Ik weet echt honderd procent zeker dat Indy geen uien heeft gehad. Ethan was zo blij dat ik eindelijk weer uit Florida terug was dat hij mijn lievelingseten heeft klaargemaakt. Hij maakt zulke lekkere chili, en natuurlijk doen Marino en de rest alsof we geen verantwoordelijkheid kennen en het ons niet uitmaakt of onze kat doodgaat.' Hij kijkt me aan, en hij ziet er doodmoe uit. De angst straalt van hem af. 'Ze is nog maar tien weken. Ik heb wel eerder een kat gehad, en ik weet heus wel wanneer het goed mis is.'

'Wat naar voor je, Bryce.' Ik leg het dossier op de tafel en doe de deur naar de gang dicht. 'We hebben het erover als ik weer terug ben.'

'Ik weet zeker dat het door die trimsalon komt,' gaat hij vanuit de kast verder, waar hij nu iets van de grond raapt. 'Nou, je schoenen staan hier wel, maar ik zie nergens een panty. Vorige week zaterdag is ze voor het eerst geweest om haar nagels te laten knippen, en ze zat daar samen met zo'n twintig andere dieren, waaronder een papegaai die van die gesmoorde kuchgeluidjes zat te maken, alsof hij kennelhoest had. Ik weet wel dat hij misschien dat geluid nadeed, maar stel nou dat dat niet zo was?'

'Bryce, ik wil niet bot doen, maar ik moet me omkleden.'

Hij reikt me mijn schoenen aan.

'Weet je wel hoe voorzichtig we altijd doen?' Hij lijkt elk moment in tranen te kunnen uitbarsten.

'Daar hebben we het later wel over. Dat beloof ik je.'

'We doen altijd belachelijk voorzichtig met uien en giftige dingen, zoals kerststerren, want die komen er bij ons dus niet in, en bovendien eet ik geen rauwe ui...'

'Ik moet me omkleden en dat lukt niet met jou om me heen...'

'Daarom gebruiken we altijd uienpoeder, wat sowieso beter is, omdat er dan nooit een flintertje van op de grond kan vallen.'

Hij krijgt tranen in zijn ogen.

'Doen jullie uienpoeder door de chili?' Ik loop met mijn pak en bloes naar de badkamer en hang ze aan het douchedeurtje.

'Dit is niet het moment om commentaar te gaan leveren op onze kookkunst.' Zijn stem trilt.

'Toen ik nog rechten studeerde, had ik ook een kat, en soms wilde hij niet eten...'

'Katten kunnen heel gevoelig zijn. Waarschijnlijk was hij boos op je.'

'Een dierenarts zei toen dat ik het eens met een potje babyvoeding kon proberen, en blijkbaar zat daar uienpoeder in, en dat kan tot vergiftigingsverschijnselen leiden, net als bij rauwe ui, doordat de hemoglobine dan oxideert...'

'O, mijn god, zeg! Is hij doodgegaan?'

'Nee. Maar het is misschien geen gek idee om dat aan de dierenarts te melden. En nu moet je hier weg, want ik wil me omkleden, alsjeblieft.'

'Het is gewoon heel vreselijk allemaal.'

'Nou, dan zal ik me hier maar omkleden.' Ik zet mijn schoenen op de wc-deksel.

'Je moet nog weten dat de media hier honderd keer naartoe hebben gebeld.'

Zijn luide stem heeft iets tragisch. Hij praat met me vanuit de deuropening die zijn kantoor met het mijne verbindt. Ik rits het grijze onderpak open, trek het snel uit en laat het in een hoopje op de grond liggen.

'Ze hebben me ook gebeld op mijn mobieltje, de verslaggevers die mijn nummer hebben. Ze denken allemaal dat het Mildred Lott is die je uit het water gehaald hebt...'

'Niets wijst daarop.' Ik houd een washandje onder de warme kraan en fris me een beetje op, zo goed en zo kwaad als dat kan. Voor een douche heb ik absoluut geen tijd.

'Snap je? Dat iemand haar al die tijd gegijzeld had, of misschien was haar verdwijning in scène gezet, of dat ze is ondergedoken en zich uiteindelijk heeft verdronken. Er doen allerlei theorieën de ronde.'

'Ik zie geen enkele reden waarom zij het zou zijn.' Ik vind een nieuwe panty in een kastje en trek hem aan.

'Betekent dat dat haar echtgenoot, Channing Lott, niets met haar dood te maken kan hebben omdat hij al sinds april in voorarrest zit en de rechter hem niet op borgtocht wilde vrijlaten?' Bryce bezit de opmerkelijke gave aan een stuk door te kunnen praten zonder tussendoor adem te halen. 'Hoe kan hij haar dan vermoord hebben of iemand daartoe de opdracht hebben gegeven, een halfjaar na haar vermeende verdwijning?'

Ik stap in mijn rok met krijtstreepje en rits hem van achteren dicht. 'Ik wil niet dat je hier iets van naar buiten brengt. Geen woord over deze zaak, alsjeblieft.' Snel trek ik mijn bloes aan, doe gehaast de knoopjes dicht en stop hem in mijn rokband. Ik vind het afschuwelijk om te merken hoe snel de geruchtenstroom op gang komt, omdat ik weet hoe moeilijk het is om die verzinsels te ontkrachten. 'Ook geen enkel commentaar als ze vragen of de dode dame Mildred Lott of Emma Shubert of wie dan ook is. Begrepen?'

'Ja, natuurlijk. Ik ben niet op mijn achterhoofd gevallen. Ik weet heus wel wat de pers met het kleinste beetje niksigheid doet.'

Ik doe de lamp boven de spiegel aan en word niet blij van wat ik zie. Totaal geen kleur in mijn gezicht. Compleet verlopen. Mijn haar zit helemaal plat door de neopreen duikcap die ik heb opgehad, en doordat ik in contact ben geweest met koud zout water. Ik druppel Visine in mijn ogen.

'Ik waarschuw je alvast dat ik geen idee heb wat je kunt verwachten als je die rechtszaal binnenstapt, want ze kunnen je vragen wat ze maar willen.' Bryce rebbelt maar door.

Ik wrijf een klodder gel in mijn haar om het wat volume te geven, maar daarna ziet het er nog steeds niet uit.

16

Het is enorm druk in Boston, en bij het John Joseph Moakley Courthouse, een architectonisch wonder van donkerrode baksteen en glas dat de haven sierlijk lijkt te omhelzen, is geen parkeerplaatsje te bekennen. Ik zeg tegen Marino dat ik wil uitstappen.

'Parkeer waar je kunt of blijf rondrijden tot ik weer naar buiten kom. Ik bel je wel als ik onderweg naar beneden ben.' Ik leg mijn hand op de portierhendel.

'Helemaal niet.'

'Dit is een prima plek.'

'Geen sprake van. Je weet nooit wat voor akelige vriendjes hij hier heeft rondhangen.' Marino bedoelt de akelige vriendjes van Channing Lott.

'Er gebeurt heus niets.'

Marino spiedt de parkeerplaats af, waar amper nog plaats is voor een fiets, laat staan voor een grote SUV. Dan gaat hij dicht achter een Prius staan en vloekt wanneer de bestuurder uitstapt in plaats van weg te rijden.

'Zo'n godverdommese groene bak,' zegt hij terwijl hij langzaam verder rijdt. 'Voor getuigen-deskundigen zouden ze gereserveerde parkeerplaatsen moeten hebben.'

'Stop nou maar. Dit is een prima plek.'

Hij kijkt naar de Barking Crab met zijn geelrode luifel, aan de andere kant van de oude ijzeren draaibrug over het Ford Point-kanaal.

'Daar kan ik waarschijnlijk wel een plekje vinden, want de lunch is voorbij en het is nog te vroeg voor het diner.' Hij rijdt die kant uit.

'Stop.' Ik meen het. 'Ik stap uit.' Ik doe het portier open. 'Parkeer waar je maar wilt. Ik ben al zo laat, het kan mij niets schelen.'

'Blijf nou maar daar als ik er nog niet ben als je klaar bent, ja? Loop niet weg met het idee dat we dan sneller terug zijn.'

Ik haast me over de stenen Harbor Walk langs The Daily Catch naar het water, waar een park is met houten bankjes en dikke hagen van bloeiende *Justicia*, een groenblijvende heester die niet bij toeval kan zijn gekozen voor bij een gerechtshof. Ik doe mijn jasje uit en duw een glazen deur open die toegang geeft tot een beveiligingspost. Ik word begroet door de bewakers, gepensioneerde agenten die nu werken bij de Amerikaanse Marshals Service en die ik bij naam ken.

'Daar is ze.'

'Onkruid vergaat niet.'

'Op elke tv-zender. CNN, Fox, MSNBC, YouTube.'

'Ik heb een neef in Engeland die het op de BBC heeft gezien. Hij zei dat de schildpad waarmee u bezig was zo groot was als een walvis.'

'Heren, hoe is het?' Ik geef mijn rijbewijs af, ook al kennen ze me maar al te goed.

'Kon niet beter, al zouden we liegen.'

'Ik ben vergeten wanneer ik me het laatst zo goed voelde.'

Het zijn typische politiemannen en dus zijn hun grapjes steeds onzinniger naarmate je er langer over nadenkt. Ondanks alles glimlach ik. Ik geef mijn iPhone af, want je mag hier geen elektronische apparatuur mee naar binnen nemen, wie je ook bent, en mijn jasje gaat door het röntgenapparaat terwijl ik door de scanner loop. Alles gaat volgens het boekje, hoe vaak ik hier ook geweest ben.

'Ik zag de brandweerboot het eerst voorbijkomen, doc. En toen de kustwacht en de helikopters,' zegt Nate, een beveiliger die uit één bonk kraakbeen lijkt te bestaan en die de platte neus heeft van een wedstrijdbokser. 'Die vrouw die u vanmorgen uit het water heeft gehaald. Dat is iemands moeder.'

'Of iemands vrouw. Denkt u dat zij het is, doc?'

'Het is te vroeg om te zeggen wie ze is,' antwoord ik.

'Verschrikkelijke zaak.'

'Inderdaad.' Ik trek mijn jasje weer aan.

'Uw telefoon ligt hier klaar als u weggaat. Ze zijn net met reces,' zegt de beveiliger met het blozende gezicht, die Brian heet.

Hij knikt naar het raam en vestigt mijn aandacht op een goedgeklede man en vrouw die op het stenen pad koffie staan te drinken.

'Ziet u die twee daar?' zegt hij. 'Dat zijn relaties van hem, van meneer Lott. Vrienden misschien, of verwanten, of mensen van zijn scheepvaartmaatschappij. God mag het weten. De halve wereld is van hem. Waarom is Marino niet bij u?'

'Hij onderzoekt het misdadige gebrek aan parkeerplaatsen.'

'Ik wens hem veel succes. Nou, niet te veel in uw eentje rondlopen, hoor.'

De man en de vrouw aan de andere kant van het raam staan dicht bij elkaar naar het water te kijken. Ze keren ons de rug toe alsof ze weten dat we belangstelling voor hen hebben, en ik haast me de stenen trap op en neem de met marmer ingerichte lift naar de derde verdieping. Mijn hakken tikken op het gepolijste graniet als ik haastig langs de ramen loop, die van de vloer tot het plafond reiken en uitzicht bieden op de haven en de baai. De rechtszalen aan mijn rechterkant liggen achter zware dubbele houten deuren met koperen nummers erop. Ik baan me een weg tussen de mensen door die staan te wachten tot ze moeten getuigen, met elkaar beraadslagen of zomaar wat rondhangen. Er zijn een paar advocaten bij die ik ken. Net als ik bij zaal 17 arriveer, komt Dan Steward naar buiten lopen.

'Het spijt me ontzettend,' begin ik, maar hij gebaart dat ik hem moet volgen naar een stil plekje aan het eind van de gang, waar grote, kleurrijke kunstwerken hangen.

'Ik heb de zaak weten te rekken.' Hij praat overdreven lijzig en is enorm trots op zichzelf. 'Jij bent de laatste getuige, en ik zal duidelijk geen kruisverhoor hoeven afnemen.'

'Weet je zeker dat beide partijen klaar zijn?' Ik moet steeds aan de timing denken.

Ik ben echt de laatste getuige die de jury gaat horen, zegt hij, dus is de timing inderdaad opmerkelijk. Het lijkt geen toeval, hoezeer ik mezelf ook voorhoud dat het een samenloop van omstandigheden moet zijn.

'Daarna beginnen we met de slotpleidooien,' zegt Steward. 'Hopelijk kunnen we dat vandaag nog afronden, dan kan de jury gaan beraadslagen voordat de dag om is. Het goede nieuws is dat je de zaak niet opgehouden hebt.' Hij kijkt naar mijn borsten. 'Ik heb de rechter verteld wat er aan de hand was, en ik weet zeker dat hij je de kans zal geven het uit te leggen. Dat betekent niet dat hij je niet de wind van voren zal geven. Maar als ik er niet was geweest... Nou, denk maar niet dat Jill de moeite nam je te dekken, ook al ben je haar getuige.'

Hij doet zijn stalen brilletje af en veegt het met een zakdoek schoon, en zijn ogen blijven strak op mijn borsten gericht. Het is een gewoonte van hem om daar steeds naar te kijken. Ik heb nooit het idee gehad dat het iets te betekenen had. Dan Steward is totaal niet schunnig of grof. Hij is een keurige, maar onhandige man van in de dertig, klein van stuk en met een grote bos vuilblond haar en grote tanden. Hij heeft een verschrikkelijk slechte smaak als het om pakken gaat, en dit keer draagt hij een slecht zittend exemplaar van geelbruin corduroy met een goedkope groene paisleydas die te lang is en onmodieus breed. Hij lijkt altijd doodmoe en nerveus te zijn, en ik heb gehoord dat hij jury's vaak tegen de haren in strijkt. Dat geloof ik best.

'Maar ze weet het,' antwoord ik. 'Ze begrijpt waarom ik zo laat ben.'

'Nou en of. De mensen van jouw kantoor waren zo beleefd om haar te bellen...'

'Mensen van mijn kantoor?' Ik kan me niet indenken wie hij bedoelt.

'Toen we een paar minuten geleden in reces gingen, zei ze dat ze wist dat je onderweg was.'

Bryce heeft Dan Steward gemeld dat ik laat was, maar ik kan me niet voorstellen welk ander lid van mijn staf een bericht heeft achtergelaten voor Jill Donoghue, die me gedagvaard heeft. Ik heb haar niet persoonlijk gesproken. Ik zou me niet in deze situatie bevinden, waarin ik niets substantieels te bieden heb, als zij mijn aanwezigheid niet had willen aangrijpen om het me lastig te maken en me te manipuleren en zo een spektakel van het proces te maken.

'En ik heb haar gezegd dat ze van een mug geen olifant moet gaan maken,' zegt Steward. Donoghue valt waarschijnlijk de eer te beurt om de meest gehate mens op aarde te zijn, wat hem betreft.

'Waarom zou ze dat doen als ik geen vertraging heb veroorzaakt?'

'Je zult ongetwijfeld weten dat je op alle zenders te zien was, Kay.'

'Het lichaam dat ik net heb geborgen, heeft hier niets mee te maken. Ik kan er in ieder geval niet over praten en dat zal ik ook niet doen.' Het is niet mijn bedoeling om zo ongeduldig en arrogant te klinken, maar al die fratsen en dat gegoochel bij rechtszaken hangen me enorm de keel uit.

Misschien is totale desillusie een betere omschrijving van hoe ik ertegenaan kijk, want het is gewoonweg verbijsterend wat de advocaten tegenwoordig uit hun hoge hoed weten te toveren. Hoe ongelofelijker en onzinniger hun tactiek, hoe beter ze ermee weg lijken te komen, en ik ben inmiddels behoorlijk cynisch over een stelsel waar ik altijd in geloofd heb. Soms vraag ik me af of het jurysysteem nog wel werkt.

'Nou, ze heeft geen spaan heel gelaten van die rechercheur uit Gloucester, niet Kefe godzijdank, want die is te stom om voor de duvel te dansen, maar Lorey. Hij was niet blij toen hij klaar was. Ik voel me een beetje schuldig omdat ik hem bij het kruisverhoor zo lang in het getuigenbankje heb gehouden, maar officieel hebben we nu geen vertraging opgelopen,' zegt Steward tegen mijn borsten. 'Ik heb echter niet in de hand wat er nu gebeurt. En toevallig valt de rechter op haar.'

'Het spijt me echt, Dan. Maar nog geen twee uur geleden had ik een droogpak aan en een duikmasker op en was ik een lijk aan het bergen waar ik zo snel mogelijk mee aan de slag wil.' Ik kijk naar de haven, naar een vliegtuig dat vanaf Logan opstijgt en naar een rode olietanker die richting de zee glijdt. De dreigende lucht is zo donker dat ik de vuurtoren van Boston niet eens kan zien. 'Het was kiezen tussen te laat komen voor een totaal onbelangrijke getuigenis of belangrijke sporen kwijtraken in een zaak die volgens mij een moord is.'

'Dat zal Jill de Cobra je ook wel voor de voeten willen werpen, denk ik.' Steward bladert in een map met vellen geel papier vol aantekeningen, en hij lijkt geïrriteerd omdat ik mijn getuigenis totaal onbelangrijk heb genoemd. 'Ze heeft Lorey compleet de grond in geboord vanwege het feit dat er geen lijk is en ook geen wetenschappelijk bewijs, om de gebruikelijke twijfel te zaaien bij de juryleden. Niemand lijkt meer te geloven in indirect bewijs.'

'Zoals we al hebben besproken zijn dit soort zaken altijd buitengewoon lastig...'

'Kom op nou. Op de bewakingsbeelden is te zien dat zijn vrouw 's nachts het huis uit is gegaan omdat ze iets hoorde. In het pikkedonker praat ze duidelijk met iemand die ze kent en dan verdwijnt ze. En duikt nooit meer op.' Hij overstemt me met zijn irritante, schrille stem. 'Uit de laptop van haar man blijkt dat hij iemand heeft gezocht die haar voor honderdduizend dollar wilde vermoorden. En dan nog is het niet genoeg om hem voor de rest van zijn leven achter de tralies te stoppen?'

'Het is niet mijn zaak, en wel om de reden die je net noemde,' breng ik in het midden. 'Haar lichaam is niet gevonden en ik heb niets te maken met het onderzoek, behalve dat ik wat medische dossiers heb ingekeken omdat je me om mijn mening had gevraagd.' Ik zeg er maar niet bij dat het zijn schuld is dat ik hier nu zeer tegen mijn zin aanwezig ben, en dat juist hij had moeten weten dat een schriftelijke vraag en een schriftelijk antwoord aan het daglicht kunnen komen.

Vooral als de verdediging wordt gevoerd door Jill Donoghue, die op dit moment met een beker koffie onze kant uit loopt. Ze ziet er prachtig uit in haar olijfgroene maatpakje met brede revers en haar slank gesneden rok, en met haar lange, donkere, zachte krullen. Ze is een van de meest gevreesde advocaten in Massachusetts, en het feit dat ze heel mooi is, afgestudeerd is aan Harvard en vorig jaar voorzitter was van het Amerikaanse college van strafrechtadvocaten werkt nog eens in ons nadeel.

Ze neemt deel aan workshops en seminars in het Federal Judicial Center, waar ik haar al een aantal keren ben tegengekomen, en ze is gespecialiseerd in elektronisch onderzoek, waar natuurlijk ook het opsporen van e-mails bij hoort. Ik kan me niet aan de indruk onttrekken dat Steward dit opzettelijk zo bekokstoofd heeft omdat hij me op zijn aartsvijand wil afsturen, alsof ik zijn pitbull ben, terwijl hij er waarschijnlijk alleen maar mee heeft bereikt dat Donoghue nu in het voordeel is.

'Kom op, zeg het maar. Draai er niet omheen. Is er enige kans dat je net Mildred Lott uit de baai hebt gehaald?' vraagt hij somber. Zijn smalle gezicht is gespannen en zijn grijze ogen achter de bril staan mat.

'Op dit moment kan ik nog niets met zekerheid zeggen.' Ik zie Donoghue de rechtszaal in lopen, en misschien verbeeld ik het me, maar ze lijkt te glimlachen.

'Je kunt zeker niet zeggen dat ze het niet is?' vraagt Steward. 'Het zou heel mooi zijn als je dat zou kunnen zeggen.'

'Ik heb het lichaam amper bekeken. Ik heb nog geen sectie verricht. Op dit moment heb ik geen idee wie ze is, maar voorlopig heb ik geen littekens gezien van cosmetische ingrepen als borstimplantaten, liposuctie of een facelift, en we weten dat ze die heeft ondergaan. Onder de omstandigheden heb ik ook geen lichamelijke gelijkenissen gezien.' Ik vertel maar niet in welke toestand het lijk zich bevindt.

'Welke omstandigheden bedoel je precies?' vraagt hij.

'Het feit dat ik alleen tijd had voor een oppervlakkig onderzoek voordat ik in allerijl hierheen moest.'

'Wat kun je zeggen over leeftijd en haarkleur?'

'Haar haar is niet platinablond geverfd. Het is wit van nature,' antwoord ik.

'Zijn we er zeker van dat het haar van Mildred Lott geverfd was?'

'Ik ben helemaal nergens zeker van.'

'En de kleding of persoonlijke bezittingen, zoals trouw- en verlovingsringen of een antiek medaillon dat Mildred Lott vaak omhad en waarschijnlijk ook droeg toen ze verdween, dat soort dingen?'

'Ik heb niets aangetroffen dat daarmee overeenkomt.'

'Enig idee wanneer en hoe die vrouw is gestorven?'

'Ik laat me beslist niet dwingen om onder ede iets te zeggen over een lijk waarop ik nog niet eens sectie heb verricht, Dan.' Het lukt me niet mijn weerzin verborgen te houden.

'Hé, het gaat er maar om wat Jills maatje rechter Conry toestaat.'

'Haar máátje?'

'Je weet wel. Geruchten. Het is niet aan mij om die te herhalen.' Steward kijkt op zijn horloge. 'Ik moest maar weer eens naar binnen.'

Ik wacht tot iedereen binnen is en blijf in mijn eentje tussen de buiten- en binnendeur staan luisteren naar de krachtige, diepe stem van de griffier als hij iedereen verordonneert op te staan voor de rechter. Het geluid van mensen die overeind komen en gaan zitten, een klap van de hamer en de zitting is hervat. Dan een autoritaire vrouwenstem die ik Jill Donoghues radiostem noem en die in een microfoon zegt dat ze mij oproept als haar volgende getuige.

De deur waar ik voor sta, geeft toegang tot een zaal met een gewelfd plafond waaraan albasten kroonluchters hangen. Achter tafels zitten juristen en tussen de aanwezigen op de drukbezette tribune door zie ik rechter Joseph Conry in zijn zwarte toga op zijn stoel zitten, die als een troon op een verhoging voor een achtergrond van in leer gebonden juridische teksten staat. Ik voel zijn ernst vanaf de andere kant van de rechtszaal terwijl ik over het grijze tapijt naar het getuigenbankje loop, recht tegenover de jurybank.

'Dokter Scarpetta.' De rechter spreekt me aan terwijl ik voor mijn gevoel nog kilometers van hem vandaan ben. 'U had hier een uur en vijftien minuten geleden al aanwezig moeten zijn.'

'Ja, edelachtbare,' zeg ik met gepaste nederigheid. Ik kijk hem recht aan en mijd Jill Donoghue, die links van me voor een lessenaar staat. 'Ik bied u mijn diepste verontschuldigingen aan.'

'Waarom bent u zo laat?'

Ik weet dat hem dat heel goed bekend is, maar ik antwoord: 'Ik was verscheidene kilometers ten zuiden van de stad op een plaats delict in de Massachusetts Bay, edelachtbare. Daar was het lichaam van een vrouw gevonden.'

'Dus u was aan het werk?'

'Ja, edelachtbare.' Ik voel zijn priemende blik en de rechtszaal lijkt wel een lege kathedraal, zo stil is het er.

'Nou, dokter Scarpetta, ik was hier vanmorgen om negen uur, zoals van me verwacht wordt, om mijn werk in deze zaak te doen.' Hij is hard en ontoegeeflijk, helemaal niet de man die ik ken van beëdigingen en pensioenfeestjes, onthullingen van gerechtelijke portretten en de talloze recepties van de Federal Bar Association die ik heb bijgewoond.

Joseph Conry, wiens naam vaak verward wordt met die van de Pools-Engelse schrijver Joseph Conrad, is een opvallend knappe, lange man met pikzwart haar en doordringende blauwe ogen, *de zwarte rechter van Ierse afkomst met het duistere hart*, zoals hij wel eens beschreven wordt. Hij is een briljant jurist die nooit ergens doekjes om windt, maar die me altijd vriendelijk en met respect behandeld heeft. Ik zou ons geen vrienden noemen, maar wel heel goede kennissen. Conry neemt altijd de moeite iets te drinken voor me te halen en een praatje te maken over de laatste ontwikkelingen in de forensische wetenschap, of om mijn advies in te winnen over zijn dochter, die een medische opleiding volgt.

'Alle advocaten en juryleden waren hier vanmorgen om negen uur, zoals van hen verwacht wordt, om bij deze zaak hun werk te doen,' zegt hij op dezelfde strenge toon, en ik luister met toenemende verontrusting. 'En omdat u besloot úw werk voorop te stellen, waren wij gedwongen om op u te wachten, waarmee u impliciet te kennen hebt gegeven dat u zichzelf bij deze rechtszaak duidelijk de belangrijkste persoon acht.'

'Het spijt me, edelachtbare. Het is nooit mijn bedoeling geweest om iets dergelijks te suggereren.'

'U hebt kostbare tijd van dit hof verspild. Ja, verspíld,' zegt hij tot mijn verbijstering. 'Die tijd is niet alleen door u verspild, maar ook door meneer Steward, want mij leidt hij niet om de tuin als hij een getuige onnodig lang aan een kruisverhoor onderwerpt om u de tijd te geven hierheen te komen, omdat u het te druk hebt of omdat u zichzelf te belangrijk acht om een gerechtelijk bevel op te volgen.'

'Het spijt me, edelachtbare. Het was helemaal niet mijn bedoeling om met opzet een bevel te negeren. Ik werd helemaal in beslag genomen door...'

'Dokter Scarpetta, u bent door de verdediging gedagvaard om vandaag om twee uur in deze rechtszaal een getuigenis af te leggen, toch?'

'Ja, edelachtbare.' Niet te geloven dat hij dit doet in bijzijn van de jury.

'U bent dokter en jurist, nietwaar?'

'Ja, edelachtbare.' Hij had de jury moeten vragen zich terug te trekken voordat hij me de les ging lezen.

'Ik neem aan dat u weet wat een dagvaarding is?'

'Dat klopt, edelachtbare.'

'Vertelt u het hof alstublieft wat een dagvaarding volgens u inhoudt.'

'Het is een schriftelijke oproep van een regeringsinstantie om te getuigen, en op niet verschijnen staat een boete.'

'Een gerechtelijk bevel.'

'Ja, edelachtbare.' Ik laat niet merken dat ik totaal verbijsterd ben.

Hij gaat me aan de schandpaal nagelen. Ik voel de blikken van Jill Donoghue en kan me slechts een voorstelling maken van de enorme tevredenheid waarmee ze ziet hoe een van de meest vooraanstaande rechters in Boston me voor de ogen van de jury en van haar cliënt, Channing Lott, de grond in boort.

'En u hebt dat gerechtelijk bevel genegeerd omdat u uw werk boven dat van het hof hebt gesteld, waar of niet?' vraagt de rechter op dezelfde dwingende toon.

'U zult wel gelijk hebben, edelachtbare. Mijn verontschuldigingen.' Ik kijk vanaf een onmogelijke afstand in zijn kille blauwe ogen.

'Nou, uw verontschuldigingen zijn niet genoeg, dokter Scarpetta. Ik leg u een boete op voor een bedrag ter hoogte van het uurloon van iedereen wiens tijd u de laatste vijf kwartier hebt verspild. Eigenlijk anderhalf uur, als we de tijd meerekenen die het me gekost heeft om deze onnodige en betreurenswaardige kwestie af te handelen. En er komt nog meer tijd bij, want we zullen nu tot na vijven en tot in de avond bezig moeten blijven. Ik schat de kosten op vijfentwintighonderd dollar. Neemt u alstublieft plaats in het getuigenbankje, zodat we verder kunnen.'

Het is doodstil in de rechtszaal als ik de houten treden beklim en in een zwartleren stoel ga zitten. De griffier vraagt me mijn rechterhand op te steken. Ik zweer de waarheid, de hele waarheid en niets dan de waarheid te zeggen, terwijl Jill Donoghue geduldig bij de lessenaar met laptop en microfoon wacht, midden in een enorme ruimte vol houten tafels en banken en zoveel beeldschermen dat ik moet denken aan de zilverglanzende zonnepanelen van een satelliet.

Ik werp een blik op de aanklagers, die met zijn drieën naast elkaar aantekeningen doorbladeren of schrijven, en ik zie aan het versufte gezicht van Dan Steward dat hij niet had verwacht dat ik zo hard zou worden aangepakt. Hij zit te berekenen hoe groot de schade is.

17

Ik word zelden door de verdedigende partij als getuige opgeroepen. Dat is bijna nooit nodig of zelfs nuttig voor de 'bad guys', Marino's misprijzende term voor advocaten van mensen die van moord worden verdacht.

Als ik door het OM word opgeroepen, wat dus meestal het geval is, word ik ook door de tegenpartij verhoord. Er wordt dan verteld dat ik een deskundige ben, waarna de jury een waslijst aan kwalificaties moet aanhoren waaruit blijkt dat dat inderdaad zo is. In elke zaak waarin ik Jill Donoghue ben tegengekomen, hanteerde ze dezelfde aanpak. Voordat ik ook maar de kans krijg om te zeggen waar ik medicijnen heb gestudeerd, probeert ze me al de mond te snoeren, en door me steevast aan te spreken met 'mevrouw Scarpetta' probeert ze degenen die over het lot van haar cliënt moeten beslissen ervan te overtuigen dat ze me niet serieus kunnen nemen.

Ik weet niet wat ik deze keer kan verwachten, maar ik vrees dat ik weinig aan Dan Steward zal hebben. Na de uitbarsting van rechter Conry is de kans klein dat hij nog iets tegen de edelachtbare zal durven zeggen. De aanwezigheid van Conry voelt als een dreigende onweersbui, donker en op het punt tot ontlading te komen, en er hangt een geladen spanning in de rechtszaal, zoals wanneer de hemel door een bliksemstraal is doorkliefd.

Ik snap niet waarom hij zo ontzettend boos tegen me doet, alsof ik hem moedwillig iets heb aangedaan, iets smadelijks of kwetsends waarvan ik me niet bewust ben. Ik ben wel vaker te laat in de rechtszaal aangekomen, niet vaak, maar zo nu en dan, en rechters zijn daar dan niet blij mee. Maar ik ben nooit eerder bedreigd of berispt, laat staan beboet. Nooit eerder is me in het bijzijn van de jury zo de mantel uitgeveegd. Er zit iets goed fout, en ik weet niet hoe ik er greep op moet krijgen, omdat je nu eenmaal een federale rechter niet kunt bellen of mailen om hem te vragen wat er scheef zit in onze relatie.

Vooral als de achterliggende reden is wat Steward heeft gesuggereerd. Jills maatje, zei hij, en zijn verwijzing naar geruchten was overduidelijk.

'Goedenmiddag.' Jill Donoghue kijkt me glimlachend aan, alsof we hier als een stel oude vriendinnen voor de gezelligheid bijeen zijn, en pas nu kijk ik in haar richting en zie ik links van haar de tafel van de verdediging, tussen haar lessenaar en de jury. Channing Lott zit kaarsrecht, met zijn handen gevouwen op een geel schrijfblok, waarvan een aantal pagina's zijn omgeslagen.

Zijn gevangeniskledij heeft hij verruild voor een doublebreasted zwart pak met brede streep, zo te zien van Versace, een wit overhemd met gouden manchetknopen en een roodbruine zijden stropdas, mogelijk Hermès. Ik heb de miljardair nooit eerder persoonlijk ontmoet, maar ik herken hem onmiddellijk. Hij is knap, heeft zigeunerachtige trekken, sneeuwwit lang haar dat hij in een staartje heeft gebonden, blauwe ogen met de kleur van verschoten denim, en een krachtige, trotse neus en jukbeenderen, als die van een indiaans opperhoofd. Heel even kruisen onze blikken elkaar. Hij kijkt me onverschrokken aan, alsof hij iets van me wil en niet bang voor me is. Ik wend mijn blik van hem af.

'Zou u de jury nog even willen vertellen hoe u heet, wat voor werk u doet en waar u werkzaam bent?' gaat Donoghue verder op dezelfde informele toon, alsof we collega's zijn, alsof ik aan haar kant sta.

'Ik ben Kay Scarpetta.'

'Hebt u nog meer voornamen?'

'Nee.'

'Dus u bent geboren als Kay Scarpetta, zonder tweede voornaam.'

'Dat klopt.'

'Vernoemd naar uw vader, Kay Marcellus Scarpetta de Derde, correct?'

'Dat is correct.'

'Een kruidenier uit Miami die is overleden toen u nog klein was.'

'Ja.'

'Hebt u de naam van uw echtgenoot aangenomen?'

'Nee.'

'Maar u bent wel getrouwd. Of eigenlijk gescheiden en hertrouwd.'

'Ja.'

'Op het ogenblik bent u getrouwd met Benton Wesley.' Alsof ik over een maand weer met iemand anders getrouwd kan zijn.

'Ja, dat klopt,' zeg ik.

'Maar u hebt niet de naam van uw eerste echtgenoot aangenomen. En u hebt ook niet de naam van Benton Wesley aangenomen toen u uiteindelijk met hem trouwde.'

'Dat is juist,' zeg ik, terwijl ik naar de mannen en vrouwen van de jury kijk, van wie enkele mogelijk getrouwd zijn en met hun partner een achternaam delen.

Eerste punt afgewerkt. Me als een apart figuur afschilderen zodat ze zich niet met me kunnen identificeren en eerder geneigd zullen zijn met mij van mening te verschillen.

'Wat is uw beroep en waar werkt u?' zegt Jill Donoghue op dezelfde vriendelijke toon.

'Ik ben forensisch radioloog/patholoog en geef als hoofdlijkschouwer leiding aan het Cambridge Forensic Center,' zeg ik tegen de jury, negen mannen en drie vrouwen. Twee van hen zijn Afro-Amerikanen, vijf Aziaten, vier mogelijk Latijns-Amerikanen, en een is blank.

'Als u zegt dat u de hoofdlijkschouwer van het Cambridge Forensic Center bent, wat ik vanaf nu als het CFC zal aanduiden, vallen andere delen van Massachusetts dan ook binnen uw jurisdictie?'

'Jazeker. Alle zaken binnen de staat Massachusetts waarbij een lijkschouwer moet worden ingeroepen, ook voor gerelateerde wetenschappelijke analyses, worden behandeld door het CFC.'

'Dokter Scarpetta...' Ze wacht even, bladert een dossier door, en het geritsel wordt door de microfoon versterkt. 'Ik gebruik die titel omdat u inderdaad medicijnen hebt gestudeerd en zich op een aantal terreinen hebt gespecialiseerd. Is dat juist?'

Eerst schenkt ze me een professionele status voordat ze me onderuithaalt.

'Dat is juist.'

'Dokter Scarpetta, heb ik het juist als ik zeg dat u beroepshalve ook betrokken bent bij het ministerie van Defensie?' vraagt ze.

Of misschien wil ze me gewoon afschilderen als een super-bitch.

'Ja, dat is juist.'

'Kunt u ons daar iets meer over vertellen?'

'In mijn hoedanigheid van speciale reservist van het ministerie van Defensie assisteer ik de Armed Forces Medical Examiners als men mij daarom verzoekt, of als er behoefte aan bestaat.'

'En wat zijn die Armed Forces Medical Examiners precies?'

'Dat zijn in principe forensisch pathologen met federale bevoegdheden, vergelijkbaar met de federale bevoegdheden die de FBI onder bepaalde omstandigheden heeft.'

'Dus u bent de FBI van de lijkschouwers,' zegt ze.

'Ik bedoel te zeggen dat ik in sommige gevallen federale bevoegdheden heb.'

'Een voorbeeld?'

'Als er een militair vliegtuig in of bij Massachusetts zou neerstorten, komt men bijvoorbeeld naar mij toe en wordt de zaak niet overgebracht naar het mortuarium van de luchtmachtbasis in Dover, Delaware.'

'Met "de zaak" bedoelt u een of meer slachtoffers. U definieert het begrip "zaak" als een of meerdere lijken, niet het vliegtuigongeluk zelf. U onderzoekt dan niet het neergestorte toestel.'

Jill Donoghue is een van de weinige advocaten die ik ken die vragen durft te stellen waarvan het antwoord haar niet op voorhand bekend is, en dat doet ze omdat ze slim en zelfverzekerd is. Maar dat is niet geheel zonder risico's.

'Het zou niet mijn taak zijn om een neergestort toestel te onderzoeken om vast te stellen of er een mechanische fout in het spel is, of een fout van de computer of de piloot,' antwoord ik. 'Wel zou ik het wrak kunnen gaan bekijken en rapporten kunnen inzien om te kijken of bijvoorbeeld de bevindingen van de National Transportation Safety Board in overeenstemming zijn met wat het stoffelijk overschot me zegt.'

'Spreken stoffelijk overschotten met u, dokter Scarpetta?'

'Niet in de letterlijke zin van het woord.'

'Ze spreken niet zoals u en ik nu met elkaar in gesprek zijn.'

'Niet hoorbaar,' zeg ik. 'Nee.'

Tweede punt afgewerkt. Me als een excentriekeling afschilde-

ren. Als iemand die niet goed wijs is.

'Maar onhoorbaar richten ze zich wel tot u?'

'Door middel van de taal van ziekten en verwondingen en vele andere nuances maak ik wel het een en ander op.'

Een van de vrouwelijke juryleden, een Afro-Amerikaanse, in het donkerrood gekleed, knikt alsof we in de kerk zitten.

'En uw expertise ligt op het gebied van het menselijk lichaam. Of om wat specifieker te zijn, het dode menselijk lichaam,' zegt Jill Donoghue. Aan haar toon merk ik dat ze niet blij is met mijn antwoorden.

'Het onderzoeken van doden maakt deel uit van mijn expertise.' Ik zal het nog erger maken voor haar. 'Ik onderzoek elk detail teneinde te reconstrueren hoe iemand gestorven is en hoe die persoon geleefd heeft, en de nabestaanden die met het verlies worstelen, probeer ik zo veel mogelijk informatie te verschaffen.'

De vrouw in het donkerrood knikt ernstig, alsof ik de verlossing predik. Donoghue verandert van onderwerp. 'Dokter Scarpetta, welke rang hebt u als luchtmachtreservist?'

'Kolonel,' zeg ik. Een jongeman die in de jury zit, kijkt misprijzend, alsof hij het maar niks vindt of in verwarring is gebracht.

'Maar u hebt nooit actief in het leger gediend.'

'Ik geloof niet dat ik de vraag begrijp.'

'Het was geen vraag, dokter Scarpetta.' Ze is niet blij met me. 'Ik stel alleen maar dat u nooit actief in de luchtmacht hebt gediend. U hebt aan geen enkele missie meegedaan, bent bijvoorbeeld niet naar Irak gegaan.'

'Toen ik actief in dienst was, waren we nog niet met Irak in oorlog,' verklaar ik.

'Wilt u beweren dat er geen luchtmachtreservisten in Irak zijn ingezet?'

'Dat wil ik niet beweren.'

'Goed, want dat zou helemaal niet waar zijn, hè?' zegt ze.

Derde punt afgewerkt. Impliceren dat ik enige aanmoediging nodig heb voordat ik de waarheid vertel.

'Het zou niet correct zijn om te stellen dat er geen luchtmachtreservisten in Irak zijn ingezet,' zeg ik instemmend.

'Ik haal de missie naar Irak aan als voorbeeld van wat iemand in actieve dienst zoal zou kunnen doen.' Ze werkt toe naar haar volgende troef. 'Dit in tegenstelling tot iemand die in het leger gaat om de doodeenvoudige reden dat de overheid dan zijn of haar studie medicijnen betaalt. Want zo hebt u dat toch gedaan?'

Vierde punt afgewerkt. Ik heb een academische graad. Ik behoor tot de elite.

'Na mijn studie medicijnen heb ik gewerkt voor het Armed Forces Institute of Pathology, waarna mijn studieschuld uiteindelijk is kwijtgescholden.'

'Dus toen u in het leger zat, bent u nooit voor een missie ingezet. U hebt daar als forensisch patholoog gewerkt en deed voornamelijk administratief werk.'

'Bij de forensische pathologie komt veel papierwerk kijken.' Ik glimlach naar de juryleden, en verscheidenen van hen glimlachen terug.

'Het AFME maakt deel uit van het AFIP. Klopt dat?'

'Vroeger wel,' antwoord ik. 'Een aantal jaren geleden is het AFIP opgeheven.'

'Toen het AFIP nog bestond en u er werkte, was u toen betrokken bij de Atomic Bomb Casualty Commission?'

'Daar was ik niet bij betrokken.'

Jezus nog aan toe. Waarom tekent Steward geen bezwaar aan? Het kost me moeite om me niet naar hem om te draaien.

Houd je blik gericht op de jury.

'Enkele van uw collega's zaten wel in de Atomic Bomb Casualty Commission, is het niet?'

'Ik geloof dat enkelen daar inderdaad bij betrokken waren,' antwoord ik. 'Een paar van de oudere forensisch pathologen die nog bij het AFIP zaten toen ik daar kwam.'

'Waarom zat u niet in de Atomic Bomb Casualty Commission?' vraagt ze.

Godverdomme.

Waarom laat Steward haar steeds maar haar gang gaan? Ik kan me niet voorstellen dat een rechter niet mee zou gaan als er bezwaar werd aangetekend op grond van het feit dat deze vragen niets te maken hebben met de zaak of met mij. Ze probeert de Aziatische juryleden te bespelen en hen tegen me op te zetten.

Zoiets als ten overstaan van een Joodse jury impliceren dat
ik iets te maken heb gehad met de Holocaust.
'Dat was voor mijn tijd bij het AFIP.' Ik houd mijn blik op de
jury gericht.

Ik praat tegen hen, niet tegen Jill Donoghue.

'Het AFIP heeft een tijd lang autopsiespecimens onderzocht
die afkomstig waren van Japanners die door de atoombom om
het leven waren gekomen. Is dat correct?' Ze blijft maar doorgaan.

'Dat is correct.'

'En het militair instituut waar u werkte om uw studieschuld
af te lossen – het AFIP – was verplicht die oude autopsiemateri-
alen naar Japan terug te sturen, omdat het niet van respect zou
getuigen als die Japanse stoffelijk overschotten in het bezit van
het Amerikaanse leger zouden blijven, vooral omdat datzelfde
Amerikaanse leger verantwoordelijk was voor de dood van die
Japanse burgers doordat het de steden Hiroshima en Nagasaki
had gebombardeerd.'

Je durft hier helemaal niets van te zeggen, hè, lafaard?

Nog steeds kijk ik niet achterom naar Steward. Ik sta er helemaal alleen voor.

'De Tweede Wereldoorlog vond plaats voordat ik ter wereld
kwam, mevrouw Donoghue, en was al zo'n veertig jaar voorbij
toen ik bij het AFIP kwam. Ik ben bij geen enkel onderzoek betrokken geweest dat betrekking had op slachtoffers van atoombommen.'

'Nou, laat me u dan een andere vraag stellen, dokter Scarpetta. Bent u ooit lid geweest van de American Society of Experimental Pathology?'

'Nee.'

'Nee? U bent nooit bij een van hun bijeenkomsten geweest?'

'Nee.'

'En de American Society of Investigative Pathology dan? Hebt
u daarvan ooit een bijeenkomst bijgewoond?'

'Ja.'

'Dat is dezelfde club, hè?'

'In grote lijnen wel.'

'Aha. Dus als de naam verandert, verandert uw antwoord?'

'De American Society of Experimental Pathology bestaat niet meer. Ik heb daar nooit een bijeenkomst van bijgewoond en was niet bij hun activiteiten betrokken. Dat genootschap heet nu de American Society of Investigative Pathology.'

'Bent u lid van de American Society of Investigative Pathology, de ASIP, dokter Scarpetta?'

'Ja.'

'Dus los van de vraag welke naam dit genootschap aanneemt, is het een feit dat u betrokken bent bij experimentele geneeskunde?'

'De ASIP doet onderzoek naar de mechanismen van ziektes.'

Stilte. Ik kijk naar de gezichten van de juryleden. Ze zijn alert, maar lijken een sceptische houding tegenover mij te hebben aangenomen. Een oudere man met kort grijs haar en een dikke buik kijkt geïnteresseerd maar verbaasd uit zijn ogen. Jill Donoghue vertroebelt het water met de inkt der verwarring en voegt er een scheutje negativiteit aan toe, met geniepige hints dat ik de belastingbetalende burger graag laat opdraaien voor mijn studiekosten en dat ik gewetenloos, onmenselijk en nietsontziend ben en mogelijk iets tegen mannen heb.

Geleidelijk aan schetst ze een portret van de vrouwelijke academische sociopaat, een verachtelijk type, zodat ik alle geloofwaardigheid heb verloren als ze werkelijk relevante kwesties aanroert. De juryleden zullen me niet sympathiek vinden. Misschien krijgen ze zelfs een hekel aan me.

'Tot wat voor soort zaken strekt de jurisdictie van een Armed Forces Medical Examiner, een AFME, zich uit, dokter Scarpetta?' vraagt ze, en ik heb me nog nooit zo onbeschermd gevoeld.

Het is net of het OM geheel afwezig is, alsof Dan Steward lijdzaam toekijkt terwijl ik naar de slachtbank word geleid zonder dat hij daarbij enig protest laat horen.

'Elke soldaat die op het operatieterrein sneuvelt,' zeg ik.

'Het operatieterrein? Zou u kunnen verduidelijken wat u daarmee bedoelt?'

'Het militaire operatieterrein is het gebied waar oorlogshandelingen worden uitgevoerd, zoals Afghanistan,' zeg ik tegen de jury. 'Andere zaken die onder de jurisdictie van AFME's vallen, zijn bijvoorbeeld sterfgevallen op militaire bases, de dood van de president van de Verenigde Staten, de vicepresident of ministers, en ook van bepaalde andere individuen die voor de Amerikaanse overheid werken, zoals leden van de CIA of onze astronauten, in geval ze tijdens het uitoefenen van hun officiële werkzaamheden komen te overlijden.'

'Dat lijkt me een hele verantwoordelijkheid.' Donoghue klinkt nadenkend.

Je zou haast denken dat ze onder de indruk is. Ik blijf naar de jury kijken en weiger mijn blik op haar te richten.

'Dan snap ik helemaal waarom u vindt dat uw functie belangrijker is dan die van mij of die van de leden van de jury, of zelfs belangrijker dan die van de rechter,' zegt ze.

18

Ze wacht even terwijl hier en daar op de tribune gelachen wordt, maar de juryleden zien er de humor niet van in.

'Dat vind ik helemaal niet,' zeg ik.

'Nou, u was vandaag vijf kwartier te laat, dokter Scarpetta. Anderhalf uur als u de tijd meerekent die rechter Conry nodig had om u terecht te wijzen, en door u zal deze rechtszaak niet voor het invallen van de avond kunnen worden afgerond.'

'Waar ik nogmaals mijn verontschuldigingen voor aanbied, mevrouw Donoghue. Het is nooit mijn bedoeling geweest het hof overlast te bezorgen. Ik bevond me op een boot en was bezig een lichaam te bergen.'

'Waarmee u suggereert dat de doden belangrijker voor u zijn dan de levenden.'

'Een dergelijke aanname is niet correct. Het leven is altijd belangrijker dan de dood.'

'Maar u werkt met de doden, nietwaar? Uw patiënten zijn dode mensen, toch?'

'Als lijkschouwer is het mijn werk om elke plotselinge, onverwachte of gewelddadige dood te onderzoeken en om vast te stellen hoe de betrokken persoon is overleden,' zeg ik langzaam en kalm. Ik heb al een vermoeden waar ze heen wil. 'Met andere woorden, waar is de overledene precies aan doodgegaan en was het een ongeluk, zelfmoord of moord? Dus ja, de meeste mensen die ik onderzoek, zijn dood.'

'Het is te hopen dat ze dat allemaal zijn.'

Nog meer gelach, maar de juryleden zitten somber en aandachtig te luisteren. Een gezette vrouw in een donkerrood broekpak, midden op de eerste rij, leunt naar voren. Ze houdt haar blik strak op me gericht, en de oudere man links van haar, netjes gekleed in een broek en een pullover, zit met zijn hoofd een beetje schuin, alsof hij me probeert te doorgronden.

Jill Donoghue heeft me nog niet voor verrassingen gesteld. Ze probeert me af te schilderen als een kille, eigenaardige vrouw die geen donder geeft om levende mensen. En dus ook niet om haar cliënt, Channing Lott.

'Niet iedereen die ik onderzoek is dood.' Ik richt me tot het jurylid in het donkerrood, de man naast haar en een ander jurylid in een blauw pak. 'Soms onderzoek ik ook mensen die een misdrijf overleefd hebben om vast te stellen of hun verwondingen kloppen met de informatie die de politie heeft gekregen.'

'En waar hebt u geleerd om lijken en af en toe een levende patiënt te onderzoeken? Waar hebt u gestudeerd? Laten we beginnen met de universiteit.'

'Ik heb gestudeerd aan de Cornell University en na mijn afstuderen ben ik naar de Johns Hopkins Medical School gegaan. Daarna heb ik op Georgetown Law gezeten en toen ben ik teruggegaan naar Hopkins om mijn opleiding pathologie af te ronden. Dit werd gevolgd door een jaar forensische pathologie bij de lijkschouwersdienst van Dade County in Florida.'

Het gaat maar door. Er komt geen einde aan. Jill Donoghue ondervraagt me bijna een halfuur over elk facet van mijn opleiding. Saaie vragen over mijn tijd in het leger, bij het Institute of Pathology, worden gevolgd door vragen over wat ik gedaan heb toen ik aan het eind van de jaren tachtig gestationeerd was in het Walter Reed Army Medical Center in Washington D.C., voordat ik werd benoemd tot hoofdlijkschouwer van Virginia en naar Richmond verhuisde. Daarna gaat ze in op mijn actieve betrokkenheid bij het ministerie van Defensie van na 9/11, wat ertoe geleid heeft dat ik zes maanden heb doorgebracht op de luchtmachtbasis van Dover, waar ik kennis heb gemaakt met computertomografie oftewel CT-scans als ondersteuning bij secties.

Dan Steward laat zich niet horen, tot Donoghue op nogal agressieve manier over Benton begint en wil weten of het waar is dat we elkaar ontmoet hebben toen ik de nieuwe hoofdlijkschouwer van Virginia was en hij hoofd van wat toen de afdeling Gedragswetenschappen van de FBI-academie in Quantico was. Ze vraagt of het klopt dat ik in die tijd gescheiden was, terwijl hij getrouwd was en drie kinderen had.

'Protest,' zegt Steward eindelijk.

Ik kan me niet inhouden en draai me naar hem om. Hij is gaan staan en heeft zijn stoel weggeschoven van de tafel aan de rechterkant van de lessenaar, waar ik de zelfverzekerde Donoghue heel nonchalant en op haar gemak tegenaan zie leunen.

'Details over het persoonlijke leven van dokter Scarpetta zijn niet relevant voor haar kwalificaties als lijkschouwer,' zegt Dan Steward, en ik kom tot de conclusie dat hij misschien een van de minst capabele aanklagers is met wie ik ooit heb gewerkt.

'Edelachtbare,' zegt Donoghue tegen rechter Conry, 'ik wil daar met alle respect iets tegenin brengen. Als het hof duidelijk kan worden gemaakt dat een getuige zich heeft beziggehouden met crimineel, immoreel of achterbaks gedrag, heeft dat wel degelijk betrekking op zijn of haar geschiktheid om te getuigen met betrekking tot aangedragen feiten waardoor een beklaagde in de gevangenis kan belanden.'

'Het protest wordt afgewezen, mevrouw Donoghue. U mag doorgaan.'

Nu weet ik zeker dat de rechter, die in deze zaal god is, heeft besloten me naar zijn persoonlijke hel te verwijzen.

Ze hebben een verhouding of zouden die graag hebben.

Ik kijk opzettelijk niet zijn kant uit.

'Is het niet waar, dokter Scarpetta, dat u een intieme verhouding begon met Benton Wesley toen hij nog met iemand anders getrouwd was?' vraagt Jill Donoghue, en ik moet wel antwoorden.

Ik sta alleen.

Ik kijk naar de gezichten van de mannen en vrouwen van de jury en zeg: 'Als u met een intieme verhouding bedoelt dat we verliefd op elkaar werden, ja, dan is dat inderdaad waar. We zijn nu al bijna twintig jaar bij elkaar en zijn getrouwd.'

Het vrouwelijke jurylid in het donkerrood knikt en Donoghue zegt: 'Dus men zou kunnen zeggen dat de waarheid is wat u besluit dat die is.'

'Dat is onjuist.'

'Men zou kunnen zeggen dat het niet uitmaakt of iemand getrouwd is of niet.'

'Dat is uw mening, niet die van mij,' antwoord ik, want Steward gaat helemaal niets doen.

'Men zou kunnen zeggen dat u de wet niet eerbiedigt, maar doet wat u zelf wilt.'

'Dat is absoluut niet waar,' zeg ik.

'Maar Benton Wesley was getrouwd.'

'Inderdaad.'

'U hebt hem van zijn vrouw en drie dochters afgepakt.'

'Hij is van zijn vrouw gescheiden. Ik heb hem niet van haar of van wie dan ook afgepakt.'

'Dokter Scarpetta? Zouden we met recht kunnen zeggen dat de waarheid is wat u besluit dat die is?' Ze probeert het nog eens.

'Nee, dat zou u niet met recht kunnen zeggen,' herhaal ik.

'Is het waar dat u in een e-mail aan Dan Steward heeft geschreven dat de vrouw van Channing Lott is veranderd in een stuk zeep?'

'Dat heb ik niet geschreven.'

'Neem me niet kwalijk. Wat hebt u dan wel geschreven?'

'Bij welke gelegenheid?'

'Nou, ik zal de e-mail er eens bij halen,' antwoordt ze.

Hij verschijnt op de beeldschermen die overal in de zaal hangen. De e-mailadressen zijn zwart gemaakt, en ze vraagt of ik de e-mail herken. Dat bevestig ik, en ze leest hem hardop voor.

Dan
Een algemeen antwoord op je vraag, en zeker niet specifiek over Mildred Lott. Als een lijk in maart bij Gloucester in de

oceaan wordt gegooid en maandenlang in koud water ligt, wordt door hydrolyse en hydrogenatie van de vetcellen van het subcutane vetweefsel bacterieresistente adipocire gevormd, een post mortem verschijnsel waardoor het lichaam in wezen in zeep verandert.

'Herinnert u zich dat u dit aan Dan Steward hebt geschreven, dokter Scarpetta?'

'Ik herinner me niet die precieze bewoordingen.'

'Wat herinnert u zich dan wel?'

'Ik herinner me dat ik de heer Steward heb verteld dat een lichaam dat weken- of maandenlang in koud water ligt een ontbindingsproces doormaakt dat bekendstaat als verzeping.'

'Het verandert in zeep,' benadrukt ze.

'In zekere zin, ja.'

'Niet in zekere zin, dokter Scarpetta. Het is wat u in deze e-mail hebt geschreven, dat klopt toch?'

'Ik geloof dat ik heb geschreven dat het in wezen in zeep verandert.'

'Even voor de duidelijkheid. Kan een menselijk lichaam in sommige omstandigheden letterlijk in zeep veranderen?' vraagt ze.

'Hydrolyse van vet en olie in het menselijk lichaam kunnen inderdaad een soort grove zeep opleveren. Ook bekend als lijkenwas door hoe het eruitziet.'

'En de vorming van die zeep, lijkenwas of adipocire vindt toch niet in heel korte tijd plaats?' vraagt ze.

'Dat klopt. Het kan weken of maanden duren, afhankelijk van de temperatuur en andere omstandigheden.'

'Dat leidt me tot wat er vandaag overal in het nieuws is geweest.' Natuurlijk moet ze daarover beginnen. 'Het lichaam dat u uit het water hebt gehaald, bijna in het zicht van waar wij nu zitten. Als u deze rechtszaal uitgaat en door die grote ramen kijkt, kunt u bijna de plek zien waar u een paar uur geleden nog op een boot van de kustwacht stond, zo is het toch?'

'Dat is juist.'

'Kent u de identiteit van de dode vrouw die u een paar uur geleden uit het water hebt gehaald?'

'Nog niet,' antwoord ik, en uiteraard laat Dan Steward haar rustig begaan.

'Weet u hoe oud ze is?'

'Nee.'

'Kunt u een schatting doen?'

'Ik heb haar nog niet onderzocht.'

'Maar u hebt het lichaam uiteraard gezien,' gaat Donoghue verder. 'U moet er een mening over hebben.'

'Ik heb me nog geen mening over haar gevormd.'

'Het lichaam is dat van een volwassen vrouw, nietwaar?' Ze blijft doorgaan, want Steward legt haar geen strobreed in de weg.

'Dat klopt.'

'Ouder dan zestien? Ouder dan achttien?'

'We kunnen rustig aannemen dat het lichaam dat van een rijpere volwassen vrouw is,' antwoord ik.

'Mogelijk in de vijftig?'

'Ik weet op dit moment nog niet hoe oud ze is.'

'Ik herhaal het woord "mogelijk". Is het mogelijk dat ze achter in de veertig of in de vijftig is?'

'Dat is mogelijk.'

'Met lang, wit of platinablond haar.'

'Dat is juist.'

'Dokter Scarpetta, bent u zich ervan bewust dat Mildred Lott vijftig is en lang, platinablond haar heeft?'

Ze spreekt over haar in de tegenwoordige tijd, alsof ze niet dood is. Als ze niet dood is, kan haar man ook niets te maken hebben met de moord op zijn vrouw.

'Ik ben me vaag bewust van haar leeftijd en van het feit dat haar haar is beschreven als platinablond,' antwoord ik.

'Met toestemming van het hof wil ik nu graag beelden afspelen van Fox News, waarop te zien is hoe dokter Scarpetta eerder vandaag dit lichaam uit de Massachusetts Bay heeft gehaald.'

Als de juryleden het zelfs maar mogelijk achten dat het lichaam van Mildred Lott is, geloven ze nooit dat ze meer dan zes maanden geleden vermoord kan zijn.

'Ik zou deze internetbeelden van Fox News graag hier op de beeldschermen vertonen, zodat iedereen kan zien waarover ik het heb.'

Dan Steward kan het wel schudden.

'Edelachtbare, ik protesteer,' zegt Steward.

Ik kijk naar hem, en hij komt weer overeind en kijkt eerder verbijsterd dan boos.

'Op welke gronden, meneer Steward?' Het gezicht van de rechter lijkt wel uit steen gehouwen en hij klinkt geërgerd.

'Op grond van het feit dat het afspelen van deze nieuwsbeelden irrelevant is.'

'Edelachtbare, het tegendeel is waar,' spreekt Donoghue hem tegen. 'De beelden zijn absoluut relevant.'

'Ik maak me grote zorgen om het feit dat een fragment uit Fox News of om het even welke nieuwsshow bewerkt is,' zegt Steward tegen de rechter. 'En dan niet door de politie, maar door een televisiezender of televisieshow.'

'En weet u zeker dat wat mevrouw Donoghue het hof wil laten zien bewerkt is?' vraagt de rechter.

'Daar moet ik wel van uitgaan, edelachtbare. Nieuwsprogramma's zijn niet gewoon om ruwe, onbewerkte beelden uit te zenden. Ik vraag u deze beelden en alle soortgelijke beelden bij dit proces te verbieden.'

Kun je je nog zwakker uitdrukken? denk ik gefrustreerd.

'In het algemeen zijn tv-shows niet toelaatbaar.' De rechter klinkt verveeld. 'Wat is uw punt, mevrouw Donoghue?'

'Mijn punt is heel eenvoudig, edelachtbare. De beelden, of ze nu bewerkt zijn of niet, laten heel duidelijk een lijk zien dat eruitziet als dat van een oudere vrouw die in koud water heeft gelegen en zeker niet, ik citeer, "in zeep veranderd" is.'

'Edelachtbare, dit is belachelijk. Dit is een stunt,' protesteert Steward met zijn irritante stem.

'Mag ik doorgaan, edelachtbare?' vraagt Donoghue.

'Als u dat nodig acht.'

'Dokter Scarpetta's bewering over wat er gebeurt met een lijk nadat het in koud water heeft gelegen is onjuist, of anders is het lijk dat eerder vandaag uit de baai is gehaald van een oudere vrouw die niet gedurende heel lange tijd in het water heeft gelegen. Edelachtbare, laten we er geen doekjes om winden. Hoe weten we of het lichaam dat net is opgedoken niet dat van Mildred Lott is? En als het Mildred Lott kan zijn, kan mijn cliënt haar onmogelijk hebben vermoord, omdat hij al vijf maanden in de gevangenis zit en niet op borgtocht mocht worden vrijgelaten doordat meneer Steward het hof er ten onrechte van overtuigd heeft dat Channing Lott zou kunnen vluchten omdat hij rijk is.'

'Edelachtbare, ze maakt een kermis van dit proces!' roept Steward uit.

'De videoclip is nog geen halve minuut lang, edelachtbare. Ik wil alleen een close-up laten zien van het lichaam waarmee dokter Scarpetta naar de kustwachtboot zwemt.'

'Ik ga uw bezwaar niet honoreren, meneer Steward,' zegt de rechter. 'Laten we de beelden bekijken en proberen verder te gaan, zodat we hier niet tot middernacht hoeven te blijven zitten.'

19

Het is bijna zes uur 's avonds als we in de stromende regen en in druk verkeer de Longfellow Bridge bereiken, op de terugreis naar Cambridge, na een van de ergste ervaringen die ik in de rechtbank heb meegemaakt.

'Het maakt me niet uit wat iedereen zegt. Hij heeft haar ermee weg laten komen, en daar zit een luchtje aan.' Marino blijft steeds maar op hetzelfde hameren, en ik word gek van zijn speculaties en theorietjes over gekonkel en gemanipuleer en mogelijke complotten. 'Het is natuurlijk totaal iets anders dat de rechter zo moeilijk deed omdat je hem tegen je in het harnas had gejaagd. Ik had je nog zo gezegd niet te laat te komen.'

Ik wil er geen woord meer over horen.

'Je hebt het al meer dan eens gezegd: sinds die uitspraak van het hooggerechtshof wordt er steeds meer met ons gesold. Om de haverklap moeten we voor onbenulligheden komen opdraven. Maar je kunt niet pas verschijnen als het jou uitkomt.'

Ik ben absoluut niet in de stemming om een preek aan te horen.

'Maar desniettegenstaand' – hij gebruikt steeds van die verouderde woorden, waar ik gek van word – 'wordt de assistent-openbaar aanklager geacht op jouw hand te zijn.' Hij zet de ruitenwissers op de hoogste stand, en zijn leesbril staat op het puntje van zijn neus, alsof hij daarmee beter kan zien nu de regen met bakken uit de hemel valt.

'Ik ben door de verdediging opgeroepen, niet door het OM,' zeg ik.

'En ook daar zit een luchtje aan. Waarom heeft Steward je niet gedagvaard? Hij moet geweten hebben dat ze geen spaan van je heel zouden laten vanwege dat mailtje over Mildred Lott die in zeep zou zijn veranderd. Hij had Donoghue voor moeten zijn. Dan zou je zíjn getuige zijn geweest. Hij zou je dan zelf over je expertise hebben kunnen ondervragen, en dan zou je niet al die persoonlijke vragen naar je hoofd geslingerd hebben gekregen, want daardoor werd je in een kwaad daglicht gesteld.'

'Het maakt niet uit door wie ik daar naartoe gehaald ben. Uiteindelijk zou ik toch verhoord worden en zou Donoghue alles hebben kunnen vragen wat ze maar wilde.'

'Je bent háár getuige en je staat aan háár kant, en toch gaat ze zo met je om?' Hij wrijft het me nog eens in. Ik vind het afschuwelijk dat hij zo doet en me verdedigt nu het te laat is. Hij kon sowieso niets doen.

'Het gaat er niet om aan welke kant je staat.' Mijn geduld is bijna op.

'Jawel, juist wel! Het gaat er altijd om aan welke kant je staat.' Marino drukt op de claxon en schreeuwt: 'Rijden, slak!' Hij toetert nog een keer naar de taxi voor ons, en het rauwe geluid dringt als een spijker mijn hoofd binnen. 'Trouwens: aan welke kant staat Steward eigenlijk? Je was de laatste getuige van de verdediging, en hij heeft je niet eens verhoord. Die nieuwsuitzending kon gewoon vertoond worden zonder dat hij er ook maar iets tegen deed.'

'Er was niet echt iets wat hij me had kunnen vragen. Ik weet niet wie het is die we uit de baai hebben opgevist, en dat was inmiddels al duidelijk geworden.'

'Huh. Nou, door de manier waarop hij met je is omgesprongen, vraag ik me af of hij stiekem niet met Donoghue onder één hoedje speelt. Misschien schuiven ze hem wel wat geld toe of hebben ze hem een bedrag toegezegd als Channing Lott vrijuit gaat. Hoe weet je zo zeker dat de rechtsgang niet een beetje door die miljarden dollars van hem wordt beïnvloed? Jezus! Die klootzak remt steeds met opzet af. Hij wil zeker dat ik hem van achteren aanrijd! Rijden, eikel!' Marino doet zijn raampje open en steekt zijn middelvinger naar de taxichauffeur op. 'Oké, prima, kom maar hier als je durft, dan zul je eens zien wat ik met een drol als jij doe!'

'Mijn god, zeg. Kan dat asogedrag even achterwege blijven?' zeg ik. 'Laten we proberen veilig en wel aan te komen.'

We zijn nog maar halverwege de brug en rijden stapvoets. De skyline van Boston tekent zich in een waas af. De lichten boven op het Prudential Building gaan volledig schuil achter zware regen en dichte wolken, die kolken en draaien.

'Waarom heeft hij niet vaker protest aangetekend?' Marino draait zijn raampje dicht en veegt zijn beregende hand af aan zijn broek. 'Degene die ongestraft met alles wegkwam, is Jill Donoghue.'

'Misschien is hij gewoon een waardeloze advocaat.' Het doffe geluid van de razendsnel heen en weer zwiepende ruitenwissers is bijna meer dan ik kan hebben. 'Kun je die niet uitzetten?'

'Alleen als jij het niet erg vindt dat ik dan niks meer zie.'

'Laat maar.' Ik kan me niet herinneren wat ik vandaag gegeten heb, en dan dringt tot me door dat ik nog niets binnen heb gekregen.

Cubaanse koffie en een verder lege maag. Geen wonder dat ik hoofdpijn heb en nauwelijks kan nadenken.

'Steward had beter zijn best moeten doen om de vertoning van die nieuwsbeelden aan te vechten. Hij liet bijna niets van zich horen.'

Ik heb de muesli en de Griekse yoghurt niet eens aangeraakt. Alles staat nog onaangeroerd in mijn koelkast.

'Als je het mij vraagt, heeft hij jou en de hele zaak laten stikken, opzettelijk.'

'Laten we hopen dat het niet zijn bedoeling was,' benadruk ik nog eens, en wat me het meest dwarszit, is niet dat de nieuwsbeelden door de rechter zijn toegelaten en aan de jury zijn vertoond, maar dat de beelden überhaupt gemaakt zijn.

Een paar seconden lang was het uitgemergelde, leerachtige gezicht van de dode vrouw duidelijk zichtbaar toen ik haar in de
kuipbrancard hees, en hoewel ze vanwege de ernstige dehydratie
mogelijk niet meer visueel te identificeren is, ben ik daar niet
honderd procent zeker van. Mensen die haar goed hebben gekend, familie of goede vrienden, hebben misschien kunnen zien
dat zij het was, en dat is een afschuwelijke manier om erachter
te komen dat iemand uit je naaste omgeving is overleden. Zoiets
mag nooit gebeuren.

'Hij wordt vast vrijgesproken,' besluit Marino.

De ruitenwissers gaan nog steeds beukend heen en weer. De
keiharde koude regen roffelt op het dak en spoelt over de voorruit, alsof we in een wasstraat zijn. Het is goed mogelijk dat
Channing Lott wordt vrijgesproken, en misschien is dat een goede zaak. Ik heb geen idee. Maar als de juryleden nauwelijks een
uur geleden hetzelfde hebben gezien als ik, zullen ze een ander
beeld van de indrukwekkende industrieel hebben gekregen. Hij
leek echt overdonderd door de beelden die in de rechtszaal werden vertoond. Hij straalde iets tragisch uit, en hij leek doodsbang
en overmand door oprecht verdriet toen hij zich voorbereidde
op wat hij zou gaan zien. Na afloop deed hij zijn ogen dicht en
leek bijna in zijn stoel in elkaar te zakken van opluchting.

Als tot hem was doorgedrongen dat de dode vrouw niet zijn
vermiste echtgenote was, had hij niet het gevoel hoeven te hebben dat hem een adempauze was gegund, althans niet als hij verantwoordelijk is voor wat haar is overkomen. Als zijn vrouw
zou zijn gevonden, was dat het beste wat hem in deze zaak kon
overkomen. Wat ik ook zou zeggen over hoe lang ze al dood
was, het zou helemaal niets meer uitmaken.

Een jury zou zulke post mortem artefacten verwarrend vinden, zou totaal niet begrijpen dat er een intact lichaam in de
Massachusetts Bay was opgevist, zo'n halfjaar nadat die persoon
naar verluidt door een huurmoordenaar om het leven was gebracht. Aan de andere kant houd ik er rekening mee dat Channing Lott een doortrapte sociopaat is, een manipulatieve poseur
die wist dat alle ogen op hem gericht waren op dat belangrijke
moment waarop de nieuwsbeelden werden vertoond. Misschien

wilde hij sympathiek overkomen op degenen die naar hem keken, en daar is hij in geslaagd.

'Het kan heel goed dat hij wordt vrijgesproken, en als de jury enige gerede twijfel koestert, is die uitspraak de juiste,' antwoord ik. Het liefst zou ik nu zo snel mogelijk naar huis gaan.

Ik verlang naar een Advil, een lekker heet bad, en whisky met ijs. Ik wil met Benton praten. Ik wil horen wat hij te zeggen heeft over wat er net in de federale rechtbank is gebeurd. Doen er verhalen over rechter Joseph Conry de ronde waaruit te verklaren valt dat hij zich zo vijandig naar me opstelde en niet van plan was enig protest toe te wijzen dat Dan Steward liet horen, ook al stelde dat nog zo weinig voor? Aan de andere kant wil ik dat misschien helemaal niet weten. Het verandert helemaal niets aan de zaak.

'Nou, die jury zal hem absoluut niet veroordelen.' Marino leunt naar voren en tuurt door de voorruit, door de golvende waterstroom. De koplampen van het tegemoetkomende verkeer verblinden ons. 'Donoghue hoefde alleen maar te suggereren dat Mildred Lott net gevonden was of misschien later gevonden zou worden, of dat ze helemaal niet dood was. Dat ze die beelden heeft laten zien, was een sterke zet van haar. Beelden zeggen meer dan woorden, ook al is zij het misschien niet.'

'Ze is het niet. Tenzij haar medische gegevens vervalst zijn en ze ineens een stuk gekrompen blijkt te zijn.'

'Nou, zo te zien wás ze gekrompen.'

'Niet haar botten. Volgens de gegevens was Mildred Lott een meter tachtig lang, en deze dame komt daar niet eens bij in de buurt.'

'Maar je moet toegeven dat ze sterk uit de hoek kwam.' Marino gaat maar door over Jill Donoghue, want hij is er de hele tijd bij geweest. Zonder dat ik er erg in had, was hij achter in de rechtszaal op de tribune gaan zitten.

Hij was er de hele tijd bij toen ik door de mangel werd gehaald. Hij zag hoe de rechter me de mantel uitveegde en me een boete gaf die vijf keer zwaarder was dan wat in zulke gevallen normaal is, al is dit mijn eerste boete hiervoor. Die juridische poppenkast was een perfecte inleiding voor wat Donoghue vervolgens deed. Ze schilderde me eerst af als een bevoegde deskundige, en vervolgens impliceerde ze dat ik een feministische echtbreekster ben die zich bezondigt aan medische experimenten en betrokken is bij het achteroverdrukken van lichaamsdelen van Japanners en er misschien ook wel indirect de oorzaak van is dat er atoombommen op Japan waren gegooid. Marino zag dit alles gebeuren en heeft het nog nergens anders over gehad tijdens deze eindeloze, trage, ellendige terugtocht, door woeste windvlagen en ratelende regenbuien, een paar minuten geleden zelfs hagel. Het is op deze vroege avond al onwerkelijk donker.

'Ze heeft jou voor het laatst bewaard, en met die beelden op het netvlies gaat de jury de rechtszaal uit: tv-beelden van een dode rijke dame met lang platinablond haar die vandaag uit het water is gevist.'

'Volgens mij heeft ze geen platinablond haar. Ik weet vrij zeker dat het wit is.' Het kost me moeite mijn gedachten onder woorden te brengen.

'Gerede twijfel.' Marino veegt de voorruit met de mouw van zijn jas schoon en zet de blower vol open. 'Als ze al geen twijfel koesterden, doen ze dat nu wel.'

'Of hij vrijgesproken wordt of niet is niet mijn zaak,' antwoord ik. 'Ik weet niet of hij iets te maken heeft met de verdwijning van zijn vrouw. Daar heb ik geen mening over. En eerlijk gezegd zou jij daar ook geen mening over moeten hebben.'

'Je weet wat ze zeggen. Iedereen heeft een mening.'

Eindelijk zijn we er. Mijn met metaal beklede gebouw doemt in de storm op als de grijze toren van een onheilspellend kasteel in de mist, en ik krijg een vreemd gevoel, dat kil en onaangenaam vanuit mijn buik omhoogkruipt en uiteindelijk mijn hersenen bereikt. Het zwarte metalen hek glijdt open en Marino rijdt het terrein op. In het licht van de koplampen zie ik striemende regendruppels en auto's die hier niet horen te staan: de zwarte Porsche van Benton en drie onopvallende sedans, alsof hij met zijn FBI-vriendjes naar me toe is gekomen, terwijl ik helemaal geen tijd heb. Ik snap er niets van.

Toen ik de rechtszaal uit kwam, heb ik Benton meteen een sms'je gestuurd met de mededeling dat ik het vanavond niet redde, omdat ik nog een sectie moest doen en het waarschijnlijk een gecompliceerde zaak betrof. Misschien was ik pas om negen of tien uur klaar.

'Wie zijn hier en waarom?' vraag ik me hardop af. Marino wijst met de afstandsbediening naar de achterkant van het gebouw.

'Daar staat de Crown Vic van Machado. Wat zullen we nou krijgen?'

De lichten in de parkeergarage gaan aan, het zware rolluik gaat ratelend omhoog, en dan zie ik de verlaagde donkergroene Aston Martin van Lucy staan, naast mijn SUV.

'Shit.' Marino rijdt naar binnen. 'Had je haar verwacht?'

'Ik verwacht niemand.'

We stappen uit, de dichtslaande portieren van de Tahoe galmen door de betonnen ruimte, en ik druk mijn duim tegen het paneeltje van het biometrische slot. Dan gaan we de ontvangstruimte van de autopsieafdeling binnen. De nachtportier is nergens te bekennen, maar verderop in de gang hoor ik stemmen, het gepraat van verscheidene mensen, en als Marino en ik bij Identificatie komen, zien we dat de deur wijd openstaat. De gele drijver, de bench en ander bewijsmateriaal staan duidelijk zichtbaar op de tafels, en als we naar de grote röntgenkamer lopen, hoor ik mijn technicus Anne praten. Ook hoor ik de stem van Luke Zenner, en dan komt de nachtportier de hoek om.

'Wie heeft Identificatie opengedaan?' vraag ik hem. 'Wat is er aan de hand, George?'

'Jullie hebben bezoek.' Hij praat tegen mij en keurt Marino geen blik waardig.

'Kennelijk.'

'Meneer Wesley en een paar van zijn medewerkers zijn daarbinnen, samen met Anne en dr. Zenner. Ik weet niet waar het over gaat.'

Ik geloof er niets van dat hij dat niet weet. Met zijn blik strak naar voren loopt hij verder, zijn kaken op elkaar geklemd. Het rode lampje boven de deur van de röntgenkamer brandt, wat betekent dat de scanner in gebruik is. Ik zie mijn echtgenoot, die tot mijn verbazing in joggingkleren rondloopt en zijn natte zilvergrijze haar naar achteren heeft gekamd. Hij is in het gezelschap van rechercheur Sil Machado van de politie van Cambridge, FBI-agent Douglas Burke en iemand die ik nog nooit gezien heb, een vrouw met heel kort donker haar, naar schatting halverwege de dertig. Dit overvalt me. Ik voel me verraden.

'Het is eigenlijk net andersom als bij een CT,' zegt Anne van achter haar werkstation. Luke zit naast haar op een verrijdbare stoel.

Aan de andere kant van het loodglas steken blote voeten met verschrompelde tenen en rozegelakte kortgeknipte nagels uit de crèmewitte Siemens SOMATOM Sensation-scanner, en op de monitoren zijn beelden te zien van een *Ongeïdentificeerde blanke vrouw uit de MA-baai*, lees ik. Ik snap niet waarom Anne en Luke zonder mij zijn begonnen. Ik heb duidelijk gezegd dat ik niet wilde dat het lichaam uit de koeling zou worden gehaald. Ik heb expliciet gesteld dat het lichaam niet aangeraakt mocht worden en dat de deuren van Identificatie op slot moesten blijven tot ik van de rechtbank terug was.

'Wat is er aan de hand?' Ik kijk Benton aan en probeer zijn gezichtsuitdrukking te lezen. 'Wat is er gebeurd?'

Hij is gekleed in een donkerrood trainingspak met HARVARD MEDICAL SCHOOL erop en draagt hardloopschoenen. Over zijn arm hangt een regenjas, en ik vermoed dat hij in de sportschool was toen hij in zijn bezigheden werd gestoord. Waarschijnlijk door Douglas Burke, denk ik, de lange brunette die veel te vrouwelijk en te knap is voor de naam waaronder ze bekendstaat, Doug of Dougie. Het komt wel vaker voor dat ze er zonder opgaaf van reden met Benton vandoorgaat. Dat kan elk uur van de dag of nacht gebeuren, in het weekend of tijdens vakanties, en vaak krijg ik niets te horen en weet ik dat ik er beter niet naar kan vragen, maar nu gaat het om iets anders.

Als we later een ogenblikje samen hebben, zal ik Benton vragen wat er aan de hand is, want aan zijn verstrakte kaaklijn en zijn gespannen gezicht zie ik dat er iets mis is. Het valt me op dat hij nog geen woord tegen Marino heeft gezegd en hem zelfs niet heeft aangekeken. Benton ontwijkt Marino volledig, net als FBI-agent Burke en Machado en de vrouw die ik niet ken. Alleen Anne en Luke doen net alsof er niets aan de hand is, alsof ze geen idee hebben wat de FBI en de politie hier komen doen. Zeker is dat het gezelschap hier niet naartoe is gekomen om een CT-scan te bekijken of een sectie bij te wonen.

'Hoe gaat het met jullie allemaal?' vraagt Marino. Anne is de enige die antwoordt dat het prima met haar gaat. Ik merk dat hij voelt dat er iets mis is.

'Ik zat net te vertellen dat een CT in bepaalde opzichten bijna het tegenovergestelde is van een MR. Bij een CT tekent bloed zich als lichte vlakken af, en bij een MR juist als donkere,' legt Anne aan Marino en mij uit.

Niemand reageert, en de spanning neemt toe.

'Maar met andere vloeistoffen heb je dat niet, vooral niet met water, omdat water niet compact is,' zegt Anne tegen Machado en Burke en de vrouw die ik niet ken, maar van wie ik vermoed dat ze van de FBI is.

Ik vang Bentons blik en wacht af.

'Deze delen hier en hier...' Op verschillende 3D-computerschermen wijst Anne de bijholten, de longen en de maag aan. 'Als ze heel donker waren, praktisch zwart, zou dat op de aanwezigheid van water kunnen duiden, wat typerend is voor verdrinkingsgevallen. Een CT is echt een uitkomst bij dat soort zaken. Als je een sectie doet en het lichaam opensnijdt, stroomt alle vloeistof er soms uit voordat je de kans krijgt er goed zicht op te krijgen, vooral als er water in de maag zit. Daarom maken we eerst een scan, om niets te missen.'

'Bij haar verwachten we geen water in haar longen of haar maag of waar dan ook aan te treffen,' zeg ik tegen Anne, al blijf ik daarbij Benton aankijken. 'Ze is matig gemummificeerd, er zit bijna geen druppel vloeistof meer in haar lijf, nauwelijks genoeg om haar DNA te bepalen, en als ze al verdronken is, is dat niet recent gebeurd.'

Ik denk steeds aan de manier waarop Marino zich vandaag gedragen heeft. Hij deed alsof de dode vrouw hem persoonlijk iets had aangedaan. Zijn verontwaardigde reactie over de antieke knopen was zonder meer bizar te noemen, en ik krijg een onwaarschijnlijk en naar voorgevoel.

'Ze was al een flinke tijd dood toen ze in het water is gegooid,' zeg ik. 'Ik vraag me af wie deze samenkomst belegd heeft?'

'We denken dat we weten wie ze is,' zegt Sil Machado.

20

Machado kijkt naar Benton en Burke en de vrouw die ik niet ken, alsof het aan hen is om het verder uit te leggen. Ik weet wat dat betekent.

Het Portugese Oorlogsschip, zoals Marino Sil Machado noemt, is een jonge lefgozer met de bouw van een stier, donker haar, donkere ogen en een voorkeur voor uiterst nette kleren. Hij is geen fan van de FBI. Als hij zaken aan hen moet overgeven, stelt hij de nodige vragen en protesteert zelfs in sommige gevallen. Dat hij hen zo het voortouw laat nemen, betekent dat de FBI het onderzoek al heeft overgenomen en dat daar een goede reden voor is.

'Waarom heeft niemand me dat laten weten?' Marino werpt een boze blik op Luke. 'Waarop is die identificatie gebaseerd?' Zijn stem klinkt beschuldigend. 'Hoe is dat mogelijk? We kunnen nooit zo snel een DNA-analyse hebben en vingerafdrukken kunnen we ook wel vergeten. Die kunnen we alleen afnemen als we weer vocht in haar vingertoppen brengen, en dat betekent dat we ze eerst zullen moeten verwijderen, wat ik van plan was te doen...'

'Weet je wat, Pete,' valt Machado hem in de rede. 'Ga nou maar met mij mee, dan laten we de rest alleen en kunnen wij een paar dingen bespreken.'

'Wat?' Marino ruikt meteen onraad.

'Dan nemen we alles even door.'

'Dus je wilt niet dat ze praten waar ik bij ben?' zegt Marino met stemverheffing. 'Wat heeft dat verdomme te betekenen?'

'Kom op, maat.' Machado knipoogt tegen hem.

'Wat is dit voor gelul?'

'Kom op, Pete. Doe nou niet zo moeilijk.' Machado gaat naar hem toe en legt een hand op zijn arm. Marino probeert hem af te schudden en Machado grijpt hem steviger vast. 'We gaan even ergens zitten, dan zal ik alles uitleggen.' Hij neemt Marino mee naar de gang. 'Ik weet dat jullie hier koffie hebben. Ik zou natuurlijk liever een biertje willen, maar dat zit er waarschijnlijk niet in.'

'Laten we de zaken even op een rijtje zetten.' Ik doe de deur dicht. 'Ik dacht dat ik duidelijk had gemaakt dat niet zonder mij aan deze zaak begonnen mocht worden.' Ik richt me tot Anne en Luke. 'Dus als dit hier het gevolg is van het feit dat de FBI is komen binnenstormen en bevelen heeft uitgedeeld om de zaak te bespoedigen... Zo werken we hier niet,' voeg ik er niet bepaald aardig aan toe.

'Zo is het niet gegaan,' zegt Luke.

Maar zo is het wel gegaan.

'De ID-kamer staat wijd open en jullie zijn begonnen met scannen terwijl ik daar geen toestemming voor heb gegeven,' zeg ik.

Luke draait zijn stoel om, zodat hij me kan aankijken, en niets wijst erop dat hij zich iets aantrekt van mijn ongenoegen of zich zorgen maakt om het feit dat Marino als een arrestant is weggeleid. Luke vindt dat hij gerechtvaardigd heeft gehandeld, en voor een deel komt dat door zijn onervarenheid. Maar het kan ook zijn dat hij veel narcistischer is dan hij lijkt en dat zijn goede manieren een ego verbergen dat zou passen bij zijn knappe, blonde uiterlijk en hoge begaafdheid. Mijn adjunct-hoofdlijkschouwer is nogal gecharmeerd van federale instanties, de geheime dienst en vooral de FBI, en het is die instantie die hem ertoe heeft overgehaald deze zaak te bespoedigen. Dat kan ik gewoon niet toestaan.

'Ik was niet van plan zonder jou aan de sectie te beginnen,' legt Luke met zijn aangename Britse accent uit, een en al redelijkheid. Hij heeft operatiekleding en operatieschoenen aan en een laborantenjas waarop zijn naam is geborduurd. 'Maar we dachten dat we haar alvast wel konden scannen terwijl jij hiernaartoe onderweg was. Door de toestand waarin ze zich bevindt, betwijfelde ik toch al of we veel op de CT zouden vinden.'

'En er is ook eigenlijk niets te zien.' Anne klinkt nogal timide, geschrokken door mijn reactie op wat zij en Luke hebben gedaan. Ze is waarschijnlijk ook van streek vanwege Marino, die altijd met haar flirt en grapjes maakt, en die haar een tijdlang elke dag van huis heeft opgehaald toen ze haar voet had gebroken. 'Geen inwendig letsel,' zegt ze zachtjes en serieus. Ze kijkt niet naar Luke of Benton, alleen naar mij. 'Niets dat verklaart waarom ze dood is. Ik bedoel, ze heeft wat verkalking in de aderen en intracranieel, maar niets ongebruikelijks. Punctata in de basale ganglia en wat granulatie in het spinnenwebvlies, maar dat is normaal voor mensen van boven de veertig.'

'Hoho.' FBI-agent Burke is vanavond casual gekleed in een bruine trui en een zwarte spijkerbroek. Haar wapen zit waarschijnlijk in de leren schoudertas. 'Laten we het niet hebben over mensen van boven de veertig.' Ze denkt dat ze grappig is.

'Sporen van atherosclerose, kalkafzetting in sommige bloedvaten.' Anne vindt haar opmerking niet leuk.

'Kun je op een CT-scan aderverkalking zien?' Wat Burke ook zegt, de stemming wordt er niet beter op. 'Het lijkt me goed om daar eens naar te laten kijken voordat ik weer een Whopper bestel.'

'Eet wat je wilt, je ziet er niet uit alsof je je ergens zorgen om hoeft te maken,' zegt Luke tegen haar. Zit hij nou te flirten? 'Ik heb atherosclerose aangetroffen in Egyptische mummies van vierduizend jaar oud, dus het is niet te wijten aan onze moderne levenswijze. Of je het krijgt, hangt waarschijnlijk van je erfelijke aanleg af,' voegt hij eraan toe. Hij snapt gewoon niet dat Marino in de problemen zit, of misschien kan het hem niet schelen.

'Ik denk dat we er rekening mee moeten houden dat ze aan een hartaanval of beroerte overleden kan zijn, met andere woorden, door een natuurlijke oorzaak, en dat iemand besloot het lichaam te verbergen en zich er vervolgens van te ontdoen.' Burke kijkt me recht aan.

'In dit stadium is het verstandig om alle mogelijkheden open te houden en niets uit te sluiten,' antwoord ik.

'Behalve gebitsrestauraties is niets radio-opaak,' meldt Anne. 'Maar daar heeft ze er een heleboel van. Kronen, implantaten, een kostbare mond.'

'Ned komt de gegevens vergelijken,' laat Luke weten. 'Daar zul je hem hebben.'

Op de bewakingsmonitoren zijn felwitte autolampen te zien. Het is de oude Honda van Ned Adams, die de kleine, blauwe hatchback op het parkeerterrein zet.

'Dan hebben we zeker al röntgenfoto's om deze beelden mee te vergelijken,' zeg ik tegen Benton.

'We hebben ze gekregen van een tandarts in Florida,' zegt hij.

'Wie denken we dat deze vrouw is?' vraag ik.

'Het ziet ernaar uit dat ze een negenenveertigjarige inwoner van Cambridge is, ene Peggy Lynn Stanton. Ze brengt de zomer meestal aan Lake Michigan door, Kay.' Mijn echtgenoot zegt het alsof we collega's zijn die met elkaar op vriendschappelijke voet staan. 'Ze was heel vaak buiten Massachusetts te vinden. Blijkbaar kwam ze hier meestal alleen in de herfst en in de winter.'

'Het lijkt vreemd om 's winters hier te blijven. De meeste mensen gaan dan juist weg,' merk ik op.

'Soms ging ze naar Florida,' zegt Burke. 'Er zijn nog heel wat dingen die we moeten nagaan.'

'Betekent dat dat haar vrienden en mogelijk haar familie niet altijd wisten waar ze was?' vraag ik aarzelend. 'Hoe zit het dan met telefoontjes en e-mails?'

'We hebben er agenten op afgestuurd om navraag te doen,' zegt Burke. 'Nou, waarom neem jij het hier niet over?' Dit zegt ze tegen de vrouw die ik niet ken. 'Valerie Hahn is lid van ons cyberteam.'

'Iedereen noemt me trouwens Val.' Ze glimlacht naar me. Vergeefse moeite.

Ik merk dat ik snel geïrriteerd raak en maak me grote zorgen. Wat heeft Marino gedaan?

'Het ziet er in ieder geval naar uit dat ze nooit bij haar huisje aan het meer is aangekomen,' zegt Valerie Hahn. 'Het ligt er volkomen verlaten bij. Geen bagage. Niets in de koelkast. Het lijkt erop dat ze rond 1 mei of misschien nog eerder van de aardbodem is verdwenen, en dokter Zenner zei dat dat kan kloppen, gezien de toestand van het lichaam.'

'Daar weet ik meer van als ik sectie heb verricht.' Het ergert me dat Luke hun iets verteld heeft.

'Ik weet niet of je haar naam wel eens hebt horen noemen?' vraagt Valerie Hahn.

Ik doe de deur naar de gang open. Ned Adams komt er al aan, met zijn oude zwartleren tas in de hand.

'Waarom zou ik haar naam gehoord moeten hebben?' vraag ik kortaf.

'Ik vroeg me alleen af of de naam *Pretty Please* jou of iemand van je staf iets zegt,' zegt Hahn.

'Hallo, Ned.' Ik houd de deur voor hem open. 'Ze ligt in de scanner. Ga je gang.'

'Ik doe het daar wel. Bedankt.' Hij duwt de capuchon van een lange gele regenjas naar achteren, waarvan het water op de vloer drupt. 'Haar dossier is helemaal bijgewerkt. Een heleboel kronen, implantaten en wortelkanalen. Er zit ook een overzichtsfoto bij van de bijholten. Heb je daar beelden van?'

'Ik kan ze nu meteen op het scherm brengen.' Anne begint te typen. 'Wilt u ook een uitdraai?'

'Ouderwetse kerels als ik hebben nog steeds graag papier. Ze heeft een heleboel ingrepen ondergaan, dus we hebben zat vergelijkingsmateriaal. Het zal wel niet lang duren. Staat dat ding aan?' Hij blijft in de deuropening naar de scanruimte staan alsof het gevaarlijk militair gebied zou kunnen zijn.

'De scanner staat uit,' zeg ik. 'Weet je hoe je de tafel eruit moet schuiven?'

'Ja, hoor.' Hij doet zijn jas uit.

'Waarschijnlijk omdat haar initialen PLS zijn,' legt Douglas Burke uit. 'Daar komt dat *please* vermoedelijk vandaan.'

'Jij zit toch op Twitter, nietwaar Kay?' Valerie Hahn doet alsof we vriendinnen zijn.

'Amper.' Ik begin het te begrijpen, dat denk ik tenminste. 'Ik gebruik het niet voor sociale contacten of voor communicatie.'

'Nou, ik weet in ieder geval dat je nooit een tweet hebt gestuurd aan Peggy Lynn Stanton, wier Twitter-naam *Pretty Please* is,' zegt Hahn.

'Ik tweet helemaal niet.'

Marino, wat heb je gedaan?

'Het is in één oogopslag duidelijk dat jullie elkaar geen tweets stuurden.' Hahn is volkomen zeker van zichzelf. 'Daarvoor hoef je niet eens moderator te zijn.'

'Ik geloof niet dat we al zo in detail hoeven treden.' Benton kijkt door de ruit naar Ned Adams.

'Ik denk van wel.' Ik kijk naar hem tot hij terugkijkt.

'Het volstaat te zeggen dat er in ieder geval iets nuttigs uit al die televisiebeelden is voortgekomen.' Ik lees onwil in Bentons

vlakke blik. 'Ons kantoor in Boston is gebeld, Cambridge is gebeld, Chicago en Florida zijn gebeld. Meer dan tien mensen zijn
er zeker van dat de dode vrouw Peggy Stanton is, en ze zeggen
dat ze al sinds mei jongstleden niets van haar gezien of gehoord
hebben. Ze had rond die tijd onderweg moeten zijn naar haar
huisje aan Lake Michigan of mogelijk naar Palm Beach. De mensen hier namen aan dat ze in Illinois was en de mensen daar
dachten dat ze nog hier was. Sommige mensen dachten dat ze
in Florida zat.'

'Mensen? Vrienden, bedoel je?' Ik kan nauwelijks voor me
houden hoe weinig dit me aanstaat.

'Verschillende vrijwilligersgroepen en kerken.' Benton weet
precies wat ik voel, maar het maakt niet uit.

Zo doen we ons werk. Zo leven we.

'Ze was blijkbaar zeer betrokken bij de ouderenzorg. Hier, in
Chicago en in Florida,' zegt hij.

'Ze heeft familie en die heeft zich na al die maanden nooit afgevraagd waar ze zat?' Ik denk aan wat Marino vanmorgen in
de auto zei toen we onderweg waren naar de kustwachtbasis.

'Haar man en twee kinderen zijn dertien jaar geleden omgekomen toen hun privévliegtuig neerstortte.' Benton meldt het
heel objectief, en hij kan zo kil klinken.

Maar zo is hij niet.

'Een effectenmakelaar met een stevige levensverzekering,'
meldt hij. 'Hij heeft haar goed verzorgd achtergelaten, en ze was
sowieso al niet arm.'

'En heeft geen enkele leverancier geklaagd dat ze haar rekeningen niet betaalde? Heeft niemand gemerkt dat ze geen e-mails
beantwoordde en haar telefoon niet opnam?' Ik zeg niet wat ik
denk.

Hoe eenvoudig zou het zijn om Marino in cyberspace om de
tuin te leiden. Hij weet daar de weg niet en zijn onzekerheid
maakt hem kwetsbaar.

'Ze heeft al die tijd haar rekeningen betaald,' zegt Benton.
'Twee weken geleden was ze nog aan het twitteren. Ze heeft eer-
gisteren nog gebeld met haar mobiele telefoon...'

'Niet de vrouw die daar ligt. Absoluut niet,' valt Luke Benton
in de rede. Luke zit door het raam naar Ned Adams te kijken.

'Iemand heeft het gedaan.' Benton maakt af wat hij wilde zeggen, maar niet tegen Luke.

In de scanruimte maakt Ned Adams zijn zwartleren tas open. Hij zet zijn bril op en tuurt naar een beeldscherm waarop röntgenfoto's van een gebit te zien zijn.

'Ze is al veel langer dan twee dagen of twee weken dood,' merkt Luke op, en hij zou eigenlijk zijn mond moeten houden. 'Ze heeft in ieder geval al een hele tijd niet getwitterd of cheques uitgeschreven of getelefoneerd. Al maanden niet, zou ik zeggen. Denkt u ook niet, dokter Scarpetta?'

'Ze woont in Sixth Street,' zegt Benton tegen mij. 'Heel dicht bij het politiebureau van Cambridge, en dat maakt het nog vreemder. Er is niemand bij haar binnen geweest. Het alarm staat aan, de auto staat in de garage, de politie is er iedere dag langs gereden en niemand weet iets.'

'Een tijdcapsule,' voegt Douglas Burke eraan toe. 'De brandweer staat klaar om de achterdeur open te breken zodra wij er zijn.'

'Ik stel voor dat je die pizza's ophaalt die ik je gevraagd heb te bestellen,' zeg ik tegen Benton op een toon die hem precies laat weten wat ik wil dat hij weet.

Dit is mijn kantoor. Het CFC neemt geen bevelen aan van de FBI. Ik pak deze zaak op mijn eigen manier aan.

'Ik ga eerst de sectie doen. Het huis moet later maar,' voeg ik er op dezelfde toon aan toe. 'Dat staat al een halfjaar leeg, dus die twee uurtjes maken niets meer uit, maar voor haar wel.'

'We hadden gehoopt dat dokter Zenner de sectie zou doen en dat jij met ons mee zou komen om daar rond te kijken,' oppert Burke.

'Wat je maar wilt.' Luke staat op van zijn stoel terwijl Anne de scanruimte in loopt om Ned Adams een aantal uitdraaien te geven.

'Wat ik wil, is dat je ons de kans geeft ons werk te doen,' zeg ik terwijl de deur van de röntgenkamer opengaat. Daar staat Lucy, die me vanaf de gang aankijkt. 'Het onderzoeken van een potentiële plaats delict is veel zinniger als we weten hoe het slachtoffer is omgekomen en waar we naar zoeken.'

'Kan ik je even spreken?' Lucy komt niet binnen.

'Neem me niet kwalijk. Ik geloof dat we voorlopig wel klaar zijn,' zeg ik tegen de FBI.

'Ik zag je auto in de parkeergarage staan.' Ik loop met Lucy naar de receptie, naar een plek waar niemand ons kan horen. 'Ik vroeg me af hoe dat zat.'

'Ik vraag me een heleboel dingen af.' Mijn nicht heeft dezelfde kleren aan als vanochtend, alles zwart, en het is niets voor haar om zich te laten zien als de FBI in de buurt is. 'Ik vraag me af waarom Marino en Machado in de kantine zitten met de deur dicht. Ik kan ze horen ruziën, zo hard praat Marino. En ik vraag me af waarom een Sikorsky S-76 die eigendom is van Channing Lott je vandaag gefilmd heeft toen je dat lichaam uit het water haalde.'

'Is het zijn helikopter? Dat is apart.' Ik weet amper wat ik moet zeggen.

Door alles wat er na die tijd gebeurd is, heb ik helemaal niet meer aan de grote witte helikopter gedacht nadat ik het staartnummer eenmaal aan Lucy had doorgegeven toen ik bij Marino in de auto zat, op weg naar het gerechtshof.

'Dat is echt ongelofelijk,' voeg ik eraan toe, terwijl ik razendsnel bedenk wat me allemaal te doen staat.

Dit moet Dan Steward weten voor hij zijn slotpleidooi houdt. Als Channing Lott er verantwoordelijk voor is dat de beelden die we net in de rechtszaal hebben bekeken vanuit zijn helikopter zijn gefilmd, en ik zie niet hoe het buiten hem om kan zijn gegaan, dan moet de jury dat weten voor ze aan het beraad begint. Maar misschien is het al te laat.

'Het luchtwaardigheidscertificaat staat op naam van zijn scheepvaartmaatschappij in Delaware,' meldt Lucy.

Als ik Steward zou bellen om hem dit nieuws te vertellen en hij tegen de rechter of zelfs ten overstaan van de hele rechtszaal moet zeggen wie zijn bron is, zou die informatie zeer schadelijk zijn voor Jill Donoghue.

Houd je erbuiten.

'De M V Cipriano Lines heeft een vloot van zo'n honderdvijftig autotransportschepen, containerschepen,' vertelt mijn nicht.

'Pardon?' Ik probeer me te concentreren op wat ze zegt.

'Op naam van dat bedrijf staat die helikopter geregistreerd,' zegt ze. 'Een scheepvaartmaatschappij die genoemd is naar zijn vermiste vrouw, Mildred Vivian Cipriano. Dat was haar meisjesnaam.'

21

Binnen het CFC staat forensisch odontoloog Ned Adams bekend als de tandenfluisteraar vanwege de geheimen die de doden hem toevertrouwen. Leeftijd, economische status, lichaamshygiëne, van alles komt hij via de tanden te weten, ook over diëten, drinkgewoontes en drugs, of de persoon in kwestie zwanger was en acne of een eetstoornis had.

Ned loopt al tegen de zeventig, heeft een licht gebogen postuur, slechte knieën en een sterk gerimpeld gezicht waarmee hij meer geglimlacht dan gefronst heeft. Uit een enkele tand kan Ned bijzonderheden afleiden die de beste vrienden en naaste familieleden van de overledene niet eens wisten of vermoedden. Terwijl we Peggy Lynn Stanton door de gang rijden nadat we haar in de ontvangstruimte gewogen en opgemeten hebben, vertelt hij ter bevestiging dat ze tijdens haar leven een uitermate slechte tandarts had, die haar en mogelijk anderen 'een rib uit haar lijf' heeft gekost, zoals Ned het uitdrukt.

'Ene dr. Pulling, hoe verzin je het. Alleen maakte hij in haar geval zijn naam niet waar, zoals ik straks zal uitleggen.' Ned loopt ietwat stram met Luke en mij mee naar de koelcellen, met zijn regenjas over zijn arm. Hij straalt een en al vrolijkheid uit, want zijn missie is geslaagd en hij heeft absoluut geen haast om terug te keren naar zijn lege huis. 'Een of andere kosmetische tandarts in Palm Beach, Florida, die niet helemaal het niveau van zorgverlening haalde dat we gewend zijn, al wil ik niet beweren dat hij dat moedwillig deed. Misschien was het gewoon onvermogen van zijn kant.'

'Ja, vast wel,' zegt Luke sarcastisch. 'Waar is de buit?'

'Tand nummer acht, een maxillaire centrale snijtand met ernstige interne wortelresorptie, in combinatie met een buccale fistel,' zegt Ned. 'De interne radiolucentie midden in het wortel-kanaal is duidelijk te zien op haar pre en post mortem röntgen-foto's.'

'Zit daar een kroon op?' Ik trek het handvat van de koelcel-deur omhoog.

'Precies. Trauma als gevolg van een infectie en voortwoeke-rende ontsteking die niet in toom gehouden is, en toch heeft hij er gewoon een porseleinen kroon op gedrukt. Ik schat dat deze grapjurk haar zo'n veertig mille lichter heeft gemaakt, alles bij elkaar gerekend, om nog maar te zwijgen van alle bijkomende pijn en ongemakken. Ik wil wedden dat haar bovengebit niet meer goed op haar ondergebit aansluit, maar dat kan ik niet be-wijzen omdat ik niet meer in de gelegenheid ben om haar te vra-gen of ze aan chronische hoofdpijn leed. Het zou me niets ver-bazen als ze TMD had. Als je haar huis doorzoekt, moet je kijken of je een opbeetplaat kunt vinden.'

Alsof dat het belangrijkste is wat ik zou kunnen vinden.

'Een periode waarin de infectie begonnen is?' Ik rij de bran-card door een kille ruimte die naar de dood ruikt, langs zwijg-zame en treurige, in zwart gehulde vormen op stalen tafels. Veel van de patiënten zijn nog niet geïdentificeerd.

'Het is lastig te zeggen, maar gebaseerd op de cliëntgegevens zou ik zeggen dat het verband houdt met een wortelkanaalbe-handeling van tweeënhalf jaar geleden, gevolgd door de porse-leinen kroon in maart van dit jaar.' Ned ademt wolkjes uit.

'Dan is ze in maart dus nog in Palm Beach geweest,' opper ik. We doen de achterste deur van de koelruimte open en komen in de snijkamer.

'Dat kan haast niet anders.' Ned loopt met ons mee. 'En het lijkt me sterk als het periodontale ligament en de tand tegen die tijd al niet waren aangetast door de voortschrijdende resorptie. Met andere woorden, die stomme tand had allang getrokken moeten worden, niet zogenaamd hersteld.'

'Weer een schurk die heeft toegeslagen,' zegt Luke.

'Nou, als ze nog in leven was geweest, had die tand ontegen-zeggelijk getrokken moeten worden. Dan had ze een implantaat en nog een kroon moeten hebben.' Ned zet zijn zwarte tas op een werkblad en legt zijn jas over een stoel, alsof hij van plan is hier een poosje te blijven. 'Veel wortelkanaalbehandelingen – acht, om precies te zijn – waarschijnlijk als gevolg van trauma dat veroorzaakt is doordat er in gezonde tanden is geboord om er een kroon op te kunnen zetten, behandelingen waarvan ik betwijfel of ze nodig waren. Kijk bijvoorbeeld eens naar haar rechterkiezen. Waarom zou je daar porselein op zetten als niemand die ooit te zien krijgt? Gebruik dan goud, dat is goedkoper, al klinkt dat misschien onlogisch.'

'Poen, poen, poen.' Luke geeft me een masker en handschoenen en kijkt me met zijn blauwe ogen rustig aan, alsof hij alles kan uitleggen wat er gebeurd is en ik me over hem geen zorgen hoef te maken.

'Diezelfde tandarts deed ook cosmetische gezichtscorrecties,' vertelt Ned ons, terwijl Luke en ik hoesjes om onze schoenen doen en een operatieschort aantrekken. 'De nieuwste trend die me zorgen baart. Tandartsen die patiënten inspuiten met Perlane, Restylane, Juvéderm en andere opvulmiddelen voor het gezicht, ook botox. Misschien ben ik ouderwets, maar ik vind dat tandartsen geen wangen mogen opvullen en rimpels mogen weghalen.'

We laten het lichaam vanaf de brancard op de sectietafel glijden. De dode vrouw ziet er op het kille roestvrijstaal verbijsterend klein en verschrompeld uit. Ik doe de operatielamp aan en beweeg het ding langs de rails, terwijl Luke specimenbakjes labelt en die op een kar zet. Mijn gevoelens voor hem zijn ambivalent, verwarrend en beangstigend, en ik probeer niet te denken aan de schandelijke beschuldigingen die Marino vanmorgen in de auto naar mijn hoofd slingerde. Ik wil niet weten dat er misschien een grond van waarheid in zit.

'Dus die dokter Pulling, waar ze in maart nog is geweest, heeft haar tijdens haar bezoek ook gezichtsinjecties gegeven of met botox ingespoten?' Ik richt een lamp met een sterkte van zesduizend voetkaarsen op de voorkant van haar bovenarmen.

'Opgespoten lippen. 1 cc Restylane,' zegt Ned. 'Het staat in haar gegevens. Die vent heeft zijn dossiers in elk geval goed bijgehouden.'

'Vier kleine contusies.' Ik wijs Luke erop. 'En hier nog een.'

'De indruk van een duim?' Hij pakt de greep van de lamp, waarbij hij me met zijn arm licht aanraakt.

'Mogelijk. Aan de andere kant. Zeer goed mogelijk dat het een indruk van een duim is, ja.' Ik wijs waar de plek te zien is, en hij leunt tegen me aan.

'Indrukken van vingertoppen op de plekken waar hij haar heeft beetgepakt,' beschrijft hij. 'Hij heeft haar bij haar bovenarm gepakt. Vier vingers hier en de duim daar.'

'Dank je, Ned.' Op die manier laat ik hem weten dat ik nu genoeg gehoord heb.

'Dat zie ik ook wel eens heel anders.' Hij pakt zijn zwarte dokterstas, versleten en gehavend, een huwelijkscadeau van zijn vrouw, die niet meer leeft. 'Dan staan er allerlei behandelingen genoteerd die helemaal niet zijn uitgevoerd, zodat de tandarts rekeningen bij de verzekering kan claimen of ongedekte behandelingen kan laten doorgaan voor ingrepen die wel gedekt worden. Om nog maar te zwijgen van het ondermaatse werk dat er soms geleverd wordt.'

'In haar staat is het echt heel lastig te zien.' Luke gebruikt een loep om de subtiele blauwe plekken te bekijken die ik heb aangewezen, en ik ben me bewust van het geruis van zijn witte operatieschort en van het intense licht op zijn vaalblonde haar.

'Het kan soms helpen om de zaak bij een andere lichtval te onderzoeken en eerst het geheel te bekijken voordat je op bepaalde details inzoomt,' adviseer ik hem. Ik voel de warmte van zijn lichaam en van de lamp. 'Zoals je dat ook bij een plaats delict doet. Eerst het totaalplaatje. Daarna de details. Je moet je niet fixeren op iets specifieks, omdat je dan geen oog meer hebt voor de rest.'

'Ik zou nooit zo gefixeerd willen zijn dat ik geen oog meer had voor de rest.' Luke stelt de lamp weer bij.

'Een tijdje geleden werd ik geconsulteerd over een zaak.' Ned pakt zijn regenjas van de stoel. 'In New Hampshire, verschillende patiënten met afgebroken stukjes van tandartsinstrumenten in hun gebit.'

'Ontzettend bedankt, Ned.' Ik kijk hem aan. 'Je hebt ons gered, zoals gebruikelijk, en ik ben je dankbaar, de FBI is je dankbaar, iedereen is je dankbaar.'

Hij aarzelt nog even bij de deur. 'Die vent heeft nu meer dan honderd aanklachten tegen hem lopen.'

'Benton is pizza gaan halen, en ik denk dat hij zo langzamerhand wel terug is,' laat ik Ned weten. 'Waarschijnlijk draait hij voor een paar jaar de bak in, en misschien wordt hij teruggestuurd naar Iran.'

'Misschien kun je op de zesde verdieping gaan kijken,' zeg ik. 'Hij zal het vast leuk vinden als je hem gezelschap houdt, als je tenminste niet meteen naar huis moet.'

'Misschien hier ook een paar?' Luke wijst nog meer bruine vlekjes aan, klein en bijna volmaakt rond. Zijn arm raakt de mijne, en ik voel de gespierdheid ervan door zijn Tyvek-mouw heen. 'Als ze met tussenpozen is vastgepakt? Wat we ook zien als iemand met kracht wordt beetgepakt, en de greep verslapt steeds. Zou je denken dat de vingertoppen dat soort blauwe plekken dwars door haar kleding heen kunnen hebben veroorzaakt?'

Ik pak de fotocamera en de liniaal die Marino eerder op de dag gelabeld heeft.

'Zou je dat soort blauwe plekken verwachten als ze een bloes en een wollen jas aanhad?' vraagt Luke. Ik begin foto's te nemen, omdat Marino er nu niet is om dat te doen.

Ik weet nog steeds niet wat er precies aan de hand is, maar wel heb ik inmiddels begrepen dat hij nog steeds boven is en door Machado en de FBI wordt ondervraagd, en dat ze geïnteresseerd zijn in zijn Twitter-activiteiten en in de vrouw over wie Lucy me verteld heeft. Iemand die Marino op internet heeft ontmoet en *die hij in meer dan één opzicht heeft moeten blokkeren*, zoals mijn nicht dat vanmorgen verwoordde, toen ze me vertelde dat hij in het CFC had overnacht.

Trut was het denigrerende woord dat Marino zich liet ontvallen toen we naar de kustwachtbasis reden, en ik weet niet met wat voor dwaasheid hij zich heeft ingelaten, maar het is eenvoudigweg niet mogelijk dat hij heeft getwitterd met *Pretty Please*, of onder wat voor naam Peggy Lynn Stanton zich ook maar op internet bewoog. Misschien heeft Marino dagen en weken geleden met iemand getwitterd die zich van die naam bediende, maar dat was niet de dame die hier op de sectietafel ligt, want zij was allang dood voordat hij begon te twitteren, allang dood voordat hij zijn Twitter-account überhaupt had aangevraagd, misschien zelfs al dood en in de vriezer opgeslagen sinds het voorjaar. In mijn hoofd tollen mijn gedachten non-stop rond, en het bloed dreunt in mijn slapen.

Allerlei gedachten jakkeren door mijn hoofd terwijl ik probeer verbanden te zoeken en mogelijkheden te bedenken, en mijn hart gaat wild tekeer. Ik probeer mijn gevoelens te negeren als Luke me aanraakt en me even streelt. Ik bied geen verweer.

'Het was echt niet mijn bedoeling om je te passeren,' zegt hij, nu Ned is weggegaan. 'Ik bied je mijn oprechte verontschuldigingen aan. Ik dacht dat ik je hielp.'

Ik maak een sneetje in de bruinige vlekken op de rechterbovenarm om te kijken of de kneusplekken doorlopen tot onder de epidermis. Ik onderzoek of de bloedingen sporen hebben achtergelaten tot in de lederhuid of nog dieper. Dat blijkt inderdaad het geval te zijn.

'De vraag is natuurlijk wanneer ze deze verwondingen heeft opgelopen.' Ik pak het handvat van de lamp beet en richt het licht op haar armen en haar verschrompelde vingertoppen, met de beschadigde gelakte nagels die extreem kort zijn afgeknipt.

Ik bekijk de onderkant van haar polsen en de rug van haar handen.

'Door haar toestand is het erg lastig, zo niet onmogelijk, om deze blauwe plekken te dateren,' merk ik op.

Het schijnsel verlicht de leerachtige borst, de verschrompelde borsten, het gerimpelde abdomen.

'Maar afhankelijk van de kracht waarmee ze is beetgepakt, kan de persoon in kwestie haar die blauwe plekken hebben toegebracht ondanks de verschillende kledinglagen die ze droeg,' zeg ik in antwoord op Lukes vraag.

'Het lijkt me belangrijk om te weten of ze toen iets aanhad of niet,' zegt hij. 'Ik denk dat dit meer Bentons pakkie-an is. Ik ben geen profiler.'

'Die jongens van de FBI kunnen heel overtuigend uit de hoek komen.' Ik richt de lamp op haar heupen en haar dijen. 'Jij zult des te meer onder de indruk zijn geweest omdat Benton erbij was. Maar we werken niet voor de wetshandhavers, Luke.'

'Natuurlijk niet.'

'Het is onze taak om op objectieve wijze vragen te beantwoorden die door het bewijsmateriaal worden opgeworpen.' Ik richt de lamp op haar knieën. 'En we moeten te allen tijde de forensische keten volgen, wat betekent dat we ons bewijsmateriaal niet aan de FBI laten zien en ons ook niet door hen laten opjutten, ook al hebben ze nog zulke goede redenen of enorm veel haast.'

'Omdat hij jouw man is, nam ik aan dat...'

'Je nam aan dat het feit dat we getrouwd zijn wat uitmaakt voor hoe hij zijn werk doet of ik dat van mij?'

'Mijn excuses,' zegt Luke nog eens. 'Maar na onze aanvaring toen we in Wenen waren...'

Hij maakt zijn zin niet af. Het laatste wat hij wil is Benton nog meer tergen na diens ergerlijke vertoon van jaloezie. Luke weet dat dat een koud kunstje zou zijn. Hij kent ook de achterliggende reden, en ik ben niet van plan mijn huwelijk met hem te bespreken, of de reden waarom Benton hem als een bedreiging zou kunnen zien.

Ik ben niet van plan aan Luke Zenner op te biechten dat het de laatste tijd wat stroef gaat tussen mijn man en mij, dat we door periodes van onzekerheid en wantrouwen gaan, en dat dat niet zo ongegrond en irrationeel is als ik heb doen voorkomen. Als er echt geen enkele reden was voor de wrijving tussen ons, zouden Luke en ik nu niet om elkaar heen dansen en elkaar steeds aanraken, naar elkaar toe buigen, aarzelen, de subtiele taal der verhitte bekoring spreken. Alleen op die momenten ben ik eerlijk tegenover mezelf.

'Ik vraag me af of ze op een gegeven moment van haar kleren is ontdaan,' zegt Luke. Ik verschuif de plastic liniaal steeds, bij elke foto die ik neem. 'Die indruk heb ik omdat de blauwe plekken zo duidelijk te zien zijn. Hier en hier.'

Hij komt dichterbij, zijn onderarm raakt die van mij, met zijn schouder strijkt hij langs me als hij zijn hoofd naar voren brengt om de plekken beter te kunnen zien, en ik wil niet voelen wat ik op dit moment voel.

'Je kunt zien waar iemand met zijn vingertoppen een aanzienlijke druk op de huid heeft uitgeoefend, en ik vraag me af of er kledinglagen tussen zaten.'

Hij buigt zich naar me toe en blijft in die houding staan.

'Zouden de blauwe plekken er dan zo uitzien, als dat inderdaad het geval was?' vraagt hij.

'Het valt niet met zekerheid te zeggen of ze toen kleren aanhad of niet,' zeg ik.

'Zou het de moeite lonen om de Xenon te proberen?' Hij wijst naar de booglamp die nog steeds op een werkblad staat, waar Marino het ding uren geleden heeft aangesloten.

'Daar schieten we niks mee op.'

'Nee dus.' Onze blikken vinden elkaar.

'Wil je haar onder de Xenon leggen voor het onwaarschijnlijke geval dat er dan lichte of onzichtbare kneuzingen aan het licht komen die we nu over het hoofd zien, aangenomen dat er inderdaad blauwe plekken zijn die wijzen op verwondingen en die we gemist hebben?' Ik zeg het op een weinig bemoedigende manier, want ik kan niet anders.

'Het is waarschijnlijk belachelijk.'

'Het is niet belachelijk, alleen maar onlogisch,' zeg ik.

'Dat vind ik ook. Ik bedoel, hoe groot is de kans nu helemaal?' zegt hij.

'De kans dat de Xenon in dit geval van enig nut is, is bijna nihil.' Maar het is eigenlijk niet op dit punt dat ik hem tegenspreek, en in feite hebben we het over iets heel anders.

Ik wil geen affaire met hem, tenzij ik vastbesloten ben een puinhoop van mijn leven te maken. Het gaat niet om de vraag of hij een kans bij me maakt, maar hoe belachelijk het is dat ik überhaupt zulke gedachten koester.

'Lichaamsvloeistoffen, vezels, kruitsporen, mogelijke afdrukken, ernstige verwondingen?' Ik heb het nog steeds over de Xenon en wat je onder andere omstandigheden met die lamp zou kunnen opsporen. Ik vertel hem dat ik begrijp hoe het voelt om naar iets te verlangen wat buiten je bereik ligt.

'Je hebt gelijk. Laat maar zitten,' zegt hij instemmend.

'Dat zou ik ook zeggen. Al snap ik best dat je de verleiding voelde om het toch te proberen.'

'Ze heeft in het water gelegen,' zegt hij. 'Zonde van de tijd.'

'En bovendien moeten we alles verantwoorden,' zeg ik. 'Alles wat we doen, moeten we kunnen verantwoorden.'

'Zal ik de stekker eruit trekken?' Hij strekt zijn arm uit naar het snoer van de Xenon.

'Doe maar,' zeg ik. 'Het lijkt me niks om het lichaam een uur lang van top tot teen onder zo'n lamp te moeten onderzoeken, alleen om te kunnen zeggen dat we dat hebben gedaan. Misschien is het de moeite waard om haar kleren nader te bekijken, maar dat kan later altijd nog.'

'We weten niet of ze kleren aanhad toen ze deze blauwe plekken opliep.' Luke pakt het oude gespreksonderwerp weer op terwijl hij naar de tafel loopt. 'Het lijkt me van belang om te weten of ze al dan niet gekleed was toen iemand haar bij haar bovenarmen pakte. Een gevangene dwingen zich uit te kleden heeft meer met onderwerping te maken dan wat dan ook, toch?'

'Hangt ervan af wie wie daartoe dwingt en waarom.'

'De logica van het martelen, op zich een afschuwelijk gegeven, maar er zit logica in. Vernedering, intimidatie, macht over je gevangene uitoefenen door hem van zijn kleren te ontdoen, een zak over zijn hoofd te trekken. Of haar,' zegt hij. 'Ik ga ervan uit dat ze op een gegeven moment vastgebonden kan zijn met iets zachts, iets wat niet noodzakelijkerwijs sporen op haar huid heeft achtergelaten.'

'Dat is mogelijk.'

'Ik stel me voor dat hij op deze manier van achteren op haar af is gekomen.' Hij brengt zijn handen omhoog om denkbeeldige armen vast te pakken en buigt zijn vingers en zijn duim zoals hij dat ook zou doen als hij iemand van achteren bij de bovenarmen zou grijpen. 'Misschien om haar met geweld ergens anders naartoe te brengen, bijvoorbeeld naar een kamer. Misschien heeft hij haar daar naartoe gesleept omdat ze niet bij kennis was. Of misschien zat ze op een stoel vastgebonden en wilde hij bijvoorbeeld informatie uit haar krijgen om zich als haar te kunnen voordoen. Haar pincode, wachtwoorden.'

Ik richt de lamp op haar onderbenen, zodat de bovenkant en zijkanten van haar enkels en voeten fel beschenen worden, en daar vind ik nog meer bruinige vlekken, alleen zijn deze donkerder en droger en onbestemder van vorm. Ik pak het scalpel om een paar sneetjes te maken en merk dat de huid op de verkleurde plekken alle elasticiteit heeft verloren en bovenmatig hard is, zonder dat er dieper in het huidweefsel sporen van een bloeduitstorting te vinden zijn. Geen kneuzingen dus, maar plekken die ergens anders door veroorzaakt zijn. Boven op haar blote

voeten en bij haar enkels vind ik nog meer van zulke plekken.
We draaien haar op haar zij zodat ik haar rug kan onderzoeken. Achter op haar rechterelleboog en -bovenarm heeft ze nog twee onduidelijke, harde, bruine vlekken.

'Ik heb geen idee,' peins ik hardop. 'Echt geen flauw idee.'

'Een soort post mortem artefact?'

'Zulke ben ik nog nooit tegengekomen.' Ik snijd een klein stukje van de harde bruine huid weg voor Histologie. 'Het is net of je door hard leer snijdt. Ik snap niet hoe dat veroorzaakt kan zijn. Die plekken zijn haast tien bij zeven centimeter groot.'

'Misschien een gevolg van vriesbrand?'

'Nee. Als ze in een vriezer had gelegen en daar iets aan overgehouden had, zou ze dat soort plekken over haar hele lichaam moeten hebben.'

'Maar als bepaalde delen van het lichaam nu met metaal in die vriezer in contact zijn gekomen?' oppert hij.

'Dan zou de huid eraan zijn blijven plakken.'

Ik duw het puntje van het scalpel in de leerachtige huid, net onder het linkersternum en snij dan omlaag en naar rechts. Ik doe hetzelfde aan de linkerkant en snij om de navel heen tot aan het schaambeen. Het voelt alsof ik deze Y-incisie in nat glibberig leer maak, en ik sla het weefsel om, snijd door ribben en verwijder het borstbeen. Ik maak een incisie onder de kaak om de tong en de organen in de halsstreek te kunnen verwijderen.

'Haar tongbeen is intact.' Ondertussen teken ik mijn bevindingen aan op een lichaamsdiagram. De geur van ontbinding is nu niet te harden. 'Geen spoor van letsel aan de halsspieren of aan het zachte weefsel. Geen obstructie van de luchtpijp, geen geur van chemische stoffen die asfyxie kunnen hebben veroorzaakt, bijvoorbeeld cyanide. Geen tongletsel.'

Luke trekt de schedelhuid weg, het snerpende geluid van de reciprozaag krijst door de ruimte, en fijn stof dwarrelt op in het felle witte licht. Ik leg de slagaders open, de vena cava inferior, de aorta, en zie wat ik al had verwacht, namelijk dat ze leeg zijn, met droge diffuse hemolytische vlekken. Ik zie geen sporen van vaatverstopping of verwonding of ziekte, alleen een gemiddelde mate van verkalking, zeker niet dusdanig dat het haar fataal heeft kunnen worden.

'De hersenen zijn te zacht om er plakjes van te kunnen snijden,' verklaart Luke. 'Maar ik zie geen sporen die wijzen op cerebraal letsel. Het harde hersenvlies is intact en vertoont geen vlekken.' Hij maakt een notitie.

Haar organen zijn ontbonden. Haar longen zijn in elkaar geklapt, roodpaars en heel zacht, de luchtpijp bevat geen water, schuim, zand of lichaamsvreemde stoffen, de galblaas is droog en verschrompeld, en er zit geen achtergebleven gal meer in. Naarmate de tijd vordert, strepen we steeds meer doodsoorzaken weg en wordt ons beeld bevestigd dat ze aan de gevolgen van asfyxie of vergiftiging moet zijn overleden. Maar het zal nog wel even duren – minstens een paar dagen – voordat we haar lever op sporen van alcohol en drugs hebben onderzocht.

'Geen petechieën voor zover ik kan zien.' Luke doet beide ogen van de vrouw open. 'Geen bloedingen aan de sclera en conjunctiva. Dat betekent natuurlijk nog niet dat ze niet gestikt of gewurgd is,' voegt hij eraan toe, en daar heeft hij gelijk in.

Er zijn geen schaafplekken of contusies te vinden, geen verwondingen die ik bij verstikking of verwurging zou verwachten, maar dat er geen typerende bloedingen in het gezicht of aan de sclera te zien zijn, wil nog niet zeggen dat iemand geen plastic zak over haar hoofd heeft getrokken, niets voor haar neus en mond heeft gebonden of geen prop in haar keel heeft gestopt.

Haar maaginhoud is korrelig en droog, als droogvoer. Ik stel de lamp bij en gebruik een loep, terwijl ik het materiaal met een tang heen en weer schuif.

'Gedehydreerd vlees,' merk ik op. 'Zo op het eerste oog zou ik zeggen dat het eten op het tijdstip van haar overlijden nog niet verteerd was.'

'Er zit heel weinig in haar dunne darm,' vertelt Luke me. 'En bijna niets in haar dikke darm. Hoe lang doet eten erover om volledig te verteren? Zo'n tien uur?'

'Dat hangt van heel wat factoren af. Hoeveel ze gegeten heeft, hoeveel lichaamsbeweging ze heeft gehad, haar vochtinname. De spijsvertering varieert nogal van persoon tot persoon.'

'Dus als ze net had gegeten en het eten was nauwelijks verteerd toen ze overleed,' denkt hij hardop, 'is de kans groot dat er na haar laatste maaltijd maar een paar uur zijn verstreken voordat ze doodging?'

'Misschien. Of misschien niet.'

Ik geef hem de opdracht de maaginhoud te wegen en een deel ervan in formaline te bewaren zodat we het histologisch kunnen onderzoeken.

'Een jodiumtest voor zetmeel, naftol voor suiker, Oil Red O voor vetten. Hopelijk kunnen we onder de stereomicroscoop zien wat ze precies gegeten heeft.' Ik leg uit welke kleurstoffen er gebruikt moeten worden.

We staan naast elkaar, met onze rug naar de deur.

'Dus ik breng monsters naar Toxicologie, Histologie en Sporen.' Luke gaat de lijst af. 'En de elektronenmicroscoop?'

'Misschien voor botanische sporen.' Ik ben me vaag bewust van een luchtstroom achter me. 'Om huidmondjes te onderzoeken. Is het bijvoorbeeld Chinese kool? Is het Chinese broccoli? Is het paksoi? Zijn er sporen van kreeftjes of garnalen te vinden? Zijn er celstructuren zichtbaar die bijvoorbeeld kenmerkend zijn voor havervlokken of tarwe?'

Luke draait zich om, en daarna ik.

'Ik vroeg me af hoe lang het nog ging duren,' zegt Benton vanuit de deuropening. Hij houdt de deur open.

'Ik had je niet horen binnenkomen,' antwoordt Luke, alsof hij een stelling poneert.

'We zouden net gaan opruimen.' Ik vang Bentons blik. Zijn ogen staan wantrouwig.

'Nog iets nuttigs gevonden?' Hij blijft in de deuropening staan.

'We zijn nog niets specifieks te weten gekomen. We zullen nader toxicologisch onderzoek moeten afwachten.' Ik doe mijn operatieschort van achteren los. 'Kortom: ik weet het niet.'

'Zelfs geen gokje?' Benton kijkt naar wat er op de tafel ligt. Hij blijft op afstand, maar niet vanwege de afschuwelijke geur die het lijk verspreidt.

Door zulke dingen laat hij zich niet afschrikken. Er zit hem iets anders dwars.

'Over de doodsoorzaak ga ik niet speculeren.' Ik gooi mijn handschoenen en de beschermhoesjes van mijn schoenen in een afvalbak. 'Maar ik kan je wel vertellen waaraan ze zoal níét is overleden.'

22

De zware regen is een ware zondvloed geworden; het stormt abnormaal hevig voor de herfst. De harde wind berooft de bomen van overgebleven bladeren en de donder knalt alsof er een oorlog aan de gang is. Het water spat tegen de ruiten en de onderkant van de SUV, en Benton lijkt mijlenver weg terwijl ik door de donkere beregende straten van Cambridge rijd.

'Hij kan hier verder niet bij worden betrokken, dat is gewoon gezond verstand,' klinkt zijn stem naast me. Hij zit de omgeving in de gaten te houden en kijkt niet naar mij.

'Wiens gezonde verstand?' Ik probeer niet te laten merken hoe gespannen ik ben.

'Wil je soms dat hij overal in haar huis zijn DNA achterlaat?'

'Dat zou hij hopelijk niet doen, maar nee, natuurlijk niet.' Ik probeer redelijk te blijven.

Bentons telefoon gloeit op in het donker en hij toetst iets in.

'Hij heeft zijn DNA waarschijnlijk toch al op haar persoonlijke bezittingen en haar kleren achtergelaten.' Hij legt de telefoon weer op zijn schoot. 'Ik wil wedden dat hij allerlei dingen in handen heeft gehad.'

De ruitenwissers bonken en de blower maakt overuren.

'Het kan me niet schelen of hij beschermende kleding aanhad,' zegt Benton. 'Je kunt tegenwoordig DNA uit de lucht halen.'

'Niet helemaal,' antwoord ik. 'Maar hij mag inderdaad niet haar huis doorzoeken.' Daar ben ik het mee eens. 'Toch is er geen enkel bewijs dat hij haar kende, dat hij haar ooit ontmoet heeft, of dat hij er enig idee van had dat iemand op Twitter haar identiteit had aangenomen. Er is geen greintje bewijs dat hij iets verkeerds heeft gedaan.'

'Het ziet er niet goed uit.'

'Het is duidelijk wat er aan de hand is.' Mijn woede schemert door. 'Iemand wil hem erin luizen.'

'We moeten het niet erger maken dan het is.'

'Dus ik raak het hoofd van mijn onderzoeksteam kwijt omdat hij erin is geluisd en voor gek is gezet door wie dit ook maar gedaan mag hebben?' Ik ben gefrustreerd en spring bijna uit mijn vel van woede omdat de FBI opeens doet alsof ze iets te zeggen heeft over de gang van zaken binnen mijn organisatie.

Ik ben boos omdat er gesuggereerd wordt dat de mensen die ik opleid hun DNA overal achterlaten.

'Iemand heeft het op hem voorzien,' voeg ik eraan toe.

'Hij moet zich erbuiten houden. Hij moet zich een tijdje niet bij het CFC laten zien.'

'Vind jij dat of vinden je collega's dat?' De bliksem flitst en de hemel lijkt paars.

'Het is niet aan mij om te beslissen hoe Marino aangepakt moet worden. In het licht van persoonlijke connecties hoor ik me daar niet mee te bemoeien. In het licht van onze voorgeschiedenis.' Benton kijkt me niet aan, maar ik weet dat hij gekwetst is.

'Als iemand daarover moet beslissen, moet het volgens mij degene zijn die hem het best kent.'

'Kennen doe ik hem inderdaad wel,' zegt hij.

'Dat doe je zeker. En je collega's niet.'

'Niet zoals ík hem ken. Daar heb je gelijk in. En misschien moet jij eens nadenken over wat ik allemaal van hem weet.'

'Ik moet nadenken over wat jij weet van Marino's tekortkomingen.' Ik weet precies waar hij naartoe wil, maar het lukt me niet het gesprek om te buigen.

'Tekortkomingen. Jezus,' zegt hij.

'Niet doen, Benton.'

'Ja, tekortkomingen,' zegt hij.

'Godverdomme, hou op.'

'Ook een manier om het te zeggen.' Hij klinkt boos en gekwetst.

'Ga je hem eindelijk terugpakken?' vraag ik.

'Niet meer dan wat tekortkomingen.'

'Ga je hem eindelijk terugpakken voor die avond waarop hij

dronken was en medicijnen slikte?' Ik vraag het maar gewoon.
'Toen hij helemaal de weg kwijt was?'
'Het oudste smoesje van de wereld. Geef de pillen maar de schuld. Of de drank.'
'Hier hebben we niets aan.'
'Gooi het maar op ontoerekeningsvatbaarheid als je iemand aanrandt.'
'Je wilt toch niet zeggen dat wat er toen gebeurd is invloed heeft op de beslissingen die je nu neemt?' vraag ik. 'Ik weet dat je hem niet voor de wolven wilt gooien voor een fout die hij jaren geleden heeft begaan. En waar hij enorm veel spijt van heeft.'
'Marino gooit zichzelf voor de wolven. Hij is zelf een wolf.'
Ik rijd langs een bouwterrein en de bulldozers, die in modderige stroompjes regenwater staan, doen me denken aan gestrande prehistorische dieren, aan overstromingen, aan weggevaagd leven. Ik kan alleen nog maar aan sombere en morbide dingen denken en word geplaagd door de angst dat Benton stilletjes bij de deur van de koelruimte is gaan staan om me iets duidelijk te maken. Ik ben bang dat de tekortkomingen waar hij het over heeft niet die van Marino zijn. Het zijn die van mij.
'Straf hem niet vanwege mij,' zeg ik zachtjes. 'Hij is geen aanrander. Hij is geen verkrachter.'
Benton zegt niets.
'En hij is zeker geen moordenaar.'
Benton zwijgt.
'Marino is erin geluisd. Hij is in opspraak gebracht en vernederd door de moordenaar van Peggy Stanton.' Ik kijk naar Benton, maar die staart recht voor zich uit. 'Maak alsjeblieft geen misbruik van de gelegenheid om hem een afstraffing te geven.' Ik bedoel de gelegenheid om mij te straffen.
De suv spettert door het water dat in kuilen is blijven staan. De straat ligt vol afgebroken takken. Geen van ons zegt iets en de stilte bevestigt wat ik al vermoed. De afstand tussen ons is enorm en leeg. De regen jaagt door de straten en dode bladeren schieten als vleermuizen voorbij in het donker.
'Hij is erin geluisd, ja. Dat geloof ik wel,' zegt Benton eindelijk, bijna vermoeid. 'God mag weten waarom iemand daar al die moeite voor doet. Hij is heel goed in staat zichzelf erin te lui-

zen. Daar heeft hij verdomme geen hulp bij nodig.'

'Waar is hij? Ik hoop dat hij nu niet alleen is.'

'Bij Lucy. Hij is erin geslaagd de lastige positie waarin hij zich bevindt nog te verslechteren door zich onbehouwen en defensief op te stellen.'

Ik kijk in de spiegels en mijn ogen tranen door de verblindende koplampen van het tegemoetkomende verkeer.

'Hij gedroeg zich als een opstandige, onbehulpzame klootzak,' gaat Benton verder, maar zijn toon is nu anders, alsof hij zijn punt heeft gemaakt en het nu genoeg is.

'Het verbaast me niets dat hij helemaal van slag is,' hoor ik mezelf zeggen, maar intussen realiseer ik me iets heel anders.

Ik heb daarnet helemaal niet gedacht aan de observatieramen in de sectieruimte.

'Ik kan me alleen bij benadering voorstellen hoe boos en vernederd hij zich moet voelen,' voeg ik eraan toe, maar dat is niet waaraan ik denk.

Ik heb niet aan de onderwijslokalen gedacht. Het is nooit bij me opgekomen dat iemand daar in die onverlichte zalen zou kunnen staan.

'Af en toe is hij inderdaad zelf zijn ergste vijand.' Ik blijf praten terwijl mijn gedachten een heel ander spoor volgen.

Benton heeft daarboven staan kijken en op bepaalde momenten kan het niet duidelijker zijn geweest. Ik trok me niet terug. Ik deed niets om er een eind aan te maken omdat ik dat niet kon, omdat ik ernaar verlangde. Ik verlangde naar hem terwijl ik bezig was met afschuwelijke dingen en met de dood, wanneer de drang om te voelen dat je leeft alle logica opzij kan schuiven.

'Zijn woede-uitbarstingen, zijn beledigingen, hij werkte totaal niet mee,' zegt Benton, maar ik luister amper.

Luke heeft me een vraag gesteld en ik heb overwogen toe te stemmen en me afgevraagd waar en wanneer ik dat kon doen zonder betrapt te worden. Ik zei nee en voelde ja. Bentons beschuldigingen in Wenen waren gegrond.

'Ik moest op een gegeven moment de kamer uit om niet ontzettend boos op hem te worden.' Wat ik Benton hoor zeggen, is dat hij de vergaderkamer op de bovenverdieping heeft verlaten.

Hij maakt me duidelijk wat hij heeft gedaan, dat hij ons in

de gaten heeft gehouden vanachter de donkere ramen van een onderwijszaaltje.

'En dat allemaal omdat hij zonodig een internetverhouding met een volslagen vreemde moest beginnen. Hoe verzin je het,' zegt Benton.

'Welkom in het moderne leven,' antwoord ik somber. 'Mensen doen het elke dag.'

'Geen mensen die ik ken.'

'Marino is gruwelijk eenzaam geweest sinds Doris bij hem weg is. Hij zit in een leeg, zwart gat en dat duurt nu al bijna langer dan hun huwelijk. Hij heeft sinds die tijd nooit meer een relatie van enige betekenis gehad, en meestal met vrouwen die hem kwetsten, hem gebruikten of gewoon verschrikkelijke mensen waren.'

'Hij heeft zelf ook verschrikkelijke dingen gedaan en mensen gekwetst,' zegt Benton, en ik spreek hem niet tegen.

Dat zou ik ook met geen mogelijkheid kunnen.

'Niemand met wie ik werk ontmoet mensen op het internet.' Hij keert terug naar zijn eerdere punt.

'Dat kan ik bijna niet geloven.'

'Niemand met wie ik werk is zo stom,' zegt hij. 'Het internet is de nieuwe maffia. De FBI infiltreert en spioneert er. We gaan er verdomme geen persoonlijke dingen opzetten.'

'Nou, Marino kan zo stom zijn,' zeg ik. 'Zo eenzaam is hij, zo erg mist hij zijn vrouw. Hij mist zijn oude werk bij de politie, hij is bang om oud te worden, en hij heeft op geen van die punten ook maar enig zelfinzicht.'

Ik rijd langzaam door 6th Street, waar het hoofdbureau van de politie van Cambridge schuilgaat in de regen en de art deco-lampen blauw gloeien in de mist.

'Wat ik niet begrijp, is wat iemand ermee denkt op te schieten om zich op Twitter voor te doen als een vrouw die op dat moment duidelijk niet meer kan hebben geleefd,' zeg ik dan.

'Niet iedereen zal zo zeker weten hoe lang ze dood is.'

'Je hebt het lijk gezien. Wat ervan over is.'

'Het hangt allemaal af van je interpretatie.' Hij zegt het op een toon die me verontrust, alsof hij het er al eerder over gehad heeft.

'Je interpretatie?' herhaal ik nogal verontwaardigd. 'Het is toch duidelijk dat ze al maanden dood is?'

'Voor mij wel, maar dat zal niet voor iedereen gelden,' zegt Benton. 'Het hangt ervan af naar welke tv-programma's de mensen kijken. Als ze het woord *gemummificeerd* horen, denken ze misschien dat ze helemaal in linnen gewikkeld is en is gevonden in een piramide.'

Ik kan amper de charterschool en de biotechbedrijven zien waar we langs rijden. In het grootste deel van Cambridge worden de straten enorm slecht verlicht.

'Het maakt de zaak er ook niet beter op dat hij op Logan was rond de tijd dat jij die anonieme e-mail ontving over de verdwijning van Emma Shubert.' Niets verbaast me meer. Waarom begint hij daarover?

'Hij is nooit in Alberta geweest. Hij weet helemaal niet hoe je software kunt gebruiken om anoniem te blijven en ook niets over proxyservers, Benton.'

'Voor zover bekend.'

'Zelfs al zou hij het kunnen, wat kan hij er in vredesnaam voor reden voor hebben?' vraag ik.

'Ik ben niet degene die denkt dat hij het gedaan kan hebben.'

'Dus er zijn andere mensen die denken dat hij iets te maken kan hebben met de verdwijning van Emma Shubert.' Ik wil dat hij het met zoveel woorden zegt.

'Of met de e-mail die jij ontvangen hebt. Het komt allemaal op hetzelfde neer,' zegt hij. Het is belachelijk, en dat zeg ik hem ook, maar ik heb wel vaker belachelijke dingen meegemaakt en de meest vreemde theorieën langs zien komen.

Wat een rechercheur zich ook in zijn hoofd haalt, het zal serieus genomen moeten worden, dat weet ik als geen ander.

'Ik ben bang dat het iemand is die hem kent, Kay.'

'Tegenwoordig kan iedereen iedereen kennen, Benton.'

'Een paleontoloog wordt vermist en is vermoedelijk dood, en jij krijgt een foto van een afgesneden oor,' zegt hij. 'Mildred Lott is verdwenen, haar man staat terecht wegens moord en jij wordt vanuit zijn helikopter gefilmd terwijl je het lijk van Peggy Stanton uit het water haalt, slechts een paar uur voordat je moet getuigen. Ik ben bang dat degene die hier achter zit...'

'Degene? Heb je het over één iemand?'

'Verbanden. Er zijn er te veel. Ik geloof niet dat dit toeval is.'

'Dus jij denkt dat één en dezelfde persoon voor al deze dingen verantwoordelijk is?'

'Als je ongestraft iets wilt doen, moet je het zelf doen. En ik ben bang dat het iemand is die Marino kent, en die jou kent. Misschien kent hij ons allemaal wel.'

'Het hoeft niet iemand te zijn die hem of ons kent,' spreek ik hem tegen. 'Als je op Twitter naar Peter Rocco Marino zoekt, kun je hem vinden. Je kunt op internet zoveel over elk van ons te weten komen dat het gewoon eng is.'

'Waarom zou iemand op Twitter naar hem gaan zoeken? Dan moet je al een persoonlijke reden hebben om hem ernstige problemen te bezorgen.'

'Lucy heeft hem begin juli kennis laten maken met Twitter. Toen hij pas in zijn nieuwe huis woonde,' herinner ik me. 'Wanneer zijn hij en *Pretty Please* elkaar gaan tweeten?'

'Hij beweert dat zij is begonnen. Volgens hem was dat eind augustus, vlak voor Labor Day, misschien het weekend daarvoor. Ze zei dat ze, en ik citeer, "een fan" was.'

'Een fan van Jeff Bridges of van Marino?'

'Precies. Wat een idioot is hij toch,' zegt Benton. 'Om de naam te gebruiken van een personage uit een film over bowlen en zichzelf *The Dude* te noemen. Daardoor concludeerde Marino meteen dat ze een bowlingfan moest zijn en dat ze iets gemeen hadden.'

Ik breng de auto tot stilstand in de buurt waar Peggy Lynn Stanton woonde. De koplampen schijnen door de regen en verlichten de donkere straat en de auto's aan weerskanten.

'Ik zal alle tweets, al zijn e-mails en zijn telefoongegevens doornemen, alles wat binnen onze macht ligt om hem uit de problemen te halen,' zegt Benton. 'Is het niet ironisch dat juist ik dat moet doen?'

De huizen zijn oud, maar niet van historische waarde en ook niet erg duur voor Cambridge. Het zijn eengezinswoningen die uitstekend worden onderhouden en zo dicht bij elkaar staan dat je er amper tussendoor kunt.

'Nam hij aan dat ze bowlde of zei ze dat ze dat deed?' vraag ik.

De huizen hebben piepkleine tuintjes en sommige hebben helemaal geen tuin, dus zijn de parkeerplaatsen schaars. Ongetwijfeld houden de buurtbewoners alle auto's die hier niet thuishoren scherp in de gaten.

'Ik weet niet precies wat er in hun tweets gezegd is, maar hij lijkt de indruk te hebben gekregen dat ze een enthousiaste bowler is. Of was.'

Ik probeer me voor te stellen hoe je hier een vrouw uit haar huis zou kunnen ontvoeren, maar het lukt me niet. Ik zie niet hoe het onopgemerkt kan zijn gebleven dat iemand gillend of tegenstribbelend meegenomen wordt. We blijven zwijgend in de stromende regen zitten. In de verte schiet de bliksem door de lucht en de donder rommelt. Ik geloof niet dat Benton denkt dat Peggy Lynn Stanton in haar eigen huis is vermoord of van daaruit is ontvoerd, en ik vraag hem ernaar.

'We weten het gewoon niet,' zegt hij. 'Doug heeft haar eigen mening, maar die is niet per se de mijne.'

'Vertel me wat jij denkt.'

'Ik zal je vertellen aan wie ik denk.'

'Heb je een verdachte voor ogen?'

'Ik weet wie het is, iemand van minstens achter in de twintig, maar waarschijnlijk ouder.' Benton kijkt de donkere, verregende straat door. 'Intelligent, talentvol, valt niet op, maar leeft in emotioneel opzicht in een isolement. Houdt iedereen op afstand. Mensen denken dat ze hem kennen, maar dat is niet zo.'

'Hem?'

'Ja.' Benton kijkt naar de auto's en naar de huizen. 'Hij weet iets van varen. Hij heeft waarschijnlijk een boot of de beschikking over een boot.'

Ik denk aan Marino's gezeur dat het CFC een boot zou moeten aanschaffen, en ik vraag me af tegen wie hij dat allemaal gezegd heeft.

'Hij heeft geen hulp nodig om ermee te varen en is ervaren genoeg om er zelf het water mee op te gaan.'

Benton rolt zijn raampje naar beneden en tuurt in het donker.

'Een gladde prater, gaat er zonder meer vanuit dat hij iedereen overal van kan overtuigen, inclusief de politie en de kustwacht.'

Hij let niet op de regen die naar binnen waait.

'Hij is ervan overtuigd dat hij zich eruit zou kunnen praten als zijn boot pech kreeg of hij werd aangehouden terwijl hij een lijk aan boord had en dat niemand het zou merken. Iemand die geen angst kent. Iemand met financiële middelen.'

Marino heeft een kapiteinslicentie van de kustwacht.

'Een narcistische sociopaat,' zegt Benton tegen de regen en het donker. 'Een seksuele sadist die opgewonden raakt als hij iemand angst kan aanjagen, kan martelen, kan vernederen, kan overheersen.'

'Tot dusver heb ik geen sporen van verkrachting of aanranding gevonden,' zeg ik.

'Hij verkracht ze niet. Hij voelt een lichamelijke aversie tegen zijn slachtoffers omdat ze hem te min zijn. Hij laat ze voelen hoe ver hij boven hen staat. Hoe meer ik erover nadenk, hoe meer ik het met je eens ben dat de hele zaak een boobytrap was.'

'Een boobytrap waardoor zij uit elkaar zou worden getrokken. Ze moest onthoofd worden en een deel van haar lichaam of misschien wel het hele lijk moest verloren gaan. Waarom?' vraag ik. 'Omdat hij niet wil dat ze geïdentificeerd wordt?'

'Omdat haar vermoorden niet genoeg was. Dat zou hij elke dag kunnen doen zonder dat het de leegte in hem zou vullen, een leegte die is veroorzaakt door iets verschrikkelijks wat hij vroeger heeft meegemaakt.'

'Weet jij wat voor verschrikkelijks dat geweest kan zijn?'

'Het is altijd iets anders en toch altijd hetzelfde. Niemand ziet het monster in hem. Hij gaat zijn gewone gang terwijl hij een lijk in een koelkast of vriezer heeft liggen omdat hij het niet los kan laten, omdat hij de fantasie niet los kan laten. Hij wil voortdurend herbeleven wat hij haar heeft aangedaan. En zelfs toen hij eindelijk besloot haar te dumpen, moest hij haar nog één keer vernietigen. Hij wilde dat ze uit elkaar werd getrokken en dat iemand daar getuige van was. En hij wilde dat de getuige geschokt zou zijn en voor gek zou staan. Het is iemand die graag de spot met mensen drijft.'

Benton draait zijn raampje weer omhoog.

'Kende hij haar?' vraag ik.

'Hij weet wie hij heeft vermoord,' antwoordt hij. 'Peggy Stanton was niet meer dan een stand-in. Al zijn slachtoffers zijn stand-ins. Hij heeft eerder gemoord, en hij zal het weer doen of heeft dat inmiddels misschien al gedaan. Hij speelt spelletjes met alle betrokkenen omdat hij daar plezier aan beleeft.'

De ruitenwissers vegen de regen van de voorruit terwijl ik langzaam doorrijd in de richting van de onopvallende auto's die een eindje verderop geparkeerd staan.

'Iedere keer hetzelfde slachtoffer. Een vrouw.' Benton ritst zijn jas dicht. 'Waarschijnlijk een oudere vrouw, ouder dan hij. Een succesvolle, rijpere vrouw. Het kan zijn moeder zijn of een andere vrouw die een heel overheersende rol in zijn leven heeft gespeeld.'

'Wat jij beschrijft, is zeker geen impulsieve misdaad.' Achter de ramen die we passeren, zie ik gordijnen bewegen.

Buurtbewoners hebben ons zien stoppen en vervolgens langzaam door zien rijden.

'Je kunt hier niet zomaar iemand ontvoeren die tegenstribbelt. Eigenlijk kun je hier helemaal niets doen zonder dat dat opvalt,' zeg ik. 'Je kunt geen lijk of een bewusteloos persoon het huis uit dragen en in een auto leggen, hoe donker het ook is. Je zou een enorm risico nemen.'

'Wat er met haar gebeurd is, is heel goed overdacht.'

'Tot in de puntjes,' zeg ik instemmend.

'Ze hebben elkaar eerder gezien, misschien meer dan eens. Maar ze kenden elkaar niet,' zegt Benton. 'In ieder geval kende zij hem niet.'

23

Het witte huis is in koloniale stijl opgetrokken, heeft twee woonlagen en wordt aan drie kanten omsloten door panden die er heel dicht op staan. De smalle voortuin is overwoekerd door struiken die de ramen op de begane grond aan het oog onttrekken en bezit dreigen te nemen van een stenen oprit naar een vrijstaande garage. De regen striemt ons in het gezicht als we een tegelpad op lopen dat door alle dode bladeren en voortwoekerend onkruid spekglad is.

'Er is al in tijden niets meer aan de tuin gedaan.' Ik verhef mijn stem om boven het gekletter van de regen uit te komen. 'Ik ben benieuwd of niemand daarover geklaagd heeft, en we moeten ook achterhalen welke lampen de hele tijd aan zijn gebleven en welke niet,' voeg ik eraan toe, want achter veel ramen is het donker.

Snel lopen we het trapje op en komen in een portiek, dat verlicht wordt door twee glazen lantaarns aan het plafond. We trekken onze doornatte jassen uit als de deur met een zwaai opengaat. In haar witte werkoverall met capuchon oogt Douglas Burke als een kloosterlinge van een of andere hogere orde. Ze laat ons binnen, en we komen in een kleine maar elegante hal, met links en rechts de woonkamer en de eetkamer, en een trap die met een bocht naar boven gaat.

Er brandt een antieke vergulde kroonluchter die er Frans uitziet, en er ligt een Perzisch tapijt, dat ter bescherming is afgedekt met dik doorzichtig plastic. Daarop staan de suède veterschoenen die Burke aanhad, en de Oxfords waarvan ik aanneem dat ze van Machado zijn. Ook staan er dozen en stapels beschermende kleding. Het ruikt er muf en stoffig.

'Als ze hiervandaan is ontvoerd of hier is vermoord, heeft dat voor zover ik kan zien geen sporen achtergelaten.' Burke geeft ons een handdoek. 'Maar zo'n expert ben ik niet.'

Ze zegt het op een bepaald toontje.

'Hebben jullie het licht in de portiek aangedaan?' Benton maakt zijn gezicht en zijn haar droog.

'Alle lampen die aan zijn, hebben wij aangedaan. Toen we hier aankwamen, was het hele huis pikkedonker. Veel lampen zijn doorgebrand. Wat een rotweer.' Ze doet de deur dicht. 'Het is te hopen dat Noach er nog een ark bij bouwt.'

Ik droog mijn sporenkoffertje af en zet het op de grond, naast een doos met beschermhoesjes voor schoenen, met zolen van PVC, zodat je ze ook zonder schoenen kunt dragen. Ik maak mijn haar droog, maar voel me klam en slap en niet helemaal op mijn gemak. Er hangt iets in de lucht waar ik geen grip op krijg, iets wat mijn wantrouwen wekt.

'Brandde er helemaal geen licht toen jullie hier kwamen?' vraagt Benton voor de zekerheid.

'Het enige wat hier brandt, is mijn neus. Ik heb er al wat voor ingenomen, maar dat helpt bijna niet. Dit huis is werkelijk fantastisch voor mijn allergie.' Haar ogen staan waterig, en zo te horen heeft ze een verstopte neus.

'De buren hebben niets gemerkt, vroegen zich niet af waarom het hier steeds zo donker bleef?' vraagt Benton.

'Misschien doordat de lampen geleidelijk zijn uitgegaan, en niet allemaal tegelijkertijd? Misschien bemoeien de buren zich niet met haar?' oppert Burke. Ze praat snel, opgewonden.

'We moeten nog met de buren praten, maar ik denk dat ze dachten dat ze de stad uit was, zoals zo vaak. Typerend voor deze buurt. Hier wonen veel mensen die niet per se betaald werk hoeven te doen om rond te komen, die wat vrijwilligerswerk doen of zich met intellectuele zaken bezighouden. Je kent dat soort wel,' zegt ze tegen Benton, alsof hij tot dat soort behoort. Het is lastig te bepalen of ze hem uitdaagt, met hem staat te flirten of er helemaal niets mee bedoelt te zeggen.

'De meeste mensen laten in elk geval één lampje branden.' Hij wil erachter zien te komen of Peggy Stanton zich van anderen afzonderde of haar buren op afstand hield, of ze geliefd was in de buurt of dat mensen haar ontliepen of zich aan haar ergerden.

Sommige moordenaars kiezen hun slachtoffers zorgvuldig uit.

'We hebben overal in huis gekeken,' vertelt Burke ons. 'Sil is nog steeds in de kelder en zegt dat hij iets elektrisch aan je wil laten zien.' Dit zegt ze tegen Benton. 'Mij moet je niet vragen waar het precies om gaat. Ik ben al blij als ik mijn broodrooster aan de praat krijg. Tot nu toe hebben we weinig opzienbarends aangetroffen. Het is duidelijk dat er al weken niemand meer in huis is geweest.'

Weken.

Er is iets wat me niet zint.

'We hebben gegevens opgevraagd bij het alarmbedrijf, en daaruit kunnen we waarschijnlijk opmaken wanneer ze hier voor het laatst geweest is,' voegt Burke eraan toe. Ik ben het niet met haar eens.

'Dat er op een gegeven moment nog iemand in huis geweest is, hoeft nog niet te zeggen dat dat Peggy Stanton was,' zeg ik tegen haar. 'Dat kan ook iemand anders geweest zijn.'

Ik trek mijn werkschoenen uit, andere dan die ik eerder aanhad, want ik wilde me per se douchen en omkleden voordat ik ergens anders heen ging.

'Ik durf met vrij grote zekerheid te beweren dat ze hier de afgelopen weken niet geweest is, omdat ze toen al dood was. Een werkster?' vraag ik.

'Een die hier dan al weken niet meer geweest is, lijkt me.'

Weken, denk ik, en nu al zint het me niets. Elke op feiten gestoelde conclusie waarmee ik aankom, wordt door Burke in twijfel getrokken, en Benton zegt er niets van.

'Is bekend of ze een werkster had?' vraag ik. 'Of hield ze zelf het huis aan kant?'

'Dat weten we nog niet. Het zal je niet ontgaan zijn dat de tuinman al een tijdje niet meer langs is geweest,' zegt ze tegen me. In de jaren dat ik haar enigszins op afstand heb meegemaakt, is mijn indruk van haar niet veranderd.

FBI-agent Douglas Burke heeft vroeger als openbaar aanklager gewerkt. Ze is tamelijk intelligent en doortastend en heeft zich altijd gepast terughoudend opgesteld naar de vrouw van de man met wie ze het intensiefst en in het geheim samenwerkt. Ik vind haar aardig en toch ook weer niet. Ik heb er nooit hoogte van gekregen wat ze van mij of mijn echtgenoot vindt. Wat er in haar omgaat en wat ze wil, heeft ze steeds verborgen gehouden, en op dit moment komt er een sterk gevoel bij me boven.

'Hier in Cambridge houden mensen dat soort dingen meestal in de gaten.' Benton veegt zijn jas en schoenen met de handdoek af. 'Als de tuin en het huis slecht onderhouden worden, gaat er op een gegeven moment iemand bij de gemeente klagen.'

'Die indruk hebben we ook.' Burke geeft ons een overall. 'We hebben ontdekt dat ze de krant op 3 mei heeft opgezegd.'

'Dat kan iemand anders ook gedaan hebben.' Benton legt zijn jas en schoenen netjes op het met plastic afgedekte tapijt. 'Dat kun je online doen. Als je iemand hebt ontvoerd en niet wil dat men daar meteen achter komt, ga je online en zet je de bezorging van de krant stop. Zo nu en dan gebruik je het mobieltje van je slachtoffer om een belletje te plegen, bijvoorbeeld naar de telefonische inlichtingendienst of een ander nummer waar je een keuzemenu krijgt. Of je belt op een raar tijdstip een van de nummers die in het mobieltje staan opgeslagen, zonder iets te zeggen of een boodschap in te spreken.'

'In het voorjaar of het begin van de zomer zette ze de bezorging van de kranten altijd stop,' vertelt Burke ons. 'Met name *The Boston Globe*, als ze een tijdje uit Cambridge wegging, en blijkbaar is ze hier 's zomers nooit geweest nadat haar gezin bij dat vliegtuigongeluk is omgekomen. Het lijkt me vreselijk om zoiets te moeten meemaken. Ik kan het me niet eens voorstellen hoe erg dat moet zijn, om je naasten in één klap te verliezen.'

'Ze zal er een ander mens door geworden zijn. Ze is veranderd, ten goede of ten kwade.' Benton probeert te bedenken wat voor persoon Peggy Stanton daarna is geworden.

'Als ze in haar huisje aan Lake Michigan zat, liet ze de *Chicago Tribune* altijd bezorgen, maar dat is deze zomer niet gebeurd.' Burke geeft ons handschoenen, en ik merk dat haar handen trillen, waarschijnlijk van de medicijnen tegen allergie die ze heeft ingenomen, of misschien windt de jacht haar op.

Als je op mij wilt jagen, ga je gang.

'Zoals ik al zei, wijst alles erop dat ze nooit in Illinois is aangekomen.' Ze kijkt me aan, en ik kijk terug.

'Het tapijt hieronder?' Ik wijs naar het kleed onder het plastic terwijl ik er in mijn plastic schoentjes overheen loop.

'Is niks mee gedaan.' Ze weet wat ik bedoel.

Alle vloeroppervlakken bij deuren zijn belangrijk. Als hier iemand binnen is geweest, is de kans groot dat die persoon zich via de deur toegang tot het huis heeft verschaft. Ik hoop dat Burke en Machado niet zomaar naar binnen zijn gelopen en regendruppels en viezigheid van onder hun schoenen op het tapijt hebben achtergelaten, maar dat ze het kleed eerst op sporen hebben onderzocht voordat ze het met plastic afdekten. Haren, vezels, vuil, botanische sporen, dat soort dingen.

'Hebben jullie er niets mee gedaan?' Ik stap op de onafgedekte vloer en zie rechts van de deur een ijzeren paraplubak staan.

Onderop staat in reliëfletters *A La Ménagerie du Jardin des Plantes*, de naam van een dierentuin in Parijs. Klem tussen de achterkant en de muur ligt een kromgebogen donkerblauwe ring van plastic.

'We zijn hier al een uur. Het is de bedoeling dat we samen met jou door het huis gaan voordat er iets van zijn plaats gehaald wordt,' legt Burke uit, alsof ik degene ben die om deze rondleiding gevraagd heeft, die trouwens niet eens een rondleiding is.

Het is een jachtpartij.

'Sil zal het bewijsmateriaal verzamelen, voor zover we dat tegenkomen,' zegt ze. 'Hij neemt vingersporen op als we die vinden. Maar het lijkt me sterk dat hier iemand binnen is geweest die van enig belang is voor het onderzoek. Volgens mij is dit geen plaats delict. In dit stadium weten we nog niet wie er zoal binnen is geweest en hoe lang dat geleden is, maar daar komen we op den duur wel achter. Ik betwijfel echter of dat relevant zal blijken.'

Het is duidelijk dat ze daarvan overtuigd is, waarschijnlijk al voordat ze hier een voet over de drempel zette.

'Er zijn geen sporen van een worsteling of van geweldpleging, maar jij bent de expert,' zegt ze tegen me zoals een advocaat dat tijdens een kruisverhoor zou kunnen zeggen. 'Er lijkt niets uit het huis te zijn weggehaald of gestolen. In haar slaapkamer liggen tamelijk waardevolle sieraden, in een laatje, maar niemand lijkt er naar wat dan ook gezocht te hebben. Haar auto staat nog in de garage.'

'Die zullen we ook even willen bekijken,' zegt Benton. 'We willen de kilometerstand zien, hoeveel benzine er nog in zit, en de gps, als er een in zit.'

'Sil heeft een transportwagen laten komen,' zegt Burke.

'Goed, want die auto kan hier niet blijven staan,' verklaar ik. 'Die moet naar het lab om op sporen te worden onderzocht.'

Ze heeft me als de expert aangewezen, en dan zal ik me ook als zodanig gedragen. Ik kan natuurlijk rechtsomkeert maken, maar dat vertik ik.

'De accu zal wel leeg zijn,' merkt Benton op.

'Shit.' Burke dept haar neus met een papieren zakdoekje. 'Wat hangt hier verdomme veel stof in de lucht. Mijn ogen tranen zowat uit mijn kop.'

'Autosleutels?' vraagt hij.

'Op dat tafeltje daar, in die kom, waarschijnlijk de plek waar ze die altijd neerlegde.'

'Een tasje, een portefeuille?' Zijn uitermate aantrekkelijke gezicht is omgeven door wit polypropyleen.

'Beide nergens te bekennen,' zegt Burke. 'Het lijkt erop dat ze ergens naartoe is gegaan en dat er toen iets gebeurd is. Natuurlijk weten we nog helemaal niet of ze überhaupt vermoord is. Het is nog niet zeker dat ze door geweld om het leven is gekomen, toch, Kay?'

Het is geen vraag. Het is een test.

'Hoe denk je dat ze vertrokken is, zonder auto?' vraag ik scherp. 'Op een gegeven moment moet ze hier toch weg zijn gegaan. En dat terwijl haar auto nog in de garage staat?'

'Het punt is...' – Burke ziet dat ik me buk en naar de kromgetrokken plastic ring kijk zonder die aan te raken – '...dat we niet zeker weten dat ze in Cambridge was of zelfs in Massachusetts toen ze verdween.'

'Maar ze is wel in Massachusetts gevonden,' dien ik haar van repliek.

'Voor hetzelfde geld is ze in Florida of Illinois ontvoerd.' Ze poneert het als een hypothese, maar ik geloof geen moment dat ze dat zo bedoelt.

'Je hebt gelijk. We hebben nog te weinig feiten tot onze beschikking,' antwoord ik. 'Maar haar lichaam is hier uiteindelijk wel terechtgekomen. Daar is geen twijfel over mogelijk.'

'Maar toch weten we niet waar ze verdwenen is.' Burke wrijft me vooral onder de neus waarom de FBI erbij is gehaald; de jurisdictie van de FBI houdt niet op bij de staatsgrens. Ik voel me overvallen en aangevallen. 'Misschien is ze wel uit eigen beweging de stad uit gegaan, is ze overal en nergens geweest en is ze uiteindelijk weer in de buurt terechtgekomen. Misschien was er iemand bij haar toen ze een natuurlijke dood stierf en heeft die persoon haar om de een of andere reden gedumpt.'

'Niets wijst erop dat ze een natuurlijke dood is gestorven,' zeg ik stellig.

'Niets wijst op het tegendeel,' werpt ze tegen.

'Iemand heeft haar gevangen gehouden en heeft haar lichaam maandenlang bij lage temperatuur bewaard. Vervolgens is ze op dusdanige wijze in het water geplaatst dat ze uit elkaar getrokken zou worden als we haar eruit zouden halen. Ik zou zeggen dat dat erop wijst dat ze geen natuurlijke dood is gestorven,' merk ik op.

'Begrijp ik het goed dat je niet weet waaraan ze is overleden?' Ze laat die vraag in de lucht hangen.

'Op dit moment niet, nee.'

'Je kunt zelfs niet gokken?'

'Ik gok nooit.'

'Dus je weet het niet.'

'Op dit moment kan ik dat nog niet met zekerheid zeggen.'

'Is dat niet ongebruikelijk, gezien het feit dat het lichaam in betrekkelijk goede staat verkeert?' Burke houdt haar ogen nog steeds op me gericht. Misschien denkt ze dat ik sta te liegen.

'Dat klopt,' zeg ik. 'Ik vind deze zaak buitengewoon ingewikkeld en anders dan andere. Waarschijnlijk zal blijken dat ze door vergiftiging of verstikking om het leven is gebracht. Het zal nog wel even duren voor we dat met zekerheid kunnen zeggen.'

'Laten we hier dan gaan zoeken naar iets wat wijst op een overdosis, vergiftiging, of verstikking,' zegt ze. 'Drugs, medicijnen, iets als een plastic zak van de stomerij die gebruikt kan zijn om haar om het leven te brengen.'

'En toen?' werp ik tegen. 'Is ze toen het huis uit gesleept zonder dat iemand dat gezien heeft, en is ze vervolgens in de baai gegooid?'

'Ik hoop dat jij me dat dan kunt vertellen. Koude opslag of warme?' Haar vragen beginnen op een verhoor te lijken. Benton kijkt om zich heen zonder zijn blik op ons te richten.

'Ze is op een koude plek bewaard,' antwoord ik. 'Heel koud en droog.'

'We beschikken gewoonweg niet over voldoende feiten,' zegt Burke afwijzend. De hoesjes om mijn voeten maken piepende geluiden op de grenen vloer.

'Ben je ook allergisch voor katten?' vraag ik.

'Daar ben ik nog het meest allergisch voor. En ik maar denken dat Benton hier de helderziende was.'

'Die plastic ring op de grond.' Ik laat zien wat er achter de paraplubak ligt. 'Een speeltje voor een kat.'

'Geen spoor van een kat te bekennen, maar blijkbaar is er ooit wel een in huis geweest.'

'Recentelijk nog?' Benton is geïnteresseerd geraakt.

'In de badkamer staat een kattenbak,' zegt Burke. 'In de keuken staan bakjes voor water en voer.'

'Maar er is geen kat gevonden, al dan niet in leven?' Benton bijt zich er helemaal in vast, omdat hij wil weten wat het te betekenen heeft.

'Tot nu toe niet.'

'Waar zijn haar autosleuteltjes nu?' Ik loop naar het tafeltje in de hal, dat gemaakt is van kunstmatig verouderd hout met accenten van gedreven koper. De kom is van sterk iriserend glas, en er is een dessin van blauwe vogels op aangebracht.

Ik pak de kom op en bekijk de onderkant. Lalique, weer duur antiek. Ik vraag me af of Peggy Stanton vaak in Frankrijk is geweest.

'Die heeft Sil. Heeft ze onderzocht, ook de sleutelhanger, op sporen van DNA, vingerafdrukken, noem maar op, voordat hij de auto ermee opendoet, aangenomen dat die op slot zit,' zegt Burke. 'Maar toen de jongens van de brandweer ons erinlieten, lag de sleutel nog in de kom die je nu in je handen hebt. We namen tenminste aan dat dat de sleutel van haar Mercedes uit 1995 is. Aan de sleutelhanger hangt een oud kompasje, mogelijk van de scouting. Typisch de plek waar je sleutels neerlegt als je thuiskomt, vlak bij de deur.'

'Behalve als je vanuit de garage binnenkomt. Dan loop je niet helemaal om het huis heen, trapje op, naar de voordeur, vooral niet als je boodschappen bij je hebt,' zeg ik. 'Er loopt een paadje van de garage naar een deur aan de zijkant van het huis. Dat zou wel eens de keukendeur kunnen zijn.'

'Zit er nog meer aan de sleutelhanger behalve een autosleutel en een kompas?' vraagt Benton. 'Een sleutel van de voordeur of van de garage?'

'Nee.'

'Hoe staat het met de post?' Hij tuurt door deuropeningen zonder ergens naar binnen te gaan. 'Ik zag voor het huis een brievenbus staan.'

'Zo goed als leeg.'

'Werd haar post doorgestuurd naar een ander adres?' Ik zet de kom op het gladde tafeltje en geloof geen moment dat Peggy Stanton haar autosleutel of wat voor sleutel dan ook altijd in het halletje neerlegde. 'Als haar post niet werd doorgestuurd, zou die brievenbus stampvol moeten zitten.'

'Er zitten alleen een paar reclamefoldertjes in,' antwoordt Burke. 'Blijkbaar heeft iemand die brievenbus steeds voor haar leeggehaald.'

'Dezelfde persoon die haar rekeningen betaalde en zich op internet voor haar uitgaf,' zegt Benton, alsof hij zeker van zijn zaak is. 'Eerst zou ik graag naar de garage gaan om daarna met Machado om het huis heen te lopen en dan de zaak binnen te bekijken, om Kay alle ruimte te geven. Doug, kun jij haar hier de boel laten zien?'

Hij geeft me alle ruimte, maar hij weet ook dat ik niet op eigen houtje rond mag neuzen. Ik houd mezelf voor dat hij zich gewoon aan het protocol houdt, want ik wil liever niet onder ogen zien dat hij me hier aan Douglas Burke uitlevert zodat ze me terloops en spontaan aan een vragenvuur kan onderwerpen zonder dat ik er iets tegen kan doen.

Ik hang de camera om, pak mijn sporenkoffertje en vertel haar voor de volledigheid dat ik van plan ben bepaalde delen van het huis grondig te onderzoeken en dat het belangrijk is dat ze daar de hele tijd bij is. Ik zal geen laatjes opendoen of in medicijnkastjes of andere kasten kijken tenzij er een getuige bij is, en ik zal geen bewijsmateriaal verzamelen tenzij het direct iets met het lijk te maken heeft, leg ik uit.

Biologische sporen, medicijnen, zeg ik tegen haar. Maar ik wil graag wel alles zien wat mijn interesse wekt, aangenomen dat mijn mening van nut is, verduidelijk ik.

'Natuurlijk, alles is van nut,' zegt ze. 'Ik zou wel eens willen weten of je altijd zelf foto's maakt.'

'Meestal niet, nee.'

'Dus als Marino niet beschikbaar is, neem je niet een van de andere onderzoekers mee. Hoeveel heb je er? Een stuk of zes?'

'Ik zou Marino of wie dan ook hier nooit mee naartoe nemen,' zeg ik tegen haar. 'Niet gezien de omstandigheden.'

Links van de gang is de eetkamer, een kleine ruimte met Wedgwood-blauwe muren en wit lijstwerk. Om een mahoniehouten tafel voor de open haard staan zes antieke stoelen, bekleed met donkerrood fluweel.

In een inbouwkast zijn oude koningsblauwe schalen met gouden randjes van de French-Saxon China Company uitgestald, en in de kasten staan houten kisten met zilveren bestek, eveneens Frans antiek. Al het bestek vertoont een vlekkerig patina. De witte kaarsen op de tafel en de schoorsteen hebben nooit gebrand en de planten in de potten voor de dichte gordijnen zijn al heel lang dood. Alles is bedekt met een stoflaag van maanden, schat ik. Ik haal een muurschakelaar over en er gebeurt niets; de lampen in de kroonluchter en de wandverlichting zijn doorgebrand.

'Zo te zien zijn ze niet op timers aangesloten.' Ik kijk naar de schakelaars en de contactpunten aan de wanden, op zoek naar contactdozen of andere apparatuur waarmee Peggy Stanton bepaalde lampen automatisch aan en uit heeft kunnen laten gaan. 'Stonden de schakelaars in deze positie toen jullie binnenkwamen?'

'Ja.' Burke is bezig met haar telefoon.

'En jullie hebben ze aan laten staan?' Ik vraag het omdat het belangrijk is.

'Als er lampen doorgebrand zijn, komt dat doordat ze aan zijn gelaten door degene die het laatst in het huis is geweest.' Ze scrolt door haar e-mails.

'We kunnen er waarschijnlijk wel van uitgaan dat zij of iemand anders de lampen van de eetkamer aan heeft gelaten toen ze voor het laatst thuis was.'

'Het raam in deze kamer kijkt uit op de straat.' Ze leest e-mails en veegt haar neus af met een zakdoekje. 'Misschien was ze gewend de lampen in de eetkamer aan te laten om de indruk te wekken dat er iemand thuis was.'

'De meeste mensen laten geen kristallen kroonluchter en kristallen wandlampen aan als ze van huis gaan, zeker niet als ze de stad uitgaan. Het is heel lastig om daarvan de lampen te vervangen.' Ik heb hier gezien wat ik moest zien, en Burke luistert amper.

Ik loop de eetkamer uit en steek de gang over, wachtend op wat er nu gaat komen. Ik vraag me af in hoeverre de gebeurtenissen door Benton zo zijn gepland. Hoeveel staat hij toe? Burke loopt met me door dit huis omdat ze van plan is bepaalde dingen met me te bespreken.

'Als ze altijd de auto nam, zou het meer zin hebben om lampen in de garage aan te laten.' Ik vertel haar toch maar wat ik denk, maar ik ben op mijn hoede, net als in de rechtszaal eerder op de dag, toen Jill Donoghue een spelletje met me speelde.

Ik blijf staan bij de gebloemde bank in de formele woonkamer en zie nog meer Europees antiek, waarschijnlijk Frans, alles in onberispelijke staat, maar stoffig. Naast een leunstoel staat een canvas tas met bollen wol, breinaalden en een marineblauwe sjaal erin die ongeveer half af lijkt. Als ze de zomer ergens anders ging doorbrengen, zou ze dan iets achterlaten waarmee ze was begonnen? In de gasgestookte open haard liggen namaak berkenblokken, en op de schoorsteenmantel zie ik een afstandsbediening.

'De open haard werkt. Ik heb het gecontroleerd,' zegt Burke.

'De meeste mensen doen de waakvlam in de zomer uit en in de herfst weer aan. Stookte ze op butagas? Het is hier warm.' Ik loop naar de thermostaat. 'De verwarming staat op eenentwintig graden.'

'Ik weet niet of ze gasverwarming heeft.'

'Waarschijnlijk wel. Een waakvlam gebruikt ook gas. Als je die vijf of zes maanden aan laat, heb je kans dat het gas opraakt. Er is dus wel gas geleverd.'

'Iemand heeft haar post opgehaald, haar rekeningen betaald, ervoor gezorgd dat er gas werd geleverd en haar krantenabonnement opgeschort.' Ze zegt niet wat ze daarover denkt, zelfs niet of ze het opmerkelijk vindt. 'Ik hoef jou niet te vertellen hoe je je werk moet doen.'

'Dat is mooi, want dat kun je ook helemaal niet.'

'Het is niet mijn bedoeling om wat je zegt in twijfel te trekken.'

'O jawel, hoor. Maar ga gerust je gang.' Ik kijk naar de bloemen op de salontafel, die zo erg verwelkt zijn dat niet meer te zien is wat het voor bloemen zijn.

'Je weet zeker dat ze niet in de baai is doodgegaan?'

'Ze is niet in de baai doodgegaan.' Tulpen en lelies misschien, en die associeer ik met het voorjaar. In de vaas zit een lege kaartenhouder.

'Kan ze niet zijn vastgebonden, overboord zijn gegooid en zijn verdronken?'

'Onmogelijk,' zeg ik. 'Ze was al dood toen ze werd vastgebonden. Als ze de hele zomer wegging, zou ze dan een verse bos bloemen op tafel laten staan? Waarom heeft ze die niet weggegooid?'

'Hoe lang heeft ze in het water gelegen?' De bloemen kunnen Burke helemaal niets schelen.

'Volgens mijn schatting had het lichaam op het moment dat het werd gevonden nog geen vierentwintig uur in het water gelegen.'

'Waarop is die schatting gebaseerd? Als je het niet erg vindt dat ik het vraag.'

'Nee, hoor,' antwoord ik. Het maakt namelijk helemaal niet uit of ik het erg vind. Ik ben er zeker van dat ze gaat vragen wat ze maar wil. Ik vraag me af of ze met mijn man naar bed is geweest.

Ik vraag me af in hoeverre hier een persoonlijke strijd wordt geleverd.

'Mijn schatting is gebaseerd op het feit dat er geen spoor was van de veranderingen die een lichaam in het water doormaakt, en ze was ook helemaal niet aangevreten door zeedieren,' leg ik uit.

'Aangevreten door zeedieren?'

'Vissen, krabben. Er was niet aan haar geknabbeld.'

'Oké. Dus ze is ergens anders doodgegaan.'

'Dat klopt.'

'Hoe kijk je er na de sectie tegenaan?'

'Ik denk dat ze waarschijnlijk ergens gevangen is gehouden en dat ze heeft geprobeerd te ontsnappen,' antwoord ik. 'De sectie heeft uitgewezen dat ze al maanden dood is.'

'Enige kans dat ze nog niet zo lang dood is als jij denkt?' Burke bekijkt me alsof ik een puzzel ben die ze uit elkaar kan halen en opnieuw kan leggen.

'Ik weet niet zeker hoe lang ze al dood is,' zeg ik. 'Niet tot op een week, een dag of een uur nauwkeurig, als je dat bedoelt. Maar op basis van wat ik tot nu toe gezien heb, is ze volgens mij niet meer thuis geweest sinds het nog koel genoeg was om de verwarming aan te hebben. Dat zal afgelopen maart of april zijn geweest. Ik neem aan dat er geen kaartje bij deze bloemen zat?'

'Ik heb ze niet aangeraakt, en Sil zou dat ook nooit doen. Blijkbaar niet, dus.' Ze knijpt met het zakdoekje in haar neus en ziet er ellendig en geïrriteerd uit.

'Weten we wanneer en door wie deze bloemen zijn bezorgd?'

'We moeten nog informeren bij de bloemenzaken in de buurt om te vragen of ze hier iets afgeleverd hebben,' zegt ze. 'En we controleren haar creditcardrekening om te zien of ze de bloemen misschien zelf heeft gekocht.'

'Ik vraag me af of iemand anders ze betaald heeft.'

'Iemand die toegang had tot haar bankrekening. Iemand die kon beschikken over haar cheques,' zegt Burke. 'Het kan geen familielid zijn geweest. Haar familie is dood.'

'Er zijn niet veel mensen die het kaartje uit een bos bloemen halen en het weggooien. In ieder geval niet als de bloemen afkomstig zijn van iemand die iets voor hen betekent.'

'Ik heb nog niet bij het afval gekeken.'

'Ik zal je vraag zo goed mogelijk beantwoorden.' Ik kijk naar de tijdschriften op de salontafel. 'Op grond van de toestand waarin het lichaam verkeert, schat ik dat ze al maanden dood is.'

Antiques & Collecting, Antique Trader en de *Smithsonian* van december tot en met april.

'Het is heel belangrijk om zeker te weten hoe lang ze dood is,' zegt Burke. Dat is wat ze van me wil, en ze is van plan tegen me in te gaan omdat ze al denkt te weten waar ze naar zoekt en wat ze wil bewijzen.

Ze heeft een of andere theorie die ik op het moment niet kan doorgronden, maar ik weet zeker dat ik niet om de voor de hand liggende redenen gevraagd ben dit huis door te lopen. Ik ben hier niet om te kijken of ik sporen van geweld zie, van verstikking of een overdosis drugs. Ik ben hier vanwege Marino.

Naar hem wil Burke vragen, en ik voel het onvermijdelijke als een loden last op mijn schouders drukken, alsof er iets donkers en zwaars over me heen dreigt te vallen waaraan ik niet kan ontsnappen, waar ik niet eens voor durf weg te rennen, omdat dat de zaak alleen nog maar erger zal maken. Ik weet waar ze naartoe wil, en Benton heeft het zien aankomen. Hij heeft me op zijn eigen manier gewaarschuwd toen we hierheen reden. Burke is op de hoogte van details over Marino's verleden die in geen enkel dossier te vinden zijn.

'Maanden? Twee, drie, vijf maanden? Hoe bereken je dat nou als je een lijk bekijkt?' vraagt ze, en ik doe mijn best om iets uit te leggen wat helemaal niet eenvoudig is. Intussen loop ik de keuken in, waar een antieke eiken tafel en een met de hand gemaakte ijzeren kroonluchter de show stelen.

De twee porseleinen spoelbakken zijn leeg en droog, het koffiezetapparaat is schoon, de stekker is uit het contact getrokken, en de jaloezieën van de ramen aan weerszijden van de deur naar de garage zitten dicht. Ze loopt achter me aan, laat mij voorgaan, en let amper op wat ik allemaal zeg terwijl ze op haar telefoon blijft kijken en vragen blijft stellen waarmee ze steeds dieper lijkt in te hakken op wie en wat ik ben. Ik kan het niet helpen, ik voel me verraden. Ik heb onwillekeurig het idee dat Benton een kant heeft gekozen, en dat is niet mijn kant. Tegelijkertijd begrijp ik het volledig en zou ik niet anders van hem verwachten.

De FBI doet zijn werk, net als ik het mijne doe, en Burke kan me alles vragen wat ze wil zonder me op mijn rechten te wijzen, omdat ik geen arrestant ben. Ik word nergens van verdacht en word zelfs niet verhoord. De verdachte is Marino. Ik kan een eind aan deze ondervraging maken wanneer ik maar wil, maar dat zou haar argwaan jegens hem slechts aanwakkeren.

'Het is niet mogelijk om precies vast te stellen hoe snel een lichaam is uitgedroogd als je de omstandigheden niet kent.' Ik leg haar het een en ander uit over mummificatie en ze blijft overal vragen bij stellen. 'Hoe warm was het? Hoe koud? Hoe vochtig?

Stanton is geen Franse naam.' Ik kijk om me heen. 'Het antiek en andere spullen in dit huis zijn Frans, heel mooi en vrij uniek. Wat was haar meisjesnaam?'

'Margaret Lynette Bernard. Peggy Lynn. Geboren op 12 januari 1963 in New York. Haar vader was een Franse antiekhandelaar met winkels in New York, Parijs en Londen. Ze is in de stad opgegroeid en heeft aan Columbia een master in maatschappelijk werk gevolgd, maar die heeft ze niet afgemaakt, waarschijnlijk omdat ze ging trouwen en een gezin ging stichten.'

Burke heeft research gedaan, archieven doorgespit en in een oogwenk een heel leven blootgelegd, of eigenlijk met de aanslagen op het toetsenbord van een internetexpert als Valerie Hahn. Vreemd trouwens dat die niet hier is, bedenk ik plotseling. Er lijken non-stop e-mails op Burkes telefoon binnen te komen.

'Wat een offers. Moet je zien wat ze allemaal voor hem heeft opgegeven, en dan besluit die vent bij slecht weer te gaan vliegen.' Ze komt niet van haar plek en kijkt me met waterige ogen aan. 'Fout van de piloot.' Ze niest, en ik denk eraan hoe ironisch dat is.

Het DNA van de FBI zal overal in dit huis te vinden zijn, niet dat van Marino.

'Is dat de conclusie van de NTSB of die van jou?' informeer ik.

'Hij is opgestegen in een te zwaar beladen toestel, heeft zich niet aan de minimum vliegsnelheid gehouden, en het is mogelijk dat de negenjarige dochter Sally aan de knuppel zat...'

'Werd het toestel bestuurd door een negenjarig kind?'

'Ze had les gehad en had er blijkbaar talent voor. Er was een heleboel aandacht van de media voor de nieuwe kleine Amelia Earhart.'

Updates vanuit het hoofdkwartier, denk ik. Zoekmachines die zich door het nieuws werken en relevante feiten aan Burke doorgeven, zodat ze me ermee kan overvallen als ze de kans krijgt. Ik kan gewoon naar buiten lopen en weggaan.

'Hoe dan ook, overtrek nadat het toestel van Nantucket was opgestegen. Voor honderd procent een fout van de piloot. Voor honderd procent een fout van de ouder.' Burke heeft haar oordeel al klaar.

'Hoe triest. Ik weet zeker dat een vader nooit met opzet zo'n fout zou maken,' antwoord ik. 'En wat heeft Peggy Lynn met haar leven gedaan nadat haar hele gezin was omgekomen?'

'Ze schijnt een paar onderscheidingen te hebben gekregen voor vrijwilligerswerk. Dat is in het nieuws geweest,' zegt Burke. 'Ze werkte met oude mensen en hielp ze met hun hobby's, knutselen en zo. Hoe lang denk je precies dat ze dood is?' vraagt ze alsof ik daar nog niets over gezegd heb.

Het keurige, zwart granieten aanrecht is bijna helemaal leeg, op een blocnote en een pen naast de telefoon na. Ik zie ook een zakje kattensnoepjes met zalmsmaak, dat is opengescheurd en weer is dichtgemaakt.

'Ik denk dat jullie dit mee moeten nemen.' Met mijn gehandschoende hand schuif ik de kattensnoepjes een stukje opzij. Onder het zakje ligt geen stof.

Burke staart naar het zakje op het aanrecht zonder dichterbij te komen. Op haar vlekkerige gezicht ligt een lege uitdrukking.

'De kat lijkt vermist te worden,' merk ik op. 'En zo te zien heeft iemand hem snoepjes gegeven, wat erop wijst dat de kat niet vermist werd toen het huis nog bewoond werd.'

'Ze zal de kat wel hebben meegenomen toen ze hier vertrok.' Haar stem klinkt nasaal. 'En ik zou zeggen dat ze hier duidelijk uit vrije wil is weggegaan en niet omdat ze ontvoerd werd. Het is duidelijk dat ze voorlopig niet van plan was terug te komen toen ze wegging.' Ze vuurt deze opmerkingen op me af alsof ik haar geduld danig op de proef heb gesteld en ze er schoon genoeg van heeft.

'Dus ze is vertrokken met haar kat maar zonder haar auto, mogelijk naar Illinois of Florida, en onderweg is er iets gebeurd wat er uiteindelijk toe heeft geleid dat ze in de baai is gedumpt,' vat ik kort een totaal onlogische gang van zaken samen.

'We weten niet of ze niet met iemand had afgesproken.' Ze trekt een schoon zakdoekje uit de mouw van haar Tyvek-overall. 'Misschien heeft iemand haar opgehaald en staat haar auto daarom nog hier. Het kan zijn dat ze de verkeerde persoon tegen het lijf is gelopen, iemand die ze via internet had ontmoet, bijvoorbeeld.'

De etensbakjes van de kat staan op een mat bij de buitendeur.

Een ervan is leeg, en in het ander zit een hard laagje, een restant blikvoer.

'Je kent Pete Marino al een hele tijd,' zegt Burke.

'Ik zou het meenemen voor onderzoek.' Ik herhaal mijn opmerking over de kattensnoepjes. 'Ik vind het niet in het plaatje passen. Er staan verder nergens open verpakkingen. Het moet naar het lab om te worden gecontroleerd op vingerafdrukken en op DNA. Ik zou het maar niet aanraken als ik jou was.'

Ze veegt haar neus af en niest. Haar handschoenen zijn niet schoon.

'Benton heeft me het een en ander over hem verteld.' Ze wil de kat nog steeds negeren en dat sta ik niet toe.

'Het ene bakje is leeg omdat het water is verdampt,' ga ik verder. 'In het andere bakje zat voer en dat is niet schoongemaakt. Soms is het net dat kleine ogenschijnlijk onbeduidende detail dat veelzeggend is.'

'Een moeizaam, problematisch huwelijk. Hij mishandelde zijn vrouw.'

'Volgens mij mishandelde hij Doris helemaal niet. Niet lichamelijk,' zeg ik, en ik kan me er geen voorstelling van maken hoe geschokt Doris zal zijn als ze de telefoon opneemt of de deur opendoet en erachter komt dat de FBI haar wil ondervragen over Marino.

'Een zoon die bij de georganiseerde misdaad betrokken raakte en die in Polen vermoord is.' Burke kijkt op haar telefoon.

Ik zou het zakje zelf kunnen meenemen, maar dat doe ik liever niet omdat het niets te maken heeft met het lijk en geen biologische sporen bevat. Toch maak ik mijn sporenkoffertje open. Burke laat me geen andere keus. Ik stel de kattensnoepjes veilig, plak een etiket op het zakje en zet mijn initialen erop.

'Je mag de mogelijkheid niet uitsluiten dat degene die verantwoordelijk is voor wat er met haar gebeurd is hier naderhand binnen is geweest.' Ik kan de verdwenen huissleutels en tas niet uit mijn hoofd zetten. Ik denk aan de autosleutel in de dure, antieke Lalique-kom. Iemand die zuinig was op haar spullen zou er nooit sleutels of andere voorwerpen in bewaard hebben die krassen of barsten in het kwetsbare glas zouden kunnen veroorzaken.

'Die zaak in Virginia van een jaar of negen geleden. Marino werkte inmiddels voor jou.' Burke dramt maar door en heeft inmiddels elke subtiliteit laten varen. 'Jij was terug in Richmond en werd geconsulteerd over de onopgehelderde dood van een klein meisje dat Gilly Paulsson heette.'

Dus dat hebben de zoekmachines inmiddels gevonden, denk ik.

'Er waren problemen toen jij en Marino daar waren,' zegt ze.

Dat kan niet op internet staan, en het is onwaarschijnlijk dat Marino het haar verteld heeft. Misschien heeft ze het van Benton. Het is ook mogelijk dat Gilly Paulssons moeder al ondervraagd is, veronderstel ik. Lucy weet waar Marino van beschuldigd is, maar tegenover Douglas Burke zou ze daar met geen woord over reppen.

'Een beschuldiging die volkomen ongegrond bleek.' Ik probeer niet al te verontwaardigd te klinken en niet te laten merken dat ik weet wat er nu gaat komen.

'Er is nooit proces-verbaal opgemaakt.' Burke typt de zoveelste e-mail.

'Dat is omdat het een ongegronde beschuldiging was door een gestoorde vrouw met wie Marino zo onverstandig was zich in te laten,' zeg ik.

'Zo te zien heeft hij aardig wat onverstandige dingen gedaan.'

'Bij de meeste relaties tussen mensen komen een hoop onverstandige dingen kijken.'

'Ik geloof niet dat zijn lijst erg normaal is.'

'Nee, dat zal wel niet.' Ik trek de deur van de koelkast open.

25

Er staan alleen maar kruiden en potten suikervrije jam in. Geen frisdrank of melk of etenswaren met een uiterste houdbaarheidsdatum erop waar we iets aan zouden kunnen hebben. Óf Peggy Stanton heeft haar koelkast uitgemest voordat ze een tijdje de stad uit ging, óf iemand anders heeft dat gedaan, met kwade opzet. Ik merk dat Burke nauwlettend in de gaten houdt wat ik doe en hoe ik daarbij kijk.

Ze is me aan het analyseren en houdt mijn hele wezen tegen het licht, en ik laat het gebeuren. Net als iedere andere vastberaden rechercheur zal ze proberen te kijken hoe ver ze bij me kan gaan. Ze heeft andere motieven, en misschien begint de pseudo-efedrine te werken en doet ze daardoor zo agressief.

'Je kent hem al ontzettend lang, toch, Kay?'

Ik zet mijn voet op het pedaal van de afvalbak en zie dat er niets in de afvalzak zit. Ik trek het gootsteenkastje open, haal er een doos met afvalzakken uit en zet die op het aanrecht.

'Misschien heeft iemand de pedaalemmer geleegd,' leg ik uit.

'Iemand anders. Misschien iemand die hier binnen is geweest om allerlei dingen te doen.'

'Hij is tamelijk opvliegend, is afgekickt en is de laatste maanden weer gaan drinken.' Burke kijkt alleen maar naar mij. Ze staat bij de deur, met haar armen over elkaar.

'Dit moet op vingerafdrukken en DNA worden onderzocht. Als jij dit niet veiligstelt, doe ik het.' Ik haal een papieren zak uit mijn koffertje om de afvalzakken in op te bergen.

'Hij is weer gaan drinken rond de tijd dat hij met Peggy Stanton is gaan twitteren.'

'Die leefde rond Labor Day niet meer.' Ik haal de lege afvalzak uit de pedaalemmer. 'Ze was toen allang dood.'

'Wanneer merkte je dat Marino weer was gaan drinken?'

'Ik weet überhaupt niet eens óf Marino weer is gaan drinken.'

'Was ze op Labor Day allang dood? Weet je dat absoluut zeker?'

Ik zeg dat ik daar inderdaad zeker van ben.

'Ik begrijp niet goed hoe je dat zo stellig kunt zeggen.' Ze toetst weer iets op haar mobieltje in. 'Eigenlijk is dat net zo subjectief als drie blinden die een olifant proberen te beschrijven.'

'Je moet met heel veel factoren rekening houden als je wilt bepalen hoe lang iemand dood is. Het ligt heel gecompliceerd.' Ik ben niet van plan mezelf voor haar lol in de verdediging te laten drukken.

'Vertel me eens waarom je er zo zeker van bent dat deze dame al in het voorjaar zou zijn overleden. Vertel dat eens, en dan niet op basis van data op tijdschriften, hoe verlept de bloemen zijn, hoeveel doorgebrande lampen er zijn of hoe overwoekerd de tuin is.'

Ik controleer het gasfornuis. De pitten doen het nog.

'Ze was nauwelijks aangevreten door insecten, er zat schimmel op haar gezicht en in haar hals, haar organen waren ontbonden, en dan was er nog haar kernlichaamstemperatuur: dat wijst er allemaal op dat ze een tijd in een afgesloten ruimte heeft gelegen, met droge lucht, waar het heel koud was,' leg ik haar nogmaals uit. 'Het zou kunnen dat ze in bevroren toestand is bewaard.'

'Ik heb ergens gelezen dat er binnen twee weken een volledige mummificatie kan optreden. Dus hoe lang deze dame al dood is, is puur gokken.'

'Echt niet, hoor.'

'Je hebt het over een aantal maanden. Iemand anders zegt een aantal weken.'

Ik doe de voorraadkast open en tref daar niets aan wat niet voor langere tijd bewaard kan worden. De gebruikelijke ingeblikte etenswaren, stuk voor stuk natriumvrij, en muesli, rijst en pasta.

'Om hier een gefundeerd oordeel over uit te kunnen spreken volstaat een snelle blik op internet niet.' Ik maak haar duidelijk dat iemand informatie van internet plukt, namelijk degene die haar de mailtjes stuurt.

'Er zijn vast wel deskundigen te vinden die een vergelijkbare achtergrond hebben als die van jou en die er heel anders over denken.' Ik heb haar woede opgewekt.

'Dat zal best.' Ik voel haar blik in mijn rug. 'Daarmee hebben ze nog niet meteen gelijk.'

Kennelijk at Peggy Stanton vaak salades. Een van de planken staat vol met caloriearme Italiaanse dressings, minstens twintig flessen die bij Whole Foods in de aanbieding waren. Ik doe de deur van de voorraadkast dicht.

Een dame die geen roekeloze dingen deed en die goed voor zichzelf en haar kat zorgde. Ze was zuinig. Ze had een vaste greep op de wereld die ze achterliet.

'Twee weken?' Ik ga in op wat Burke net heeft gezegd. 'Lichamen die binnen twee weken volledig gemummificeerd waren? Interessant.'

'Het staat in de vakliteratuur.' Ze doet nu openlijk vijandig. Zo is het beter.

Het is gemakkelijker. Laat haar gerust door haar inbox scrollen om me onder vuur te nemen.

'En waar was dat dan? Waar is een stoffelijk overschot gevonden dat al binnen twee weken volledig gedehydreerd was?' Ik loop de keuken uit.

'Ik kan je niet vertellen waar dat precies gebeurd is. Alleen dát het kan.'

'Dan zul je het wel over de Sahara hebben, denk ik.' Ik ga naar boven. 'De heetste woestijn ter wereld. Onder die omstandigheden zal een lichaam in een mum van tijd zeventig procent van zijn gewicht verliezen. Het is dan zo droog als beef jerky.'

Burke volgt me op de voet.

'Iemand van vijfenzestig kilo die volledig gemummificeerd is, weegt daarna nog zo'n twintig kilo, een lap leer met botten, een uitgedroogde harde huid die barst,' vertel ik haar. 'Dat is het gevolg van extreme hitte en een lage luchtvochtigheid. Het is niet iets wat je in dit deel van de wereld zult aantreffen.'

'Mensen zijn creatief. Vooral als het deskundigen betreft, als het iets is waarvan ze hun beroep hebben gemaakt.' Natuurlijk doelt ze nu op Marino. 'Experts in het onderzoeken van overledenen en al het bijbehorende forensisch bewijsmateriaal.'

Links van de overloop bevindt zich een logeerkamer, en recht vooruit achter de openstaande deur ligt de slaapkamer. Ik ga niet in op haar irritante opmerkingen.

'Op tv is overal herhaald dat je in de rechtszaal gezegd zou hebben dat het maanden zou duren voordat het lichaam van Mildred Lott in zeep was veranderd.' Het verbaast me niets dat Burke hiermee aan komt zetten, en ik vraag me af of ze daar ook een mailtje over heeft gekregen. 'Volgens jou was een van de voorwaarden daarvoor dat het lichaam in koud water ondergedompeld moest zijn.'

Op het grote tweepersoons hemelbed ligt een glad zwart-wit dekbed van damast, keurig ingestopt onder drie kussens. Het kussen dat het dichtst bij de telefoon op het nachtkastje ligt, is opgeschud, maar er zitten nog wel plooien in, alsof iemand erop gelegen heeft.

'Maar het klopt toch dat er ook lichamen in een dergelijke zeepachtige staat in waterdichte kisten en gewelven zijn aangetroffen?' Burke is niet van plan het erbij te laten zitten, en dat is haar goed recht. 'Dat lichamen adipocire vormden zonder dat er water in de buurt was?'

'Die kisten hoeven niet per se waterdicht te zijn geweest, ook al ging men daar misschien wel van uit,' antwoord ik.

'Je vindt blijkbaar dat je onfeilbaar bent.'

'Niemand is onfeilbaar. Maar veel mensen zijn slecht geïnformeerd.'

Ik sla het dekbed terug. Aan de ene kant van het bed is het onderlaken keurig glad, maar aan de kant bij de telefoon zitten er plooien in. Ik zie kattenharen, korte, grijswitte.

'Het beddengoed is niet afgehaald nadat hier nog iemand gelegen heeft.' Ik maak steeds foto's van alles wat ik tegenkom. 'Iemand heeft aan de rechterkant geslapen, bij de telefoon. Blijkbaar is de kat hier op een gegeven moment ook geweest. Ik zou graag even in het laatje van het nachtkastje kijken.'

Er ligt een opbeetplaat in een blauw plastic bakje, met daarop de naam en het adres van de tandarts uit West Palm Beach die Peggy Stanton zo onvakkundig heeft geholpen en haar onnodig op kosten heeft gejaagd. Ik zet twee flesjes met medicijnen op het nachtkastje, neem er een foto van en stop ze elk in een plastic zakje voor het lab.

'Spierverslappers, voorgeschreven door haar tandarts, dokter Pulling,' vertel ik Burke. 'Alle medicijnen moeten naar het lab. En ik wil de opbeetplaat graag meenemen. Misschien wil dokter Adams er even naar kijken.'

'Mijn punt is, Kay, en waar ik je objectieve oordeel graag over wil horen...' begint ze. Ik onderbreek haar.

'Waarom denk je dat ik ook wel eens níét objectief zou kunnen zijn?' Ik doe de kastdeur open.

'Je weet vast wel waar ik me zorgen om maak.' Ze klinkt nu niet meer beschuldigend of vijandig, maar welwillend, alsof ze goed begrijpt waarom ik Marino zou willen dekken, waarom ik de uitslagen van de sectie voor hem zou willen bijstellen of vervalsen.

Ik strijk met mijn gehandschoende handen langs de kleren die in de kast hangen. Veel broekpakken en broeken en bloezen die er stijfjes en ouderwets uitzien. Tussen de kleren hangen plankjes van cederhout, tegen de motten. Ik zie geen enkele jurk of rok, en geen colberts of jasjes met antieke of aparte knopen erop.

'Je geeft om hem,' zegt Burke, alsof dat een goede zaak is.

Peggy Stanton heeft haar gezin verloren en is daar nooit overheen gekomen. Alles is bij het oude gebleven, en de toekomst die ze ooit koesterde, is met dat vliegtuigongeluk te pletter gevallen. Ze leidde een strak georganiseerd en obsessief beschermd leven. Ik kan me nauwelijks voorstellen dat ze op Twitter zat.

'Zijn jullie al een computer tegengekomen?' vraag ik.

'Nog niet.'

Foto's op tafels en kasten dateren uit een tijdperk waarin Peggy Stanton mensen om zich heen had van wie ze hield. Haar man was iemand met een prettig voorkomen, ondeugende donkere ogen en donker haar, waarvan een lok over zijn voorhoofd viel. De twee meisjes deden aan paardrijden en zwemmen, en een van hen had iets met vliegtuigen. Geen van de foto's is van recente datum. Peggy Stanton staat op geen ervan.

'Als ze geen computer heeft, hoe kan ze dan hebben getwitterd?' vraag ik.

'Misschien heeft ze een laptop meegenomen toen ze wegging. Misschien twitterde ze vanaf haar mobieltje, haar iPad, of wat ze ook maar bij zich had toen ze van huis ging.'

'Ik zie niets waaruit blijkt dat ze enige interesse voor de nieuwe technologie had,' verklaar ik. 'Eigenlijk integendeel, als je naar die oude tv hier kijkt, en naar dat ouderwetse telefoontoestel.'

Ik doe een tweede kast open, waarin opgevouwen knoopjesvesten liggen, met blokken cederhout ertussen. Op een rekje onderin staan schoenen, spekzolen met lage hak, gemaakt voor het comfort, niet voor de flair. Het verbaast me niets dat Peggy Stanton voortijdig wit haar heeft gekregen en dat ze het niet verfde of liet stylen, noch dat ze onopvallende nagellak gebruikte, lichtroze, bijna vleeskleurig. Ik zie geen enkele aanwijzing dat ze enige moeite deed er fleuriger of aantrekkelijker uit te zien, los van wat de tandarts voor haar gedaan heeft, en ik vermoed dat ze daartoe is overgehaald.

'Nergens een kledingmerkje van *Tulle* of *Audrey Marybeth* of *Peruvian Connection* te vinden.' Onder in de kast zie ik een doos staan waarin een mannenhoed heeft gezeten. Er ligt een flinke laag stof op, en op het deksel staat in keurige blokletters FOTO's. 'De meeste kleding is maat acht of tien, niet maat zes. Ik zou graag even in deze doos willen kijken.'

In de doos zitten ingelijste foto's, stuk voor stuk van haar, een knappe vrouw met ravenzwart haar en donkere sprankelende ogen, levendig en totaal niet zoals ik me haar had voorgesteld nadat ik haar stoffelijk overschot had onderzocht, en nu ik haar bezittingen heb bekeken. In paardrijkledij, wandelend en in een kajak. Ook een foto van haar in Parijs, toen ze zo te zien in de twintig was, een avontuurlijke vrouw die vol leven zat voordat haar wereld tot stilstand kwam.

'Ik betwijfel het ten zeerste dat ze uit was op een amoureuze affaire of dat ze zomaar op internet met een onbekende zou aanpappen die zichzelf *The Dude* noemde,' merk ik op. 'Niets wijst erop dat ze een fanatiek bowler was. Ik neem aan dat er geen bowlingschoenen of een bowlingbal of prijzen zijn gevonden? En de kleding en sieraden die op het lijk zijn aangetroffen, lijken totaal niet op wat er op de foto's te zien is. De kleren lijken de verkeerde maat te hebben. Ze zouden veel te klein voor haar zijn geweest, althans toen ze nog leefde en niet gemummificeerd was.'

'Wat ik me afvraag, is of je de omstandigheden waaronder een lijk snel mummificeert ook zou kunnen nabootsen,' zegt Burke.

'Ik weet niet wat ze aanhad toen ze ontvoerd is of verdween,' zeg ik, 'maar het is niet wat ze droeg toen we haar uit het water haalden. Iemand heeft haar die kleren aangetrokken. Het is in scène gezet. Iemand heeft dat opzettelijk zo gedaan.'

Voor de kick. Ik denk aan wat Benton zei. De moordenaar zet iets in scène waardoor hij zichzelf belangrijk en machtig voelt. Bij het uitleven van zijn fantasie gebruikt hij slachtoffers die daar in feite los van staan. Zij zijn het niet die hij ontvoert en vermoordt.

'Is het mogelijk om de mummificatie op kunstmatige wijze tot stand te brengen?' zegt Burke. Ik weet waar ze naartoe wil.

'Je bedoelt of het lichaam bijvoorbeeld in een heel hete en droge ruimte kan zijn gelegd,' – ik zeg wat ze wil horen – 'en daar gedehydreerd is geraakt?'

Ik loop de badkamer in, zwart-witte tegeltjes en een badkuip op leeuwenpoten, met koperen kranen.

'Dan zou je toegang tot zo'n plek moeten hebben, en er zeker van moeten zijn dat niemand erachter zou komen wat je deed.' Ik ga door op de weg die ze al is ingeslagen.

'Het is toch waar dat een stoffelijk overschot binnen elf dagen gemummificeerd kan raken als het in een afgesloten ruimte wordt gelegd waar het heet en droog is?' Ik ben er inmiddels achter wat haar theorie is, maar nu spreekt ze zich pas echt uit. 'Als de dader nu een sauna in zijn kelder heeft gebouwd? Kan het daar niet in?'

'Zoals Marino gedaan heeft, bedoel je?'

'Ja,' zegt ze. 'Zoals hij gedaan heeft toen hij van de zomer zijn huis kocht.'

'Je bedoelt die sauna die plaats biedt aan één persoon, die dan op een bankje moet zitten dat nauwelijks groter is dan een wc-bril?'

In de douchecabine tref ik dezelfde tegeltjes aan. Er liggen uitgedroogde stukken zeep, en niets lijkt onlangs nog gebruikt. Ik doe de spiegeldeurtjes van het medicijnkastje open dat boven de schelpvormige marmeren wastafel hangt. De kastgrepen en het beslag zijn van malachiet en brons.

'Die afschuwelijke zweetkist die op een mobiel toilet lijkt?' vraag ik.

Ze heeft nog meer opbeetplaten, allemaal van dezelfde tandarts uit West Palm Beach.

'Een sauna met een timer van een uur, zodat je dat ding constant opnieuw moet instellen?' ga ik verder. Burke blijft zwijgend in de deuropening staan.

Ik bekijk medicijnflesjes. Nog meer spierontspanners, Flexeril, Norflex, en de ontstekingsremmers Vioxx en Celebrex. Ook nam ze een antidepressivum, nortriptyline. Alle medicatie is voorgeschreven door dezelfde tandarts, dr. Pulling, en past in een behandeling voor een temporomandibulaire disfunctie, TMD.

Ze had het in ernstige mate, en waarschijnlijk leed ze chronisch pijn. Ze liet zich aan haar gebit behandelen om iets aan die afschuwelijke aandoening te doen, een ziekte waardoor haar kaken los of op slot konden komen te zitten, ze een piep in haar oren kon krijgen, en ze pijn kon hebben die uitstraalt naar de nek en de schouders, wat slopend kan zijn.

'Dus hij heeft haar langzaam gedehydreerd, waarbij hij elk uur naar beneden moest lopen om de timer opnieuw in te stellen, ook vorige week, toen hij in Florida zat?' Ik probeer niet al te sarcastisch te klinken. 'Dat bouwpakket, dat hij trouwens gekocht heeft om af te vallen, is zo klein dat er alleen ruimte is om het lijk in een zittende positie neer te zetten.'

Ik loop de slaapkamer uit.

'Ze zou dan in die positie zijn gedehydreerd.' Ik praat door terwijl ik de trap af loop. Burke volgt me nog steeds op de voet. 'En als het lichaam werd gestrekt, bijvoorbeeld door gewichten of drijvers die eraan trokken toen het in het water werd gegooid? Als je dan spanning op de gewrichten zet, scheurt de huid. Er zijn geen barsten in de huid waargenomen, en haar kernlichaamstemperatuur was kouder dan het water, wat alleen mogelijk is als het lichaam ergens gekoeld was, misschien zelfs ingevroren.'

We staan weer in het halletje. Ik blijf bij de tafel met de glazen kom staan, waar Peggy Stanton haar autosleutel nooit neergelegd zou hebben. Burke en ik staan tegenover elkaar, allebei met een capuchon op en in het wit gekleed. Geen van ons doet enige moeite vriendelijk te doen.

'Hij heeft je vijf jaar geleden in Charleston, South Carolina, aangerand.' Ze vuurt het schot af dat ze voor het laatst bewaard heeft. 'Hij is 's avonds laat naar je toe gegaan en heeft geprobeerd je te verkrachten. Je hebt daar nooit aangifte van gedaan.'

Er ligt enige triomf in haar stem, en ik weet zeker dat ik me dat niet verbeeld.

'Waarom zou je ons nu wel iets vertellen wat nadelig voor hem kan zijn als je dat toen hebt nagelaten, na wat hij je had aangedaan?' zegt ze.

'Je kent de feiten niet.' Ik hoor voetstappen in de portiek.

'Dan vraag ik je die nu te vertellen.'

Ik geef geen antwoord, omdat ik dat vertik.

'Weet je wat de verjaringstermijn voor seksueel misbruik is in South Carolina?'

'Nee.'

'Die termijn is nog niet verstreken,' zegt ze.

'Dat is niet relevant.'

'Je neemt hem dus nog steeds in bescherming.'

'Je kent de feiten niet,' zeg ik nog eens.

'Ik zal je een feit vertellen. Hij had altijd een metaaldetector, waarmee hij ging schatgraven. Nog iets wat je van hem weet,' zegt Burke, en dit is precies waar ze al die tijd op gewacht heeft.

Dit is precies waarom ik hier samen met jou in dit huis ben.

'Peggy Stanton had knopen uit de burgeroorlog op haar jasje. Heeft Marino de moeite genomen je te vertellen dat hij met een vrouw twitterde die antieke knopen verzamelde?'

'Ik heb in dit huis nog geen enkel spoor van een antieke knopencollectie aangetroffen,' zeg ik, waarbij ik probeer niets van mijn emoties te laten blijken.

'Je wilt niet vertellen wat hij je heeft aangedaan.'

'Dat klopt.'

'Snap je waar ik nu tegenaan loop? Denk niet dat ik het leuk vind om dit ter sprake te moeten brengen. Het spijt me...' begint Douglas Burke te zeggen, maar dan gaat de voordeur open en waait er regen naar binnen.

Benton heeft iets bij zich wat in een handdoek is gewikkeld.

'Als hij echt van plan was geweest me te verkrachten, kan ik je verzekeren dat hij daarin geslaagd zou zijn.' Het maakt me niet uit wie het allemaal hoort. 'Pete Marino is een zeer forse vent, en op het tijdstip waarop dit plaatsvond, was hij gewapend. Als hij van plan was geweest me fysiek te overmeesteren of een pistool tegen mijn slaap te drukken om me tot bepaalde handelingen te dwingen, zou hij dat gedaan kunnen hebben. Maar dat deed hij niet. Hij is opgehouden met iets waaraan hij nooit had moeten beginnen, maar hij is er wél mee opgehouden.'

Benton en Machado staan druipend van de regen op het met

plastic afgedekte kleed, onder de kroonluchter. De handdoek is vies en nat, en ik zie dat er plukjes van een grijze vacht uit steken.

'Een kapot raam zonder hor ervoor,' zegt Machado. Wat hij net heeft opgevangen van het gesprek lijkt in de lucht te blijven hangen. 'Vlak boven de grond, en er zit geen alarm op de garage, dus misschien heeft deze kat het raam opengeduwd en is de hor toen losgegaan. Dus dat beest is steeds in de garage geweest, kon erin en eruit, en heeft daar in een doos liggen slapen. Waarschijnlijk is er om het huis genoeg eten te vinden, of misschien kreeg hij ergens in de buurt te eten.'

Ik neem de kat van Benton aan, een kortharig grijswit beest met goudkleurige ogen en platte oren, een Scottish Fold die er een beetje als een uil uitziet. De vlooienband die hij omheeft, is verschoten en oud.

'Geen naamplaatje,' zegt Benton. Hij kijkt Burke doordringend aan.

'Duidelijk een binnenkat. Een vrouwtje. Hoe heet je?' Ik sla een schone handdoek om haar heen, en ze verzet zich niet. 'Ik snap het al. Je bent niet van plan me te vertellen hoe je heet.'

Ze is mager en vies maar lijkt in betrekkelijk goede conditie. Haar nagels zijn heel lang en gekromd en vlijmscherp.

'Nou, dat beest kan niet uit zichzelf naar buiten zijn gegaan.' Benton kijkt me aan, en hij weet precies wat er gebeurd is. 'En ze zou het dier nooit hebben achtergelaten.'

Peggy Stanton zou haar kat niet uit huis hebben gezet als ze van plan was geweest de stad uit te gaan. Benton kookt van woede.

'Wie heeft haar kat eruit gelaten?' Hij trekt zijn witte capuchon naar achteren en strijkt met zijn vingers door zijn haar. 'Iemand die geen snars om een mensenleven geeft, maar dieren geen kwaad zal doen.' Hij bukt zich om de beschermhoesjes van zijn schoenen af te trekken. 'Als die kat hier in huis was gebleven, zou het beest van de honger zijn omgekomen. Daarom is hij teruggekomen. Hij heeft zichzelf toegang tot het huis verschaft. Hij kende de code van het alarm. En hij had haar sleutels.'

'Er lag een opengemaakt pakje kattensnoepjes op het aanrecht.' De poes heeft haar kop onder mijn kin genesteld en spint.

'Misschien snoepjes waarmee hij haar kon lokken zodat hij haar het huis uit kon zetten?'

'Waar zijn die snoepjes?' Machado doet zijn schoenhoesjes uit. Ze zijn nat en vies doordat hij naar buiten is geweest.

Ik wijs naar de zakken met bewijsmateriaal die ik op het tafeltje in de hal heb neergelegd.

'Als hij de kat moest lokken, was het geen bekende,' zegt Benton.

'Probeerde ze van je weg te rennen?' vraag ik.

'Nee. Ze kwam meteen naar ons toe toen we in de garage waren.'

'Nou, jullie vertrouwde ze blijkbaar wel, maar hem misschien niet. Misschien voelde ze aan dat ze bij hem op haar hoede moest zijn,' zeg ik. Ik vraag me af wat ik met die kat aan moet. Die ga ik hier niet achterlaten.

'Kennelijk is het elektrische schakelbord onlangs nog veranderd.' Benton richt zich tot mij en negeert Douglas Burke. Ik weet wanneer hij kookt van woede. 'Er is een extra schakeling die niet volgens de regels is aangelegd. In de kelder.'

'Waarmee verbonden?' De kat geeft kopjes tegen mijn oor en spint.

'Nergens mee. Geen kabels die naar het hoofdschakelbord lopen. Blijkbaar is er iemand langs geweest, misschien een klusjesman of een elektricien, die niet helemaal volgens de officiële regels heeft gewerkt. Zo te zien wilde ze een apparaat gaan gebruiken waarvoor een nieuwe groep nodig was.' Benton keurt Burke geen blik waardig, staat praktisch met zijn rug naar haar toe. 'Er loopt een kabel van het extra paneel langs de muur naar een nieuwe contactdoos.'

'Onlangs nog gebeurd? Hoe onlangs?' vraagt Burke. Het is Machado die antwoord geeft, maar niet aan haar.

Hij legt me uit dat er een werkblad in de kelder staat, een grote tafel met kwasten, bakvormen, houten keukengerei, en een deegroller.

'Alsof ze in de kelder wilde gaan bakken,' zegt Burke. Machado beschrijft een verrijdbare wasbak, en ik heb geen idee wat hij bedoelt.

'Een verrijdbare wasbak?' zeg ik niet-begrijpend. 'Op een

kraan aangesloten? Waarom zou ze in de kelder willen gaan bakken? Waarom zou ze dat niet gewoon in de keuken doen?'

'Het is eigenlijk meer een plastic bak op wieltjes. Ik kan het je wel even laten zien als je wilt,' zegt Machado.

'Ja, voordat ik dit allemaal uittrek.' Ik bedoel de beschermende kledij. 'Ze vindt het blijkbaar niet erg dat ik haar vasthoud, dus dan zal ze het ook wel niet erg vinden als we even een kijkje gaan nemen. Kun je van de kelder rechtstreeks naar buiten?'

'Er is een deur die de brandweer heeft gebruikt om binnen te komen.'

'Dan kunnen we wel naar beneden gaan en van daaruit naar buiten.'

'Die gootsteen of wasbak ziet er behoorlijk nieuw uit en staat vlak bij de hoek waar de nieuwe elektriciteitsaansluiting zit.' Hij trekt schone hoesjes over zijn schoenen aan. 'Overal liggen afgeknipte stukken elektriciteitsdraad. Zwart, wit, groen, 16 mm-draden die je gebruikt voor de nuldraad en de aarding,' legt hij uit. 'Ik weet niet wat ze van plan was, maar zeker is dat ze er niet aan toe gekomen is. Misschien wilde ze een oven installeren, maar ik geef toe dat het een vreemde plaats is om koekjes of weet ik veel wat te gaan bakken. We moeten zien uit te vinden wie die bedrading heeft aangelegd.'

26

Het regent niet meer, maar de avond is kil en nat als ik alleen met de kat naar huis rijd.

Benton heeft Burke gevraagd hem een lift te geven naar het CFC zodat hij zijn auto kon ophalen, maar ik geloof niet dat dat de echte reden is. Ze zullen ruzie maken. Hij zal haar laten weten wat hij ervan denkt dat ze pseudo-efedrine gebruikt, speed dus eigenlijk, en dat ze me in die toestand zo fel heeft aangevallen, allergie of niet. Ze is ver over de schreef gegaan. De reden kan me geen donder schelen, en hem ook niet. Hij is woedend om wat hij haar heeft horen zeggen, en dat is niet meer dan normaal.

Niet dat ik niet begrijp waarom Burke alles over Marino moet weten, maar als ik rechercheur was, zou ik niet zo fel hebben aangedrongen. Het was verkeerd. Sarren. Pure intimidatie. Ze kan maar op één manier hebben geweten waarmee ze me kon confronteren, en ik zie voor me hoe ze met Benton heeft gepraat en twijfel er niet aan dat hij zich gedwongen voelde het een en ander te vertellen. Hij kon niet liegen of de vragen omzeilen, natuurlijk niet. Ik houd mezelf voor dat ik het hem niet kwalijk kan nemen dat hij eerlijk is geweest; hij kon immers niet naar waarheid zeggen dat Marino nooit in staat is gebleken tot geweld, en in het bijzonder seksueel geweld, want dat is hij wel.

Maar Burke had niet naar de gore details hoeven vragen en me hoeven verhoren alsof ze het voor zich wilde zien, alsof ze me wilde vernederen en overweldigen, precies wat Marino deed, en dat zit me dwars. Ik vraag me af wat voor reden ze ervoor had en begrijp tot mijn verbijstering hoe gebeurtenissen zo ver kunnen wegzinken in het verleden dat ze een bocht kunnen maken en weer in het heden uit kunnen komen. Wat Marino vijf jaar geleden heeft gedaan, komt weer heel dichtbij, zo dichtbij dat het tastbaar is en ik het kan horen en ruiken als een posttraumatische flashback. Verdoofde zenuwen zijn weer tot leven gekomen en prikken pijnlijk onder het rijden. Daar kom ik wel overheen, maar ik vergeef het Douglas Burke nooit. Ze heeft me willens en wetens gekwetst terwijl dat nergens voor nodig was, zeker niet om verdomme haar punt te maken.

Ik rijd langs Massachusetts Avenue en over Harvard Square. De kat ligt in de handdoek op mijn schoot en ik vind het vervelend dat ik niet weet hoe ze heet. Ik wil het met alle geweld weten, want ze heeft die naam al een hele tijd, waarschijnlijk sinds ze een kitten was, en ik wil haar geen naam geven die niet bij haar past. Ze heeft al genoeg doorgemaakt.

Ze heeft in weer en wind buiten gelopen en god mag weten hoeveel trauma's dat haar heeft bezorgd, hoe eenzaam ze is geweest en hoeveel honger en ongemak ze heeft doorstaan. Ik stel me voor hoe Peggy Stanton voer en water in de bakjes in de keuken heeft gedaan. Ik zie voor me hoe ze haar tas en sleutels heeft gepakt en is vertrokken met de vaste bedoeling weer naar huis terug te keren. Maar de volgende keer dat de deur openging, kwam er iemand anders binnen.

Een vreemde die haar sleutels gebruikte. Hij is waarschijnlijk door de keukendeur binnengekomen om niet gezien te worden door de buren of voorbijgangers. Deze persoon, die haar op de een of andere manier heeft ontvoerd en vermoord, typte de alarmcode in, liep van de ene kamer naar de andere en liet in sommige het licht aan. Ik blijf piekeren over de bloemen en vraag me af van wie die afkomstig zijn. Die autosleutel in de Laliquekom zit me ook dwars, want ik heb het gevoel dat die opzettelijk daar is achtergelaten.

Voor wie?

Bloemen zonder kaartje. Verse bloemen die nooit zijn weggegooid. Al het verse eten en andere bederfelijke waar in de keuken was opgeruimd, maar niet de bloemen, en dat blijft maar door mijn hoofd spoken terwijl ik denk aan de sleutel, die is achtergelaten bij een deur die de moordenaar volgens mij nooit gebruikt heeft.

Voor wie zijn deze dingen achtergelaten?

Ik ontgrendel mijn telefoon en bel Sil Machado, omdat ik Marino niet kan bellen.

'Met dokter Scarpetta.'

'Dat is ook toevallig.'

'Hoezo?'

'Wat is er aan de hand, doc?'

'Ik zit te denken over het feit dat haar auto in de garage stond.' Ik rijd in noordelijke richting naar Porter Square.

'Die is al veilig bij jullie aangekomen. Hoezo? Wat is ermee?'

'De sleutel die je in het huis hebt gevonden,' zeg ik. 'Weet je zeker dat dat haar autosleutel is?'

'Ja. Ik heb het portier ermee opengemaakt om een blik naar binnen te werpen, maar ik heb niets aangeraakt en ook niet geprobeerd de auto te starten.'

'Mooi. En die sleutelhanger?'

'Ik heb de sleutel en de sleutelhanger, ja.'

'Ik zou ze wel eens willen zien.'

'Gewoon een sleutel aan zo'n sleutelhanger die je uit elkaar kan trekken, met een oud zwart kompas eraan dat wel eens van een van de meisjes geweest kan zijn,' zegt hij. 'Misschien zaten de meisjes op scouting. Welpen, heet dat niet zo? Hoe oud moet een meisje zijn om van de welpen naar de echte scouts te gaan?'

'We weten helemaal niet of haar dochters welpen of scouts waren.'

'Het kompas. Dat is echt een scoutingkompas.'

'Volgens mij kan het best zo zijn dat hij met de auto naar het huis is gereden, hem in de garage heeft gezet en de sleutel in die kom heeft gelegd omdat hij niet wist waar ze normaal gesproken haar sleutels bewaarde,' zeg ik. 'Waarschijnlijk kende hij haar helemaal niet. Maar hij kan de sleutel daar ook om een bepaalde reden hebben achtergelaten, een symbolische reden misschien, en dat is nog belangrijker.'

'Dat klinkt interessant.'

'Misschien was hij nooit eerder in haar huis geweest en heeft hij er na haar dood rondgelopen,' ga ik verder. 'Maar dat mag niet algemeen bekend worden. Ik wilde het per se tegen je zeggen, want ik heb het sterke gevoel dat hij niet beseft dat iemand daarachter zou kunnen komen.'

'Je bedoelt dat hij teruggegaan is naar haar huis.'

'Ik bedoel dat hij er überhaupt geweest is. Al was het maar één keer.'

'Interessant dat je dat zegt, want ik heb net de gegevens van het alarm binnengekregen. Voordat de brandweer met een koevoet de deur openbrak, is het alarmsysteem de laatste keer uitgeschakeld op zondag 29 april, 's avonds om tien voor twaalf. Iemand is toen bijna een uur binnen geweest en heeft daarna het alarm weer ingeschakeld. Die persoon is vertrokken en daarna niet meer teruggekeerd. Zoals ik al zei, is er tot vanavond niets meer met het alarm gebeurd.'

'Is er zelfs geen vals alarm geweest?'

'Ze heeft alleen maar deurcontacten. Geen bewegingssensoren of sensoren op de ruiten, niets van die dingen die vaak de oorzaak van een valse melding zijn.'

'En vóór 29 april?'

'De vrijdag daarvoor, op de zevenentwintigste, is iemand een paar keer binnen geweest. Om zes uur 's avonds heeft iemand bij het weggaan het alarm ingeschakeld, en het is pas uitgeschakeld op zondag de negenentwintigste, op het tijdstip waarover ik je net heb verteld. Iets voor middernacht.'

'Op die vrijdag zal zij het zelf wel geweest zijn die wegging. Ze is ergens heengegaan, wellicht in haar auto. En degene die zondagavond laat terugkwam, was iemand anders.'

'Tot zover kan ik je volgen.'

'Heb je toevallig gezien of er iets in de afvalbakken zat?' vraag ik.

'Helemaal leeg,' zegt hij.

'De vuilnisman komt op maandag,' merk ik op. 'Ik vraag me af of degene die in het huis was de bederfelijke etenswaren uit haar koelkast heeft gehaald, het afval in de container heeft gedaan en de container aan de straat heeft gezet.'

'En hem daarna weer onder het afdak aan de zijkant heeft teruggezet?'

'Ja. Mogelijk toen diezelfde persoon haar brievenbus leegde en de bezorging van de krant tijdelijk stopzette.'

'Jezus. Wie doet dat nou? Geen vreemde.'

'Ze was misschien geen vreemde voor hem. Maar dat betekent niet hij geen vreemde voor haar was. Ik wil niet zeggen dat ze elkaar nooit zijn tegengekomen, maar dat betekent nog niet dat ze hem persoonlijk kende of zich zelfs maar van zijn bestaan bewust was.' Ik denk aan alles wat Benton heeft gezegd over de persoon die we zoeken. 'Ik zou morgenochtend vroeg graag meteen haar auto willen laten onderzoeken op vingerafdrukken en andere sporen. Met andere woorden, alles uit de kast. Niet alleen de kilometerstand en de gps moeten gecontroleerd worden, maar alles. Kun je erbij zijn?'

'Met alle toeters en bellen.'

'En als je soms papierwerk tegenkomt, zoals verslagen of rekeningen van de dierenarts, zou je dan willen kijken hoe de poes heet?'

'Misschien is ze gechipt.'

'Ik zal haar bij de dierenarts laten scannen,' antwoord ik. 'Misschien kan Bryce dat morgen even doen. Dat kan een identiteitsnummer in de National Pet Registry opleveren.'

Als ik de verbinding heb verbroken, ga ik linksaf White Street in. Ik vind het naar dat ik niet weet hoe ik haar moet noemen.

'Het spijt me ontzettend, maar ik kan je niet gewoon "poes" noemen,' zeg ik tegen haar. Ze spint luid. 'Als je kon praten, kon je me vertellen wie je het huis uit heeft gezet, wat voor slecht mens dat gedaan heeft. Niet iemand die gewoon wat minder aardig is, maar een slecht mens. Je zult wel bang voor hem geweest zijn, omdat je voelde hoe hij in elkaar steekt. Een onopvallend type, maar zonder genade. En jij had dat door, hè? Toen hij het huis in kwam? Je wilde eerst niet naar hem toe komen, maar toen haalde hij je over met die snoepjes die ik op het aanrecht heb zien liggen.'

Ik streel haar kop met de gevouwen oren, en ze wrijft haar gezicht tegen mijn handpalm.

'Of misschien ben je de deur uit gerend. Misschien ben je gevlucht. Ik koop een zak snoepjes voor je. Dezelfde, met zalmsmaak, want ik weet dat je bazin die ook voor je kocht. Er stonden er een heleboel in een kastje. En ook kalkoen en zalm zonder granen, want die zag ik ook in de keuken, een flinke voorraad. Ze zorgde ervoor dat je goed en gezond te eten kreeg, nietwaar? Zo te zien heb je geen vlooien, maar ik zal je toch maar in bad doen, dus je zult wel boos op me worden.'

Het is bijna middernacht als ik het parkeerterrein van de Shaw-supermarkt op rijd, die wordt verlicht door hoge lantaarns en wordt begrensd door kale bomen die bewegen in de aanzienlijk afgenomen wind.

'Ik denk dat ik je Shaw noem, want dit is de eerste plek die we samen bezoeken.' Ik parkeer vlak bij de ingang met zijn zuilen van baksteen. 'Je moet het me maar niet kwalijk nemen dat ik niet precies weet wie je bent. Niet bang worden, maar ik moet je een paar minuten in de auto achterlaten omdat ik niets in huis heb voor een kat. Alleen voer voor een hond, zijn uiterst saaie visdieet en snoepjes van zoete aardappels. Ik heb een oude hazewindhond die Sock heet. Hij is heel verlegen en zal wel bang voor je zijn.'

Ik laat haar in de handdoek gewikkeld op de passagiersstoel liggen, doe het portier dicht en wil net op de afstandsbediening drukken om het af te sluiten als ik verblind word door de koplampen van een auto die de parkeerplaats op rijdt. Een paar tellen kan ik niets zien, maar dan gaat er een raampje naar beneden en zit Sil Machado tegen me te lachen.

'Hé, hoe gaat het, doc?'

'Ik doe boodschappen voor de kat.' Ik loop naar zijn Crown Vic. 'Volg jij mij?'

'Weten we wel zeker dat het haar kat is?' Hij zet de versnelling in de parkeerstand en steekt zijn elleboog door het raampje naar buiten. 'Ja, inderdaad, ik volg je. Iemand moet het doen.'

'Logischerwijs zou het haar kat moeten zijn. Maar ik weet het niet zeker. Ze lijkt in ieder geval eenzaam en dakloos.' Ik kijk om me heen over het bijna lege parkeerterrein. Helemaal aan de andere kant duwt iemand een winkelwagentje voort. 'Ga je mee naar binnen?'

'Ik heb niets nodig,' antwoordt hij. 'Ik zorg alleen dat je veilig thuiskomt.'

Het lijkt een vreemde opmerking.

'Ik weet dat je gewend bent om bij nacht en ontij overal heen te rijden. Maar ik wil gewoon dat je veilig bent,' herhaalt hij.

'Weet jij iets wat ik niet weet?' Ik zie de zakken met bewijs-materiaal op de donkere achterbank staan, waar ik zelf het een en ander van veiliggesteld heb.

'Iemand die bekend is in Cambridge, toch?'

'Iemand die haar huis en de buurt kent. In elk geval iemand die zich daar vertrouwd mee heeft gemaakt.' Ik doe een stap ach-teruit om door het raampje van mijn SUV te kunnen zien of alles goed is met de kat.

Ze zit rechtop op de handdoek.

'Hij heeft de post uit de brievenbus gehaald, nietwaar? Mis-schien haar afval in de container gegooid en die aan de straat gezet?' Machado kijkt naar me met een ernstige blik in zijn ogen, die zo hard is als graniet. 'Dat geeft mij het idee dat die vent hier veel te goed thuis is. Hij weet wanneer hij de post moet ophalen, waarschijnlijk minstens eens per week. Hij weet wanneer de vuil-nisman komt. Ik vond het erg wat er gebeurde. Ik bedoel, Burke ging veel te ver.'

'Ik weet niet hoeveel post ze kreeg.' Ik wil niet ingaan op zijn laatste opmerking.

'Marino en ik gaan vaak samen weg op onze Harleys. Zo zijn we goede vrienden geworden.' Machado kijkt langs me heen.

'Hij komt langs met pizza of voor een kop koffie, en soms spreken we af bij de sportschool. Hij is echt een goede vent en heeft enorm veel respect voor jou. Ik had er geen idee van. Ik bedoel, ik weet niet wat ik moet zeggen, maar ik weet wel hoe hij over jou denkt. Ik weet dat hij voor je door het vuur zou gaan.'

'Ik ga ervan uit dat de dader haar post een keer per week of een paar keer per maand ophaalde op een tijdstip waarop hij waarschijnlijk niet gezien zou worden. Hij wilde natuurlijk geen argwaan wekken, want hij kon niet hebben dat mensen naar haar gingen zoeken terwijl hij haar lijk nog ergens had, in de maanden dat hij het ergens had opgeslagen.' Ik ga niet met hem over Marino praten. 'Heb je die sleutelhanger bij je?'

'Ja, natuurlijk.' Hij vist een bruine papieren zak van de achterbank.

Hij doet hem open en haalt er een kleinere zak uit met de autosleutel erin. Die geeft hij door het raampje aan mij.

'Ik heb nog nooit een zaak bij de hand gehad waarbij de dader zo brutaal was. Dit is niet normaal, doc.'

'Wanneer is moord ooit normaal?' Ik houd het doorzichtige zakje omhoog en laat het licht van mijn telefoon erop vallen.

'Dus jij denkt dat het een of andere zieke geest is die in een zieke fantasiewereld leeft, maar dat hij eruitziet als een doodnormale man.'

'Wat denk je zelf?' Het is een autosleutel met een batterij erin en een knop erop waarmee de auto op afstand kan worden geopend. Het kompas is eraan bevestigd met een makkelijk uit elkaar te trekken sleutelhanger met een ring aan beide uiteinden.

'Ja, dat staat wel vast. Iemand die totaal niet opvalt. Iemand die je geen tweede blik waardig keurt.'

'Die sleutelhanger ziet er vrij nieuw uit.' Ik geef het zakje terug. 'Met aan de ene kant de sleutel van een Mercedes van achttien jaar oud en aan de andere een heel oud kompas.'

'Heel oud? Wat bedoel je daarmee? Zo oud als de auto, bijvoorbeeld?' Hij doet het plastic zakje weer in de papieren zak.

'Ik bedoel dat je erachter zult komen dat ze zulke kompassen al in geen tijden meer gebruiken bij de scouting. Minstens vijftig jaar niet meer, volgens mij.'

'Meen je dat? Misschien was het dan van Peggy Stanton.'

'Zij was negenenveertig, dus het is ook van voor haar tijd. Het hangt ervan af waar zij of iemand anders het kompas vandaan heeft.' Ik kijk nog eens naar de kat. 'Een oud kompas, een ring met een oude munt en antieke knopen op het jasje dat ze droeg. Iemand doet hier aan historische verzamelobjecten, maar wie?'

'Ga jij nou maar boodschappen doen,' zegt Machado. 'Ik blijf hier wachten en rijd straks voor de zekerheid achter je aan naar huis. Gewoon voor mijn eigen gemoedsrust.'

Ik loop naar de ingang met de groene luifel, ga naar binnen, duw een karretje naar de schappen met huisdierenartikelen en neem een kattenbak en een schepje, kattengrit, voer, snoepjes en een paar speeltjes mee. Verder pak ik een milde havermoutshampoo en een vlooienshampoo, en ook een nagelschaartje. Als ik weer bij mijn suv kom en de achterklep opendoe, zit Shaw met gestrekte achterpoten op de achterbank, in de typische houding van een Scottish Fold, die heel anders zit dan andere katten.

'Kom.' Ik til haar op. Machado's auto staat vlakbij, met brandende koplampen. 'Je mag weer in de handdoek op schoot, goed?'

Ze stribbelt totaal niet tegen als ik naar huis rijd met Machado vlak achter me. Ik vraag me af waar hij zich zorgen om maakt. Waarschijnlijk weet hij iets wat hij niet aan mij kwijt wil. Misschien heeft het te maken met Marino, maar ik kan niet geloven dat Machado ook maar een seconde zou denken dat Marino iets te maken heeft met de dood van Peggy Stanton of met de vermissing van een paleontoloog. Het hangt er natuurlijk wel van af wat Machado precies ter ore is gekomen, vooral als Burke hem dingen heeft ingefluisterd.

Ik rijd naar het zuiden en kom via Garfield en Oxford bij de Harvard Divinity School en Norton's Wood, waar de American Academy of Arts and Sciences onverlicht op het dichtbeboste terrein staat. Mijn banden suizen over het natte wegdek. Machado rijdt vlak achter me als ik via Kirkland in Irving Street terechtkom. Ons twee verdiepingen hoge huis in federale stijl is wit en heeft zwarte luiken en een leien dak. Ik kan niet zien of Benton thuis is. Ik rijd de smalle bakstenen oprit op en parkeer naast de vrijstaande garage. Machado stopt voor het huis en

wacht tot ik de boodschappen en Shaw uit mijn auto heb gehaald.

Ik maak de deur van de glazen portiek open en het alarm begint te piepen. Als ik de code heb ingevoerd, stap ik naar binnen
en duw ik met mijn heup de deur dicht. Aan de kant van de
woonkamer tikken de nagels van Sock op de hardhouten vloer.
Benton is er niet. Ik voel Shaw verstrakken in de handdoek als
Sock in de hal verschijnt, en ik kan hem niet behoorlijk begroe-
ten.

'We hebben bezoek,' zeg ik tegen de gestroomde hazewindhond met zijn grijzende snuit, die nooit haast lijkt te hebben.
'Jullie tweeën worden dikke vrienden.'

Ik doe de lampen aan als ik door de kamers loop, en in de
keuken met de kersenhouten kastjes en roestvrijstalen apparatuur zet ik de boodschappentassen neer. Ik sluit Shaw in de voorraadkast op, zodat ze niet kan weglopen of zich verstoppen. Dan
neem ik Sock mee naar de achtertuin, waar de laatste rozen zijn
uitgebloeid en het gebrandschilderde raam in het trappenhuis
van binnenuit stralend verlicht wordt. Ik verontschuldig me tegenover Sock omdat ik zo laat thuis ben. Uit de e-mails van de
huishoudster weet ik dat ze hem om vijf uur nog heeft uitgelaten
en dat ze hem een paar keer iets lekkers heeft gegeven. Maar hij
heeft nog geen voer gehad, tenzij Benton dat gedaan heeft, en ik
voel me net een ontaarde moeder.

Socks slanke silhouet met de lange poten en de spitse neus beweegt als een schaduw door de tuin met de stenen muur, waar
de buurtkinderen graag overheen klimmen. Hij heeft zijn favoriete plekjes waar geen lampen met bewegingssensoren zijn.
Daarna komt hij weer naar binnen en ik geef hem eten en aai
hem terwijl ik een spoelbak laat vollopen met warm water en
handdoeken klaarleg. Ik vraag me af waar Benton blijft.

'Ik heb al een hele tijd geen kat gehad,' zeg ik tegen haar als
ik haar uit de voorraadkast haal. Ze spint. 'En ik weet dat je dit
niet leuk gaat vinden. Je moet het maar beschouwen als een
schoonheidsbehandeling.'

Ik trek een keukenstoel bij, zet haar op mijn schoot en knip
haar nagels.

'Nou, het lijkt erop dat je hieraan gewend bent, maar misschien niet aan een bad. Katten hebben een hekel aan water, dat zegt iedereen tenminste, maar tijgers zwemmen graag, dus wie weet?'

Ik doe rubberen handschoenen aan, laat haar in het warme water zakken en smeer haar in met de vlooienshampoo en daarna met de havermoutshampoo, en als ze me met haar grote, ronde ogen aankijkt, begin ik te huilen.

Geen idee waarom.

'Je hebt je goed gehouden.' Ik wrijf haar droog met een grote, zachte handdoek. 'Ik heb nog nooit een kat gezien die zich zo goed gedroeg.'

Ik veeg langs mijn ogen.

'Eigenlijk lijk je wel een hond.' Ik kijk naar Sock, die op zijn kussen bij de deur ligt. 'Jullie zijn op ongeveer dezelfde manier alleen achtergebleven.'

Ik huil nog een beetje.

'Jullie baasjes zijn er niet meer, en nu heb ik jullie mee naar huis genomen, maar ik weet dat het hier niet hetzelfde is.'

Natuurlijk weet ik bij lange na niet wat dieren weten of zich herinneren, maar het is goed mogelijk dat Shaw Peggy Stantons beste maatje was en dat ze gezien heeft wie haar vermoord heeft. Maar ze kan het me niet vertellen. Ze kan het aan niemand vertellen. En nu bevindt deze stomme getuige zich in mijn huis en ligt op haar rug op een handdoek, in een positie die geen zichzelf respecterende kat ooit zou aannemen. Ik doe de schuifdeuren dicht en kijk in de koelkast of er iets staat dat ik zou kunnen opwarmen, maar niets wekt mijn eetlust. Dan maak ik maar een fles Valpolicella open, schenk mezelf een glas in en besluit verse pasta te maken met een eenvoudige tomatensaus. Ik loop de voorraadkast weer in. Shaw volgt me op de voet.

Ik pak een paar blikken gepelde tomaten, laat gezouten boter smelten in een pan en voeg er een doormidden gesneden ui aan toe. Ze wrijft spinnend langs mijn benen.

'Als Benton er was, zouden we buiten Italiaanse worstjes kunnen grillen,' zeg ik tegen de kat. 'Ja, het is koud en nat, maar daar zou ik me niet door laten tegenhouden. Kijk maar niet zo bezorgd. Ik doe het niet. Niet helemaal alleen in het donker.'

Ik hoop dat Machado vertrokken is, en dan schiet me te binnen dat ik het alarm weer aan moet zetten. Daarna zet ik water op met een beetje zout. Ik dek de tafel in de woonkamer en doe de open haard aan, en daarna drink ik nog wat wijn en probeer Benton nog een paar keer te bellen. Ik krijg meteen de voicemail. Het is al bijna één uur. Ik kan Machado bellen, maar ik wil hem niet vragen waar mijn man uithangt. Ik zou Douglas Burke kunnen bellen, maar dat verdom ik. Ik draai het gasfornuis uit en nestel me voor de open haard met Shaw op mijn schoot en Sock lekker tegen me aan. Ze slapen allebei en ik drink, en als ik dronken genoeg ben, bel ik mijn nicht.

'Ben je nog wakker?' vraag ik als Lucy opneemt.

'Nee.'

'Nee?'

'Dit is de voicemail. Wat kan ik voor je doen?' vraagt ze.

'Ik weet dat het laat is.' Ik hoor iemand op de achtergrond, of dat denk ik tenminste. 'Heb je de tv aan?'

'Wat is er aan de hand, tante Kay?' Ze is niet alleen, maar daar gaat ze mij niets over vertellen.

27

Ik word wakker zonder dat de wekker is gegaan, en even weet ik niet waar ik ben of wie er naast me ligt. Ik ga met mijn hand opzij onder de dekens, voel de warme slanke pols van Benton en zijn ranke vingers, en word leeg van binnen als mijn droom terugkomt. Toen was Luke bij me.

Die droom was zo levensecht dat ik nog voel waar hij me met zijn handen en mond heeft beroerd. Mijn zenuwen sidderen verlangend. Ik vlij me tegen Benton aan, streel over zijn gespierde naakte borst en buik, en wanneer ik hem zover gekregen heb, doen we wat we willen doen zonder er een woord bij te zeggen.

Als we verzadigd zijn, douchen we en beginnen van voren af aan. Het hete water klettert keihard op onze lijven, en hij is ook hard, bijna bozig. De wellust van toen we nog logen en bedrogen is terug. Gretig koelden we destijds de woede die onder het kalme oppervlak kolkte, en het gevoel van bevrediging hield nooit lang aan. We konden niet lang zonder elkaar, konden er geen genoeg van krijgen, en dat wil ik terug.

'Waar was je?' zeg ik in zijn mond, en hij duwt me tegen de natte tegelwand. Het water klettert oorverdovend op ons, en ik vraag het hem nog een keer.

Hij maakt me stilzwijgend duidelijk dat hij nu hier is, en ik ben ook hier en van top tot teen van hem. We vrijen zoals we dat ook deden toen het eigenlijk niet mocht, toen hij nog een vrouw had bij wie hij zich ongelukkig voelde, en dochters voor wie hij weinig betekende. Op een gegeven moment was hij een hele tijd weg.

Hij was nergens, en ineens was hij er weer, bij me maar ook weer niet, en Marino maakte de zaak er alleen maar erger op, en daarna voelde het anders als we elkaar aanraakten. Niets was nog hetzelfde, tot we door verraad en jaloezie opnieuw begonnen, als een gebroken bot dat slecht heelt en opnieuw gebroken moet worden. De pijn was noodzakelijk.

'Blijf deze keer,' zeg ik in zijn mond, terwijl het dampende water over ons heen stroomt. 'Blijf deze keer, Benton.'

Als we ons aankleden, vraagt hij wat ik heb gedroomd.

'Wat geeft jou de indruk dat ik heb gedroomd?' Ik laat mijn blik langs de kleren in mijn hangkast gaan, en het doet me denken aan mijn inspectie van de kast van Peggy Stanton.

'Maakt niet uit.' Hij staat voor de hoge spiegel en strikt zijn das.

'Dat maakt wel wat uit, anders vroeg je het niet.'

'Dromen zijn dromen tot het moment dat ze iets anders worden.' Hij houdt me via de spiegel in de gaten. Ik kies voor een onmodieuze broek, een trui en praktische halfhoge laarsjes die lekker warm zitten.

Het wordt weer een lange dag, hopelijk niet zo lang als gisteren, maar dan heb ik in elk geval een comfortabele corduroy broek en een kabeltrui aan. Het is heel koud, beneden het vriespunt.

Op de kale bomen en groenblijvende heesters heeft zich een laagje ijs afgezet, alsof ze gelakt of geglazuurd zijn, en als ik tussen de luxaflex door naar buiten kijk en inschat of de wegen berijdbaar zijn, loopt Benton over de houten vloer en het kleed naar me toe, legt zijn armen om me heen en zoent me in mijn nek.

Zijn handen glijden weer naar waar ze even geleden ook al waren, onder de kleren die ik net heb aangetrokken.

'Niet vergeten,' zegt hij.

'Ik ben het nooit vergeten.'

'De laatste tijd wel. Gisteren bijvoorbeeld.'

'Toe dan. Zeg het dan.' Ik wil dat hij zegt wat hij gezien heeft. Toe dan. Zeg het dan.

Zijn handen zijn waar hij ze hebben wil.

'Heb je het gedaan?' vraagt hij.

'Heb ik wát gedaan?' Ik ga het hem niet makkelijk maken. 'Je moet me vragen wat je wilt weten.'

'Heb je hem verteld dat je wel wilde? Heb je hem het idee gegeven dat je wel wilde?'

'Ik heb hem gezegd dat ik niet wilde.'

'Hij zat aan je,' zegt Benton, terwijl hij aan me zit. 'Hij dacht dat je wel wilde. Dat je ernaar verlangde.'

'Ik heb hem verteld dat ik niet wilde, en daarmee is alles gezegd,' verklaar ik. Hij leidt me terug naar het bed.

'Is daar alles mee gezegd? Of is er nog meer gebeurd?'

'Er is niets meer gebeurd.' Ik maak zijn riem los.

'Want als er meer gebeurd is, maak ik hem misschien wel dood. Of eigenlijk zal ik dat dan zeker doen, en ik kom er nog mee weg ook.'

'Welnee.' Ik rits zijn broek open. 'En je komt er echt niet mee weg.'

'In Wenen wilde ik hem doodmaken omdat ik het toen wist.'

'Er valt niets te weten. Niet meer dan je al weet,' antwoord ik, en ik vraag hem naar haar. 'Je kreukt je hemd.' Ik vraag hem naar Douglas Burke. 'Ik kreuk je hemd. Ik zal het zo verkreukelen dat je het niet meer aan kunt.'

Wit katoen en donkere zijde strijken zacht tegen mijn blote huid, en weer vraag ik het aan hem, en daarna stel ik geen enkele vraag meer tot we in de keuken staan en ik de hond en de kat te eten geef.

'Shaw lijkt zich hier al helemaal thuis te voelen.' Ik lepel haar voer op een bordje en zet dat op een mat bij de voorraadkast neer. 'Ze doet alsof ze altijd al bij ons is geweest, maar ik denk dat het een goed idee is om haar voorlopig in de logeerkamer te zetten, zodat ze er niet uit kan, tot ze hier echt gewend is. Ik heb trouwens zo'n idee dat Bryce haar wel wil hebben. Zo gauw hij haar ziet, is hij verkocht.'

'Ze moet door de dierenarts onderzocht worden.' Benton schenkt koffie in, rijzig en slank in zijn donkere pak, zijn nog vochtige, zilvergrijze haar naar achteren gekamd.

Hij reageert niet op mijn vraag over Douglas Burke.

'Ik zal Bryce vandaag langssturen om haar op te halen, zodat ze helemaal nagekeken kan worden.' Ik trek een blik hondenvoer open. 'Kom je nog langs op kantoor om te zien of we iets in de auto kunnen vinden?'

'Ik moet me met Marino bezighouden.'

'Ga je met hem praten?'

'Dat heeft helemaal geen zin. Er is al zoveel met hem gepraat dat we zijn uitgepraat. En er is niets gebeurd, Kay,' zegt Benton dan, waarmee hij op iets totaal anders doelt. 'Er is niets gebeurd, niet dankzij haar, maar dankzij mij.'

Hij vertelt me dat Douglas Burke zich tot hem aangetrokken voelt en daar iets mee heeft willen doen. Misschien is ze verliefd op hem, en als hij dat zegt, weet ik dat het waar is. Ik weet dat ze smoorverliefd is.

'Dat zou een deel van het probleem kunnen zijn.' Hij neemt een slok koffie en kijkt toe terwijl ik de bak van Sock op zijn mat zet, op veilige afstand van die van Shaw, hoewel de twee elkaar lijken te tolereren, alsof ze van elkaar weten wat ze hebben moeten doorstaan en een medeschepsel niet de genade van de redding willen ontzeggen.

'Hoe bedoel je, *kunnen zijn*?'

'In het begin dacht ik echt dat ze lesbisch was. Daarom vind ik het allemaal heel verwarrend.' Hij reikt me mijn koffie aan.

'Hoe komt het dat je ineens zo blind bent? Wat doe je ook alweer voor de kost? Ben je nu ineens een onbenul geworden?'

Hij glimlacht. 'Ik ben misschien niet zo slim waar het mezelf betreft. Ik doorzie dat soort dingen altijd als laatste.'

'Wat een flauwekul, Benton.'

'Misschien wilde ik het niet weten.'

'Dat lijkt me aannemelijker.'

'Ik zou er donder op hebben gezegd dat ze lesbisch was.'

'Los daarvan had ze niet mogen doen wat ze me gisteravond flikte.'

'Dat weet ze zelf ook wel, Kay. En jij vond het misschien verschrikkelijk, maar voor een FBI-agent is het ook afschuwelijk om alle controle over jezelf te verliezen. Want ze heeft zichzelf niet meer in de hand. Echt. Absoluut. Ik zal haar eens stevig vertellen wat ik ervan vind, maar los daarvan zal ze zich moeten verantwoorden.'

'Je wilt niks met haar.' Ik geef hem nog een kans om het een en ander op te biechten.

'Op dat vlak niet, nee, en eigenlijk was ik ervan overtuigd dat ze iets met Lucy wilde. Steeds als Lucy in de buurt was, werd ze ongelofelijk zenuwachtig,' zegt hij.

'Bij Lucy zou zelfs Moeder Teresa nog zenuwachtig worden.'

'Nee, ik meen het.' Benton doet de koelkast open, haalt er een kan bloedsinaasappelsap uit en schenkt voor ons beiden een glas in. 'Ik zat net te denken aan de laatste keer waarop dat zo duidelijk was dat het bijna gênant werd. Doug zou me op Hanscom afzetten, waar ik met Lucy had afgesproken. Ze had net de helikopter aan de grond gezet en liep over de landingsbaan naar ons toe toen Doug zo van slag raakte dat ik gewoon bang was dat ze tegen een stilstaand vliegtuig aan zou rijden.'

'Toen Lucy je met de helikopter naar New York bracht, afgelopen juni, vlak voor mijn verjaardag,' zeg ik. 'Zo kort geleden had je geen idee wat er aan de hand was?'

'Ze zat daar maar met een rode kop, haar handen trilden en ze staarde haar voortdurend aan.'

'Klinkt als Sudafed of wat voor medicatie ze verder ook maar neemt.'

'Nu vraag ik me dat af,' zegt hij. 'Nu vraag ik me dat echt af.'

'Het kan ook met Lucy te maken hebben gehad. Misschien reageerde ze gewoon zo op Lucy,' zeg ik terwijl ik eieren uit de koelkast haal en ze in een kom breek. 'Mensen zijn soms meerdere dingen tegelijk. Eigenlijk altijd, als ze eerlijk zijn. Ik heb niet het idee dat ze elkaar echt kennen. Lucy probeert haar en elke andere FBI-agent zo veel mogelijk te ontlopen.'

'Het kan zijn dat ze zich op dat moment gespleten voelde.' Benton schenkt zichzelf een tweede kop koffie in en kijkt of ik die van mij al op heb. 'Ze heeft me vragen over haar gesteld.'

'Vragen over Lucy?'

'Ze wilde dingen weten over Lucy's FBI-verleden. Waarom ze daar is weggegaan. En ook waarom ze bij het ATF weg is gegaan.'

'Wat heb je gezegd?' Ik doe een van de inductiekookplaten aan.

'Niets.'

'Is ze gewoon nieuwsgierig, of zijn haar vragen bedoeld als kritiek? Misschien wil ze dingen over Lucy horen om zich boven haar verheven te voelen.'

'Doug is erg competitief.'

'Je weet waarschijnlijk niet half hoe waar dat is.' Ik doe een kast open en kies een pan.

'Ik heb het met haar niet over ons en vertel haar geen vertrouwelijke dingen, nu niet en nooit niet.'

'Dat verbaast me niks. Mij vertel je ook bijna niets.'

'Ik weet dat Doug allerlei troep inneemt. Ze heeft veel last van diverse soorten allergie, maar ik heb er eigenlijk nooit zo bij stilgestaan.'

'Heeft ze dat soort symptomen en gedragspatronen al vanaf het begin?' Ik klop de eieren en laat in een koekenpan wat boter smelten. 'Toen je voor het eerst nauw met haar ging samenwerken?'

'Soms wel en soms niet. De afgelopen paar maanden wel de hele tijd. Opgefokt als een motor die te veel toeren maakt.' Hij doet Engelse muffins in de broodrooster. 'Ik dacht dat het stemmingswisselingen waren, haar probleem.'

'Haar probleem met jou. Op de bovenste plank staan gehakte asperges en verse basilicum. In koelkast één. Vijgenjam staat in de deur van koelkast twee.' Ik heb altijd voldoende eten in huis.

Als ik al last heb van een dwangneurose, dan is het dat ik er altijd voor zorg dat ik niet mis kan grijpen als ik ga koken, vooral als het slecht weer dreigt te worden.

'Toen ik uiteindelijk doorhad wat ze voor me voelde, had ze het al stevig te pakken, terwijl ik er steeds vanuit was gegaan dat het de stress en de spanning waren als ze bij me was.' Hij zet de jam, de basilicum en de asperges naast me op het aanrecht.

'Kaas?'

'De parmezaan is al geraspt. Doe jij de jam maar.' Ik schuif de pot in zijn richting. 'Lekker op de muffins.'

Eigenlijk moet ik vandaag nog boodschappen doen, maar waarschijnlijk is daar geen tijd voor. Ik haal de folie van het bakje Parmigiano-Reggiano die ik gisteravond geraspt heb. De asperges heb ik ook gisteren gehakt toen ik wachtte tot Benton thuiskwam. Ik klop de eieren nog een keer en voeg zout en peper toe.

'Pseudo-efedrine is vergelijkbaar met amfetamine en wordt gebruikt als pepmiddel.' Ik scheur de basilicumblaadjes in stukken en doe ze bij de eieren. 'Atleten nemen het spul vaak, want het levert een euforisch gevoel op. Je krijgt er tomeloze energie van, en je kunt er zo verslaafd aan raken dat je het drie of vier keer per dag nodig hebt, of nog vaker. Sommige mensen slikken het om af te vallen, want het is ook eetlustremmend.'

'Zij hoeft niet af te vallen.'

'Misschien daardoor juist.'

'Ik stel voor dat ze zich laat overplaatsen.'

'Heb je dat al gedaan, of ga je dat nog doen?' Ik zet de kookplaat op de laagste stand. 'En hoe ben je tot dat verlichte inzicht gekomen nadat je er de hele tijd van uit was gegaan dat ze lesbisch was?'

'Toen we in augustus samen naar Quantico gingen.' Hij kijkt of de muffins al goed zijn en zet de broodrooster uit. 'Ze wilde toen bij me op de kamer, en het was zonneklaar waar ze op uit was. Ik heb toen heel duidelijk gezegd dat dat niet ging gebeuren.'

'En gisteravond?' Ik doe de deur van de oven open om te controleren of de grill al warm wordt. 'Toen je met haar meereed om je auto op te halen en je pas twee uur later thuiskwam? Tegen die tijd had ik al een halve fles wijn soldaat gemaakt en was het eten verpieterd.'

'We hebben op de parkeerplaats zitten praten,' zegt hij, en ik geloof hem. 'Ze kan er maar niet overheen komen.'

'Ze kan niet over jou heen komen.'

'Waarschijnlijk niet, nee.'

'Ook een FBI-agent kan last hebben van persoonlijkheids-stoornissen, neem ik aan. Narcistisch? Borderline? Sociopaat, of een beetje van alles door elkaar? Hoe zit dat bij haar? Want ik weet dat jij dat weet.'

'Ik verwacht niet dat je medelijden met haar zult hebben, Kay.'

'Mooi.' Ik pak twee pannenlappen. 'Want dat heb ik ook niet.'

Ik haal de roestvrijstalen pan van de kookplaat en zet hem boven in de oven.

'Dit moet misschien nog tien seconden, en de muffins zijn volgens mij ook klaar,' zeg ik. 'Ze probeert mijn echtgenoot te verleiden, wil dat Marino de bak in gaat, beschuldigt me praktisch van liegen en grijpt naar verhoormethoden die associaties oproepen met rubberen slangen.'

'Waarschijnlijk moet ze een tijdje met verlof.'

'Het was haar bedoeling om de concurrentie buitenspel te zetten of zelfs kapot te maken.'

'Waarschijnlijk heeft ze hulp nodig.' Hij haalt de muffins uit de broodrooster, legt ze snel op een bord en doet er boter op. 'Ze moet de stad uit, en om eerlijk te zijn ook uit mijn buurt. Ik wil dat ze bij me uit de buurt blijft.'

De frittata is aan de bovenkant lichtbruin en dus klaar. Ik doe de inhoud van de pan op een schaal en snij er als bij een pizza punten van terwijl Benton doorpraat over zijn moeilijkheden met Douglas Burke.

'Het probleem is dat als je hulp zoekt, vooral als je medicijnen gebruikt, dat geen privéaangelegenheid blijft.' Hij brengt onze koffie en bestek naar de ontbijttafel bij het raam. 'Bij de FBI blijft nooit iets privé. Daarom wil ze geen hulp, ook al heeft ze die wel nodig.'

'Ben je bang dat ze een gevaar voor zichzelf vormt?'

'Ik weet het niet.'

'Als je het niet weet, is dat hetzelfde als ja zeggen.' Ik trek een stoel naar achteren en zie dat het buiten licht wordt. Langzaam komt er een auto voorbij, voorzichtig, vanwege de gladheid. 'Als je niet weet of ze een gevaar voor zichzelf of mogelijk voor haar omgeving vormt, kun je er rustig van uitgaan dat dat inderdaad het geval is. Wat ga je eraan doen?'

'Ik ben bang dat ik dat met Jim zal moeten overleggen.'

Jim Demar is de FBI-agent die aan het hoofd van het Boston Field Office staat.

'Helaas zal dat wel een geruchtenstroom op gang brengen.' Hij smeert vijgenjam op een halve muffin en geeft die aan mij. 'Ze zou tijdelijk verlof kunnen krijgen, met behoud van haar salaris, wat helemaal niet zo gek zal zijn als ze daardoor de zaken wat op orde kan krijgen. Misschien kan ze verhuizen en een nieuwe start maken.'

'Waar naartoe?'

'Ik ga Louisville, Kentucky, voorstellen, want daar komt ze vandaan. Er zit een nieuw kantoor, een geweldig gebouw, veel mogelijkheden. Misschien kan ze bij de Joint Terrorism Task · Force of het Intelligence Fusion Center of bij buitenlandse contraspionage of fraudebestrijding.'

'Als ze maar ophoudt steeds aan jou te denken,' zeg ik.

'Het zal vast goed komen met haar. Maar hier past ze gewoon niet meer.'

Daar denk ik over na terwijl ik terugrijd naar het CFC: *hier past ze gewoon niet meer*. Toch hebben de problemen van Douglas Burke niets met Boston en alles met Benton te maken. Hij doet naïef, en dat raakt me. Ik bedenk hoe raar bijna iedereen het zal vinden als ze erachter komen dat mijn echtgenoot, de profiler, in bepaalde opzichten een bord voor zijn kop heeft. Ik ben nooit eerder in zo'n situatie verzeild geraakt. Nooit eerder heb ik meegemaakt dat iemand zo hevig verliefd werd op mijn man, en hij ziet het anders dan ik. Douglas Burke vormt een gevaar voor zichzelf, en misschien ook wel voor anderen.

28

Ik zet mijn auto achter het gebouw en kan aan de voertuigen op de parkeerplaats zien welke mensen al aanwezig zijn van degenen die ik nodig zal hebben. Luke en Anne, en Ernie, George en Sybil. Ik zie ook Toby's pick-up staan. Hij had afgelopen nacht dienst en is vandaag vrij. Zijn rode Tacoma staat op een plekje dat gereserveerd is voor het onderzoeksteam, naast de witte Tahoe waar ik gisteren in heb gezeten. Ik denk aan wat Lucy zei toen we elkaar vannacht om één uur spraken.

Ze vertelde waarom ze op dat uur nog op was, alsof ze daar een verklaring voor moest geven. Zij had een nogal heftige aanvaring met Marino gehad. Hij weigerde in haar huis te blijven en zij weigerde hem naar het CFC te rijden zodat hij zijn auto kon ophalen, en ze wilde hem ook niet naar zijn huis in Cambridge brengen. Daaruit concludeerde ik dat hij had gedronken of om een andere reden niet de weg op mocht, en terwijl ze me dit allemaal vertelde, hoorde ik iemand op de achtergrond, maar niet Marino.

De onbekende zei zachtjes iets wat ik niet kon verstaan, terwijl Lucy me vertelde dat Marino er uiteindelijk in had toegestemd in de stal te gaan slapen, een bijgebouw dat niet echt meer een stal is, omdat ze er een garage met een ondergrondse schietbaan van heeft gemaakt. Op de eerste verdieping bevindt zich een gastenappartement, een eenvoudige studio. Ze liep al telefonerend door het huis en ik kon die andere persoon niet meer horen, wat waarschijnlijk ook de bedoeling was.

Het is een tijd geleden dat Lucy me heeft uitgenodigd naar haar stulpje op het platteland te komen, zoals ze de paardenboerderij op vierentwintig hectare land aan de Sudbury River ten noordwesten van Boston noemt. Ze is het afgelopen jaar bezig geweest de boel daar te renoveren en in te richten voor haar verzameling voertuigen waarmee ze de zwaartekracht kan trotseren. De schuur is verbouwd tot een enorme garage en het weiland is nu een betonnen heliplatform. Het gaat 'redelijk goed' met Marino en ik hoef me geen zorgen te maken, vertelde Lucy. De laatste keer dat ze volgens mij iets met iemand had, was vroeg in de zomer, toen ze meer dan eens een afspraak had in Provincetown.

Uiteraard is Marino van streek. Hij is boos, legde Lucy uit, en ik bleef maar denken aan de gouden zegelring die ze gisteren omhad. Ik heb geen vragen gesteld. Ik weet wanneer ik mijn mond moet houden, maar ze leek zo slecht op haar gemak en zo op haar hoede dat ik het idee krijg dat ze ruzie hebben gemaakt, niet over de lastige situatie waarin Marino zich bevindt, maar over iets heel anders. Misschien is hij in de stal gaan slapen vanwege degene die zich in haar huis bevindt, iemand over wie ze niet wil praten, iemand die Marino's goedkeuring niet kan wegdragen. Hij heeft Lucy altijd zonder omwegen verteld wat hij vond van de keuzes die ze maakt.

Het CFC doet verlaten aan. Marino's afwezigheid laat een tastbare leegte achter. Ik ga het gebouw via de parkeergarage binnen. Ik zie geen van Lucy's auto's staan, maar ze zal inmiddels wel onderweg zijn om me te helpen met mijn vragen. Hoe spoor je een bedrieger op Twitter op, en is degene die me het filmpje en de foto van een afgesneden oor heeft toegestuurd misschien dezelfde die deed alsof hij Peggy Stanton was en die met Marino getwitterd heeft? Het lijkt onwaarschijnlijk als je niet let op de timing, op het feit dat al die afschuwelijke dingen tegelijkertijd zijn gebeurd.

Ik maak de deur naar de autopsieafdeling open en blijf even bij de bewakingspost staan om in het logboek te kijken. Er zijn sinds gisteravond laat vijf zaken binnengekomen: twee mogelijke gevallen van een overdosis, iemand die is neergeschoten, iemand die onverwachts op een parkeerplaats is doodgegaan, en een aangereden voetganger. De secties zijn al aan de gang. Ik heb Luke gezegd dat hij alvast moet beginnen en dat we nog over Howard Roth moeten overleggen. Ik wil de foto's van de plek waar hij is gevonden bekijken, zijn kleren onderzoeken en het lijk inspecteren voordat het wordt vrijgegeven. Ik wil zo veel mogelijk achtergrondgegevens verzamelen omdat ik niet geloof dat hij een fladderthorax heeft opgelopen door een val van de keldertrap.

Ik ga nog een deur door en loop een helling af, waar mijn mensen, allemaal gehuld in wit Tyvek en met gezichtsbeschermers voor, aan het werk zijn in een ommuurde ruimte zonder ramen. Ze zijn van top tot teen gehuld in hetzelfde waterbestendige en bacteriewerende polyethyleen dat gebruikt wordt om huizen, bedrijfsgebouwen, boten, auto's en de post in te verpakken. Achter het plastic, gevat in een glanzend witte cocon, zijn de gezichten amper te herkennen. De gedaanten, die knisperende geluidjes maken als ze bewegen, lijken bijna niet menselijk.

In een gedeelte van de ruimte waar het licht is gedimd worden verdampers met cyanoacrylaat, ventilatoren en luchtbevochtigers opgesteld rond de lichtgele Mercedes uit 1995, waarvan de portieren en de kofferbak wijd openstaan. Sporenonderzoeker Ernie Koppel heeft een oranje veiligheidsbril op en laat het licht van een uv-lamp op de bestuurdersstoel vallen. Ik doe een overall en handschoenen aan en vraag hem wat er tot dusverre gedaan is.

'Ik wilde er met de vlooienkam doorheen voordat we gaan opdampen,' zegt hij. Zijn kale hoofd gaat schuil onder de kap, maar zijn mollige wangen worden erdoor omhooggedrukt, zodat zijn tanden en neus onnatuurlijk groot lijken. 'Als je wilt kijken, moet je deze maar even opdoen.' Hij geeft me zoals altijd een veiligheidsbril, alsof ik niet weet dat ik die op moet als er gebruik wordt gemaakt van lichtfrequenties waarvoor filters nodig zijn.

Op zijn hurken gaat hij met een kegelvormige lamp aan een zwart snoer bij het open portier zitten en laat het ultraviolette licht over de bruine vloer vallen. De bekleding is vlekkerig en versleten en ik vraag me hardop af of er matten hebben gelegen en of die zijn weggehaald. Misschien heeft de moordenaar dat gedaan nadat hij de auto weer in haar garage had gezet. Ik aarzel niet het woord 'moordenaar' te gebruiken, hoewel ik nog niet weet hoe Peggy Stanton is gestorven. Ik heb al besloten 'moord met onbekende doodsoorzaak' in haar dossier te zetten als de toxicologietests niets opleveren.

'Er lagen geen matten in de auto toen hij werd binnengebracht, niet voorin en ook niet achterin,' zegt Ernie. 'Ik weet niet of ze er ooit geweest zijn, maar te oordelen naar wat ik hier zie, zou ik zeggen van niet.' Hij richt de lamp om het me te laten zien. 'Vooral hier.' Hij bedoelt de bestuurdersstoel.

De vezels lichten op als witte, oranje, neongroene en meerkleurige touwtjes als het uv-licht eroverheen strijkt. Ernie gaat aan de slag met stukjes kleeffilm, die hij na gebruik aan mij geeft. Ik doe ze in buisjes met een schroefdop erop, die ik wegstop in verzegelde zakjes met op het etiket de plek waar ze zich bevonden en andere informatie die Ernie me verschaft.

'Ik heb de achterbank en de passagiersstoel al gehad.' Zijn overall en schoenen maken knerpende geluidjes en als zijn bovenlichaam in de auto verdwijnt, klinkt zijn stem gedempt. 'Eerst met wit licht, toen blauw voor het geval er fijne bloedspetters of kruitresten te vinden zouden zijn. Ik heb groen gebruikt voor latente afdrukken en UV voor sperma, speeksel en urine. Tot dusver is er geen enkel bewijs dat er in deze auto kwalijke dingen zijn gebeurd. Hij is stoffig en verlaten, voor zover een auto er verlaten uit kan zien. De auto van een ouder iemand.'

'Ze was niet zo oud, maar ik denk dat ze wel zo leefde.'

'Ik heb ook nog iets gevonden wat op grijswitte kattenharen lijkt,' zegt hij. 'Achterin op de vloer, waar iemand een reismand neer zou kunnen zetten.'

'Ik weet vrij zeker dat ze een kat had.' Daar moet ik met Bryce over praten, dat hij met Shaw naar de dierenarts gaat.

'Het zou haar enige passagier kunnen zijn geweest,' veronderstelt Ernie. 'Alles wijst op een voertuig dat maar door één persoon gebruikt wordt, in het bijzonder een oudere persoon. Een hoge concentratie vezels, haar en ander afval op de plek van de bestuurder en in de vloerbedekking. Die zou ik eruit kunnen snijden, maar ik stel liever eerst de duidelijk zichtbare sporen veilig. Ik heb wel iets gezien wat je interessant zult vinden.'

Hij houdt me nog een stukje kleeffilm voor.

'Je hebt een loep nodig om te kunnen zien wat ik bedoel,' zegt hij. 'Het lichtte niet op omdat het ultraviolet licht absorbeert, en het lijkt zwart, zo'n beetje als bloed, maar het is geen bloed. In normaal licht en onder een loep is het donkerrood. Er zit een redelijke hoeveelheid in de vloerbedekking bij de rem en het gaspedaal, alsof iemand het aan zijn schoenen had.'

Ik doe een stap achteruit en zet mijn veiligheidsbril af. Van een karretje pak ik een loep om het stukje kleeffilm te bestuderen en ik ben het met Ernie eens dat bloed er anders uit zou zien. Het houtachtige materiaal komt me bekend voor.

'Ik denk dat het mulch zou kunnen zijn,' zegt hij.

'Weet je wat voor soort hout het is?'

'Het zal een dag of twee duren om het te analyseren. Ervan uitgaand dat je wilt weten of het allemaal van dezelfde plek of dezelfde boom komt, bijvoorbeeld.'

George en Cybil van de afdeling Sporen willen weten wanneer ze de tent kunnen opzetten. Die komt helemaal om de auto heen, om te voorkomen dat iemand damp van superlijm inhaleert of ermee in contact komt. Ik zeg dat ze nog even moeten wachten.

'Als je zo specifiek wilt zijn, moeten we kijken naar wat voor stoffen er vanuit de grond in opgenomen zijn en welke verschillende elementen erin zitten. We zijn wat we eten. Dat geldt voor alles, zelfs voor bomen,' zegt Ernie vanuit de Mercedes, en ik weet dat hij denkt aan wat ik op het lichaam van Peggy Stanton heb aangetroffen.

Het vezelige, rode materiaal onder haar voeten en nagels lijkt precies op wat hij in de auto heeft gevonden.

'Voor zo'n gedetailleerde analyse moet ik misschien een monster naar een lab sturen dat gespecialiseerd is in het analyseren van hout.' Hij laat het ultraviolette licht op andere plekken in de Mercedes vallen. 'Bij monsters zoals dit kun je uiteraard niet de jaarringen tellen of zo.'

'Ik zou al blij zijn als je me de boomsoort kon vertellen. Pijnboom, sequoia, cipres, ceder. Het lijkt heel erg op mulch.'

Er worden zachte koffers bij me neergezet en de wetenschappers pakken er cyanoacrylaat en kabels uit.

'Mulch van versnipperd hardhout, niet van schors,' verduidelijk ik.

'Ik zie niets wat op schors lijkt,' zegt Ernie.

'Het lijkt wel wat op fijngemalen tarwe,' zeg ik terwijl ik ernaar kijk. 'Vezelachtig, harig. Katoen, daar doet het bijna aan denken. Niet aan hout dat machinaal is gezaagd of zo. Maar heel fijn. Zonder loep lijkt het wel aarde of modder, of heel fijn gemalen koffie. Alleen dan donkerrood.'

'Nee, het is niet machinaal verwerkt. Daar is het veel te onregelmatig voor. Een rode mulch, en mulch wordt meestal gemaakt van oude pallets en ander geperst hout.' Zijn hoofd is weer in de auto verdwenen. 'Veel mensen gebruiken het liever niet, omdat er door de regen allerlei stoffen in de grond komen en je door de kleurstof niet kunt zien of er behandeld hout in zit, wat je niet in je tuin wilt hebben en zeker niet in je groentetuin. Gerecycled koperarsenaat-chromaat of cca, maar wat dit ook is, er zit geen spoor van CCA in, dat kan ik je wel zeggen. Aangenomen dat dit hetzelfde spul is als wat je op het lichaam hebt aangetroffen. Ik heb ook ijzeroxide gezien, wat afkomstig kan zijn van een kleurstof of gewoon van aarde.'

Ik zeg hem dat het nuttig zou zijn als hij alles wat hij in haar auto vindt kan onderzoeken, en wel zo snel mogelijk. Het zou heel belangrijk kunnen zijn, voeg ik eraan toe, en hij belooft dat hij er met de stereomicroscoop, de polarisatiemicroscoop en de Raman-spectrometer naar zal kijken.

Hij is er vrijwel zeker van dat hij dezelfde chemische vinger-afdruk, dezelfde interferentiekleuren en dezelfde dubbele bre-king zal aantreffen als bij het rode materiaal dat ik op Peggy Stantons lichaam heb aangetroffen, zegt hij.

'Roodgekleurd hout, maar niet helemaal door en door.' Ik be-kijk het volgende stukje tape dat hij me overhandigt. 'Zou het er zo uitzien als het eerst was vermalen en daarna met verf was bewerkt?'

'Misschien. Ik weet wel dat sommige vezels verschroeid waren toen ik het materiaal onderzocht dat dokter Zenner me had ge-bracht,' zegt Ernie. 'En dat zou ik niet per se verwachten bij mulch. Maar het hangt er helemaal vanaf waarvan het gemaakt is. Afvalhout van een gesloopt gebouw waar brand gewoed heeft, bijvoorbeeld. Ik heb ook houtskool gevonden, en er zaten een heleboel mineralen in.'

'De vraag is of de houtskool en de mineralen thuishoren in die mulchachtige substantie of afkomstig zijn uit aarde op een vloer of tapijt.'

'Dat is precies de vraag.' Ernie staat op en recht zijn rug alsof hij stijf is geworden. 'Als je de wereld gaat bekijken door een microscoop, zie je zout, siliciumdioxide, ijzer, arseen, stukjes van insecten, huidcellen, haren, vezels, één grote verschrikking.'

'Het lijkt er in ieder geval op dat hij in haar auto heeft geze-ten.' Ik ben ervan overtuigd. 'Waar hij haar ook naartoe heeft gebracht, daar moet dit rode spul op de vloer of op de grond liggen.'

'Misschien een hoveniersbedrijf of een terrein waarop veel roodkleurige mulch wordt gebruikt. Golfbanen, appartementen-complexen, parken. Of misschien een fabriek waar ze mulch maken. Heb je zoiets bij haar huis gezien?'

'Nee. Ze is erin gaan staan op de plek waar hij haar mee naartoe heeft genomen. Hij ook, want het zat onder zijn schoenen toen hij in haar auto stapte. Deze minieme splinters hechten zich aan kleren, tapijt, huid en haar en blijven overal aan vastzitten.'

'Er zitten wat synthetische vezels op de leren stoelen,' laat hij me weten terwijl hij de bekleding bestudeert. 'Waarschijnlijk van kleren. En er is ook overal wit haar te zien.'

'Ze had wit haar. Lang. Tot op haar schouders.'

'Nog wat van diezelfde houtachtige vezels.' Hij vindt er nog meer. 'Waarschijnlijk hier gekomen via de kleding. Die van haar of van iemand anders.' Hij draait aan een knop op de lamp om een andere golflengte te kiezen en het licht wordt groenblauw.

Ik doe mijn veiligheidsbril weer op. Het oranje filter blokkeert het licht dat niet door de sporen wordt opgenomen. Ik kijk weer in de auto. Ernie laat het licht over het stuur, het dashboard, de versnellingspook en de metalen gespen van de gordel vallen, die vervolgens onderzocht zullen worden op DNA. Er lichten wat vlekken op, maar niets waar we iets aan hebben, geen latente afdrukken waarmee we iets kunnen doen. Het verbaast me niets.

Misschien hebben we geluk als de auto van binnen en van buiten met cyanoacrylaatdamp wordt bewerkt, het hoofdbestanddeel van superlijm, maar ik wil me er niet te veel van voorstellen. Ik kan me niet indenken dat een moordenaar in de Mercedes van Peggy Stanton gaat rondrijden en haar huis verkent zonder handschoenen te dragen, zijn handen op een andere manier te bedekken of alles naderhand schoon te vegen, maar ik weet dat ik niet mag verwachten dat een ander net zo zal denken als ik. Misdadigers kunnen ongelofelijk dom zijn, vooral arrogante criminelen die nog nooit zijn gepakt en in geen enkele database te vinden zijn.

'In dit verdomde spul voel ik me altijd net de verschrikkelijke sneeuwman,' klaagt Sil Machado als hij aan komt lopen. 'Of het Michelinmannetje.'

Ernie vertelt wat we hebben aangetroffen en intussen krijg ik een sms. De derde van Lucy, die wil dat ik boven kom.

'Zoiets heb ik nergens in haar huis gezien,' zegt Machado tegen Ernie. 'Niet in de kelder. Niet in de garage. Niet in de tuin.

Geen rode mulch. Niet eens oude mulch. Heb je een minuutje?'
zegt hij tegen mij. 'Of eigenlijk heb ik wel iets langer nodig.'
    'Ik wilde net naar boven gaan om een paar dingen te regelen,'
antwoord ik. 'Loop maar mee.'

29

Sil Machado zegt dat hij hier eerder had willen zijn, maar dat
Luke hem vanmorgen opbelde met vragen over Howard Roth.
Blijkbaar zei Luke dat er haast bij was.
    'Heeft hij ook gezegd waarom?' Ik loop met hem door het de-
pot.
    'Ja, hij zei dat je niet gelooft dat Howie van de trap gevallen
is.'
    'Howie?'
    'Zo werd hij genoemd,' verklaart Machado.
    'Ik wil niet beweren dat hij niet van de trap is getuimeld. Ik
wil alleen maar beweren dat hij daar misschien enige hulp bij
gehad heeft,' leg ik uit. 'Zijn verwondingen zijn niet kenmerkend
voor een val van de trap.'
    'Dokter Zenner zei dat jij er rekening mee houdt dat iemand
hem compleet verrot heeft geslagen.'
    Ik hoop niet dat Luke dat op die manier verwoord heeft. Ik
doe het Tyvek-pak uit en deponeer het in de afvalbak.
    'Daarom ben ik meteen hiernaartoe gekomen.' Machado
rukt zijn beschermende overall, schoenhoesjes en handschoenen
uit alsof hij er een grondige hekel aan heeft. 'Ik moet toegeven
dat het niet eens bij me was opgekomen dat het een moordzaak
zou kunnen zijn. Het scenario wees ook wel heel duidelijk één
kant op. Een alcoholist valt van de trap, en de treden zitten onder het bloed. Echt waar, doc, ik heb er niet zomaar een slag
naar geslagen. Het leek zo duidelijk als wat. Ik kan er nog steeds
niet over uit dat je er rekening mee houdt dat die man vermoord
is.'
    'Wie heeft hem gevonden?'

'Een maatje van hem, een vent die het onderhoud in Fayth House doet, daar in de buurt. Hij zei dat hij een dagje vrij had en langskwam om een biertje te drinken. Blijkbaar deed Howie daar zo nu en dan wat klusjes. Niet al te moeilijke dingen, en alleen als hij nuchter genoeg was.'

Machado geeft me een doorzichtige plastic zak waar een cheque in zit. Ik druk nogmaals op de knop van de lift, die op mijn verdieping stil lijkt te staan.

'Dit hebben we in zijn gereedschapskist gevonden. Daar had ik eerst niet gekeken omdat het wel duidelijk was dat het om een alcoholist ging die van de keldertrap was gevallen, snap je? Ik bedoel, hij is onder aan de trap gevonden, in zijn ondergoed, alsof hij net uit bed was gekomen. En hij zit onder de schrammen, heeft een gat in zijn kop, gebroken ribben, ziet eruit alsof hij van de trap gevallen is, en zoals ik al zei, ligt er bloed op de treden en onder aan de trap.'

Voor haar persoonlijke cheques heeft Peggy Stanton een ontwerp uitgekozen dat doet denken aan de schilderkunst van Charles Wysocki, een stenen huis met een wit hekje eromheen en een paard en wagen die langsrijden.

'Het had er alle schijn van dat hij van de trap gevallen was, dus was er geen reden voor mij om in een oude gereedschapskist te gaan kijken,' zegt Machado. 'Tenzij ik naar iets speciaals op zoek was, maar dat was eerst dus niet het geval.'

'Misschien is hij wel van de trap gevallen, maar is hij voor die tijd al gewond geraakt,' herhaal ik, en door de cheque ben ik daar des te meer van overtuigd.

Hij is met een zwarte pen ingevuld, uitgeschreven ten gunste van Howard Roth voor een bedrag van honderd dollar.

'Volgens mij is het niet die val die hem fataal is geworden,' zeg ik. 'Hij is gestorven aan een inwendige bloeding en mogelijk aan ademnood, veroorzaakt door een stomp trauma dat zo ernstig was dat verschillende delen van zijn ribbenkast zijn losgeraakt en elke rib op twee tot vier plaatsen is gebroken. Ook zijn longen zijn ernstig beschadigd geraakt.'

Op de opdrachtregel staat 'kleine klusjes'.

'Hij heeft stomp trauma aan zijn achterhoofd. Is bekend hoe hij daar precies aan gekomen is?' vraag ik.

'Kan dat niet gebeurd zijn doordat hij tegen die betonnen treden is gesmakt?'

'Ik heb ernstige twijfels,' zeg ik tegen Machado. We staan nog steeds te wachten tot de lift van de bovenste verdieping naar beneden komt. 'Vooral nu er een link met Peggy Stanton lijkt te bestaan.'

'Het ligt allemaal nogal voor de hand. De kelderdeur zit pal naast die van de wc.' Hij is niet van plan zijn theorie op te geven dat de dood van Howard Roth aan drankzucht te wijten is. 'Hij staat midden in de nacht op. Dronken. Doet de verkeerde deur open, en dan is het een kleine stap voor de mens die een grote val tot gevolg heeft.'

Links bovenaan op de cheque staat de naam van de rekeninghouder. *Mrs. Victor R. Stanton.*

'Waar stond die gereedschapskist?' vraag ik.

Er staat geen adres of telefoonnummer op de cheque, en ik blijf ernaar kijken. Ik kan mijn ogen er niet vanaf houden.

'Och, jeetje, doc. Je moet het beeld even voor je zien, oké? Een oud uitgewoond huis, echt een petieterige bedoening, een gigantische bende.'

'Ik zal de foto's van de plaats delict nog eens bekijken.'

Er is ondertekend met *Peggy Stanton.* Het is niet zo'n goede vervalsing.

'Een donker hol, een troepje,' zegt Machado. 'Eén kaal peertje en zes betonnen traptreden, met een touw als trapleuning. Daar stond de gereedschapskist. Ik neem aan dat hij die cheque steeds in zijn gereedschapskist had zitten.'

'Hij moet wat adressen af in Cambridge. Misschien is hij bij haar langsgegaan omdat hij zijn geld wilde. Kennelijk heeft hij die cheque nooit verzilverd.' Ik druk een paar keer op de knop van de lift, die nog steeds op dezelfde verdieping staat. Blijkbaar houdt iemand daar de deur open.

Mijn ongeduld doet me aan Marino denken.

'Fayth House is een verpleeghuis,' zeg ik. 'Misschien loont het de moeite om na te gaan of Peggy Stanton daar als vrijwilliger werkte. Misschien is ze op die manier met hem in contact gekomen en is dat de reden waarom ze hem bij haar thuis heeft uitgenodigd om wat klusjes te doen. Honderd dollar is geen onbeduidend bedrag. Ik zou zeggen dat hij voor dat geld niet alleen de tuin heeft aangeharkt of een afvoer heeft ontstopt.'

Ik denk aan de nieuwe elektriciteitsgroep die op nogal klungelige wijze in haar kelder is aangelegd. Het is de vraag of de lift ooit nog naar beneden komt.

'Wat is er over hem bekend?' vraag ik.

'Hij heeft als monteur in het leger gezeten. Is bij de eerste missie in Irak geweest, en vanaf die tijd is het bergafwaarts met hem gegaan. Kwam terug met traumatisch hersenletsel als gevolg van een explosie. Is uit de militaire dienst ontslagen, is teruggegaan naar zijn huis in Cambridge, was niet in staat lang bij dezelfde baas te blijven, en zijn vrouw is zeven jaar geleden bij hem weggegaan. Steeds aan de drank.'

'Hij had een alcoholpromillage van 1,6,' zeg ik, iets wat Luke me eerder die dag telefonisch heeft verteld. Ons gesprek over dit problematische geval was tamelijk kort en frustrerend.

Machado en Luke namen de zaak geen van beiden zo serieus als ik had gewild, omdat het zo duidelijk leek wat er gebeurd was.

'Door zijn drankmisbruik was het extra gemakkelijk om hem iets aan te doen,' zeg ik. 'Als hij levercirrose heeft, zal hij des te meer hebben gebloed. Ik heb de sectiegegevens nog niet goed bekeken. Dat moet ik nog doen.'

'Elke maand ging zijn pensioen op aan drank en scharrelde hij zijn kostje op diverse manieren bij elkaar,' zegt Machado. 'Er stonden gigantisch veel vuilniszakken in zijn huis, bijna niets anders, de ene na de andere zak, als bij een hamsteraar. Vol blikken en flessen, voor het statiegeld. Waarschijnlijk zocht hij in vuilnisbakken of haalde hij ze uit de kringloopbakken die mensen bij de weg kunnen zetten.'

De cheque is gedateerd op 1 juni, en ik vertel Machado dat ik ernstig betwijfel of Peggy Stanton toen nog leefde.

'Als ze nog wel in leven was,' voeg ik eraan toe, 'was ze niet meer in haar eigen huis, want de laatste keer dat iemand daar binnen is geweest, was op 29 april. Dat weten we door de gegevens van het alarm.'

'Blijkbaar wist iemand genoeg van haar om zich voor haar te kunnen uitgeven. Waarschijnlijk heeft die figuur een paar van haar blanco cheques gestolen, en ook heeft hij haar pincode achterhaald, want een paar keer is er met haar pasje geld gepind, geen abnormale bedragen, maar genoeg om de indruk te wekken dat ze gewoon in leven was. Hij is achter de code van het alarm gekomen, en wie weet wat nog meer. Zijn er sporen van marteling aangetroffen?' vraagt hij. Eindelijk gaan de liftdeuren open.

'Er zitten een paar vreemde bruinige vlekken op haar huid die ik niet helemaal kan plaatsen.' Ik beschrijf ze. 'Geen overduidelijke verwondingen die ik ogenblikkelijk met marteling zou associëren. Maar niet alles laat sporen na.'

'Waarschijnlijk heeft hij haar zo bang gemaakt dat ze hem alles vertelde wat hij wilde weten, in de veronderstelling dat hij haar dan niets zou doen.'

'Heb je al met de vrouw van Howard Roth gepraat?' We gaan omhoog in wat volgens Marino de traagste lift op dit halfrond is.

'Gisteren. Ze is hiernaartoe gekomen en heeft hem aan de hand van een foto geïdentificeerd. Ik heb een tijdje met haar gepraat en heb haar teruggebeld toen ik deze kant op kwam. Blijkbaar is hij een bekende figuur hier in Cambridge. Bij nader inzien heb ik hem volgens mij ook wel eens zien rondlopen, en een paar jongens van mijn werk kenden hem ook. Deed zo nu en dan een klusje, leverde heel behoorlijk werk, was eerlijk en deed niemand kwaad volgens zijn ex. Maar ze hield het niet langer uit bij een alcoholist,' zegt Machado. 'Geen auto. Heeft zijn rijbewijs laten verlopen. Echt een triest geval.'

Ik geef de envelop terug, en hij vertelt dat de persoonlijke cheques en de chequeboekjes die hij bij Peggy Stanton in huis heeft gevonden overeenkomen. Identiek, zegt hij.

'Weet je wat ook nog interessant is?' voegt hij eraan toe. 'Ze bewaarde al haar bankafschriften in een hangmap, inclusief haar oude cheques. Dat ging jaren terug, maar in april van dit jaar hield het op.'

'Omdat vanaf dat moment iemand haar post onderschepte.' We stappen op de zesde verdieping uit, waar Toby staat te worstelen met een kar vol dozen. 'Denk je dat Howard Roth haar misschien heeft vermoord?'

'Het is altijd slim om overal rekening mee te houden. Maar

het lijkt niet voor de hand te liggen dat hij er iets mee te maken heeft.'

'Hij had er iets mee te maken, ook al was hij zich daar niet van bewust,' zeg ik. We lopen door de gang naar het computerlab. 'Was jij degene die de lift urenlang openhield?' vraag ik aan Toby als we bij hem zijn.

'Ja, sorry. Een van de wieltjes zit steeds vast, en die hele kar viel om toen ik hem de lift uit wilde duwen.'

'Ik dacht dat je vandaag vrij had.'

'Nou, nu Marino er niet is, leek het me een goed idee om toch te komen.' Hij kijkt me niet recht in de ogen, en ik zie dat er computerspullen in de dozen zitten.

Machado en ik lopen verder, en ik zeg: 'Het is veelzeggend dat ze dertien jaar na de dood van haar man nog steeds zijn naam gebruikte.'

Toby duwt de kar onze kant op, maar blijft om de zoveel stappen staan om het kapotte wieltje recht te zetten.

'Misschien wilde ze voor de buitenwereld niet laten merken dat ze alleen woonde,' oppert Machado. 'Mijn vriendin doet precies zo. Ook zij heeft haar adres en telefoonnummer niet op haar cheques. Ze wil niet dat die informatie ergens rondslingert omdat ze bang is dat er dan zomaar iemand bij haar langskomt of haar opbelt. Sinds ze met mij is en weet wat er zoal kan gebeuren, is ze een beetje paranoïde geworden.'

'Waarom heeft hij die cheque niet geïnd, denk je? Als ik op jouw verhaal afga, zou ik zeggen dat hij elke cent kon gebruiken.'

'Ik wil wedden dat hij dat wel geprobeerd heeft, maar dat het hem niet gelukt is,' zegt Machado. 'Een klusjesman die door Cambridge zwierf en flessen en blikjes verzamelde en elke klus wel wilde doen. Het lijkt me sterk dat hij met cheques werd betaald.'

We lopen het openstaande kantoor van Lucy binnen. Ze zit achter haar bureau, omgeven door grote flatscreenmonitoren. Toby duwt de kar achter ons naar binnen. Hij begint de dozen tegen de muur op te stapelen.

'Moet ik deze nog op een speciale plek neerzetten?' vraagt hij.

'Zet ze daar maar neer.' Ze zegt het op bevelende toon en

blijft hem strak aankijken.

'De tuin aanharken, schoffelen, wat klusjes binnenshuis, ook elektra, en volgens zijn ex is hij geen erkende vakman. Krijgt waarschijnlijk handje contantje,' zegt Machado tegen me.

'Het lijkt me inderdaad sterk dat hij zijn klanten een factuur stuurde,' zeg ik.

'Geen spoor daarvan bij hem thuis.'

'Waarom was ze Howard Roth dan geld schuldig? Waarom heeft ze hem niet gewoon na afloop van de klus betaald? Was het misschien voor een klus die nog niet af was?' opper ik.

'Precies wat ik denk,' zegt Machado. 'Die elektra in de kelder. Nog niets aangesloten. Misschien is hij een paar keer langsgekomen om de klus af te maken en was er steeds niemand thuis. Misschien heeft hij een briefje in haar brievenbus achtergelaten.'

'Zou kunnen.'

'En degene die zich voor haar uitgeeft, stuurt hem een cheque. Diegene moet dan wel zijn adres hebben gehad.' Machado heeft het tegen mij maar kijkt naar Lucy.

'Howard Roth, tweeënveertig, is dit weekend in zijn huis in het centrum van Cambridge overleden.' Ze leest hardop voor wat ze net op haar scherm tevoorschijn heeft getoverd. 'Bateman Street. Je kunt het googelen.'

'Misschien is het inderdaad zo gegaan. Via de post is er een cheque bij hem bezorgd,' zegt Machado. 'Hij heeft geen rekening bij Peggy Stantons bank, en een bankbediende zal niet gauw over te halen zijn hem honderd dollar uit te betalen.'

'Bij haar bank zullen ze haar handtekening wel in het dossier hebben. Zo geweldig is die handtekening niet nagemaakt.' Ik ga naast Lucy zitten.

'Dat ben ik helemaal met je eens.'

Machado trekt een stoel bij en ritst zijn aktetas open.

'Als je haar handtekening en deze nou eens naast elkaar legt?'

Hij haalt twee plastic zakken tevoorschijn. Toby lijkt totaal geen haast te hebben.

'Dus misschien heeft de bankbediende het dossier erbij gepakt om de handtekeningen te vergelijken, kreeg hij het gevoel dat er iets niet in de haak was en weigerde hij de cheque uit te betalen. Bovendien is Roths rijbewijs niet meer geldig, zoals ik net al zei.

En misschien was dat de reden dat de bank haar heeft gebeld,' zegt Machado. 'Er is een paar keer vanuit Wells Fargo op haar antwoordapparaat ingesproken, met de vraag of ze terug wilde bellen. De eerste keer begin juni, rond de tijd dat de cheque naar Howie gestuurd moet zijn.'

'Hoe weet je zo zeker dat die cheque is opgestuurd?' Lucy houdt nauwlettend de informatie in de gaten die over de schermen rolt. Ik zie dat het bestanden zijn die haar zoekmachines hebben gevonden.

Ik zou niet kunnen zeggen waar de bestanden over gaan. Ik kan ze niet ontcijferen, en de berichten moeten opzettelijk versleuteld zijn, want ik ben niet de enige hier.

'Dat is wat men de kracht van het deduceren noemt.' Machado blijft naar mijn nicht kijken alsof hij haar bij nader inzien toch geen tijdverspilling vindt.

Ze heeft verschoten jeans aan, een wit t-shirt met lange mouwen dat strak om haar lijf zit en wel eens gestreken mag worden, en legerschoenen. Mij valt de grote ring aan haar wijsvinger op terwijl ze de draadloze muis bedient. Ik ruik haar parfum, en ik merk het altijd onmiddellijk als ze wil dat mensen ons alleen laten omdat ze me iets belangrijks wil vertellen.

'Als iemand zich voor haar heeft uitgegeven,' zegt Machado, 'zou die persoon niet gewoon bij Howie langsgaan om hem een cheque te overhandigen, toch? Het veiligst zou zijn om die op te sturen. Ik denk dat deze figuur dat ook zo deed met haar andere rekeningen. Hij zette haar handtekening, stuurde de cheques op, en de bank deed niet moeilijk over cheques waarmee gas en elektra en de telefoon werden betaald. Maar als er iemand aan de balie komt die eruitziet als een dakloze, gaan ze de handtekening misschien wel controleren.'

'Het is geen overtuigende vervalsing en nauwelijks een serieuze poging te noemen,' zegt Lucy.

Er liggen twee doorzichtige plastic zakken naast elkaar, de cheque die Howard Roth nooit verzilverd heeft, en een door de bank afgehandelde en gemarkeerde cheque die Machado in het huis van Peggy Stanton in een map met bankafschriften heeft gevonden.

'Niet gesigneerd maar geschreven of eigenlijk getekend.' Ze

buigt zich naar me toe maar houdt haar blik strak op Toby gericht, die eindelijk weggaat.

'Ik wist niet dat ze een handtekeningenexpert was,' zegt Machado. Nu zit hij openlijk met mijn nicht te flirten.

'Daar hoef ik geen expert voor te zijn.' Ze staat op en doet de deur dicht. Machado houdt haar in de gaten alsof hij iets van haar te duchten heeft. 'Hij was er niet bepaald goed in.'

'Misschien is hij er geleidelijk aan beter in geworden,' zeg ik. '1 juni was nog in het begin.'

Lucy gaat weer zitten. 'Sinds wanneer brengt Toby de post rond?'

'Ik heb Bryce een klus in de schoenen geschoven,' zeg ik. 'Hij gaat met Shaw naar de dierenarts. Eigenlijk hoop ik dat hij verliefd op haar wordt en besluit dat Indy een zusje nodig heeft.'

'De stok van de letter P?' Lucy trekt de plastic zakken naar zich toe.

Ze is niet van plan iets over Toby te zeggen waar Machado bij is. Er is iets wat ze me wil vertellen.

'De schrijfhoek verschilt, en je kunt zien waar de vervalser aarzelde,' zegt ze. 'Hij moest erbij nadenken, en de haal is iets gekromd, de stok bedoel ik. Bovendien heeft haar t een hoog dwarsstreepje, en bij die andere handtekening is dat niet zo. Haar a heeft een mooie vorm, die andere niet. Haar n lijkt een beetje op een w, met puntige halen, en die zijn bij de andere handtekening afgerond.' Ze wijst de letters ondertussen aan, en voegt eraan toe: 'Dat is hoe ik het zie, hoor. Ik ben geen expert.'

'Heb je ooit in een rechtszaak over dit soort dingen als getuige-deskundige moeten opdraven?' Machado kan zijn ogen niet van haar afhouden.

'Ik kom in geen enkele rechtszaak opdraven.'

'Ongelofelijk. Je zou het geweldig doen.'

'Ze zullen me nooit als getuige-deskundige oproepen.'

'Waarom niet?'

Ze geeft geen antwoord. Lucy is door overheidsinstanties ontslagen. Ze is een hacker. Als ze in een rechtszaak werd opgeroepen, zou een slimme advocaat van de tegenpartij geen spaan van haar heel laten.

'Wat is er aan de hand?' vraag ik, aangezien zij het was die me een sms'je gestuurd heeft met de mededeling dat ze me wilde spreken.

'Zijn jullie klaar?' Het is haar manier om me duidelijk te maken dat het de hoogste tijd is dat Sil Machado vertrekt.

30

Lucy legt uit dat er een verband bestaat tussen Peggy Stanton en de paleontoloog die in het Canadese Alberta vermist wordt.

Het Twitter-account dat is gebruikt om Marino in de val te lokken, is aangemaakt door dezelfde persoon die het filmpje van de jetboot op de Wapiti River heeft gemaild, zegt mijn nicht. Die beelden zijn gemaakt met de iPhone van Emma Shubert rond de tijd dat ze duizenden kilometers ten noordwesten van hier is verdwenen.

'Het Twitter-account met de schuilnaam *Pretty Please* is geopend op 25 augustus, en Twitter heeft het geverifieerd met een e-mail naar *BLiDedwood*.' Lucy spelt de gebruikersnaam. 'De avatar is een foto van Yvette Vickers uit haar glorietijd in de jaren vijftig.'

Ik zeg dat ik niet weet wie dat is en kijk om me heen.

'Een tweederangs actrice die Marino niet zou kennen. Ik kende haar ook niet. Ik moest er gezichtsherkenningssoftware op loslaten voor ik erachter was,' zegt Lucy. 'Waarschijnlijk is ze in 2010 een natuurlijke dood gestorven. Ze was al bijna een jaar dood voor haar lichaam in haar vervallen huis in Los Angeles werd ontdekt. Ze was gemummificeerd.'

'Het is waarschijnlijk geen toeval dat hij haar koos als avatar.'

Ik denk aan wat Benton heeft gezegd.

Een seriemoordenaar. Een ouder iemand. Hij heeft het gemunt op volwassen vrouwen in wie hij de dominante figuur ziet die hij zo graag wil vermoorden.

'Als Marino zijn eerste tweet van Peggy Lynn Stanton krijgt, ziet hij alleen een afbeelding van een prachtige, sexy vrouw,' zegt Lucy. 'Iemand die zichzelf beschrijft als *een liefhebber van oude dingen met karakter* en die beweert dat *ze best de score wil bij-houden omdat die van haar indrukwekkend is.*

'Het Twitter-account is twee dagen nadat Emma Shubert uit het kamp in Grande Prairie verdween geopend,' merk ik zonder enige nadruk op.

Lucy's kantoor is spartaans ingericht en felverlicht. Overal staan zilverkleurige elektronische apparaten die doen wat zij wil, en er zijn dikke bundels snoeren, verschillende docking stations, routers, scanners en maar heel weinig papieren. Nergens staan foto's of andere persoonlijke dingen. Alsof ze geen privéleven heeft, maar ik weet beter. Er is wel degelijk iets te zien, en ik ben me voortdurend bewust van de grote zegelring aan haar wijs-vinger, een ring van roze goud die volgens mij niet van haar is. Ik heb haar nog nooit ringen zien dragen die niet van haar zijn, en ik zal en moet erachter komen wat er aan de hand is.

'Het kostte maar twee dagen om Emma Shubert te ontvoeren en vermoorden en weer hierheen te komen,' bedenkt Lucy. 'Maar wat is in godsnaam het verband? Wat deed hij daar in het land van dinosaurussen en teerzand, en wat heeft het te maken met een slachtoffer in Cambridge?'

'Weet je absoluut zeker dat het de telefoon van Emma Shubert is?' vraag ik. 'Dat hij haar iPhone heeft?'

'Ja, en ik zal je uitleggen waarom.'

'De Canadese politie, de FBI?' Een seriemoordenaar, denk ik weer, maar de mensen die zich met de zaak bezighouden, kennen niet de details die Lucy mij nu vertelt.

'Ik kan ze niet vertellen dat er een verband bestaat tussen Em-ma Shubert en Peggy Stanton,' antwoordt Lucy. Ik begrijp wat ze zegt, maar ik zal iets moeten doen, en dat weet ze.

Ze kan het de politie of de FBI niet vertellen zonder te moeten uitleggen hoe ze tot die conclusie is gekomen.

'Ik weet natuurlijk niet wat er met Emma Shubert is gebeurd, maar volgens mij kan het niets goeds zijn,' zegt Lucy. Ze klinkt somber en hard, meedogenloos en vastbesloten.

'Nou, óf ze is een slachtoffer, óf ze is hierbij betrokken,' zeg ik.

'Er is al twee maanden niets van haar gehoord, dus het moet het een of het ander zijn, zou ik zeggen. Ze is schuldig of dood.'

'Zou Marino de actrice die als avatar is gebruikt werkelijk niet kennen?' Ik wil weten wat Lucy hem allemaal verteld heeft. 'Hij kende haar toen niet en kent haar nog steeds niet,' zegt ze. 'Hij heeft zevenentwintig tweets gestuurd aan *Pretty Please* in de veronderstelling dat ze een sexy jonge vrouw was die Peggy Stanton heette. Hij is helemaal over de rooie. We hadden gisteravond ruzie omdat hij zich zo dom voelt. Zoals het er nu naar uitziet heeft het hem zijn baan gekost. Hij is razend, in staat om iemand te vermoorden.'

'Hij heeft nooit navraag gedaan? Nooit geprobeerd haar adres of telefoonnummer te achterhalen om na te gaan wie ze is? Jezus, wat is dat voor rechercheur, voor onderzoeker?' Ik ben enorm gefrustreerd en boos over zijn onnadenkendheid.

'Hij was geen onderzoeker als hij aan het twitteren was,' zegt Lucy. 'Hij was eenzaam.'

In wat voor wereld leven we? denk ik.

'Een heleboel mensen op sociale netwerksites controleren niet met wie ze twitteren of chatten en op wie ze commentaar geven. Ze spreken met ze af en hebben geen idee. Het is ongelofelijk hoe goed van vertrouwen sommige mensen zijn.'

'*Wanhopig* is meer de term die bij me opkomt.'

'Stom,' zegt ze. 'Heel stom. En dat heb ik hem ook gezegd.'

'Marino had beter moeten weten.' *Die verdomde sukkel.*

'Niets in Peggy Stantons profiel wekt de indruk dat ze uit deze stad of zelfs maar uit Massachusetts komt.' Lucy wijst naar haar computerscherm. 'Volgens mij heeft Marino niet veel meer gedaan dan een beetje flirten op internet.'

'Flirten op internet? Je zou verdomme kunnen flirten met een seriemoordenaar of een terrorist.'

'Daarom zit hij nu dan ook in de problemen,' zegt ze. 'Ik weet niet of hij haar wel echt wilde ontmoeten of met haar wilde uitgaan. Ze hebben nooit echt iets afgesproken. Het bleef steeds bij woorden. Hij dacht dat het veilig was.'

'Heeft hij je verteld dat ze nooit iets hebben afgesproken, of lees je dat in de tweets?'

'Er zijn er zevenentwintig van hem,' herhaalt ze, 'en elf van haar, of van degene die zich voordeed als Peggy Stanton. Niets wijst erop dat ze elkaar ooit in het echt hebben gezien, hoewel hij verteld heeft dat hij naar Tampa ging en vroeg of ze dan misschien, en ik citeer, "langs wilde komen om een beetje lol te maken in de zon".'

'Zei hij wanneer hij ging?' Ik denk weer aan de timing. 'Wanneer hij zou arriveren en wanneer hij weer wegging?'

Toen het filmpje afgelopen zondag naar mij werd gemaild, was Marino nog geen uur daarvoor in Boston geland na een week in Tampa te hebben gezeten.

'Precies,' zegt Lucy. 'Hij heeft de informatie doorgegeven in een tweet en zij heeft er nooit op geantwoord. Zoals ik al zei, was het allemaal maar gepraat. Maar ik zie wel waarom het een probleem is voor de politie en voor de FBI.'

'Is dat nog steeds zo?'

'Dat weet ik niet. Hij heeft haar nooit gebeld of ontmoet. Maar hij moet zich nog even gedeisd houden.'

'Zit hij nog steeds bij jou thuis?'

'En daar moet hij ook blijven. Daar kan niemand hem lastigvallen zonder dat wij hem zien aankomen.'

Ik weet niet precies wat ze daarmee bedoelt of wie wat zou kunnen zien aankomen.

'Het probleem is dat hij naar huis wil, en ik kan hem natuurlijk niet tegen zijn zin vasthouden. Het account is nu opgeheven.' Ze bedoelt het e-mailaccount *BLiDedwood*. 'De slechterik' – zo noemt ze de verdachte altijd – 'heeft het aangemaakt en vlak voordat hij jou het filmpje mailde weer gewist.'

'Nou snap ik het niet meer,' beken ik. 'Ik dacht dat het twee maanden geleden was aangemaakt, eind augustus. Maar ik heb het filmpje en die e-mail van *BLiDedwood* pas afgelopen zondag gekregen.'

'Ik weet dat het ingewikkeld lijkt,' zegt ze. 'Maar dat is het eigenlijk niet. Ik weet wat er is gebeurd, en ik zal je de grote lijnen geven. Het is me volkomen helder. De slechterik maakt op 25 augustus een account aan met de gebruikersnaam *BLiDedwood*. De internetprovider of het IP is een proxyserver, in dit geval in Berlijn.'

Lucy heeft die proxyserver gehackt. 'Waarvandaan is de mail verzonden?' vraag ik. 'Duidelijk niet vanuit Duitsland.'

'Logan Airport. Net als later. Zo doet hij dat. Hij maakt gebruik van hun wireless netwerk.'

'Dan heeft hij het account niet op 25 augustus in Alberta aangemaakt.'

'Absoluut niet,' zegt Lucy. 'Hij was alweer hier in de buurt, dicht genoeg bij het vliegveld om het wireless signaal op te vangen.'

Een boot, bedenk ik weer, en ik stuur Ernie Koppel een e-mail over de streep die zo op het oog afkomstig leek van felgroene verf.

Al iets te melden over de zeepok en het kapotte stuk bamboe? schrijf ik.

'Op diezelfde dag, 25 augustus, heeft dezelfde persoon het Twitter-account van Peggy Stanton aangemaakt.' Lucy gaat verder met haar uitleg. 'Hij heeft daarbij de gebruikersnaam *BLiDedwood* opgegeven zodat Twitter contact kon opnemen met dat adres om het account te verifiëren en zich ervan te verzekeren dat het adres bestaat.'

Iets ouds en iets nieuws, schrijft Ernie bijna meteen terug.

'Heel recent heeft de slechterik dat e-mailaccount, *BLiDedwood*, opgeheven en met gebruik van een nieuwe applicatie een nieuw anoniem account aangemaakt met dezelfde naam maar een andere toevoeging, dit keer *stealthmail*,' zegt Lucy. Ik krijg nog een mailtje van Ernie binnen.

Als we de boot ooit vinden, hebben we beslist bewijs. Ik bel zodra ik weer in het lab ben.

'Dus hij wacht negenentwintig minuten, stuurt de film en de jpeg naar jou toe en dan is het account weg als een opgeblazen brug,' zegt Lucy. 'Hij bevond zich ook dit keer zo dicht bij Logan Airport dat hij je de e-mail via hun netwerk kon sturen.'

'En dat is ook de plek waar Peggy Stantons lichaam is gevonden. Misschien is het daar achtergelaten rond dezelfde tijd dat die e-mail is verstuurd, rond dezelfde tijd dat Marino's vlucht uit Tampa arriveerde,' antwoord ik. 'Ik begrijp niet waarom.'

'Spelletjes.' Lucy is heel kalm, als de stilte voor een hevige storm. 'We weten niet waarover hij fantaseert, maar hij doet dit voor de kick.'

Iemand die anderen bespot.

'Wat hij zijn slachtoffers ook aandoet, het maakt deel uit van een veel groter geheel,' zegt ze op dezelfde toon. 'Wat er aan de moord voorafgaat en erna komt, zijn obsessies voor hem. Het gaat niet alleen om het ontvoeren en het moorden. Je hoeft geen profiler te zijn om dat te zien.'

Hij heeft eerder gemoord en zal dat weer doen of heeft het misschien al gedaan.

'Een poging om Marino erin te luizen?' vraag ik.

'In ieder geval om hem het leven zuur te maken. Het is vast leuk om zoveel problemen te veroorzaken,' zegt ze boos. 'Ik heb Benton laten weten dat hij beter hierheen kan komen.'

'Weet hij het van Emma Shuberts telefoon?'

'Ik heb geopperd dat het een mogelijkheid is en dat ze het moeten nagaan, omdat alles daardoor met haar in verband gebracht zou kunnen worden. Ik heb het niet als feit gepresenteerd.'

Een volwassen, ontwikkelde vrouw, een paleontoloog die met de boot naar opgravingssites gaat, in de openlucht werkt maar zich in een lab net zo thuis voelt, bedenk ik. Ze wordt door haar collega's omschreven als gedreven, onvermoeibaar, helemaal in de ban van dinosaurussen, en een actieve milieubeschermer.

'Alle e-mails die ze heeft gestuurd en alle apps en gegevens die ze heeft gedownload voor ze verdween vertonen hetzelfde MAC-adres, de Machine Access Code. Dat heb ik niet aan Benton verteld.' Lucy gaat verder met haar uiteenzetting over wat ze weet maar niet in detail aan de FBI kan doorgeven. 'Diezelfde MAC duikt op bij het filmpje en de jpeg van het afgesneden oor die aan jou zijn verstuurd. En bij dit Twitter-account.' Ze bedoelt het account van de zogenaamde Peggy Stanton.

'Laten we het even over Twitter hebben.' Mijn manier om naar details te vragen die ik maar beter niet kan weten en eigenlijk ook niet wil weten.

'Het is eigenlijk heel eenvoudig,' zegt Lucy. 'Even hypothetisch gesproken.'

Als mijn nicht dat zegt, gaat ze gewoonlijk vertellen wat ze gedaan heeft, maar ik zeg er niets van. Ik stel geen vragen.

'Ik zoek iemand die voor Twitter, Facebook, Google Plus of een ander sociaal netwerk werkt,' zegt ze. 'Er zijn lijsten met personeelsleden waarop staat wat die mensen precies doen, wat hun functie is en zelfs hoe hoog ze staan in de organisatie. Het is niet moeilijk om informatie over personeelsleden te vinden. Daarna ga ik de keten van mensen langs die een bepaald personeelslid volgt en door wie hij gevolgd wordt, en dan stuur ik een link. Als hij daarop klikt, kom ik zonder dat hij het weet in het bezit van zijn wachtwoord. Dan kan ik als die persoon inloggen.'

Ze vertelt me dat ze de ene identiteit na de andere aanneemt, en ik heb er moeite mee om te horen dat zij dit volkomen acceptabel gedrag vindt.

'Uiteindelijk denkt de systeemadministratie dat een hooggeplaatste collega iets belangrijks stuurt waarnaar gekeken moet worden,' geeft ze toe. 'Klik. Dan zit ik in de computer, waarin allerlei vertrouwelijke informatie staat. Vervolgens zit ik in de server.'

'Heeft de FBI dezelfde informatie? Of ook maar iets ervan?' Ik denk aan Valerie Hahn en daarna aan Douglas Burke, en iets donkers en lelijks dreigt mijn stemming te beïnvloeden.

'Geen idee,' zegt Lucy. 'Met gerechtelijke bevelen gaat het allemaal wat langzamer dan bij mij.'

Daar ga ik geen commentaar op geven.

'Maar als het over Marino's tweets en die van de nep-Peggy gaat, hoef je alleen maar op hun pagina te kijken. Die kan de hele wereld zien,' zegt ze. 'Maar ik weet waar ze vandaan komen. Wat een kleffe zooi, wie ze ook geschreven heeft. Helaas wel een slim iemand. Maar arrogant. En arrogantie doet je uiteindelijk altijd de das om.'

Ik schuif mijn stoel dichter naar het beeldscherm als de tweets eroverheen rollen, en ik word er triest van. Degene die zich voordeed als Peggy Stanton schreef Marino voor het eerst op 25 augustus, tegen middernacht, en zei dat ze een fan was.

Je kegelt me helemaal omver, twitterde ze. *Na een strike van mij staat er geen kegel meer overeind, een eerlijke meid die graag met jou zou willen spelen.*

Zes tweets later schreef ze dat ze antiek verzamelde, met name militaire knopen die ze vol trots droeg, en dat was aanleiding tot opmerkingen die Marino aanstootgevend, zo niet onsmakelijk vond.

Ik heb knopen die jij wel eens zou willen losmaken, twitterde ze hem in een van de laatste berichten. *Allemaal dode soldaten op mijn begerenswaardige borsten.*

Marino heeft haar op 10 oktober geblokkeerd.

'Waarom?' Ik probeer me voor te stellen wat voor idee erachter kan zitten en wie dit zou doen.

'We hebben een probleem met Toby, maar die is te stom,' zegt Lucy dan, en ik dacht al dat ze over hem zou beginnen. Ik zag het aan haar gezicht toen hij met die lading dozen voor haar deur stond.

'Het bestaat niet dat hij hierachter zit,' voegt ze eraan toe.

'Maar hij doet duidelijk wel iets.' Ik wacht tot ze me vertelt wat het is, terwijl ik me afvraag waarom het zo moeilijk is om betrouwbare mensen te vinden.

'Je moet voorzichtig zijn met wat je zegt in zijn bijzijn en met wat hij zou kunnen horen of zien.' Lucy zegt dat ze de laatste weken argwaan heeft opgevat tegen Toby, ongeveer sinds het proces tegen Channing Lott begon.

Ze kwam Toby steeds tegen in gedeelten van het gebouw waar hij normaal gesproken niet hoeft te zijn. De postkamer, bijvoorbeeld. Hij haalde daar pakjes op die hem een excuus gaven om naar het computerlab, verschillende kantoren, ontvangst- en sectieruimten, de vergaderzalen, de kleedkamers en de kantine te gaan. Hij keek vaak in het logboek bij de bewakingspost, vertelt ze, alsof hij hevig geïnteresseerd was in de lijken die opgehaald en gebracht waren, vooral als ze nog niet geïdentificeerd waren en als ze waren binnengekomen terwijl hij geen dienst had.

'Het leek niets te betekenen,' zegt Lucy. 'Aanvankelijk dacht ik dat het door Marino kwam, die de elektronische kalender niet meer bijhield, hier bleef slapen en weer aan het drinken was geslagen, en dat Toby zijn kans misschien schoon zag. Maar eigenlijk verzon hij allerlei redenen om kamers in en uit te lopen waar vergaderd werd, waar mensen in gesprek waren of waar open en bloot informatie lag.'

Ze vertelt me dat ze na het verontrustende mailtje dat ik zondagavond binnenkreeg besloot Toby in de gaten te houden, die zonder zijn persoonlijke sleutelkaart, waar een RFID-chip in zit, geen enkele kamer binnen het CFC in kan, ook niet die van Onderzoek. Bovendien worden al onze voertuigen via satellieten in de gaten gehouden, zegt ze, maar Toby dacht gewoon niet dat zij ernaar zou kijken.

'Ik denk dat het nooit bij hem is opgekomen dat ik de beelden van de camera's terug zou kijken en de gps-gegevens van de auto's zou natrekken,' zegt ze, en ik herinner me dat ik gisteren, toen ik in de parkeergarage was, via de beveiligingsmonitors naar Toby heb staan kijken.

Hij leek via de telefoon ruzie met iemand te maken. Daar was me iets aan opgevallen, iets wat me bijbleef. Het leek niet normaal.

'Hij is allerlei kamers binnengegaan waar hij niets te maken heeft,' gaat Lucy verder. 'Jouw kantoor, Lukes kantoor.'

'Hij kan mijn kantoor niet openmaken.' Dat gaat niet via een sleutelkaart en ik loop hier ook niet rond met zo'n ding om mijn nek.

Ik kan elke deur in het gebouw openmaken door mijn duim te laten scannen, en Lucy, Bryce en ik zijn de enigen die zo'n biometrische sleutel hebben, die ik de loper noem.

'Jouw deur staat meestal wijd open als je in het gebouw bent, of anders die van Bryce wel,' merkt Lucy op. 'Hij laat altijd zijn deur openstaan en ook de deur tussen zijn kantoor en dat van jou. Dus zoekt Toby een reden om iets langs te brengen, dit of dat te controleren, een vraag te stellen of informatie door te geven, of hij neemt het op zich om te noteren wat iedereen wil eten en om dat dan te laten bezorgen. Of anders loopt hij gewoon in en uit als hij denkt dat niemand op hem let.'

Ik sta op en pak mijn telefoon als Lucy me vertelt dat de jury klaar is met beraadslagen. Even denk ik dat ze het over Toby heeft, dat ze wil zeggen dat wel duidelijk is wat we met hem moeten doen. Dan besef ik dat ze het ergens anders over heeft.

'Het staat op internet,' zegt ze terwijl ik de snijkamer bel. 'De jury is terug en iedereen denkt dat hij onschuldig zal worden verklaard.'

Ik krijg Luke aan de lijn, vraag hem de kleding van Howard Roth naar Identificatie te brengen en alle foto's naar mij te mailen, en zeg dat ik naar beneden kom.

'Misschien kan Toby het doen? Hij staat hier naast me.' Luke heeft het druk.

'Nee. Ik wil dat je de spullen persoonlijk komt brengen en dat je de deur achter je op slot doet. Ik wil dat er verder niemand in de buurt van zijn kleren en zijn andere bezittingen komt.'

'Een boxer, een T-shirt, zijn medicijnen. De politie heeft zijn andere persoonlijke bezittingen, zijn portemonnee, zijn huissleutels en ik weet niet wat allemaal nog meer.' Luke zit midden in een sectie en wil daarmee doorgaan, maar hij heeft pech.

'Dank je. Ik zal ernaar kijken.'

'Ik wil maar zeggen, ze hoefden er niet eens over na te denken. Onschuldig,' zegt Lucy als we in de gang staan en zij de deur op slot doet.

'Keek je daarom gisteren rond in mijn kantoor, omdat je Toby niet vertrouwt? Deed je daarom alsof ik wel eens bespioneerd kon worden?' vraag ik.

'We nemen de trap.' Ze loopt met me naar het verlichte bordje met EXIT. 'Iemand is aan het spioneren, maar niet met apparatuur. Ik heb het gecontroleerd.' Ze duwt de metalen deur open. 'Toby is niet handig genoeg om verborgen apparaatjes te plaatsen, zeker geen apparatuur die ik niet snel zou vinden, maar ik heb wel gekeken. En hij heeft lopen spioneren.'

'Waarom?'

'Waarom denk je dat ze je vanuit Channing Lotts helikopter filmden toen je gisteren dat lijk uit het water haalde?' vraagt ze.

'Toby was de enige die wist wat Marino en ik gingen doen,' bedenk ik. 'Naast Bryce. En Luke misschien, als Marino er iets over gezegd heeft toen ze elkaar op de parkeerplaats tegenkwamen.'

We lopen naar beneden en onze stemmen galmen hard door de betonnen ruimte.

'Ik weet vrij zeker dat ik Luke geen bijzonderheden heb verteld.' Ik probeer me precies te herinneren wat ik heb gezegd.

Ik wilde net de parkeergarage in lopen en schrok toen hij opeens zo dicht bij me stond dat we elkaar bijna aanraakten, en hij vroeg waar ik naartoe ging. Ik zei dat ik een lijk uit de haven ging halen en hij zei dat hij best wilde helpen en herinnerde me eraan dat hij een duikcertificaat heeft. Ik zei niet dat het om het lijk van een vrouw ging. Daar ben ik vrij zeker van, maar ik was afgeleid, zoals ik al een tijdje afgeleid word door hem. Ik ben niet van plan me nog langer door hem te laten afleiden.

'Toby wist uren van tevoren al dat je naar de kustwachtbasis ging,' beweert Lucy. 'Hij wist dat hij er met het busje naartoe moest om het lijk te kunnen vervoeren. Het lijk van een vrouw, dat vastzat aan een schildpad.'

'En toen heeft hij contact opgenomen met de piloten van Channing Lott?' Daar geloof ik niets van.

'Hij heeft contact opgenomen met Jill Donoghue, en die heeft de piloten ingelicht.'

'Weet je dat zeker?'

'Wist jij dat hij heeft gesolliciteerd bij haar chique advocaten-kantoor en dat hij met een auto van het werk naar het Prudential Center is gereden, waar haar kantoor gevestigd is?' vraagt Lucy. 'Ik denk dat hij is vergeten dat ik via de gps kan nagaan waar iedereen naartoe gaat en dat ik de e-mails kan lezen van iedereen die stom genoeg is om zijn CFC-account te gebruiken voor per-soonlijke berichten. Daar hoef ik niet eens iets voor te hacken.'

'Jezus.'

'Precies.' Ze doet de deur van het trappenhuis open.

31

Toby is op de gang bezig felrode zakken chemisch afval naar de autoclaaf te brengen, en ik zeg tegen Lucy dat ze alvast maar naar Identificatie moet gaan. Hij zegt onmiddellijk dat hij net uit het depot komt, en ik merk het altijd meteen als iemand iets op zijn geweten heeft.

'Je hebt vast wel gehoord wat er net in de rechtszaal is ge-beurd,' zeg ik tegen hem. Er is niemand in de buurt die ons kan horen. Ron, de bewaker, zit een eindje verderop achter glas.

'In de rechtszaal?' Toby heeft een laboratoriumjas en hand-schoenen aan, en door zijn tatoeages en zijn kale kop straalt hij iets sinisters uit, wat echter teniet wordt gedaan door de blik in zijn ogen.

'Ja, een vrijspraak waardoor we ons zorgen maken over de

beveiliging hier,' zeg ik. Hij houdt zich van de domme. 'Je zult ongetwijfeld weten dat alle berichten die via de CFC-server lopen, niet privé zijn, en dat ze voor altijd opgeslagen worden, ook al wist iemand ze.'

'Zoals wat dan?' Hij kijkt om zich heen maar ontwijkt mijn ogen. 'Wat voor berichten dan?'

'Met andere woorden, mailtjes die vanuit het CFC worden verstuurd, worden niet als *privéaangelegenheden* beschouwd. Ze vallen dus buiten het privédomein van de werknemer, zeker als die mailtjes als bewijsmateriaal kunnen dienen in een disciplinair onderzoek met betrekking tot het misbruik van overheidsgelden of de schending van de vertrouwelijkheid en het beleid van het CFC.' Ik kijk strak naar hem, maar hij ontwijkt mijn blik. 'In zulke gevallen zullen privéberichten openbaar worden gemaakt, in overeenstemming met de Public Records Law.'

'Ik heb geen idee waar je het over hebt.' Maar dat liegt hij, en hij wordt rood in zijn gezicht.

'Waarom?' vraag ik hem, en hij weet best waar ik op doel.

'Waarom die rijke vent is vrijgesproken?' Hij fronst zijn wenkbrauwen, is bang en doet net of hij me niet begrijpt.

'Ik zou je een positieve aanbeveling hebben gegeven, Toby. Ik ben niet iemand die anderen niets gunt. Je had me alleen maar hoeven te vertellen dat je het hier niet naar je zin had of dat je het idee had dat je niet gewaardeerd werd of iets wilde gaan doen wat beter bij je paste.'

Het ontgaat hem niet dat ik in de verleden tijd over zijn baan praat. Hij pakt de rode zakken over in zijn andere hand, en zijn ogen schieten heen en weer.

'Mevrouw Donoghue weet in elk geval wat ze kan verwachten,' voeg ik eraan toe. 'Hoewel ik haar de tamelijk voor de hand liggende conclusie niet zal onthouden dat als je mij dit flikt, je het haar ook zult flikken. In elk geval zal die gedachte bij haar postvatten, en ik denk dat dat inmiddels al is gebeurd.'

'Ik was niet degene die hier is blijven slapen omdat ik niet in staat was om naar huis te rijden.' Hij probeert uit te halen naar Marino, maar dat is de laatste stuiptrekking die hem nog rest.

'Nee, je hebt met de vijand geslapen, en dat is veel erger,' zeg ik. 'Ik wens je veel geluk met wat je verder nog gaat doen, wat dat ook maar moge zijn. Je kunt het beste maar meteen je spullen pakken.'

'Tuurlijk.' Hij doet geen poging meer zich te verweren. Misschien is hij zelfs opgelucht.

'Je sleutelkaart, graag.' Ik houd mijn hand op, en hij pakt het koord dat om zijn hals hangt.

'Terwijl deze zaak onderzocht wordt, kun jij hier natuurlijk niet rondlopen.' Ik wil dat daar geen misverstand over bestaat.

'Ik wilde er toch al mee kappen.'

Ik loop met hem mee naar de receptie en vraag Ron om assistentie.

'Jawel, mevrouw.' Hij komt achter zijn bureau overeind en stapt de gang op. Door de manier waarop hij kijkt, zie ik dat hij weet wat er gebeurd is, en misschien heeft hij altijd al vermoed wat Lucy heeft ontdekt.

'Toby werkt niet langer voor het CFC,' zeg ik tegen Ron. 'Zou je erop toe kunnen zien dat hij al zijn spullen inlevert en nog even bij Bryce langsgaat voor een laatste gesprek? Die zal de zaken afhandelen. Je kent de gebruikelijke procedure.'

Ik geef hem de sleutelkaart en vraag of hij Toby wil vergezellen naar de afvalkamer, zodat hij de zakken bij de autoclaaf kan achterlaten. Ik loop weg, stuur Bryce een sms'je om hem te laten weten wat er gebeurd is, en ondertussen vraag ik me af wat ik me altijd afvraag als iemand zich op deze manier heeft gedragen: *waar heb ik zo'n enorm gebrek aan trouw en respect aan verdiend?*

Toby was een doktersassistent die geen medisch-juridische opleiding tot lijkschouwer had gehad, maar die dat wel dolgraag wilde worden, zoals hij me enkele jaren geleden tijdens zijn sollicitatie vertelde. Ik durfde het wel aan met hem en stuurde hem naar de forensische scholingsinstituten in New York en Baltimore voor een basiscursus en vervolgopleidingen. Bovendien nam ik hem regelmatig mee naar een plaats delict om hem te laten zien hoe het er in de praktijk aan toegaat, legde ik uit wat ik zoal deed bij een sectie en leerde ik hem wat hij moest doen om me daarbij te assisteren.

'Geld en kortzichtigheid,' zegt Lucy als ik de kleedkamer binnenkom. Ze heeft zich al helemaal in het wit gestoken en snapt in wat voor stemming ik ben. 'Mensen zijn eikels.'

'Het lijkt altijd alsof het dat niet alleen is.' Ik pak kleren van de plank. 'Ik heb altijd het gevoel dat ik iets fout heb gedaan.'

'Het is niet persoonlijk, tante Kay.'

'Waarom voelt het dan wel zo?'

'Jij trekt je altijd alles wat iedereen overkomt persoonlijk aan.' Lucy is niet begiftigd met het talent haar overtuigingen tactvol in te kleden. 'Maar jouw betrokkenheid bij anderen is nooit wederzijds. Zo is het altijd al geweest.'

'Nou, dat is nogal deprimerend wat je daar zegt. Dus alle mensen die nu voor me werken of dat in het verleden hebben gedaan, zijn alleen maar bezig met hun eigen ambities, hun eigen persoontje.'

'Ze zien het nooit zo persoonlijk als jij, omdat de meesten er alleen maar op uit zijn om te krijgen wat ze willen en geen snars om anderen geven.'

'Ik weiger te geloven dat iedereen zo is.'

'Niet iedereen is zo. Ik bijvoorbeeld niet.'

'Dat is absoluut een feit. Ik betaal je niet eens.' Ik pak handschoenen en een masker.

'Daar heb je niet genoeg geld voor.'

'Wie wel?'

'Wat Toby bij een overheidsinstantie kan verdienen, is veel minder dan wat hij als onderzoeker zou kunnen krijgen bij de Jill Donoghues van de wereld,' zegt Lucy. Dat is natuurlijk helemaal waar. 'Hij staat op het punt te gaan trouwen, wil een gezin stichten, en heeft zich diep in de schulden gestoken om die truck van hem te kunnen kopen. Ik denk dat daarmee de problemen begonnen zijn. Hij deed er altijd heel zielig over. Blijkbaar heeft hij veel meer geleend dan het ding waard is. Om maar te zwijgen van het bedrag dat hij aan tatoeages kwijt was.'

'Wat deprimerend allemaal. De wereld verraden voor tatoeages en een pick-up.'

'De Amerikaanse droom. Alles op de pof kopen en de zon tegemoet rijden, zwaar getatoeëerd en vol piercings waar je uiteindelijk veel spijt van krijgt.'

'Wat hij deed, was ontoelaatbaar.' Ik doe de deur naar het depot open. 'En Jill Donoghue moest zich schamen.'

'Eigenlijk was het tamelijk briljant.' Lucy loopt met me mee naar binnen.

'Luke zou foto's mailen, en ik verwacht er ook nog een paar van Machado. Kun je even kijken of ze al binnen zijn?' Ik hoef niet te horen hoe briljant Donoghue is.

'In oorlog en liefde is alles geoorloofd. Ze is een slimme advocate die gewoon alle middelen inzet die ze tot haar beschikking heeft.' Met haar blauw gehandschoende hand typt Lucy iets in op een toetsenbord om mijn e-mail te checken. 'Haar cliënt heeft toevallig piloten in dienst en beschikt over een helikopter waarmee je vanuit de lucht filmpjes kunt maken.'

'Ik vind het gewoon niet eerlijk dat rechter Conry niet weet wat Donoghue heeft geflikt.'

'Waarom zou hij daarmee zitten?'

Dat is een goede vraag. Strikt genomen heeft de rechter toestemming gegeven om in de rechtszaal televisiebeelden te vertonen, geen beelden die vanuit de helikopter van de verdachte waren genomen, want dat zou ontoelaatbaar zijn geweest. Maar de bron van de televisiebeelden werd niet bekendgemaakt, en er werden tijdens de rechtszaak ook geen vragen over gesteld, en nu is het te laat.

'Daar is niets onwettigs aan,' zegt Lucy. 'En vanuit juridisch oogpunt niet eens laakbaar.'

'Zo te horen vind jij het allemaal geweldig.'

'Misschien zou ik hetzelfde hebben gedaan.'

'Daar twijfel ik geen seconde aan,' zeg ik. Ik wil helemaal niet weten wat ze al dan niet gedaan zou hebben.

De kleren van Howard Roth zien er smerig en vormeloos uit en liggen er op het witte waterproof papier wat verloren bij. Een groot zwart T-shirt, een katoenen boxershort met een rood blokjespatroon, en witte sportsokken waar donkere, bijna zwarte bloedspatten op zitten. Op een tafel tegen de verste muur zie ik de bench en de zakken met drijfnat, samengeklonterd kattengrit, het gele touw en het visgerei, en de gele drijver waar slijtplekken op blijken te zitten, iets wat me niet was opgevallen toen hij in het water lag.

'Natuurlijk zei ze tegen Toby dat ze graag zou horen wat hem op zijn werk toevallig ter ore kwam. Daar is niets mis mee.' Lucy vertelt wat er volgens haar is gebeurd. 'En hij wil toch ook dat het recht zijn loop heeft? En trouwens, hoe vindt hij het daar bij het CFC, en denkt hij wel eens over zijn toekomst na?'

Ze geeft haar idee van wat Donoghue tegen Toby gezegd moet hebben. Ondertussen zoek ik naar een liniaal.

'Dus gistermorgen wachtte ze met haar cliënt tot ze de rechtszaal in mochten, of misschien zaten ze er al, en toen kreeg ze ineens een sms'je van Toby. Er is een vrouw in de baai aangetroffen. Misschien kreeg ze ook wel te horen dat de vrouw gelakte nagels heeft, en lang haar, wit of blond. Een cadeautje dat haar zomaar in de schoot werd geworpen.'

'Verzin je dit allemaal, of weet je het zeker?' Ik doe een la open en vind waarnaar ik op zoek ben, een rolmaat van het type dat we ook altijd bij ons hebben als we naar een plaats delict gaan.

'Ik weet wat de Sikorsky-piloten tegen de verkeerstoren hebben gezegd,' verklaart Lucy. 'Ik was net opgestegen van Hanscom en had contact met Logan gemaakt toen de S-76 zich meldde, de helikopter waarvan ik later ontdekte dat die van Channing Lott was. Ze gaven door dat ze van Beverly kwamen en vroegen of ze in de buitenhaven wat filmopnames mochten maken.'

Ik bespuit het stugge metaal van de liniaal met een desinfecterend middel om het schoon te maken.

'Wauw, hij heeft een flink gat in zijn achterhoofd,' zegt Lucy. 'Dat was nog niet zo goed te zien toen zijn haar nog niet weggeschoren was.'

'Hoe laat hoorde je die piloten op de boordradio?' Op haar beeldscherm bekijk ik foto's die tijdens de sectie zijn gemaakt.

'Ongeveer twee uur nadat jij te horen kreeg dat er een lijk in de baai was gevonden,' zegt ze.

'Duidelijk stomp trauma, geen scherp voorwerp,' merk ik op. 'Je kunt zien waar het weefsel gescheurd is, en diep in de wond zit overbruggend weefsel.' Ik wijs zenuwen, bloedvaten en ander zacht weefsel aan, losse draden die over de gapende wond lopen. 'Zijn hoofd is hardhandig in contact gekomen met iets zonder scherpe rand.'

'Kan het niet zijn gekomen doordat hij met zijn achterhoofd

tegen de rand van een betonnen traptree is gevallen?'

'Dat betwijfel ik ten zeerste.'

'Ik snap niet hoe je met dat deel van je hoofd op de grond kan vallen.' Lucy gaat met haar hand naar haar achterhoofd, waar haar schedel met haar nek verbonden is.

'Dat is inderdaad tamelijk lastig,' geef ik toe.

Ik buig me over haar heen en klik door naar een paar andere foto's die tijdens de sectie genomen zijn.

'Een open fractuur, iets ingedrukt, verbrijzeld,' zeg ik. 'Intracraniële en intracerebrale bloedingen.'

Ik bekijk nog een paar foto's en leg daarbij mijn hand op Lucy's schouder, en zoals altijd verbaas ik me erover hoe gespierd ze is.

'Een subduraal hematoom met daaronder contusies. Een behoorlijk harde klap tegen het achterhoofd, maar met heel weinig zwelling. Het heeft niet lang geduurd voordat hij is overleden.' Ik loop naar de drijver en begin die op te meten. 'Weet Marino wat Toby heeft gedaan?'

'Waarschijnlijk is het 't best als die twee elkaar de komende honderd jaar niet tegenkomen.'

De drijver is van sterk vinyl, 1,47 meter bij 46 centimeter, en ik vraag aan Lucy of de afmetingen van belang zijn. Toetsen tikken wanneer ze dat op internet nazoekt.

'In de botenwereld is dat xl,' zegt ze. 'Drijvers voor jachten.'

'En hij is niet opblaasbaar,' merk ik op. 'Dus als een boot zulke grote drijvers aan boord had, moet het wel een groot vaartuig zijn geweest. Ik was er aanvankelijk van uitgegaan dat de dader dit ding nieuw gekocht had, net als de bench en het kattengrit. Ik ging ervan uit dat die persoon nieuwe spullen gebruikte die niet getraceerd konden worden.'

Ik maak de rolmaat schoon en leg hem terug in de la. Daarna trek ik nieuwe handschoenen aan.

'Maar je kunt zien dat die drijver ergens tegenaan is geschuurd, wat zou betekenen dat het geen nieuwe is,' leg ik uit. 'Het is een gebruikte, mogelijk van een grote boot gehaald.'

'Iemand met geld,' zegt Lucy. 'Channing Lott heeft een vijftig meter lang schip dat hij in Boston heeft liggen. Soms ligt dat ding in Gloucester. Het is een zeer bekend jacht.'

'Waarom op het vliegveld in Beverly?' Ik vraag of er een speciale reden is waarom je daar een helikopter paraat zou houden.

'Hij heeft een hangar in Beverly, net als op tal van andere plaatsen,' zegt Lucy. 'Beverly ligt lekker dicht bij Gloucester, waar zijn landhuis staat. Daar is zijn vrouw verdwenen.'

Ik doe een grote zwarte plastic koffer open en haal er een forensische lamp en een bril uit. Lucy dimt het licht in de kamer. Ik begin met blauw en laat het schijnsel over het zwarte T-shirt gaan. Een compleet melkwegstelsel aan vuil en vezels licht in verschillende kleuren en met een wisselende intensiteit op. Wat eruitziet als feloranje en meerkleurige draden is waarschijnlijk synthetisch, en de grove associeer ik met een tapijt. Zowel aan de voor- als achterkant zie ik bouwstof en vuil zitten, stukjes verf en glas, en dierlijke en menselijke haren, waarvan veel van de grond afkomstig zijn, vermoed ik.

Ik voel de dikke stijve massa van opgedroogd bloed dat ik nauwelijks kan zien op de zwarte stof, donkere bloedvlekken die waarschijnlijk afkomstig zijn van het toegetakelde hoofd van Howard Roth. Ik vraag Lucy of ze het licht weer wil aandoen. Het meeste bloed zit achterop bij de kraag en de schouders, alsof er bloed uit de hoofdwond op de grond stroomde doordat hij op zijn rug lag. Ik kan me voorstellen waarom Luke aannam dat de man aan de voet van de trap met zijn hoofd tegen de grond was gesmakt, maar ik geloof er niets van.

'Het zal je vast niet ontgaan zijn dat wat er met zijn vrouw is gebeurd, vergelijkbaar is met wat die anderen is overkomen.' Lucy heeft het nog steeds over Channing Lott.

'Ik heb foto's van de plaats delict nodig om te zien hoe Roth erbij lag toen hij gevonden werd. Kijk even of Machado ze al heeft gemaild.'

'Zijn vrouw behoort in grote lijnen tot dezelfde leeftijdscategorie, geniet een zeker aanzien, een vrouw om rekening mee te houden.' Lucy gaat weer achter haar computer zitten. 'Ze valt zeker niet in de categorie hoog risico, integendeel zelfs. De foto's zijn binnen. Ik open de bijlage.'

'Ligt hij op zijn rug, zijn buik, of zijn zij?' Ik doe een kast open en zoek naar 3% waterstofperoxide.

'Op zijn rug en linkerheup, een beetje gedraaid en in elkaar gedoken,' antwoordt ze.

Ik loop naar het beeldscherm om zelf te kijken. Howard Roth ligt onder aan de keldertrap, naar een kant gedraaid. Hij staart omhoog, zijn knieën opgetrokken, zijn armen gebogen naast zich, en onder zijn nek ligt een plas gestold bloed die doorloopt tot onder zijn schouders. Het lijkt me tamelijk zeker dat hij niet meer heeft bewogen toen hij eenmaal in deze positie was beland.

'De enige reden waarom Channing Lott verdacht werd, is een mailwisseling tussen hem en degene die hij naar verluidt probeerde in te huren. Dat zit me niet lekker,' zegt Lucy. 'Dat wist je, neem ik aan?'

'Niet precies.' Ik loop terug naar de kast en vindt potten met natriumacetaat en 5-sulfosalicylzuur.

'Ik zal het online nieuws even tevoorschijn halen,' zegt ze terwijl ze daar al mee bezig is. 'Op 4 maart, een zondag, werd er een mailtje gestuurd naar het persoonlijk mailadres van Channing Lott. Het was afkomstig van iemand van wie hij de naam niet herkende, maar van wie hij aannam dat hij bij een van zijn expeditiekantoren werkte. Hij verklaarde voor de rechter dat hij onmogelijk alle namen kan onthouden van alle mensen die wereldwijd voor hem werken.'

Lucy leest voor wat er staat.

Ik weet dat het ongebruikelijk is om rechtstreeks via de mail contact met u op te nemen, maar ik heb een bevestiging nodig van onze afspraak en de daaraan verbonden ruil voordat ik verder kan gaan met de oplossing.

'En wat mailde Channing Lott terug?' Ik los sulfosalicylzuur op in waterstofperoxide.

'Hij schreef: *Zijn we het nog steeds eens over een beloning van honderdduizend dollar?*'

'Dat klinkt inderdaad belastend.' Ik bekijk het reagens, Leuco Crystal Violet, LCV, om te zien of het geel is geworden. Het is helderwit.

'Hij beweert dat hij aannam dat het mailtje over een prijs ging die zijn expeditiekantoor had uitgeloofd,' vertelt ze, 'en dat hij vaak samenwerkt met andere expeditiebedrijven om wetenschappers te belonen die uitvoerbare oplossingen bedenken om de uitstoot van broeikasgassen te reduceren.'

Ik schenk het LCV erbij, een kleurstof van trifenylmethaan, en meng de stoffen in een magneetroerder.

'De hoogte van de beloning was toevallig honderdduizend dollar,' zegt Lucy.

'Klinkt als een argument waarmee Jill Donoghue aan zou komen zetten.' Ik doe wat van de oplossing in een spuitflesje.

'Ja, maar de Mildred Vivian Cipriano Award bestaat al meer dan tien jaar,' zegt Lucy. 'Dus die is niet alleen maar voor de gelegenheid verzonnen om die mailtjes te verklaren. Degene die het eerste mailtje stuurde, is nooit opgepakt of zelfs ook maar geïdentificeerd, en daarom denk ik dat dat eerste mailtje aan Lott niet te traceren was. Dat klinkt je bekend in de oren, toch?'

'Zou je even de D-70 uit die kast kunnen pakken?' Ik vertel haar welke lens ik graag wil hebben. 'We gaan het eens met infrarood proberen om te kijken of er bloedsporen te vinden zijn die we anders niet te zien krijgen op zwart katoen.'

We nemen foto's met verschillende filters, sluitertijden en afstanden. Eerst proberen we het zonder chemicaliën, en voor en achter op het T-shirt en op de boxershort zitten vage plekken waar bloederige resten op de stof zijn achtergelaten door iets wat ermee in contact is gekomen. Ik spuit er wat LCV op, en dat begint te reageren met de hemoglobine in het bloed. Nu zijn er duidelijke vormen te zien, die ons nogal verbijsteren.

Schoenafdrukken – de zool, de hak, de neus – gloeien helderpaars op. De bloederige vormen overlappen elkaar. Iemand heeft Howard Roth herhaaldelijk geschopt, tegen zijn borst, in zijn buik, in het kruis, terwijl het slachtoffer op zijn rug lag, waarschijnlijk toen hij al op de keldervloer was beland. Hij bloedde uit het gat in zijn hoofd, en ook uit zijn neus en mond, schuimend bloed als gevolg van verbrijzelde ribben die zijn longen doorboorden. Ik probeer me er een beeld van te vormen.

Een dronken man, nauwelijks gekleed, en ik denk niet dat hij in bed lag toen de moordenaar ten tonele verscheen. De meeste mensen houden hun sokken niet aan in bed, vooral niet als het warm is. Weer bekijk ik de foto's die op de plaats delict en tijdens de sectie genomen zijn, en het zint me niet.

Ik bel Sil Machado.

'Vrij als een vogeltje in de lucht,' is het eerste wat hij zegt. 'En Donoghue dankt je hartelijk.'

'Geweldig.'

'Ze zegt dat je de jury erop hebt gewezen, en *terecht*, dat niet bewezen kan worden dat Mildred Lott dood is, laat staan dat haar man haar vermoord zou hebben.'

'Waar zit je op dit moment?'

'Wat heb je nodig?'

Ik spreek met hem af bij het huis van Howard Roth. Ondertussen trek ik in de kleedkamer mijn beschermende kleren uit, en dan gaat de deur naar de gang open. Benton komt binnen.

'Geef me een minuutje of twintig,' zeg ik tegen Machado. 'Als je daar eerder bent dan ik, zou ik het fijn vinden als je buiten op me blijft wachten.' Ik kijk naar Benton; onze blikken kruisen elkaar. 'Kennelijk heeft Howard Roth bezoek gehad, vlak voordat hij doodging. Die cheque die in de gereedschapskist zat, heb je die al afgegeven?'

'Die ligt nu bij Vingerafdrukken,' zegt Machado. 'Trouwens, toen ze de auto met damp onderzochten, hebben ze een afdruk op het achteruitkijkspiegeltje ontdekt. Een die niet van Peggy Stanton is.'

32

Benton rijdt in mijn SUV in westelijke richting langs de Charles, voorbij het voormalige art deco-hoofdkwartier van Polaroid en het DeWolfe Boathouse met zijn groen uitgeslagen koperen dak. Het is middag, het ijs dat hier en daar lag is weggesmolten en het zonlicht sprankelt in het water en verlicht fel het oude Shell-logo. We zijn op weg naar Central Square en ik bel intussen Ernie terug.

'Botenlak,' zegt hij meteen. 'Geen grote verrassing, want de schildpad lag uiteraard in het water toen hij ergens tegenaan botste of iets tegen hem aan botste. Een verf vol koper om de aangroei van zeepokken en mosselen en zo tegen te gaan. Er zit ook zink in, wat waarschijnlijk van de primer komt.'

'Dat klopt met de kleur,' antwoord ik. 'Die geelgroene tint doet inderdaad denken aan een primer op basis van zink.'

'Onder de microscoop zie je meer dan één kleur,' zegt hij. 'Eigenlijk zijn het er drie.'

We kruisen Massachusetts Avenue en voor ons ligt het romaanse stadhuis met zijn klokkentoren en met graniet afgewerkte stenen muren. Ernie legt uit dat de verfsporen op de zeepok en op de afgebroken bamboestok afkomstig zijn van de onderkant van een boot. Misschien van de schroef, een anker of een ankerketting die ergens in het verleden zwart zijn geschilderd, mogelijk een paar jaar geleden.

'De verf die op de romp van een boot wordt aangebracht, wordt vaak ook gebruikt voor andere dingen die onder water blijven als de boot voor anker ligt,' voegt hij eraan toe.

'Dat is iets voor luie mensen,' zeg ik terwijl Benton de bocht neemt bij het YMCA. 'Overal dezelfde verf voor gebruiken.'

'Er zijn een heleboel luie mensen, maar er zijn ook nog mensen die nergens iets om geven en echt slordig en onverantwoordelijk bezig zijn,' zegt Ernie. 'Degene die de betreffende boot geschilderd heeft, valt in die categorie.'

Het past niet bij mijn beeld van hem, een nette, nauwgezette moordenaar die zijn plannen heel precies uitstippelt en er kwaadaardige fantasieën op nahoudt.

'Die op zink gebaseerde primer is aangebracht zonder dat de oude verflaag is verwijderd. Dat was blijkbaar te veel moeite.' Ernie gaat verder met zijn bevindingen over de vage vlek die met het blote oog bijna onzichtbaar was.

Een boot die de dader gebruikt voor zijn kwalijke zaakjes, niet in zijn vrije tijd of voor zijn plezier.

'En daaroverheen zit een dieprode laklaag met koper of koperoxide erin, iets wat normaal gesproken op hout wordt gebruikt,' zegt hij. 'Ik heb het gevoel dat je een boot zoekt met een gebutste, bladderende of beschadigde rode verflaag, zodat je op sommige plekken de primer kunt zien. Met andere woorden, een niet bepaald goed onderhouden vaartuig.'

Een slecht onderhouden, oude boot die waarschijnlijk niet op zijn naam staat en niet in de buurt ligt van waar hij woont.

'Als het een schroef was, zou de schildpad dan niet erger gewond zijn?' vraag ik.

'Als de schroef draaide wel. Maar misschien was dat niet zo. Misschien had de dader de motor afgezet terwijl hij deed wat hij moest doen.'

Deed wat hij moest doen.

De boot tot stilstand brengen dus, en de motor uitzetten zodat hij de bench, de drijver en het lichaam in het water kon gooien. Ik probeer het me voor te stellen, maar ik zie niet hoe je een kooi met zo'n zeventig kilo kattenbakstrooisel over een hoge reling kunt tillen om hem samen met een lijk overboord te gooien. Een duikplatform dus, een boot met een open achterkant, gok ik. Zo'n verlaagd achterdek zoals de boten van de kreeftenvissers hier hebben, zodat ze de korren en boeien gemakkelijker in het water kunnen zetten. Dat soort boten kom je op alle tijdstippen, in elk weer en op elke plek tegen en ze vallen dus totaal niet op. Ik probeer me een beeld te vormen van de situatie.

Het open achterdek van een oude, overgeschilderde houten boot, waar de kennel, de drijver en het lichaam in het water werden geduwd op het moment dat een enorme lederschildpad, verstrikt in vistuig met een oude bamboestok erin, naar boven komt. Ik zie de klap, het treffen bijna voor me. De schildpad komt boven voor lucht, met al dat vistuig aan zijn lijf, en botst tegen de onderkant van de boot of schampt misschien de schroef, en vervolgens raakt hij gevaarlijk verstrikt in het gele nylon touw dat aan de drijver zit en wordt hij door het gewicht nog verder in zijn bewegingen belemmerd, tot het hem bijna onder water trekt.

Heel waarschijnlijk heeft de moordenaar de lederschildpad niet eens gezien en weet hij helemaal niet wat er gebeurd is. Ten eerste vermoed ik dat het donker was. Ik denk dat de boot vlak bij Logan heeft gelegen, op de plek waar zondagavond om negentwintig minuten over zes met behulp van de iPhone van Emma Shubert de e-mail is verstuurd, en dat de dader misschien uren heeft gewacht tot hij er zeker van was dat niemand hem zou opmerken.

'Waarom heb je het over *een paar jaar geleden*?' vraag ik aan Ernie. 'Jij kunt nagaan wanneer de romp zwart geschilderd is?'

'Sporen van TBT,' zegt hij.

De verf bevat tributyltinoxide, legt hij uit, een aangroeiwerend biocide dat een enorme sterfte onder zeedieren heeft veroorzaakt, vooral onder schelpdieren, omdat er mutaties door ontstonden. TBT is een van de giftigste chemicaliën die ooit opzettelijk in het water zijn gebruikt en is al sinds eind jaren tachtig verboden op drukbevaren plekken als havens en baaien. Maar het verbod geldt helaas niet voor olietankers en militaire schepen.

'Dus als de boot in kwestie geen legervaartuig of tanker is, en dat is wel bijna zeker, dan ben je waarschijnlijk op zoek naar een exemplaar dat minstens twintig jaar oud moet zijn,' voegt hij eraan toe terwijl Benton een parkeerplaats zoekt in de straat waar de Crown Vic van Machado staat.

Howard Roth had geen oprit. Zijn kleine houten huis met z'n overwoekerde tuin staat achter een leegstaande fabriek in Bigelow Street, in een buurt met een mengeling van historische panden, appartementen en sociale woningbouw. Hoewel ik het vanaf hier niet kan zien, weet ik dat Fayth House maar een paar straten verder naar het westen is, in Lee Street, op loopafstand. Ik vraag me weer af of Peggy Stanton daar soms vrijwilligerswerk heeft gedaan.

'Wat voor ons het belangrijkste punt is,' zegt Ernie in mijn oortje terwijl ik uitstap, 'is dat degene die de boot overgeschilderd heeft om aan de regels te voldoen er geen donder om gaf dat er een reden voor het verbod is.'

Ik haal de sporenkoffertjes uit de achterbak.

'Kennelijk heeft hij gewoon een laag primer en een laag rode verf over de oorspronkelijke zwarte verf gesmeerd, en dat voorkomt niet dat er TBT in het water terechtkomt,' voegt Ernie eraan toe, en ik denk aan wat Lucy even eerder tegen me zei.

De scheepvaartmaatschappij van Channing Lott looft een beloning uit van honderdduizend dollar voor milieuvriendelijke ideeën. Ik kan me niet voorstellen dat een van zijn tankers geschilderd is met verf die een gevaarlijk biocide bevat. Hetzelfde geldt voor andere boten die hij zou kunnen hebben, en zeker voor zijn jacht, dat hij soms in de haven van Boston afmeert.

'Het zou van alles kunnen zijn,' zegt Benton als ik hem op de hoogte heb gebracht. We beklimmen de verweerde houten buitentrap van Howard Roths driekamerwoning, die er niet zozeer verwaarloosd, maar vooral armoedig uitziet. 'Elk vaartuig of voorwerp dat oorspronkelijk was beschilderd met die aangroeiwerende verf, variërend van een boei tot een steiger of een onderzeeboot, en dat daarna is overgeschilderd.'

'Ik denk niet dat je een onderzeeboot rood zou schilderen.' Ik zie een opgerolde tuinslang aan een buitenkraan en vraag me af waar Howard Roth die voor gebruikte.

Er is geen gras, niets om water te geven, en hij had geen auto.

'We hebben het waarschijnlijk over een boot waarvan de romp en misschien de schroef overgeschilderd zijn met primer en een rode aangroeiwerende verf die veilig voor het milieu is en dus is toegestaan.' We doen handschoenen aan en hoesjes over onze schoenen, en ik trek een roestende hordeur open.

Sil Machado wacht op ons op een veranda die vol staat met onafgesloten, zwarte vuilniszakken boordevol blikjes en flessen. Er staan winkelwagentjes vol zakken en er liggen ook stapels op een metalen tuinbankje. Ik vraag me af hoe Howard Roth die zakken naar een inzamelpunt bracht en ik vraag aan Machado of hij het weet.

'Het dichtstbijzijnde is aan Webster Avenue.' Hij doet de voordeur open met een sleutel aan een politielabel. 'Ik geloof dat zijn maatje van Fayth House hem erheen reed. Jerry, de onderhoudsman die hem gevonden heeft.'

Hij laat ons binnen en blijft zelf buiten staan, omdat ik van plan ben een spuitbus te gebruiken als ik niet meteen bloedsporen vind, en binnen is het een krappe bedoening. Door de open deur legt Machado uit dat Roths vriend, die misschien wel zijn enige vriend was, is aangehouden toen hij dronken achter het stuur zat en daardoor zijn rijbewijs is kwijtgeraakt.

'Hij vertelde me zondagmiddag, toen ik hierheen geroepen was, dat hij Howie had willen helpen dit allemaal weg te brengen zodra hij zijn rijbewijs terug had,' zegt Machado.

'Wanneer verwachtte hij dat?' vraagt Benton. We staan vlak over de drempel beschermende kleding aan te trekken. 'Wanneer dacht hij zijn rijbewijs terug te krijgen en hem een lift te kunnen geven?'

'Het was zijn eerste overtreding, dus zijn rijbewijs is maar voor een jaar ingetrokken,' zegt Machado. 'Hij had nog drie maanden te gaan. Hij zei dat hij tegen Howie had gezegd dat hij moest ophouden met hamsteren voordat de vloer het begaf, dat hij geen spullen meer moest meenemen tot hij weer kon rijden. Maar hij ging er toch iedere dag op uit om tussen het afval te zoeken. Ik weet niet precies wat je hiervoor krijgt. Een paar dollar per zak in totaal? Genoeg voor een kwartliter van de rotzooi die hij dronk.'

Ik zit op mijn hurken bij een open sporenkoffertje en pak de spuitfles met LCV en de camera, maar voordat ik iets doe, kijk ik om me heen. De woonkamer en de keuken worden alleen van elkaar gescheiden door een formica aanrechtblad. Tegen een van de muren staat een oude tv, met daarvoor een leunstoel met bruine vinylbekleding. Dat is zo'n beetje de enige plek waar je kunt zitten.

Op een bank, een tafeltje en de stoelen eromheen liggen zakken met blikjes en plastic flessen, en ik begrijp hoe Machado ertegenaan keek toen hij hier na de ontdekking van het lichaam binnenkwam. Ik weet maar al te goed hoe het is om een lijk te moeten bekijken op een plek die zo vol staat met wat obsessieve, zieke mensen verzamelen, hamsteren of gewoon weigeren weg te gooien dat het lijkt of je een vuilnisbelt moet doorzoeken.

'Het gaat niet alleen om het geld.' Benton staat bij het aanrecht elk detail in zich op te nemen.

'Het is triest,' beaam ik. 'Het kan best zijn dat hij hiermee begon voor het beetje geld dat hij ervoor kon krijgen, maar dat het langzaam een obsessie is geworden.'

'Een extra verslaving.'

'Verslaafd aan het doorzoeken van afval.' Ik zie dat alle rolgordijnen dichtzitten. Het licht valt van buiten door de vergeelde stof op flessen en blikjes.

Ik vraag Machado of de rolgordijnen ook dicht waren toen hij hier voor de eerste keer kwam, of ze allemaal naar beneden waren. Hij zegt vanaf de veranda dat dat inderdaad zo was en ik vraag hem naar de lampen. Hij antwoordt dat alleen de kale gloeilamp in de kelder brandde en voegt eraan toe dat die waarschijnlijk nog steeds aan is, tenzij hij is doorgebrand.

'Als je klaar bent, zal ik alle schakelaars bepoederen en zo nodig monsters nemen. Ik onderzoek alles wat iemand kan hebben aangeraakt.'

'Goed idee,' zeg ik. Ik vraag of we de rolgordijnen omhoog kunnen doen om een beetje meer licht naar binnen te laten.

'Ga je gang, doc. Ik heb foto's van hoe het hier was,' zegt hij. 'Dus het is geen probleem als je iets wilt veranderen of verzetten.'

De kozijnen staan vol met oude flessen en blikjes met treksluiting, verzamelobjecten van Coca-Cola, Sun Drop en Dr. Pepper. Er staan ook vloeibare lijm en een pot plaksel die ik nog ken uit mijn jeugd. Dingen die zijn weggegooid toen iemand zijn zolder opruimde. Ik zie voor me hoe Howard Roth ze uit de afvalbak heeft gered en ze als trofeeën, als een schat, in zijn huis heeft tentoongesteld.

'Hoe zit het met de tv? Was die aan of uit toen hij werd gevonden?' Benton kijkt de met vloerbedekking beklede gang in die naar de achterkant van het huis leidt.

'Die stond uit toen ik hier kwam,' zegt Machado. Ik heb belangstelling voor de twee literflessen Steel Reserve 211 en de drie schroefdoppen op de vloer bij de leunstoel.

Ik vraag me af hoe lang die daar al liggen.

'En toen zijn vriend hier binnenkwam? Hoe heet hij ook weer? Jerry?' Benton doet de deur van de badkamer open.

'Volgens zijn versie van de feiten? De voordeur was niet op slot en toen Howie niet opendeed, liep hij naar binnen en riep hij hem. Hij zegt dat het een uur of vier in de middag was.'

'Zondagmiddag?' Benton doet de kelderdeur open en kijkt daar even binnen.

'Inderdaad. Ik was hier om ongeveer kwart over vier.'

'Had die Jerry reden om hem iets aan te doen? Misschien zaten ze goedkoop bier te drinken, kregen ze ruzie en liep de zaak uit de hand?'

'Ik kan het me niet voorstellen,' zegt Machado vanaf de veranda. 'Maar ik heb zijn vingerafdrukken genomen en speekselmonsters voor het DNA. Hij was heel hulpvaardig. Volgens hem deed Howie nooit zijn deur op slot. Jerry zegt dat hij altijd zo naar binnen kon lopen.'

De afstandsbediening ligt op de tv, netjes in het midden, en ik stel voor dat we die meenemen. Machado klinkt niet erg overtuigd als hij zegt dat het goed is. Ik verpak de afstandsbediening als een bewijsstuk en geef hem door de open deur aan.

'Ik vraag me af waarom jij denkt dat iemand hem in handen heeft gehad,' zegt hij. Benton is intussen door de gang naar de slaapkamer gelopen.

'Het kan best zijn dat hij in ondergoed en sokken bier zat te drinken in de leunstoel, mogelijk met de tv aan, en daarbij in slaap is gevallen.' Ik zie dat een van de vuilniszakken onder het aanrecht met een sluitstrip is dichtgebonden. Bij geen van de andere is dat het geval. 'Ik zou graag in de keukenkastjes kijken, als je daar geen bezwaar tegen hebt.'

In het gootsteenkastje liggen negen dozen met vuilniszakken, honderd stuks per doos. Zware kwaliteit en niet goedkoop. Ik vraag me af waar Roth ze vandaan heeft.

'Ik geloof niet dat hij deze gekocht heeft.' Ik pak een open doos en haal er groene plastic sluitstrips uit, dezelfde waarmee de zak onder het aanrecht is dichtgemaakt.

Ik zeg tegen Machado dat hij misschien even moet controleren wat voor merk vuilniszakken ze in Fayth House gebruiken. Ik vertel hem dat zo'n grote doos zakken van deze kwaliteit wel dertig tot veertig dollar kost, en dat is aanzienlijk meer dan wat Roth zou krijgen voor de statiegeldflessen en blikjes die hij erin heeft gedaan.

Misschien zorgde zijn maatje Jerry, de onderhoudsman van het verpleeghuis, ervoor dat Roth goed voorzien was, of anders nam Roth de zakken weg als hij in en uit liep voor de klusjes die hij daar af en toe deed. Ik herinner Machado eraan dat we moeten navragen of Peggy Stanton in Fayth House vrijwilligerswerk deed.

'Een voorzichtige, behoedzame vrouw die een alarm op haar huis heeft laten zetten, die niet wilde dat haar adres en telefoonnummer op haar cheques stonden, laat heus niet iedereen binnen.' Ik stel de aangebroken doos met vuilniszakken veilig. 'Ze moet hem hebben gekend. Ze moet vertrouwen in hem hebben gehad als ze hem werkzaamheden in haar huis of zelfs alleen maar in haar tuin heeft laten uitvoeren.'

'Tenzij degene die deze man heeft vermoord de cheque in zijn gereedschapskist heeft gedaan om een alibi te hebben.' Machado pakt de zak met bewijsmateriaal van me aan.

'Waarom?' Ik loop terug naar de tv.

'Wij vinden hem en nemen aan dat Howie haar heeft vermoord. Zaak opgelost. Een beetje zoals hij Marino erin heeft geluisd, nietwaar? Zo werkt die schoft toch?'

Ik geloof geen moment dat hij gelijk heeft, maar ik luister toch naar zijn theorieën terwijl ik hem laat weten dat ik de vuilniszak onder het aanrecht open wil maken omdat ik het vreemd vind dat het de enige is die is dichtgebonden. Alle andere zijn open, en misschien heeft Howard Roth ze expres opengelaten omdat hij alle flessen en blikken en potten uitspoelde en ze zo beter droogden.

Ik wijs Machado erop dat buiten een tuinslang ligt en dat je statiegeldflessen meestal leeg en schoongespoeld moet inleveren. Ik ruik ze trouwens ook niet. Ik zeg hem dat ik wil kijken wat er in die ene zak zit, als hij daar geen bezwaar tegen heeft, en dat ik dan op zoek ga naar bloedsporen.

'Het idee is dat wij de cheque vinden en bingo.' Machado blijft praten over iets waarvan ik niet geloof dat het gebeurd kan zijn. 'Peggy Stanton is vermoord door een of andere schooier. Haar klusjesman heeft het gedaan en is vervolgens in dronken toestand verongelukt. Zo stelt de moordenaar het voor en dan denken wij dat de zaak gesloten is.'

'En waar denkt de moordenaar dat Roth volgens ons het lijk heeft bewaard nadat hij haar vermoord had?' informeer ik terwijl ik de sluitstrip opendraai. 'Waar kan hij het zo lang verstopt hebben dat het gemummificeerd is? Zeker niet in dit huis, de hele zomer lang. En moeten we geloven dat Howard Roth een boot had of ergens een boot kon lenen?'

'Misschien dacht de moordenaar dat ze er niet zo gemummificeerd uit zou zien,' zegt Machado. 'Misschien dacht hij dat ze niet uitgedroogd zou lijken nadat ze een tijdje in het water had gelegen.'

'Gemummificeerde lijken zijn geen gedroogd fruit. Je kunt een lijk niet meer wellen.'

Ik doe de zak open en de fles ligt boven op de andere flessen, blikken en potten. Hij ligt precies waar het onmens hem heeft neergelegd.

'Maar zou een normaal mens weten dat een uitgedroogd lichaam geen vocht meer opneemt?' vraagt Machado.

Het is net zo'n literfles Steel Reserve 211 als de twee lege bij de leunstoel, en op alle drie zit een prijssticker van de Shop Quik.

'Hier ga ik niets met deze fles doen,' zeg ik tegen Machado terwijl ik de fles omhooghoud en hem draai in het zonlicht dat door het raam valt. 'Ik zie papillairlijnen en ik zie bloed.'

33

Ik snap niet waarom een moordenaar die er uitgebreide fantasieën op nahoudt, uitvoerig voorbereidingen treft en nauwgezet te werk gaat, zo weinig moeite doet om belangrijke sporen uit te wissen. Eigenlijk kan ik er niet over uit, en dat zeg ik Benton dan ook.

'Je moet goed bedenken wat zijn prioriteiten zijn,' zegt hij terwijl hij door het centrum van Cambridge rijdt. 'Je moet je in zijn gedachtewereld verplaatsen om erachter te komen wat hij belangrijk vindt. Alles opgeruimd en netjes, precies zoals hij het graag wil. Nadat hij een moord heeft gepleegd, herstelt hij de orde der dingen, omdat hij wil laten zien dat hij een goeie jongen is, een fatsoenlijke kerel, een beschaafd type. Het zou me niets verbazen als de bloemen in het huis van Peggy Stanton van hem waren. Toen hij haar auto terugbracht en haar huis binnenging, heeft hij bloemen achtergelaten om te laten zien wat voor een patente vent hij is.'

'Ben je er nog achter gekomen of iemand die bloemen bezorgd heeft?'

'Geen bloemist uit de buurt. Dat hebben we gecontroleerd.' Hij kijkt voortdurend op zijn mobieltje, al een hele tijd. 'Ik denk dat we geen kaartje hebben gevonden omdat er nooit een kaartje bij heeft gezeten. Hij is daar met een voorjaarsboeketje naar binnen gegaan, als een attente zoon die bij zijn moeder langsgaat.

Het is heel belangrijk voor deze persoon om het beeld dat hij van zichzelf heeft te herstellen nadat hij iemand vermoord heeft. Een geweldige vent. Een heer. Iemand die in staat is waardevolle relaties aan te gaan.'

'Tegenover Howard Roth heeft hij zich nu niet bepaald als een heer gedragen, en hij heeft al helemaal geen bloemen bij hem thuis achtergelaten.'

'Howard Roth was van nul en generlei waarde.' Benton bekijkt weer een sms'je, en ik vraag me af of het Douglas Burke is die hem om de haverklap een berichtje stuurt. 'Roth was een ding, vergelijkbaar met het vuilnis waar hij altijd in zat te rommelen. De moordenaar ging ervan uit dat jij ook geen enkele waarde aan Roth zou toekennen. Hij nam aan dat dit een zaak was waaraan je je tijd niet zou willen spenderen.'

'Ging het hem specifiek om mij?'

'Ik denk dat hij je niet persoonlijk kent. Eerder heb ik gezegd dat ik bang was dat hij jou en Marino kent, maar dat neem ik terug. Hij weet van je bestaan, je werk, maar hij kent je niet persoonlijk,' zegt Benton, alsof er geen twijfel mogelijk is. 'Hij heeft het niet altijd bij het rechte eind. Hij maakt fouten. Misschien kun je Bryce even een sms'je sturen dat we er over een kwartier zijn.'

Het is bijna drie uur, en we zijn aan de late kant voor de vergadering die Benton in de teleconferentieruimte heeft belegd. Ik vind het niet fijn dat Douglas Burke ook is uitgenodigd. Ik dacht dat Benton haar duidelijk had gemaakt dat ze niet meer konden samenwerken.

'Hij bereidt zijn misdaden zorgvuldig voor, zet alles nauwkeurig in scène, is geobsedeerd door manipulatieve spelletjes, en dan maakt het hem ineens niets meer uit als er vingerafdrukken en bloed achterblijven?' Nog steeds ben ik bang dat Benton en Burke iets met elkaar hebben.

'Om de een of andere reden denkt hij dat zulk bewijsmateriaal niet op hem teruggevoerd kan worden,' zegt hij, terwijl we naar het CFC rijden. We nemen dezelfde route als op de heenweg, langs de rivier. Het water is donker, de heiige lucht is lichtblauw. 'Waarschijnlijk ging hij ervan uit dat er niets gevonden zou worden. Hij had niet verwacht dat je zou gaan kijken. Dat is waar het om gaat, Kay. Hij had nooit gedacht dat je je hier druk om zou maken. Hij kent je niet, niet in de verste verte,' benadrukt hij nog eens.

Douglas Burke zal al in de vergaderzaal zitten te wachten, en ik weet niet hoe ik zal reageren wanneer ik haar zie.

'Op de fles zitten allemaal vingerafdrukken,' zeg ik. 'Ook zonder poeder of speciale lamp kon ik zien dat er genoeg sporen te vinden waren voor een identificatie.'

'Maar we weten niet van wie ze zijn.' Benton kijkt op het mobieltje dat op zijn schoot ligt, naar het zoveelste binnengekomen bericht. 'Het zouden de vingerafdrukken van Roth kunnen zijn. Het ligt voor de hand dat hij de fles heeft gekocht en de inhoud ervan heeft opgedronken.'

'Belangrijk is dat de moordenaar niet de moeite heeft genomen de fles schoon te vegen. Dat is zonder meer slordig te noemen,' zeg ik nog eens. 'Het was veel slimmer geweest als hij die fles had meegenomen en hem ergens had gedumpt waar niemand hem ooit nog zou hebben gevonden.'

'Dat hij het wapen in een zak vol flessen en blikjes heeft gestopt die Roth had verzameld, is een teken dat de moordenaar totaal geen respect voor zijn slachtoffer had en dat Roth hem geheel onverschillig liet.' Benton kijkt weer op zijn mobieltje. 'Roth betekende helemaal niets voor hem, vormde slechts een bron van ongemak, en de moordenaar denkt dat iedereen dat zo ziet, want een andere perceptie van de werkelijkheid kent hij niet. Waarden die hij zelf niet heeft, kan hij niet in jou of anderen herkennen.'

'In mij in het bijzonder?'

'Ja, in jou, Kay. Hij kent je niet.' Benton benadrukt dat nog eens. 'Hij kan zich niet voorstellen wat je zou doen of wat er in je omgaat, omdat hij totaal geen empathisch vermogen heeft. Daarom schat hij mensen verkeerd in.'

'We zullen de vingerafdrukken onderzoeken die op het achteruitkijkspiegeltje zijn gevonden, om te kijken of ze overeenkomen met die op de fles.' Ik denk hardop. Ik maak me zorgen, en dat wil ik helemaal niet.

Ik wil Benton kunnen vertrouwen. Alles wat hij zegt, wil ik kunnen geloven.

'Misschien heeft hij vingerafdrukken op het spiegeltje achtergelaten, maar vinden we geen match in AFIS.' Benton scrolt door de lijst met berichten. 'Hij staat niet in het systeem. Hij is iemand die niemand zou verdenken. Hij is nooit opgepakt, en zijn vingerafdrukken zullen in geen enkele database zitten. Hij gaat er in alle rust van uit dat hij nooit als verdachte aangemerkt zal worden, en jij hebt een probleem geschapen waar hij niet op gerekend had. De vraag is of hij daar inmiddels achter is gekomen.'

'Ik heb liever niet dat je de hele tijd op dat ding kijkt als je achter het stuur zit.' Ik pak zijn mobieltje. 'Als je dat al doet als ik bij je ben, wat doe je dan wel niet als ik er niet ben?'

'Niets waarover jij hoeft in te zitten, Kay.' Hij houdt zijn hand op. 'Ik doe geen dingen als jij er niet bij bent waar je je zorgen over hoeft te maken.'

'Ik dacht dat je met haar zou praten.' Ik geef zijn mobieltje terug.

'Ze kan Marino maar niet loslaten. Waarschijnlijk de belangrijkste reden van deze bijeenkomst.'

'Maar ze zal hem wel loslaten als ze eenmaal te horen heeft gekregen wat we weten,' neem ik aan, want dat is wat Burke zou moeten doen.

'Het is belachelijk,' zegt hij. 'Marino's vingerafdrukken staan opgeslagen, net als die van jou en mij, om eventuele sporen van ons uit te sluiten. Het zijn niet zijn vingerafdrukken die op het achteruitkijkspiegeltje staan. En in elk geval heeft hij Howard Roth niet vermoord. Marino zat in Tampa toen Roth werd vermoord. Dat zal tijdens de vergadering worden benadrukt.'

'Waarschijnlijk denkt hij dat wij uitgaan van een ongeluk.' Ik heb het niet over Marino, maar over de persoon waar Burke naar op zoek zou moeten.

Ik heb het over de moordenaar.

'Tenzij hij ons steeds gevolgd heeft,' voeg ik eraan toe. 'In dat geval weet hij misschien wat we aan het doen zijn. Als hij rondrijdt en ons in de gaten houdt.'

'Dat betwijfel ik.'

'Hoezo?'

'Het is geen nerveus type,' zegt Benton. 'Deze persoon blaakt van het zelfvertrouwen en kan zich niet voorstellen dat hij ooit een fout zal maken. Hij kon zich niet voorstellen dat je overal chemicaliën op zou spuiten en bloedsporen zou vinden die hij heeft nagelaten weg te werken.'

'Die had hij nooit kunnen wegwerken,' zeg ik. 'Niet voor honderd procent.'

Ze waren niet met het blote oog te zien, de bloedspatten die met gemiddelde snelheid op verschillende oppervlakken terecht zijn gekomen, iets wat ik associeer met een klap met een stomp voorwerp. Langwerpige druppels van verschillende grootte zaten op de linkerkant van de leunstoel, op de armleuning van bruin vinyl, en op de donkerbruine lambrisering, links van de plek waar ik denk dat Howard Roth met zijn hoofd terecht is gekomen nadat hij zo'n harde tik op zijn hoofd had gekregen dat dat een schedelfractuur tot gevolg had.

Het patroon van paars oplichtende bloedspatten getuigde van een genadeloze aanval. In slaap gesukkeld of overmand door de drank zat hij voor de tv toen de moordenaar binnenkwam. Blijkbaar deed hij de deur nooit op slot. Roth werd met een bierfles achter op het hoofd geraakt, één keer. De moordenaar deed de fles in een vuilniszak en bond die met een sluitstrip dicht.

Bloederige vegen en strepen op het donkere, smerige tapijt, en bloederige sleepsporen die in het kleed waren getrokken leidden van de woonkamer naar de deur van de kelder. Van daar af was het bloed duidelijk zichtbaar op de plekken waar je het zou verwachten als je ervan uitging dat Roth een ongelukkige val van de trap had gemaakt. Op de zes betonnen traptreden zaten druppels en vegen bloed. Hij was bewusteloos de keldertrap afgeduwd en herhaaldelijk geschopt toen hij op de grond was beland. De moordenaar wilde er zeker van zijn dat Roth het niet zou overleven, en hij nam aan dat niemand er rekening mee zou houden dat het om een moord ging, dat de mogelijkheid niet eens bij ons zou opkomen.

'Hij heeft zeker pogingen ondernomen om zijn sporen uit te wissen,' legt Benton uit, terwijl we weer langs het botenhuis en het oude Polaroid-gebouw lopen. 'Hij had ook laat op de avond bij Roth langs kunnen gaan om hem dood te schieten, overhoop te steken, te wurgen, maar dan zou duidelijk zijn wat er gebeurd was. Voor een deel is het hem gelukt, maar niet helemaal, omdat hij niet in staat is te bedenken wat normale mensen zouden doen.'

'Hij kan zich niet voorstellen dat iemand van ons veel moeite zou doen voor dit onderzoek.'

'Precies. Het is iemand die leeg en hol van binnen is. Hij had Roth waarschijnlijk al eens in de buurt gezien.'

Benton vermoedt dat de moordenaar Roth in Cambridge heeft zien lopen, hem maandenlang in de gaten heeft gehouden en zag dat de klusjesman steeds werk zocht en in vuilnisbakken en kringloopcontainers rommelde, waarbij hij soms een winkelwagentje bij zich had. Deze moordenaar is zich bewust van iedereen als hij zijn volgende slachtoffer stalkt, zegt Benton. Hij rijdt rond, kijkt goed uit zijn doppen, verzamelt achtergrondinformatie, probeert vaste patronen te ontdekken en is zeer berekenend. Hij doet oefenrondjes, waarbij hij zijn genadeloze fantasie de vrije loop laat.

Maar dat bekent nog niet dat hij Howard Roth bij naam kende. De moordenaar vervalste een cheque van honderd dollar die hij waarschijnlijk per post heeft opgestuurd en ondertussen betaalde hij tot lang na haar dood de rekeningen van Peggy Stanton. Maar dat betekent nog niet dat hij wist dat de Howard Roth aan wie hij een cheque uitschreef dezelfde zwerver was die hij bij de afvalbakken van Cambridge zag rondscharrelen.

'In elk geval heeft hij Roth met een bepaald doel voor ogen vermoord. Daar ben ik van overtuigd,' zegt Benton. 'Dit was een opportunistische moord waar geen enkele emotie bij kwam kijken.'

'Bij schoppen en trappen komen toch juist emoties kijken?'

'Het was niets persoonlijks,' antwoordt Benton. 'Hij voelde daar niets bij.'

'Je zou denken dat er woede in het spel was. De meeste mensen die anderen schoppen, zijn razend van woede,' verklaar ik.

'Hij zag het als een klus die gedaan moest worden. Zoals je een pissebed doodtrapt. Ik vraag me af of Roth kort daarvoor nog bij haar langs was geweest.' Benton kijkt weer op zijn mobieltje. 'Misschien kwam hij op een ongelukkig moment zijn geld halen.'

'Als de moordenaar toevallig op dat moment de post van Peggy Stanton uit de brievenbus haalde, zou dat inderdaad een uiterst ongelukkige timing zijn geweest. Een slechtere timing was niet mogelijk.' Mijn gebouw komt in zicht. 'Maar dat zou hij vast niet op klaarlichte dag hebben gedaan.'

'We weten niet of Roth alleen overdag naar buiten ging. Waar Peggy Stanton woonde, zijn tal van nachtwinkels te vinden, veel in Cambridge Street, en bij haar op de hoek zit een Shop Quik die dag en nacht open is,' zegt Benton. 'Als zijn bier op was, ging hij erop uit, hoe laat het ook was. Bovendien is hij misschien meerdere malen haar kant op gegaan omdat hij zijn geld wilde.'

'In het donker, in een slecht verlichte straat?' zeg ik. 'Grote kans dat Roth hem dan niet goed heeft gezien, ook al stonden ze niet ver van elkaar af.'

'Hij had het gevoel dat het moest, om geen enkel risico te nemen.' Benton heeft het over de moordenaar. 'Dat was reden genoeg om Roth naar diens huis te volgen met de intentie hem te vermoorden.'

We verlaten Memorial Drive, en in gedachten zie ik Howard Roth naar de Shop Quik lopen, of vandaar naar huis. Als hij heeft gezien dat iemand de post van Peggy Stanton uit haar brievenbus haalde, heeft hij die persoon misschien aangesproken om te vragen waar ze was of wanneer ze thuiskwam. Misschien heeft hij zelfs uitgelegd waarom hij dat vroeg. Een aan lagerwal geraakte veteraan, een alcoholist die vuilnisbakken en kringloopkratten afliep, een parttime klusjesman die als ongevaarlijk te boek stond. Zelfs als Roth het gezicht van de moordenaar had gezien, waarom was het dan toch belangrijk om Roth te vermoorden, ondanks alle risico's van dien?

Ik vraag me af of de moordenaar Howard Roth misschien op een andere manier kende, of ze elkaar al eerder hadden ontmoet. Misschien kenden ze elkaar niet bij naam maar wel van gezicht, binnen een bepaalde context.

'En de rest was een fluitje van een cent,' zegt Benton. Als we voor het hek van het CFC stoppen, gaat mijn mobieltje.

Bryce.

'Een dronkenlap volgen die zijn huis nooit afsluit.' Benton brengt zijn hand omhoog naar de afstandsbediening die aan de zonneklep vastzit.

Wat moet Bryce van me dat niet kan wachten tot we binnen zijn? Hij weet dat ik eraankom. Hij kan ons van achter zijn bureau op de monitor zien, op bijna elke monitor overal in het gebouw. Ik neem op.

'Rustig afwachten.' Benton rijdt naar binnen. 'Hem eerst een paar biertjes laten nemen, zodat hij in zijn stoel onder zeil raakt. Waarschijnlijk heeft hij er niets van meegekregen.'

'Ik kom net aan,' zeg ik tegen mijn assistent.

'Mijn god, zeg, ik móét dit even kwijt.' Hij praat zo opgewonden dat ik het geluid zachter moet zetten.

'Er zitten waarschijnlijk al mensen op ons te wachten...' begin ik.

'Verwachtte je die mensen al? O, mijn hemel. Ik heb gezegd dat ze maar in de hal moesten wachten.'

'Wát?'

'Ik vind die kat helemaal het einde. Die kleine Shaw is zo gezond als wat.' Hij zwelgt er helemaal in. 'Oké, blijf even hangen, ik bel Ron nu, op zijn mobieltje. Het spijt me verschrikkelijk. Het zou fijn zijn als je dit soort dingen even met me overlegde, ja? Ron? Breng ze maar naar boven, hoor. Ik wist niet dat ze verwacht werden. Niemand vertelt me hier ook iets.'

'Sorry, hoor, maar kun je dat soort dingen in het vervolg even doorgeven? Ik had echt geen idee.' Bryce is weer aan de lijn, en ik kan er geen speld tussen krijgen. 'Nou, Shaws gezondheid was zo goed als optimaal. Een beetje een droge huid en een lichte bloedarmoede. De dierenarts zegt dat ze beter niet de hele tijd alleen gelaten kan worden, omdat ze bijna constant iemand om zich heen had voordat dat nare voorval plaatsvond. Waarschijnlijk is ze daardoor getraumatiseerd. En Ethan werkt drie dagen per week thuis. Ik denk dat we haar maar beter kunnen houden, vooral na dat enge gedoe met Indy, die het trouwens goed maakt, fijn dat je het vraagt...'

'Bryce!' Ik onderbreek hem voor de derde keer.

'Wat?'

'Waarom heb je de FBI beneden laten wachten?' vraag ik. 'En waarom stuur je iemand van de beveiliging met ze mee?'

'Nee. O, nee, die twee vrouwen? Die bedoel ik helemaal niet. O, Jezus, ik had er niet bij stilgestaan... Die twee zitten in de crisiskamer, daar heb ik het helemaal niet over. O, shit.' Hij klinkt ontdaan. 'Blijf hangen, blijf hangen, ik hou hem tegen. Ron! Je hoeft ze niet boven te brengen. Ben je al bij ze? O, shit,' zegt hij.

34

Ik neem het hem kwalijk dat hij geen afspraak heeft gemaakt en onaangekondigd bij het CFC is komen opdagen, maar ik kan niet zeggen dat hij er geen recht op heeft dat ik hem te woord sta. Ik besluit dat Channing Lott en zijn secondanten naar boven gebracht moeten worden.

'Geef me een minuutje om me voor te bereiden,' zeg ik door mijn mobieltje tegen Bryce. 'Breng ze naar de kantine en bied ze water of koffie aan. Ik heb maar een paar minuten tijd voor ze. Leg alsjeblieft uit dat ik al laat ben voor een vergadering. Ik stuur je een sms als ik klaar ben, en dan kun je ze naar mijn kamer brengen.'

Ik duw op de liftknop voor de zesde verdieping en weet waarop Benton nu zal aandringen, maar daar kan geen sprake van zijn.

'Kay, ik zou bij je moeten zijn...' begint hij, maar ik laat hem niet uitpraten.

Ik schud mijn hoofd. 'Het is net zo ongepast als jij erbij blijft als wanneer een andere nabestaande of geliefde iets met mij wil bespreken. Hij is de echtgenoot van iemand wier zaak ik onderzocht heb.'

'Haar lichaam is niet gevonden. Het is jouw zaak niet.'

'Ik ben erover geraadpleegd en dat weet hij. Ik heb erover getuigd bij het proces en voor hem is het mijn zaak. Het moet iemands zaak zijn, verdorie, want het is hoogst onwaarschijnlijk dat ze nog leeft. Laten we er niet omheen draaien; ze is net zo min nog in leven als Emma Shubert.'

'Je kunt niet bewijzen dat er een verband tussen die twee bestaat.' De manier waarop hij het formuleert, is veelzeggend.

'Ik weet dat die mensen nooit meer op zullen komen dagen,

Benton.' Ik houd hem scherp in de gaten. 'Die vrouwen zijn dood.'

Hij zegt niets, omdat hij het met me eens is. Hij weet meer dan hij wil zeggen. Ik denk aan de vergadering waarvoor ik nu veel te laat zal komen, maar die zal hoe dan ook moeten wachten.

'Stel dat Channing Lott echt niets te maken heeft met de verdwijning van zijn vrouw en dat mensen als ik niet met hem willen praten?' zeg ik.

'Mensen als jij?'

'Ik moet het doen, Benton.'

'Het is gevaarlijk, Kay.'

'We moeten voor ogen houden dat hij is vrijgesproken, en het is gevaarlijker om niet te geloven dat hij rouwt, dat hij verdriet heeft, dat hij er kapot van is.' Ik houd voet bij stuk. Hier kan niet over onderhandeld worden. 'Ik wil niet hebben dat de FBI erbij komt zitten. De FBI heeft zich al genoeg met mijn kantoor bemoeid.'

'Ik wil me helemaal nergens mee bemoeien. Ik wil je beschermen.'

'Dat weet ik.' Ik kijk naar hem en zie hoe ongelukkig hij hiermee is. 'En ik kan het niet toestaan.'

Hij beseft dat het geen zin heeft er nog verder op door te gaan, en hoewel ik zijn mening en zijn waarschuwingen altijd ter harte neem, kan ik mijn verantwoordelijkheden niet uit de weg gaan. Als ik niet zijn vrouw was, zou hij dit nooit voorstellen. Binnen het CFC bestaan er geen verdachten, geen schuldigen of onschuldigen, alleen overledenen en diepbedroefde nabestaanden. Channing Lott heeft een groot verlies geleden en als ik hem niet ontvang, ga ik in tegen alles wat ik gezworen heb te doen.

'Hij zal me heus niets aandoen,' zeg ik tegen Benton. 'Hij gaat me heus niet in mijn eigen kantoor te lijf.'

'Ik ben niet bang voor wat hij gaat doen,' zegt hij. 'Ik ben bang voor wat hij van je wil.'

'Ik ben over een paar minuten bij jou en je collega's. Het komt wel goed.'

We stappen op mijn verdieping uit de lift en ik kijk Benton na als hij wegloopt, lang en slank in zijn donkere pak en met zijn dikke, zilvergrijze haar. Hij loopt doelbewust en zelfbewust, zoals altijd, maar ik voel zijn aarzeling. Hij gaat op weg naar de teleconferentieruimte, die wel wordt aangeduid als de crisiskamer, en ik ga de andere kant uit.

Ik loop door de ronde gang naar mijn kamer, maak de deur open en neem even de tijd om mezelf in de spiegel boven de wasbak te bekijken, mijn gezicht te wassen, mijn haar te borstelen, mijn tanden te poetsen en wat lipstick op te doen. Uitgerekend nu heb ik natuurlijk een vormeloze oude ribbroek, een soort visserstrui met kabels en gewone zwarte enkellaarsjes aan.

Niet wat ik gekozen zou hebben als ik had geweten dat ik deze beruchte en machtige man zou ontmoeten, van wie veel mensen nog steeds geloven dat hij achter de moord op zijn vrouw zit. Even denk ik erover mijn werkkleren aan te trekken, een cargobroek en een shirt met het embleem van het CFC erop, maar het is een dwaas idee en ik heb er geen tijd voor.

Ik sms Bryce en vraag hem onze ongenode gasten eraan te herinneren dat ik hen niet lang te woord kan staan omdat ik al laat ben voor een vergadering. Eigenlijk vind ik het helemaal niet erg om de FBI en vooral Douglas Burke te laten wachten; ik zou haar best honderd jaar willen laten wachten. Maar ik wil een uitweg als ik die nodig heb. Ik weet niet wat Channing Lott van plan is en waarom hij andere mensen heeft meegenomen.

Ik hoor de gebruikelijke spraakwaterval al in de gang; Bryce kan er niets aan doen. Zijn behoefte om te praten is net zo groot als zijn behoefte om te ademen. Hij duwt mijn deur meteen na zijn korte klopje open en daar staat Channing Lott in een duifgrijs pak en een grijs overhemd, zonder das. Hij ziet er heel opvallend uit met die lange, witte vlecht op zijn rug, en hij schudt me hartelijk de hand en kijkt me recht aan. Even denk ik dat hij me gaat omhelzen. Heel even ben ik van mijn stuk gebracht, maar dan herken ik de man en de vrouw die hij heeft meegenomen.

'We kunnen hier wel gaan zitten.' Ik wijs naar de tafel van geborsteld staal. 'Ik zie dat Bryce u al iets te drinken heeft aangeboden.'

'Dit zijn Shelly Duke, mijn financieel directeur, en Albert Galbraith, mijn operationeel manager,' zegt Lott, en ik herken de twee mensen die dicht bij elkaar naar de haven stonden te kijken toen ik werd gecontroleerd door de beveiligers van het gerechtsgebouw.

Ik zie aantrekkelijke, goedbetaalde en goedgeklede zakenmensen van achter in de dertig of begin veertig, schat ik. Geen van beiden is zo hartelijk of vriendelijk als hun baas, wiens blauwe ogen in een levendig gezicht me indringend aankijken terwijl hij zijn volledige aandacht op me richt. Als we zitten, vraag ik waarmee ik hem kan helpen.

'Ten eerste wil ik u bedanken, dokter Scarpetta.' Ik was al bang dat hij dat zou zeggen. 'U hebt heel wat moeten doorstaan, en het kan niet leuk zijn geweest.' Hij doelt op wat er in de rechtszaal is gebeurd, en ik word herinnerd aan de boete die de rechter me heeft opgelegd en de pogingen van Lotts eigen advocaat om me in alle opzichten af te schilderen als een onbetrouwbaar sujet.

'U hoeft me nergens voor te bedanken, meneer Lott.' Ik denk aan het feit dat ik vanuit zijn helikopter gefilmd ben. 'Ik ben slechts een ambtenaar die zijn werk doet.'

'Zonder enig vooroordeel,' zegt hij. 'U hebt het zonder vooropgezette mening en zonder enig vooroordeel gedaan. U zei gewoon de waarheid, en dat had u niet hoeven doen.'

'Het is niet mijn taak om partij te kiezen of een mening te hebben, tenzij het erover gaat waaraan iemand is gestorven.'

'Het is niet mijn vrouw,' zegt hij. De identiteit van Peggy Stanton is nog niet vrijgegeven. 'Toen ze die beelden in de rechtszaal vertoonden, wist ik dat ze het niet was. Ik wist het meteen, en ik wilde het u zelf vertellen voor het geval er enige twijfel bestaat.'

Ik vraag me af of Toby aan Jill Donoghue heeft doorgegeven wie de vrouw is en of ze weet dat haar cliënt hier in mijn kantoor zit.

'Hoe slecht het lichaam er ook aan toe leek te zijn, ik wist meteen dat het Millie niet is.' Lott draait de dop van een flesje water. 'Zij zou er nooit zo uit kunnen zien, en als u haar medische dossiers hebt gelezen of een gedetailleerde beschrijving van haar hebt gezien, zult u beseffen dat ik gelijk heb.'

Hij weet ongetwijfeld dat ik dat dossier gelezen heb en dat ik op de hoogte ben van het feit dat Mildred Lott bijna een meter vijfentachtig lang was. Peggy Stanton, van wier dood Channing Lott niets hoort te weten, tenzij hij er zelf iets mee te maken heeft gehad of iemand zijn advocaat heeft ingelicht, was kleiner dan een meter zestig. Toen op tv te zien was hoe ik haar lichaam in de kuipbrancard hees, was het duidelijk dat ze niet erg lang was. Ik heb haar haar onderzocht en weet dat het wit was, niet geblondeerd, en ik weet ook dat ze geen littekens had van recente cosmetische ingrepen zoals een buikwandcorrectie of een face-lift.

'Het was het eerste wat we allemaal dachten toen het op het nieuws kwam.' Al Galbraith pakt zijn koffie. Hij lijkt niet op zijn gemak, alsof we een onaangenaam onderwerp bespreken. 'In welke staat een lichaam ook verkeert, het wordt niet kleiner,' zegt hij onhandig, alsof hij zich gedwongen voelt iets te zeggen over de vermiste vrouw van zijn baas.

'Post mortem veranderingen, veranderingen na de dood, doen niets af aan iemands lengte,' beaam ik.

'Een imposante vrouw,' zegt Galbraith, en ik krijg het idee dat hij haar niet mocht. 'Ik geloof dat iedereen die mevrouw Lott ooit heeft ontmoet onder de indruk was van haar statige gestal-te.'

'Precies,' valt Shelly Duke hem bij. Volgens mij zouden ze hier liever niet zijn. 'Een prachtige, overweldigende vrouw. Als ze een kamer binnenkwam, trok ze alle aandacht naar zich toe, en dat bedoel ik alleen maar positief,' zegt ze met niet erg overtuigende somberheid.

Lott heeft hen gedwongen mee te gaan. Ze voelen zich uiterst slecht op hun gemak, zoals je kunt verwachten bij mensen die zich in een forensisch instituut bevinden en moeten praten over iemand voor wie ze gemengde gevoelens hebben. Ik vraag me af of Jill Donoghue achter deze onaangekondigde bijeenkomst zit, maar dat kan ik me eigenlijk niet voorstellen. Ze heeft zonder omwegen verklaard dat haar cliënt niet nog eens vervolgd kan worden voor hetzelfde feit.

Deze nachtmerrie is voorbij, maar het is niet de ergste, heeft Donoghue de media voorgehouden sinds de vrijspraak vanmor-gen openbaar werd gemaakt. Channing Lott moet nu nog leren omgaan met het feit dat hij zelf slachtoffer is geworden. Want hij is hier het echte slachtoffer, heeft ze gezegd. Hij heeft in de gevangenis gezeten voor een misdaad die hij niet heeft begaan, alsof het tragische verlies van zijn vrouw al niet erg genoeg was.

'Dokter Scarpetta, mag ik u een vraag stellen?' Zijn volledige aandacht is op mij gericht. Hij zit kaarsrecht en ik kan aan zijn houding zien waarom zijn twee belangrijkste managers hierbij aanwezig zijn.

Hij zit met zijn rug naar hen toe en verlangt helemaal niets van hen. Ze zijn getuigen, geen vertrouwelingen. Lott had zijn positie nooit verworven als hij naïef of dom was. Terwijl ik me afvraag wat zijn bedoelingen zijn, zorgt hij ervoor dat ik hem geen problemen zal bezorgen.

'Ik kan niet beloven dat ik uw vraag zal beantwoorden, maar ga uw gang.' Ik denk aan wat rechercheur Lorey en rechercheur Kefe zeiden toen ik ze sprak na de verdwijning van Mildred Lott.

'U kent de details, neem ik aan. Millie bevond zich op 11 maart, een zondag, alleen in ons huis in Gloucester,' zegt Lott alsof hij een openingsverklaring aflegt.

Een ijdele vrouw die graag omging met rijke en beroemde mensen, die meer dan eens op bezoek is geweest in het Witte Huis en die zelfs de koningin van Groot-Brittannië heeft ontmoet, vertelden de rechercheurs, en toen ik vroeg of ze wisten of iemand Mildred Lott kwaad toewenste, zeiden ze dat ik maar een willekeurige naam in het telefoonboek hoefde aan te wijzen.

Op elke bladzijde die je maar wilt, zeiden ze. Iedereen die ze ooit de grond in had getrapt, te hard had laten werken, te weinig had betaald of als een slaaf had behandeld, beweerden ze, en ik weet nog dat ik eraan moest denken dat slachtoffers heel vaak nogal onaangename mensen zijn. Niemand verdient het om ontvoerd, verkracht, vermoord, beroofd of verminkt te worden, maar dat betekent niet dat het slachtoffer de onschuld zelve is.

'We waren net terug in Gloucester. In de sombere wintermaanden sluiten we het huis altijd.' Lott herhaalt iets wat hij duidelijk al vele malen eerder heeft gezegd. 'Ik had haar nog gesproken toen het voor mij ochtend was en voor haar een uur of negen in de avond, en ze was uiteraard enorm van streek. Ik was voor zaken in Azië en had net besloten om vervroegd terug te komen vanwege de hond. Millie was er kapot van.'

'Ze weet het misschien niet van Jasmine,' merkt Shelly Duke op. 'Hun hond,' zegt ze tegen mij.

'Op 8 maart is onze shar-pei verdwenen,' legt Lott uit. 'De hoveniers hebben het hek weer eens open laten staan. Dat is al eerder gebeurd en toen is Jasmine ook weggelopen. De laatste keer dat ze door een paar agenten werd teruggevonden, was ze verdwaald en helemaal in paniek. De plaatselijke politie kent haar en heeft haar weer thuisgebracht. Maar dit keer hadden we minder geluk, leek het. De politie hield er rekening mee dat iemand haar gestolen had. Ze is een zeldzame rashond, een dwergshar-pei en best waardevol. Millie was helemaal uit haar doen. Zo van streek, daar zijn gewoon geen woorden voor.' Channing Lott vecht tegen zijn tranen.

'Uw hond is drie dagen voor de verdwijning van uw vrouw weggelopen,' zeg ik.

'Ja.' Hij schraapt zijn keel.

'Is Jasmine ooit teruggevonden?'

'Twee dagen na de verdwijning van Millie is Jasmine een paar kilometer ten noorden van ons huis gevonden bij de Annisquam River,' zegt hij, en ik denk aan de kat van Peggy Stanton. 'Op een uitlaatplek met veel bosjes en rotsblokken ten noorden van Wheeler Street. Ze is daar gevonden door mensen die hun hond uitlieten.'

'Denkt u dat ze al die tijd los heeft rondgelopen?' vraag ik.

'Dat kan niet, bijna een week in dat regenachtige, koude weer, met 's nachts een temperatuur van maar net boven nul en zonder voedsel of water. Ze zag er veel te goed uit om al die tijd buiten te hebben gelopen. Ik denk dat degene die haar had meegenomen daar spijt van had gekregen. Jasmine kan nogal agressief en onvoorspelbaar zijn, en ze is niet dol op vreemden.'

Iemand die geen waarde hecht aan een mensenleven, maar een dier geen kwaad zou doen.

'Net zoals in die film, *The Ransom of Red Chief*.' Channing Lotts lach klinkt hol, maar wat ik belangrijk vind, is de volgorde van de gebeurtenissen.

De kat van Peggy Stanton is waarschijnlijk ontsnapt of buiten de deur gezet nadat haar bazin was verdwenen en toen ze mogelijk al dood was, maar de hond van Mildred Lott is verdwenen voordat er een misdrijf had plaatsgevonden.

'Er is gesuggereerd dat mijn vrouw is verdronken.' Daar wil hij dus mijn mening over horen, en ik kan onmogelijk antwoord geven. 'Of dat ze zich van het leven heeft beroofd.'

Hij vertelt verder over de eindeloze reeks vergezochte theorieën waarvan er een paar door Donoghue in de rechtszaal zijn aangehaald. Mildred Lott was dronken of onder invloed van drugs, is naar buiten gelopen en in zee gevallen, of is opzettelijk het ijskoude water in gelopen om zichzelf te verdrinken. Ze had een verhouding en is met haar minnaar gevlucht omdat ze bang was voor de woede van haar man. Ze heeft miljoenen dollars naar buitenlandse rekeningen weggesluisd en verblijft nu onder een valse naam in het Caribisch gebied, aan de Middellandse Zee, in Zuid-Frankrijk, in Marrakech. Overal op internet beweren mensen dat ze haar gezien hebben.

'Ik wil graag uw mening horen.' Hij dringt aan. 'Als iemand per ongeluk verdrinkt, vermoord wordt of zelfmoord pleegt, zou het lichaam dan uiteindelijk niet opduiken?'

'Als ze in het water terechtkomen, worden ze niet altijd gevonden,' antwoord ik. 'Mensen die overboord slaan en door sterke stromingen onder water worden getrokken of worden meegevoerd, bijvoorbeeld. Het hangt ervan af of het lichaam ergens in verstrikt raakt...'

'Uiteindelijk zou er absoluut niets van overblijven?'

'Als er nog wat van over is, moet dat nog wel gevonden worden, en dat gebeurt niet altijd.'

'Maar als mijn vrouw in zee is gevallen, misschien omdat ze over een paar stenen is gestruikeld of van onze pier is gevallen, zou u dan niet verwachten dat ze weer opdook?' Hij houdt dapper vol, maar het valt hem niet gemakkelijk.

In zijn glanzende ogen is een verdriet te zien dat mij echt lijkt.

'In zulke gevallen meestal wel, ja,' zeg ik.

'Al, wil jij even...' zegt Lott zonder naar hem te kijken.

Al Galbraith opent zijn koffertje en haalt er een grote envelop uit, die hij over de tafel heen naar me toe schuift. Ik maak hem niet open, raak hem zelfs niet aan. Eerst wil ik precies weten wat erin zit en of het iets is wat ik zou moeten zien.

'Een kopie van de beveiligingsbeelden,' legt Lott uit. 'Dezelfde die de politie in Gloucester, de FBI en de advocaten hebben en die de jury gezien heeft. Zesentwintig seconden. Het is niet veel, maar het zijn de laatste beelden die van haar gemaakt zijn, van het laatste wat Millie deed voordat ze in het niets verdween. Op die zondag, 11 maart, doet ze exact om dertien minuten voor middernacht de achterdeur open. Ze is in nachtgewaad en er is geen enkele reden waarom ze op dat uur de achtertuin in zou moeten. Ze liet in ieder geval niet Jasmine naar buiten. Jasmine werd nog vermist. Het was koud, bewolkt en winderig, en Millie liep totaal niet gekleed op dat weer naar buiten en leek een beetje in paniek.'

Op dat punt draait hij zich om naar zijn naaste medewerkers.

'Het is nog steeds niet het juiste woord. Ik heb ermee geworsteld om precies te beschrijven hoe ze keek en hoe haar lichaamstaal was.' Hij lijkt oprecht verdrietig en zoekt naar een betere beschrijving. 'Hoe zouden jullie het noemen?' vraagt hij aan zijn twee secondanten. 'Gehaast, van streek, geschrokken?'

'Dat zie ik er niet in.' Het lijkt of Galbraith dat al eerder gezegd heeft.

Het klinkt vlak. Ingestudeerd.

'Alleen dat ze een doel leek te hebben,' zegt Lotts operationeel manager. 'Ze komt het huis uit alsof ze daar een reden voor heeft. Het woord *paniek* komt niet in me op als ik naar de video kijk, maar die is heel kort en er is niet veel op te zien, behalve dat ze iets tegen iemand zegt.'

'Ik zou wel zeggen dat ze keek alsof ze haast had.' Shelly Duke knikt. 'Maar niet van streek en zeker niet in paniek.' Ze richt zich tot Lott. 'Mij lijkt ze niet angstig, in de zin van bang dat iemand op de loer ligt of wil inbreken.'

'Als ze bang was dat er iemand wilde inbreken,' antwoordt Lott, en ik bespeur enige ergernis en ongeduld achter de charmante façade, 'dan zou ze het alarm niet hebben uitgezet en niet op dat uur het donker in zijn gelopen. Omdat ze toen helemaal alleen thuis was.'

Hij is het soort man dat gefrustreerd raakt als mensen niet zo slim of vastberaden zijn als hij, en dat is bijna niemand.

'Millie was erg gespitst op veiligheid,' zegt Lott tegen mij. 'Ze ging die nacht absoluut niet naar buiten omdat ze een geluid hoorde of voor iets of iemand bang was. Beslist niet. Dat is het laatste wat ze gedaan zou hebben. Als ze bang was, belde ze de politie. Ze zou zeker niet aarzelen het alarmnummer te bellen. U zult ongetwijfeld met de politie van Gloucester hebben gesproken, dus dan weet u dat ze goed bekend waren met haar en met onze woning. Een paar dagen voor Jasmine verdween, zijn er nog een paar agenten langs geweest.'

Ik zeg tegen Channing Lott dat het me erg spijt, maar dat er mensen op me zitten te wachten. Ik wil zijn beveiligingsbeelden met alle liefde bekijken, hoewel het me niet waarschijnlijk lijkt dat ik iets zal kunnen toevoegen aan wat anderen er al over hebben opgemerkt. Ik duw mijn stoel naar achteren omdat ik het gevoel heb dat hij me wil overtuigen van zijn onschuld, en ik heb geen zin om me te laten manipuleren.

'Het blijft maar aan me knagen.' Hij maakt geen aanstalten om op te staan. 'Wie was het? Tegen wie kan ze gepraat hebben? Ziet u, de meeste mensen zien wel wat in een theorie die het openbaar ministerie uitentreuren bleef herhalen, en dat is dat ze het tegen mij had. Dat ze de tuin in liep en iets tegen mij zei.'

'Waarop is die theorie gebaseerd?' vraag ik. Eigenlijk zou ik hem helemaal niets meer moeten vragen. 'Zit er geluid bij die beveiligingsbeelden?'

'Nee, en je ziet haar alleen van opzij. Je kunt haar lippen niet goed zien bewegen, niet duidelijk. Dus om een preciezer antwoord te geven, dokter Scarpetta, die theorie is net als alle theorieën over mij op niets anders gebaseerd dan op de vastbeslotenheid van het openbaar ministerie en van de overheid om de zaak te winnen.'

Hij kijkt boos. Hij kijkt gekwetst, en het ontgaat me niet dat hij nalaat de naam van Dan Steward te noemen.

'U zult ongetwijfeld op het nieuws hebben gezien dat de aanklager heeft geopperd dat ik helemaal niet op reis was,' zegt hij. 'Dat er op de een of andere manier een truc is uitgehaald en dat ik me helemaal niet in Tokio bevond in de nacht dat Millie is verdwenen, maar dat ik eigenlijk hier was en samenwerkte met degene die ik ingehuurd zou hebben om haar te vermoorden. De openbaar aanklager bleef maar herhalen dat mijn vrouw nooit zo laat op de avond het huis uit zou zijn gegaan als degene die ze hoorde niet iemand was die ze volkomen vertrouwde.'

'Dat klopt precies, ze zou dat nooit hebben gedaan als ze niet wist wie daar was,' beaamt Shelly Duke.

'Ja, dat wisten we allemaal van mevrouw Lott,' zegt Al Galbraith. 'Ze was zich scherp bewust van de risico's die ze door haar positie liep. Ik wil nog net niet het woord *paranoïde* gebruiken.'

'Ontvoering voor losgeld,' zegt Lott tegen me. 'Dat was het eerste wat ze dacht toen onze hond was verdwenen.'

'Dat iemand Jasmine had meegenomen en dat er al snel losgeld zou worden geëist,' zegt Shelly Duke, zijn financieel directeur. 'Er gaan miljarden om bij ontvoeringen, dat is een deprimerende realiteit waarvoor bepaalde personen, in het bijzonder als ze veel reizen, een verzekering behoren te hebben. Millie heeft me een aantal keren gevraagd of ze ook zo'n verzekering voor Jasmine kon afsluiten.'

'Ze was bang dat iemand midden in de nacht met een boot naar onze steiger zou varen.' Lott verstaat de kunst om het woord over te nemen zonder de mensen in de rede te vallen. 'Weet u nog dat Somalische piraten dat Britse echtpaar vanaf hun jacht hadden ontvoerd? Nou, dat was al verontrustend genoeg voor Millie, en toen bandieten in een luxe resort in Kenia een toerist vermoordden en zijn vrouw ontvoerden, ging ze zich helemaal zorgen maken. Het werd gewoon een obsessie voor haar. Er staat een hek om ons terrein, maar ze was bang dat de steiger een kwetsbaar punt was, zo bang dat ze me vroeg hem weg te laten halen. Daar voelde ik helemaal niets voor, omdat ik de *Cipriano* daar af en toe afmeer.'

'Uw jacht?' vraag ik onwillekeurig.

Ik heb er net voor gezorgd dat ik weer zal moeten getuigen als hij weer eens wordt aangeklaagd wegens een misdrijf, waarschijnlijk ook dit keer voor de verdediging.

'Lag uw jacht daar in de nacht dat ze verdween?' vraag ik vervolgens. Jill Donoghue kan de pot op.

Ik wil de waarheid weten.

'Nee,' zegt hij. 'Het ligt de hele winter in Saint-Tropez. Ik laat het meestal pas in mei hierheen brengen.'

Ik doe de deur tussen mijn kantoor en dat van Bryce open, geef hem de envelop en zeg dat hij de beelden per e-mail naar Lucy en mij moet sturen. Ik vraag of hij onze gasten wil uitlaten en Channing Lott geeft me een visitekaartje van zwaar, crème- kleurig papier. Hij heeft zijn privételefoonnummers erop ge- schreven.

'Millie zou nooit met iemand meegaan, zelfs niet onder be- dreiging van een vuurwapen.' In de gang blijft hij even staan en kijkt me indringend aan. 'Als iemand probeerde haar in onze tuin te overmeesteren, zou ze zich uit alle macht verzetten. Hij zou haar ter plekke moeten neerschieten.'

35

Bij Peggy Stanton is het toxicologisch onderzoek als het zoeken naar een naald in een hooiberg waarbij de naald niet per se een naald is en de hooiberg geen hooiberg. Ik heb geen strohalmen waaraan ik me kan vastklampen, en in het wilde weg gokken levert ook niets op. Ik kan niet zomaar op elke willekeurige stof laten testen omdat ik dan op een gegeven moment geen monsters meer over heb. Bovendien is het geduld van Phillis Jobe ook een keer op.

'Een beproeving, ik weet het,' zeg ik telefonisch tegen het hoofd van de afdeling Toxicologie. 'Ik vraag veel en heb weinig te bieden.'

De ingevroren stukken lever, nieren en hersenen zijn in slechte staat en zullen bij elke test die we doen alleen maar achteruit- gaan. Ik heb geen urine, geen glasvocht. Ik heb geen enkel buisje bloed.

'Het is alsof we een zwaard uit een steen moeten trekken, maar toch denk ik dat het ons zal lukken.' Ik zit op mijn werk- kamer achter mijn bureau, met de deuren dicht, en inventariseer de mogelijkheden. Ik voel me ongekend zelfverzekerd. 'Ik denk dat we een kans maken als we de boel heel praktisch aanpak- ken.'

Nieuwe inzichten over Mildred Lott, in combinatie met wat ik over Peggy Stanton weet, leiden in een bepaalde richting, en ik heb sterk de indruk dat het voor elk slachtoffer dezelfde richting is, of het nu twee of drie of nog meer slachtoffers zijn, wat God verhoede. Als het waar is wat Benton heeft gezegd en de moordenaar steeds dezelfde vrouw om het leven brengt, misschien zijn moeder of iemand anders die een belangrijke rol in zijn leven speelt, zal hij hoogstwaarschijnlijk steeds hetzelfde type uitkiezen, in elk geval symbolisch, en zal hij haar steeds op dezelfde manier overmeesteren.

'Zijn er bij de sectie geen sporen van injecties gevonden?' vraagt Phillis.

'Die hebben we niet gezien,' zeg ik. 'Haar huid was er slecht aan toe, maar we hebben haar zeer zorgvuldig onderzocht en hebben steeds naar injectiesporen gekeken, en naar andere sporen. Het staat zo goed als vast dat ze op 27 april aan het eind van de middag is thuisgekomen en haar kat eten heeft gegeven. Rond zes uur heeft ze het alarm ingeschakeld, en toen is ze met haar tas en huissleutels weggegaan. Hoogstwaarschijnlijk is ze toen in haar Mercedes vertrokken en heeft ze iemand ontmoet, waarna ze ergens is beland waar ze gevangen is gehouden en uiteindelijk vermoord is. Misschien was dat dezelfde plek waar haar lijk is ingevroren of koel werd bewaard tot ze in het water is gegooid, gisteren of de avond daarvoor.'

'Als Mildred Lott door diezelfde figuur is vermoord, vraag ik me af waarom haar lijk niet gevonden is,' zegt Phillis.

'Nóg niet gevonden is.' Ik weet wat Benton hierover denkt, namelijk dat de moordenaar de lijken heeft bewaard omdat hij ze niet wil prijsgeven. 'Misschien is zijn fantasie nog niet ten einde als hij zijn slachtoffer eenmaal heeft vermoord. Misschien wil hij er nog geen afstand van doen en heeft hij er een of andere bizarre band mee,' leg ik uit.

'Necrofilie?'

'In het geval van Peggy Stanton zijn daar geen aanwijzingen voor gevonden, maar ik kan die mogelijkheid niet met honderd procent zekerheid uitsluiten. Al heb ik zelf zo m'n twijfels, om eerlijk te zijn. Maar als Mildred Lott zijn eerste slachtoffer was, is de band die hij voelde met wat ze symboliseerde, zijn fantasie, waarschijnlijk sterker. Misschien betekende ze persoonlijk iets voor hem, maar dat wil nog niet zeggen dat hij een puur seksuele belangstelling voor haar heeft. Benton denkt dat het met vernedering te maken heeft, met macht en vernietiging.'

'Ze verdween zo'n zes weken voor deze.' Voor Peggy Stanton, bedoelt Phillis. 'Zijn er vrouwen die al langer worden vermist?'

'Er worden voortdurend mensen als vermist opgegeven. Maar ik kan geen vergelijkbare gevallen bedenken. Als Mildred Lott zijn eerste slachtoffer was, heeft hij over haar misschien sterkere gevoelens en fantasieën,' stel ik met nadruk, omdat ik van mening ben dat ze in deze zaak een sleutelpositie inneemt. 'Misschien vertegenwoordigt ze iets anders voor hem, iets belangrijkers.'

'De vooraanstaande vrouw van een miljardair is belangrijk genoeg.'

'Dat hoeft niet te zijn waarom hij haar belangrijker vond. Haar status en rijkdom hebben misschien niets te maken met de reden waarom hij haar als slachtoffer uitkoos. Waarschijnlijk heeft het iets te maken met waar ze voor stond en wat dat met hem deed,' verklaar ik. Eigenlijk zou ik me zorgen moeten maken over het feit dat de FBI in mijn vergaderzaal zit te wachten en dat ik te laat kom.

Maar er zijn andere verontrustende zaken die voorrang hebben. Misschien is Howard Roth uit opportunisme vermoord, zoals Benton opperde, hoewel het ook getuigde van een slechte inschatting van de consequenties. Het was een impulsieve daad. Waarschijnlijk was het niet strikt nodig om Roth te vermoorden, en ik ben bang dat er nog meer slachtoffers volgen. Iemand hoeft maar het pad van de moordenaar te kruisen om aan de beurt te zijn.

'Maar als Mildred Lott zijn eerste slachtoffer was, denk ik toch dat ze belangrijk voor hem is en dat hij zich sterk met haar verbonden voelt,' zeg ik. 'Misschien is dat de reden waarom haar lichaam nog niet is gevonden. Misschien heeft hij het nog steeds in bezit.'

'Waarschijnlijk een pilletje dat hij in hun eten of drinken heeft gedaan,' zegt Phillis. 'Misschien heeft ze haar moordenaar in een restaurant of een andere openbare gelegenheid ontmoet.' Ze heeft het over Peggy Stanton. 'Misschien iemand die ze van internet kent, van Craigslist, Facebook, Google Plus. Een van die datingsites. Ik waarschuw mijn kinderen daar steeds voor.'

'Dat betwijfel ik,' zeg ik. 'Ik kan me niet voorstellen dat Peggy Stanton of Mildred Lott onbekenden op internet oppikten, en er zijn geen aanwijzingen dat ze dat deden. Maar voor de zekerheid zouden we het lichaam kunnen testen op Rohypnol, GHB en ketamine.' Ik som de lijst met *date rape*-drugs op, ondanks het feit dat ik ervan overtuigd ben dat de moordenaar steeds een vaste handelswijze hanteert en geen afspraakjes maakt met degene die hij op het oog heeft.

Mildred Lott was een dominante, assertieve en toch buitengewoon voorzichtige vrouw die tamelijk lang was en veelvuldig in de sportschool te vinden was. Als iemand geprobeerd zou hebben haar tegen haar wil mee te nemen, zou ze het die persoon niet gemakkelijk hebben gemaakt, en haar echtgenoot vertelde met grote stelligheid dat ze zich hevig zou hebben verzet als iemand haar iets aan had willen doen.

Nu ik heb gehoord wat Channing Lott over zijn vrouw zei en ik daarnaast een beeld van Peggy Stanton heb, ben ik ervan overtuigd dat de moordenaar zijn slachtoffers steeds op een vaste manier uitschakelt. Waarschijnlijk gebruikt hij steeds dezelfde methode. Ik denk niet dat die vrouwen vrijwillig met hem mee zijn gegaan. Ik denk dat hij ze in de val heeft gelokt en ze daarna heeft ontvoerd.

'Poppers, snappers, lachgas, dampen die mensen opsnuiven of inhaleren of via een zakje inademen.' Ik noem de drugs die we vaak tegenkomen. 'Aromatische and alifatische verbindingen, oplosmiddelen in markeerstiften, kleefmiddelen, lijm, verfverdunners, propaan, butaan, of halogeenalkanen in schoonmaakvloeistoffen. Maar zulke middelen zijn volgens mij nauwelijks geschikt om iemand uit te schakelen en te ontvoeren.'

'Er zijn een aantal gasvormige organische verbindingen waarmee je iemand onder zeil kunt krijgen,' zegt het hoofd van de afdeling Toxicologie. 'Tolueen, tetrachloormethaan, 1,1,1-trichloorethaan, tetrachloorethyleen, trichloorethyleen, zolang je er maar een hoge concentratie van gebruikt.'

'Bijna alles is te gebruiken als vergif of middel om iemand onder zeil te krijgen als je het op de verkeerde manier toedient, op een opzettelijk kwaadwillende manier.' Ik denk na over de stoffen die ze net heeft opgesomd. 'Het gaat erom wat praktisch en voorhanden is, iets waar de dader zelf aan gedacht kan hebben en wat hij kent.'

'Dus eigenlijk wat als wapen kan worden gebruikt.'

'Precies,' zeg ik. 'Ik weet niet of je verfverdunner of tetrachloorethyleen zou gebruiken om iemand te bedwelmen als het je bedoeling is om die persoon onmiddellijk uit te schakelen. En je zou dat spul zeker niet gebruiken als je niet absoluut zeker was dat het zou werken.'

'Diethylether, distikstofoxide en chloroform.' Ze noemt de drie oudste verdovingsmiddelen op. 'Iemand die in een bedrijf of lab werkt waar chloroform wordt gebruikt als oplosmiddel kan daar gemakkelijk aan komen. Helaas kun je dat spul ook gewoon thuis maken, zoals de hele wereld inmiddels weet. Het enige wat je nodig hebt, is bleekwater en aceton. Hoe je het kunt maken, staat op internet.'

Ze verwijst naar de sensationele berichtgeving van een tijdje terug over een proces in Florida, waarin Casey Anthony terechtstond voor de moord op haar tweejarige dochter Caylee. Op televisie werd verteld dat Anthony op internet had gezien hoe ze chloroform kon maken, en dat in de kofferbak van haar auto sporen van de bestanddelen ervan waren aangetroffen. Dit leidde niet tot een veroordeling, maar verknipte types zouden hierdoor wel op verdorven ideeën kunnen zijn gekomen. Je hoeft maar naar de winkel te lopen en de instructies op internet op te volgen om zelf chloroform in de garage of de keuken of op de werkplek te kunnen maken en er vervolgens iemand mee uit te schakelen of te vermoorden.

'Misschien geeft hij ze gewoon een klap op hun kop,' zegt Phillis, hardop andere mogelijkheden verkennend. 'Hij stopt ze in de kofferbak, zodat ze onderweg geen problemen opleveren als ze bijkomen en niet met hem gaan vechten.'

'Misschien maakt hij gebruik van een boot,' zeg ik, denkend aan wat ik te horen heb gekregen.

Mildred Lott was zo bang dat iemand met slechte bedoelingen

bij haar in Gloucester zou afmeren dat ze heeft overwogen de aanlegsteiger weg te laten halen, een verzoek dat haar echtgenoot niet honoreerde vanwege zijn jacht. Wie, behalve hij en het belangrijkste personeel, wist dat ze daar zo bang voor was? Een verkeerde persoon zou erdoor op ideeën gebracht kunnen zijn.

Zeg nooit waar je bang voor bent, want anders zou een kwaadwillend persoon het lot een handje kunnen helpen.

'In die gevallen kun je het beste in de hersenen zoeken. Chloroform bindt zich aan proteïnen en lipiden en dringt neuronen binnen,' zeg ik tegen Phillis. Ik sta op van achter mijn bureau en zie de twee suv's die daarnet op de beveiligingscamera's verschenen toen ze voor het hek stonden te wachten tot dat openging.

De zwarte Yukon van Channing Lott slaat af in oostelijke richting, misschien om terug te keren naar zijn hoofdkwartier op het Marine Industrial Park van Boston. Het valt me op dat hij met zijn jonge, knappe financieel directeur in een auto zit, terwijl Galbraith in een zilvergrijze Jeep met gaasgrille de andere kant op rijdt, richting Harvard.

'Aangenomen dat het slachtoffer niet lang meer in leven is gehouden nadat er chloroform is gebruikt,' vertelt Phillis Jobe me. 'Twee of drie uur, hooguit vier. Daarna zijn er misschien geen sporen meer van te vinden.'

Waarvoor in leven gehouden? Geweld van een niet-fysieke soort. Ik denk aan het onverteerde eten in het lichaam van Peggy Stanton. Ik zie voor me hoe ze op die avond in april ergens ging eten en van achteren werd beetgepakt of buiten westen werd geslagen toen ze naar haar auto terugliep, en hoe ze daarna ergens naartoe is gebracht, mogelijk in haar eigen auto. Wat ik zeker weet, is dat ze op een gegeven moment zo lang bij kennis was dat ze iets heeft gedaan waarbij haar nagels braken, en dat ze met haar voeten in contact is gekomen met rode houtvezels die in de zolen zijn blijven steken. Ik denk aan de inhoud van haar kasten.

Ik zie haar kleren voor me, opgehangen of netjes opgevouwen, broeken en broekpakken, truien en bloesjes, ouderwets en weinig elegant, en geen enkele nylon panty. Toch had ze een kapotgetrokken panty aan toen haar lichaam werd gevonden. Ik stel me zo voor dat ze uit een nachtmerrie ontwaakte, op de plek waar hij haar gevangen hield, een plek waar hij niet bang hoefde te zijn dat hij door wie dan ook gestoord werd en waar hij de absolute macht over haar had.

Ik vraag me af of hij haar toen al een panty, een rok en een jas met antieke knopen had aangetrokken, of ze bijkwam in kleren die niet van haar waren en die haar niet pasten. Of werd ze gedwongen kleding aan te trekken die een bepaalde lading voor hem hadden, misschien kleren die ooit van degene waren die hij haatte, of van degene die stond voor iets wat hij haatte?

Peggy Stanton had een serie blauwe plekken op haar rechter bovenarm, die leken te zijn veroorzaakt doordat ze daar was vastgepakt, en ik denk aan Lukes idee dat er tussen de handen van haar belager en haar arm geen laagje kleding zat. Zijn theorie was dat de moordenaar haar bang wilde maken en haar wilde vernederen door haar van haar kleren te ontdoen, zoals krijgsgevangenen ook naakt worden gemarteld, maar ik denk niet dat dat het geval is.

Ik geloof niet dat de moordenaar haar naakt wilde zien. Ik denk dat hij haar in die kleren gestoken heeft voor de rol die hij haar in zijn sadistische fantasie toebedeeld had. Maanden na haar dood, toen ze gedehydreerd was, herschikte hij haar kleding en haar sieraden om te voorkomen dat die van haar gemummificeerde lichaam zouden glijden als hij haar in het water gooide. Ik leg dit voor aan Ernie Koppel tijdens mijn telefonisch overlegrondje.

'Ik wil zeker weten of ze deze kleren aanhad toen ze van huis ging,' zeg ik tegen hem. 'Als het ook maar enigszins mogelijk is, zou ik daar uitsluitsel over willen hebben. Dit zit me hoog, Ernie.'

'Weet ik.'

'En ik zit iedereen erg op de huid.'

'Kun je nagaan,' zegt hij plagend.

Ik stel hem vragen over de vezels die hij in de Mercedes van Peggy Stanton heeft gevonden. Ik leg uit dat ik bij haar thuis geen kleding heb gevonden die qua stijl ook maar enigszins leek op wat ze aanhad toen ze in het water werd aangetroffen.

'Ik weet niet of je al in de gelegenheid bent geweest om er nader naar te kijken,' zeg ik; het is mijn manier om er flink achteraan te zitten en te laten weten dat er haast geboden is. 'Enige kans dat die vezels uit de auto afkomstig zijn van de kleding die ze droeg? Kan ze zo gekleed zijn geweest, om wat voor reden dan ook, toen ze van huis ging, hoogstwaarschijnlijk 27 april van dit jaar?'

Ik wil met name weten of de vezels die op de vloer, op de stoelen en in de kofferbak zijn gevonden afkomstig kunnen zijn van het donkerblauwe jasje, de grijze wollen rok en de paarse zijden bloes. Ernie zegt van niet.

'Tapijtvezels, synthetisch,' zegt hij. Hij vertelt dat hij eerst dacht dat de houtvezels van mulch afkomstig waren.

'Dat is niet zo,' zegt hij. 'Ik beweer niet dat ik weet waar dit spul voor gebruikt is, maar het is niet afkomstig van hout dat door een versnipperaar is gehaald en daarna geverfd is.'

Hij legt uit dat hij gebruik heeft gemaakt van gaschromatografie-massaspectrometrie, GC-MS, om de sporen te analyseren die hij voor in de Mercedes heeft aangetroffen. De roodgekleurde vezels vertonen een cyclisch polyalcoholprofiel dat kenmerkend is voor Amerikaans eikenhout.

'Het wordt gekarakteriseerd door een grote aanwezigheid van deoxyinositol, met name proto-Quercitol,' legt hij uit. 'Een heel interessante manier om de botanische oorsprong van natuurlijk hout in oude wijnen en andere alcoholische dranken te bepalen, uiteraard om de authenticiteit vast te stellen. Als een wijnboer of handelaar beweert dat een bepaalde rode wijn in vaten van Frans eikenhout is gerijpt en dat blijkt niet uit de GC-MS-analyse, kun je het wel vergeten. Dan was het gelagerd in vaten van Amerikaans eikenhout, dus die wijn waar je een vermogen voor moet neertellen, is in de verste verte geen Premier Grand Cru Bordeaux. Daar komt heel wat kennis bij kijken, en je snapt wel waarom, als een wijnhandelaar je een jong wijntje in de maag probeert te splitsen en erbij vertelt dat het een heel bijzondere is.'

'Bordeaux?' vraag ik. 'Wat heeft dit met wijn te maken?'

'De houtvezels uit haar auto,' antwoordt hij.

'Denk je dat ze van wijnvaten afkomstig zijn?' Ik zie nog niet meteen wat voor implicaties dat heeft.

'De gewone witte eik wordt gebruikt om vaten van te maken, ook als bron van tanninezuur, de tannine die in rode wijn zit,' zegt hij. 'In jouw geval hebben we het over Amerikaans eikenhout dat verkleurd is door rode wijn, met sporenelementen van geblakerd hout, wat hoogstwaarschijnlijk een gevolg is van een proces dat bekendstaat onder de term 'toasten', het schroeien van de binnenkant van het vat, plus suikerkristallen en andere derivaten zoals vanille en lactonen.'

'Houten vezels die van mulch afkomstig lijken maar dat niet zijn. Een wijnmakerij of een plek waar met wijnvaten wordt gewerkt,' denk ik hardop. 'Maar niet de plek waar de vaten zelf worden gemaakt, want nieuwe vaten zouden niet die wijnkleur hebben.'

'Dat klopt.'

'Wat dan?'

'Het is uitermate frustrerend,' zegt hij. 'Ik kan je wel vertellen dat deze vezels afkomstig zijn uit wijnvaten, maar ik kan je niet vertellen waarom het hout versnipperd is, echt helemaal verpulverd, noch waar het voor gebruikt is.'

Hij vertelt dat oude wijnvaten soms uit elkaar gehaald worden, geschroeid worden en in de whiskey worden gehangen om die sneller te laten rijpen.

'Maar dit spul is daar veel te fijn voor, zo fijn als stof,' zegt hij. 'En het is ook geen stof dat bij het schaven of schuren vrijkomt. Wel zou het afkomstig kunnen zijn van een plek waar oude wijnvaten worden gerecycled of gebruikt worden om er iets anders van te maken.'

Ik weet dat er soms meubels worden gemaakt van vaten die niet langer kunnen worden gebruikt bij de wijnproductie, en ik denk aan het aparte meubilair dat ik in het huis van Peggy Stanton heb zien staan. Het tafeltje in de hal, waar haar autosleutel werd gevonden, en de eiken tafel in de keuken. Alles wat daar stond, was antiek en zeker niet gemaakt van oude wijnvaten. Ook heb ik geen aanwijzingen gevonden dat ze wijnen verzamelde of überhaupt wijn dronk.

'Hoe zit het met die houtvezels die onder haar voeten en onder haar nagels zijn aangetroffen?' vraag ik. 'Hetzelfde verhaal?'

'Amerikaans eiken, rode kleur, sommige vezels geschroeid,'

zegt hij. 'Al heb ik daarbij geen suikerkristallen of andere bij-producten aangetroffen.'

'Die zullen in het water zijn opgelost. Waarschijnlijk mogen we rustig aannemen dat wat er in haar auto lag en wat op het lichaam is aangetroffen afkomstig was van dezelfde bron,' vertel ik. 'Of beter gezegd: alle vezels zijn mogelijk afkomstig van dezelfde locatie.'

'Daar mag je inderdaad wel van uitgaan,' zegt hij instemmend. 'Ik zat te denken of ik niet eens bij wat wijnhuizen hier in de buurt moest rondvragen of ze weten wat die vezels zouden kunnen...'

'Hier in de buurt?' Ik onderbreek hem. 'Zou ik niet doen.'

36

Het is bijna vier uur als ik de zogenoemde crisiskamer betreed, waar deskundigen en onderzoekers zowel ter plekke als op afstand met elkaar kunnen vergaderen, onder meer met wetenschappers en doctoren uit het leger. Hier voeren we met behulp van geavanceerde video- en audioverbindingen achter gesloten deuren de strijd tegen de vijand. Ik hoor meteen wie er aan het woord is.

De diepe, gezaghebbende stem van generaal John Briggs zegt iets over transport met een legervliegtuig in de staat Washington. Een C-130, zegt hij. Hij heeft het over iemand die ik ken.

'Hij is net opgestegen van McChord en landt over een uur.' Mijn baas, het hoofd van de Armed Forces Medical Examiners, vult de geïntegreerde lcd-schermen in de geometrisch vormgegeven vergadertafel.

'Hij krijgt natuurlijk niet de supervisie, hij gaat alleen als waarnemer,' zegt Briggs. Op de diepblauwe, geluidswerende wanden zie ik onbekende foto's van een schedel, losse beenderen en mensenhaar.

Ik neem een stoel naast Benton en tegenover Val Hahn, die een kakipak draagt en me ernstig toeknikt. Naast haar zit Douglas Burke, in het zwart, maar die keurt mij geen blik waardig. Ik zet het HD-beeldscherm voor me aan en zie het verweerde gezicht van Briggs, die uitlegt wat de hoofdlijkschouwer van Edmonton in de staat Alberta als gunst bereid is voor ons te doen, omdat wij in deze zaak geen jurisdictie hebben.

'Daar zouden we tegenin kunnen gaan, maar dat doen we niet.' Briggs is er goed in om de leiding naar zich toe te trekken zonder dat iemand daar bezwaar tegen maakt. 'We gaan niet kijken wie er het verst kan pissen met een bondgenoot die heel goed in staat is een forensisch onderzoek uit te voeren. We hebben het hier niet over Jonestown of Amerikaanse missionarissen die vermoord zijn in Soedan. We zullen in alle opzichten met onze Canadese vrienden samenwerken.'

Aan de militaire munten en de herdenkingsvlaggetjes op de planken achter hem zie ik dat hij in zijn kantoor zit in de haven van de luchtmachtbasis in Dover. Hij heeft operatiekleding aan omdat hij nog niet klaar is met zijn werk. Ik heb op het journaal gehoord dat er aan het eind van de dag een vliegtuig vol met legertransportkisten zal arriveren. Er is een helikopter neergeschoten. Alweer.

'Hij gaat observeren en fungeert als verbindingspersoon,' zegt Briggs over de consulterend forensisch patholoog van de AFME in Seattle.

'Het spijt me dat ik zo laat ben,' zeg ik tegen het beeldscherm, en Briggs kijkt mij en de anderen aan.

'Ik zal je even bijpraten, Kay.' Hij vertelt me dat Emma Shubert dood is.

Haar lichaam is in staat van ontbinding op nog geen acht kilometer van het kamp bij Pipestone Creek gevonden, waar haar collega's haar op 23 augustus voor het laatst hebben gezien. Dr. Ramon Lopez vliegt over uit Edmonton en de consulterend patholoog van de AFME, een gepensioneerde hoofdlijkschouwer uit Seattle en tevens een vriend van mij, zal contact met me opnemen zodra hij meer informatie heeft.

'Kinderen die naar dinosaurusbotten zochten.' Briggs vertelt wat hij de anderen al heeft uitgelegd. 'Ze liepen op bebost terrein langs Highway 43 en zagen een paar botjes liggen. Aanvankelijk dachten ze dat ze een fossielbed hadden ontdekt, en dat was in zekere zin ook zo. Alleen waren deze botten niet gefossiliseerd en ook niet oud. Botjes van de handen en voeten van een mens, waarschijnlijk verspreid door dieren. Daarna zagen ze een menselijke schedel bij een stapel rotsen waar een enorm smerige lucht omheen hing.'

'Wanneer was dat?' Ik verontschuldig me nog eens vanwege het feit dat hij alles moet herhalen.

'Gistermiddag laat. Het grootste deel van het lichaam lag onder stenen die iemand er blijkbaar bovenop had gestapeld. Dus is er meer over dan alleen het skelet, zoals je kunt zien.'

Briggs klikt door een verzameling foto's die groot en gedetailleerd op de flatscreens aan de muur verschijnen. Kleine menselijke botten, handwortelbeentjes, middenhandsbeentjes en vingerkootjes, die eruitzien als witte en grijze steentjes in de droge, door bomen overwoekerde bedding van een kreek, en een schedel onder een bosje, alsof hij daarheen gerold is of er door een dier heen geduwd is.

Een massa vies, grijsbruin haar aan de rand van een stapel stenen en het blootgelegde graf met de overblijfselen erin, een ineengedoken lichaam in een blauwe jas en een grijze broek. Gedeelten die niet beschermd werden door de kleding, het hoofd, de handen en de voeten zijn aangevreten door insecten en wilde dieren, en de botjes zijn ontwricht en verspreid.

'Waren er geen laarzen of schoenen?' vraag ik.

'Niet volgens de kledinglijst die ik heb gekregen.' Briggs typt iets in op een toetsenbord buiten beeld en zet zijn bril op. 'Een blauw regenjack, een grijze broek, een beha, een slipje en een horloge van zilverkleurig metaal met een blauw bandje met klittenbandsluiting, dat ongelofelijk genoeg nog steeds loopt.'

'Geen schoenen of sokken dus,' merk ik op. 'Interessant, want Peggy Stanton liep voor ze doodging op een gegeven moment ook op blote voeten.'

'Zo wordt iemand psychologisch gekluisterd,' zegt Benton, en ik vraag me af hoe lang hij het al weet. 'Om het slachtoffer te domineren en onderdanig te maken.'

'En om het moeilijker te maken om weg te rennen,' zegt Douglas Burke alleen tegen hem.

Haar grote, starende ogen doen me denken aan een wild dier,

een dol geworden wild dier.

'Ze hebben in het noordwesten van Alberta een koele, regenachtige zomer gehad.' De meest prominente forensisch patholoog in de Verenigde Staten gaat verder met zijn briefing. 'En het is in de maand oktober natuurlijk behoorlijk koud geweest. Dus is het lichaam na twee maanden nog redelijk intact, omdat de temperaturen bijna hetzelfde zijn als in een koelkast en de kleding en rotsblokken het enigszins beschermd hebben. Als ze is doodgestoken, doodgeschoten of doodgeslagen is er misschien genoeg zacht weefsel over om dat te kunnen constateren, misschien zelfs als ze gewurgd is. Ze is geïdentificeerd aan de hand van de gebitsgegevens. We wachten nog op het DNA, maar er lijkt geen twijfel aan te bestaan dat zij het is.'

'Zijn er verwondingen te zien?' vraag ik.

'Niet dat ik weet,' zegt hij. 'We weten dat ze niet in het hoofd is geschoten. Geen breuken in de schedel.' Hij kijkt naar een computer op zijn bureau en scrolt kennelijk door een bestand. 'Geen kogels, geen breuken op de röntgenfoto's. Ze hebben nog geen sectie gedaan, want ze wachten op dokter Lopez.'

'De Canadese autoriteiten weten dat we dit niet als een opzichzelfstaand geval zien,' zegt Benton tegen me. Toen we eerder in de lift stonden en ik zei dat Emma Shubert dood was, wist hij dat dus al.

Het was een vaststaand feit voor hem. Hij heeft deze vergadering belegd.

'Ze begrijpen dat er een verband bestaat met in ieder geval één moord bij ons, mogelijk twee en misschien nog wel meer,' zegt Benton. Ik twijfel er niet aan dat de rechercheurs uit Grande Prairie en van de Royal Canadian Mounted Police die onderzoek hebben gedaan naar de verdwijning van Emma Shubert contact hebben opgenomen met de FBI zodra ze wisten dat het stoffelijk overschot van haar was.

Ze was Amerikaans staatsburger. Twee dagen geleden heb ik van een anonieme bron een verontrustend jpeg-bestand en een videobestand gekregen en dat is de plaatselijke politie en de RCMP bekend. Ik vermoed dat Benton op de hoogte is gesteld en dat hij generaal Briggs heeft gebeld, die op zijn beurt contact heeft opgenomen met de OCME in Edmonton en met dokter Lopez. De AFME wil natuurlijk alles weten over de zaak Emma Shubert, omdat het ministerie van Defensie uiteindelijk op de hoogte gehouden wil worden. Als mijn kantoor betrokken is bij het onderzoek naar een seriemoordenaar dat onder de federale jurisdictie valt en er een verband bestaat met een moord in Canada, moet generaal John Briggs daarvan op de hoogte worden gesteld. Hij zal elk detail willen weten en voortdurend willen horen wat de vorderingen zijn.

'De timing. Ben ik de enige die de timing zo schreeuwend opvallend vindt?' Burkes ogen staan glazig.

Pseudo-efredine, of anders is ze zo opgewonden door iets nog gevaarlijkers. Ze draagt een pakje met een heel kort rokje en een rode trui met een lage, ronde hals die zo strak zit dat het wel een verflaagje op haar lichaam lijkt. Ze zit recht tegenover Benton en door haar houding geeft ze hem ruim zicht. Mij trouwens ook, en mogelijk ook Briggs, afhankelijk van de hoek van haar camera en de uitsnede op zijn beeldscherm.

'Zijn beide lichamen niet op dezelfde dag gevonden?' Ze praat heel nadrukkelijk tegen Briggs, bijna alsof ze ruzie zoekt. 'Peggy Stantons lichaam is hier in de Massachusetts Bay opgedoken op dezelfde dag dat Emma Shubert is gevonden in Canada. Is dat niet een beetje al te toevallig, John?'

'Dat is het precies, heel toevallig,' zegt Briggs op zijn rustige, onverstoorbare wijze. Haar vrouwelijke vormen zijn zeker niet aan hem voorbijgegaan, maar worden volkomen genegeerd. 'Het is logisch dat degene die midden in het bos een hoop stenen op het lijk heeft gelegd niet kon weten wanneer kinderen fossielen of dinosaurusbotten zouden gaan zoeken en het zouden vinden.'

'Het ligt anders,' zegt Benton, maar hij richt zich niet tot Burke. 'De moordenaar wilde dat Peggy Stantons lichaam precies op dat moment gevonden werd en dat degene die het zou bergen een enorme schok zou krijgen. Mogelijk heeft hij precies bereikt waar hij op uit was: een waar spektakel in alle media. Het resultaat van zijn werk heeft enorm veel aandacht getrokken. Maar toen hij Emma Shubert vermoordde, was het niet zijn bedoeling om degene die haar vond een schok te bezorgen, want hij wilde helemaal niet dat ze gevonden werd. Hij droeg of sleepte haar lichaam waarschijnlijk van de weg het bos in en bedekte het met stenen.'

Op dat punt begin ik over Mildred Lott. Ik vertel over de overeenkomst van de vermiste huisdieren die later weer opduiken, over haar angst om ontvoerd te worden en over de bewering van haar man dat het voor een crimineel buitengewoon moeilijk zou zijn om dat voor elkaar te krijgen. Ze liet zich liever ter plekke doodschieten dan te doen wat een overvaller wilde, volgens hem. De mensen die haar kenden vonden haar neerbuigend en arrogant, vertel ik.

Ze behandelde niet alle mensen vriendelijk of eerlijk, en Peggy Stanton leek zich te hebben teruggetrokken in de beslotenheid van haar eigen verdriet en kwam niet veel buiten, behalve om vrijwilligerswerk te doen. Emma Shubert was helemaal gericht op één ding, harde, koude overblijfselen van een prehistorisch verleden, en niets wijst erop dat ze met anderen een goed contact had.

'Alle drie de vrouwen zijn onwaarschijnlijke kandidaten om ontvoerd en vermoord te worden,' opper ik. 'Tot het moment van verdwijning gingen ze hun eigen gang, op hun eigen terrein of binnen hun normale routine. Het waren ontzagwekkende vrouwen, niet erg toegankelijk of gemakkelijk in de omgang. Ik kreeg de indruk dat ze absoluut niet goed van vertrouwen waren.'

'Je bent er vrij zeker van dat we te maken hebben met één en dezelfde dader, Kay.' Het is geen vraag, maar een constatering van Briggs.

'Ik denk dat we daar zeker vanuit moeten gaan.'

'Het is dezelfde persoon,' beaamt Benton. 'En Emma Shubert is ontvoerd omdat de gelegenheid zich voordeed. Ik geloof niet dat hij dat ver van tevoren had gepland, of dat wat er met haar gebeurde net zo goed was gepland als bij de twee anderen. Ik vermoed dat hij zich in Grande Prairie niet op bekend terrein bevond, maar dat hij er om een of andere reden toch naartoe was gegaan.'

'Iets verbindt hem zowel met het noordwesten van Alberta als met Cambridge,' beweert Burke alsof ze een vraag beantwoordt die niet gesteld is.

'Misschien hebben ze elkaar ergens ontmoet. Misschien ook niet. Maar ze zijn op een of andere manier met elkaar in contact gekomen.' Benton zegt het alsof het een feit is, alsof er geen andere mogelijkheid bestaat.

Emma Shubert heeft de aandacht van de moordenaar getrokken en is zijn doelwit geworden, waarschijnlijk zonder dat ze zich daarvan bewust was. Hij heeft haar misschien gestalkt en waarschijnlijk gewacht tot ze zich op het afgelegen, beboste kampeerterrein bevond waar ze voor het laatst in leven is gezien.

'Er is daar geen verlichting. Alleen de zwakke gloed van kleine caravans die ver van elkaar in het bos staan,' zegt Benton. 'Het was die nacht zwaarbewolkt en het regende.'

37

Val Hahn van het FBI Cyber Squad vertelt dat de zomerdagen in Grande Prairie lang zijn. De zon komt vroeg op, en het wordt 's avonds pas om tien uur donker. Dat komt doordat de streek zo noordelijk ligt.

'Op de avond van de drieëntwintigste augustus,' zegt ze tegen de beeltenis van generaal Briggs die per livestream bij ons te zien is, 'kwam de regen met bakken uit de hemel en was het zo koud dat je je adem kon zien. Tegen de tijd dat Emma samen met haar collega's in de kantinetent had gegeten en naar haar caravan terugging, was het pikdonker in het kamp.'

Er waren veel muggen, en er werd gewaarschuwd voor beren, voegt ze eraan toe. De paleontologen werden er per e-mail op gewezen dat ze alle afval in de daarvoor bestemde containers moesten deponeren, ook al regende het nog zo erg.

'"Hongerige beren laten zich niet door wat regen afschrikken", stond er in het mailtje.' Hahn beschrijft het hele plaatje. 'De nacht daarvoor was er een beer op afvalzakken afgekomen die op een picknicktafel waren achtergelaten, en het beest had vervolgens geprobeerd een caravan binnen te komen. Volgens haar collega's was Emma bang voor beren. Ze luisterde steeds of ze iets hoorde of zag wat op de aanwezigheid van een beer zou kunnen duiden. Als ze in de buurt van haar caravan iets verdachts had gehoord of gezien, zou ze er nooit naartoe zijn gegaan of zich zelfs maar in de buurt hebben gewaagd.'

'Duidelijk iemand die zich ongezien kan verplaatsen.' Douglas Burke zegt het op een toon alsof ze een bepaalde verdachte op het oog heeft. 'Als een soort geest. Iemand met de vaardigheden van een huurmoordenaar.'

'Het kamp en het weer die avond.' Benton gaat verder alsof Burke niets gezegd heeft. 'Ideaal voor een gewelddadige figuur die onzichtbaar en onhoorbaar en totaal onverwacht wil toeslaan. Met de komst van een beer kun je nog rekening houden, maar niemand verwacht een menselijk roofdier.'

'Aangenomen dat hij met die plek bekend is.' Briggs heeft zijn bril weer opgezet en kijkt op zijn bureau. 'Voor een stadsmens is dit wel heel ruig terrein. Of je moet al dol zijn op kamperen, lijkt me.'

'We moeten er bijna wel van uitgaan dat hij de omgeving kent. Ja, generaal, dat ben ik met u eens,' verklaart Hahn. 'Als het zulk slecht weer is, eten de paleontologen heel laat. Wist de persoon in kwestie dat? Volgens mij wel. Ik denk dat hij van hun gewoonten op de hoogte was.'

Ze schetst een dag uit het leven van Emma Shubert, die haar zomers in het Peace-district in Alberta doorbracht, een streek waarvan de naam nu heel ironisch klinkt. Als het hard regende of waaide, bleven zij en haar collega's meestal in het kamp, in hun tijdelijke onderkomens: krappe ruimtes, karig gemeubileerd, met generatoren om stroom op te wekken. Vroeg in de ochtend kwamen de wetenschappers dan in de kantinetent bijeen om te ontbijten, waarna ze via een voetbrug naar Pipestone Creek liepen en dan door de modderige bossen naar de site gingen om naar pachyrhinosaurusresten te zoeken.

Het kan er gigantisch hard regenen, vertelt Hahn, maar zolang de site fysiek bereikbaar is, gaan de wetenschappers door met hun werk. De desbetreffende site was altijd toegankelijk. Het was modderig en glibberig, maar er was geen sprake van een steile oever of helling waardoor ze een heel eind moesten rij-

den of varen of klimmen. Ze gaan ergens graven, schrapen modder en kleischalie weg om datgene bloot te leggen wat voor het
ongeoefende oog alleen maar stenen zijn, in een deel van de wereld waar je maar een beperkt aantal maanden opgravingen kunt
doen, omdat het ophoudt als de vorst eenmaal in de grond zit.
Van het eind van de herfst tot aan het begin van het voorjaar
werken de paleontologen in het lab. Ze geven colleges, en net
als velen ging Emma Shubert dan weer terug naar huis.

'Uit de gesprekken die gevoerd zijn en uit andere research die
ik gepleegd heb,' zegt Hahn, 'blijkt dat de site bij Pipestone
Creek op 23 augustus in een modderpoel was veranderd. Zo'n
twintig jaar geleden zijn er voor het eerst botten van pachyrhinosaurussen gevonden, en er wordt aangenomen dat het om een
massagraf gaat, de plek waar honderden dinosauriërs als gevolg
van een natuurramp zijn verdronken. Door de hevige regenval
was het niet mogelijk om de heuvel van de Wapiti-site op te gaan,
de plek waar Emma meestal naartoe ging om opgravingen te
doen. Zelfs op goede dagen had je touwen nodig om daar te komen, dus als het zo hard regende, was er geen beginnen aan.'

'Eigenlijk wilde ze daar liever naartoe,' zegt Benton. 'Het was
een betrekkelijk nieuwe site, een die ze had afgebakend als háár
territorium. De site bij Pipestone Creek bestond al veel langer,
zoals Val net zei.'

'Het was een zeer bijzondere site, althans dat vond Emma,
heb ik begrepen uit gesprekken met haar collega's,' zegt Hahn.
Briggs kijkt ergens anders naar, mogelijk e-mail.

'Belangrijk is dat het weer bepaalde wat Emma deed,' voegt
Benton eraan toe. 'Als ze de jetboot of de auto nam om naar de
Wapiti-site te gaan, kostte haar dat een uur. Ze ging dan niet terug naar het kamp. Samen met een paar van haar collega's maakte ze gebruik van de caravans als ze op de site van Pipestone
Creek aan het werk ging, want die lag op wandelafstand van het
kamp. De Wapiti-site, waar Emma twee dagen voor haar verdwijning een tand van een pachyrhinosaurus had opgegraven,
een belangrijke vondst, lag dertig kilometer ten noorden van
Grande Prairie. En als ze daar aan het werk was, logeerde ze
vaak in de stad, in een studio in College Park die ze huurde.'

'Dus als het niet zo hard had geregend,' merkt Briggs op, 'zou ze naar de rivier zijn gegaan, naar haar eigen site, en had ze in de stad overnacht. Dan zou ze nu misschien nog in leven zijn.'

'Als het niet zo hard had geregend, zou ze inderdaad naar haar eigen site zijn gegaan,' zegt Benton instemmend. 'Misschien was ze dan nu nog in leven, al is dat niet met zekerheid te zeggen. Of eigenlijk onmogelijk te zeggen.'

'Als ik dat zo hoor, werd ze gestalkt.' Briggs kijkt weer op zijn bureaublad, en hoewel ik niet kan zien wat hij daar ziet, heb ik wel een idee.

Hij is aan het multitasken. Als de FBI bereid is over de bijzonderheden van het onderzoek te vertellen, zal hij luisteren. Zelfs de meest vage details ontgaan hem niet, maar ondertussen houdt hij zich ook bezig met wat hem verder nog onder ogen komt, en dat is altijd wel iets.

'Hij zal haar in elk geval in de gaten hebben gehouden, ja,' zegt Benton. 'Lang genoeg om te weten wat haar gewoontes zijn, tenzij het gewoon stom toeval was dat hij haar in dat stikdonkere, modderige kamp aantrof toen hij besloot haar te grazen te nemen.'

'Daarom vraag ik me af of het niet iemand uit de streek kan zijn geweest.' Briggs pakt iets buiten beeld.

'Of iemand die er regelmatig kwam.' Burke heeft zo haar eigen theorie.

Ik kan aan haar zien dat ze iets wil bewijzen, waarschijnlijk aan Benton, die wil dat ze naar een andere vestiging wordt overgeplaatst, bijvoorbeeld die in Kentucky. Ik weet niet of hij het er al met haar over gehad heeft, maar ik vermoed van wel als ik zie hoe ze zich opstelt, hard en koppig en verleidelijk. Ik voel haar onderhuidse woede terwijl ze haar meningen ventileert en zichzelf profileert.

'Iemand die bekend was met deze streek,' zegt ze, 'iemand die het een en ander van Emma wist en ook wist dat de paleontologen niet naar de Wapiti-site gingen als het zulk slecht weer was.'

'Sedimentair argilliet,' zegt Benton tegen ons. Hij negeert haar. 'Rivierklei. De oorspronkelijke bevolking maakte er pijpen van. Het spul blijft als cement aan schoenen en kleren plakken. Op de dag dat Emma voor het laatst gezien is, ging iedereen na afloop van de opgravingen meteen naar de kantinetent zonder zich eerst op te frissen. Ook zij. Toen ze uiteindelijk naar haar caravan ging, zat ze waarschijnlijk onder de modder, was ze op de regen gekleed en droeg ze een blauwe regenjas met capuchon, het kledingstuk dat blijkbaar ook op het lijk is aangetroffen.'

'Na zonsondergang,' zegt Hahn, 'is het zo donker in het kamp dat je een zaklantaarn bij je moet hebben als je ergens naartoe wilt, omdat je geen hand voor ogen kunt zien, behalve als het volle maan is, maar dat was het die avond zeker niet. Zwaarbewolkt, pikdonker, en een hels kabaal als van een klaterende douche op de hardste stand, volgens haar collega's.'

'Het moet heel gemakkelijk zijn geweest om ergens in de buurt een voertuig te parkeren,' zegt Benton, 'en om haar vervolgens te overmeesteren.'

'Vooral als ze eerst uitgeschakeld werd,' verklaar ik.

'Tenzij we het hebben over iemand met wie ze vrijwillig meeging,' oppert Briggs. Het lijkt erop dat hij ondertussen rapporten zit te lezen en te paraferen.

'Het lijkt me sterk dat dat kon zonder dat haar collega's daar weet van hadden,' zegt Benton, 'zonder dat ze het er met wie dan ook over gehad had. Uit de gesprekken die gevoerd zijn en uit de mailtjes en berichten die op haar voicemail zijn ingesproken, blijkt dat Emma volledig op haar werk was gefocust. Ze onderhield geen romantische contacten en bemoeide zich alleen beroepshalve met anderen als ze met opgravingen of in het lab bezig was. Toen ze die avond bij de kantinetent wegging, zei ze dat ze moe was. Ze wilde gaan slapen, zou iedereen de volgende dag wel weer zien, en misschien dat ze geluk hadden en dat het weer wat opklaarde. Ze is in haar eentje door het kamp naar haar caravan teruggegaan.'

'Zijn er bij haar caravan sporen van voetstappen of autobanden aangetroffen?' vraagt Briggs.

'De regen heeft er één grote moddertroep vol plassen van gemaakt,' zegt Benton.

'Dus het idee is dat de moordenaar gewacht heeft tot ze de deur van haar caravan had opengedaan?' Briggs neemt een slok uit een beker, ongetwijfeld koffie, en als er geen anderen bij waren, zou ik hem vertellen wat ik in dat geval altijd zeg.

Hij drinkt de godganse dag koffie, 's avonds ook, en klaagt

vervolgens dat hij niet kan slapen. Tijdens het halfjaar dat ik in het mortuarium van Dover meeliep op de afdeling Forensische Radiologie kreeg ik hem zover dat hij 's middags overschakelde op cafeïnevrije koffie, lange wandelingen maakte en 's avonds een warm bad nam. *Oude gewoonten zijn moeilijk af te leren, en goede voornemens zijn meestal van korte duur, Kay.* Ongetwijfeld zou hij zeggen wat hij altijd zegt wanneer ik een preek over hem uitstort.

'We denken dat hij haar heeft overmeesterd voordat ze naar binnen ging,' speculeert Benton. 'Er zijn geen aanwijzingen dat ze ooit naar haar caravan is teruggekeerd, dat ze daadwerkelijk binnen is geweest. Er zijn geen moddersporen aangetroffen, geen natte kleren, en de deur stond op een kier, alsof ze die net had opengedaan toen ze van achteren werd aangevallen.'

'Zijn haar sleutels en haar zaklantaarn ooit gevonden?' Briggs kijkt ons weer aan.

Hahn verklaart dat de politie ze in een modderige plas aan de voet van het aluminium trapje heeft gevonden, wat te meer doet vermoeden dat ze net de deur van het slot had gedaan toen ze werd aangevallen.

'Wat we in toxicologisch opzicht willen onderzoeken,' zeg ik dan tegen mijn chef, 'is de mogelijkheid dat er een vluchtige organische stof is gebruikt, chloroform bijvoorbeeld. Mogelijk iets wat het slachtoffer heeft ingeademd, waardoor ze buiten kennis is geraakt en hij haar overal mee naartoe kon nemen, voor wat voor doel dan ook.'

'Laat onze vrienden in Edmonton daar maar naar zoeken, en ook naar andere zaken die in het plaatje passen.' Briggs kijkt langs zijn camera, alsof er iemand is binnengekomen.

'Een belangrijke vraag,' zegt Burke, 'is of hij Emma Shubert eerst ergens naartoe heeft gebracht.'

'Als hij niet in de buurt woont,' verklaart Briggs, en nu lijkt hij enigszins afgeleid, 'lijkt me dat te riskant. Een motel of zo, en stel dat ze zich verzette of zou gaan schreeuwen?'

'Het lijkt me waarschijnlijker dat hij haar in zijn eigen auto heeft gestopt, of in de auto die hij had gehuurd,' zegt Benton. 'Een busje of een camper, een voertuig dat hij op een afgelegen plek kon neerzetten.'

'Voor de betreffende periode zijn we binnen een straal van een paar honderd kilometer alle autoverhuurbedrijven en verkoopadressen aan het natrekken,' zegt Burke tegen Briggs, die nu nauwelijks oplet. 'Van luxe onderkomens als Airstreams tot eenvoudige caravans, met andere woorden: alles wat je met je auto kunt meeslepen. Iets wat hij kon meenemen naar het kamp waar ze verbleef, zonder dat het op een donkere regenachtige avond zou opvallen.'

'Het zou voor hem een stuk makkelijker zijn als ze buiten kennis was,' zegt Benton tegen mij. 'Een dreun op het hoofd geeft allemaal troep, en haar met een pistool dwingen is ook niet ideaal, want dan heeft hij geen garantie dat het lukt, en de boel kan in een mum van tijd scheeflopen. Veel beter om haar met wat chemisch spul onder zeil te brengen en haar vervolgens in zijn auto te stoppen. Dan kan hij wegrijden en met haar doen wat zijn fantasie hem ingeeft.'

'Blijkbaar vormt het afsnijden van haar oor daar een onderdeel van,' zegt Burke. 'Dat wijst op decompensatie, op een verminderde mate van zelfbeheersing, een dwangneurose die als een orkaan in kracht toeneemt. Als Emma zijn meest recente slachtoffer is, mutileert hij zijn slachtoffers nu en gebruikt hij steeds meer geweld. Het kost hem steeds meer moeite om de druk die zich bij hem heeft opgebouwd, te verlichten,' zegt ze. Ze spreekt nu als profiler, en Benton onthoudt zich van commentaar.

'We weten eigenlijk niet of er een oor is afgesneden,' verklaar ik. 'Het enige wat van het hoofd over is, is de schedel. We kunnen dat dus niet met zekerheid zeggen, tenzij er snijsporen op de schedel zitten.'

'Ik wil er even op wijzen dat Channing Lott aanzienlijke professionele en filantropische banden met dit deel van Canada heeft.' Burke praat gehaast en agressief. 'Om specifiek te zijn: zijn wereldwijde expeditiebedrijf vervoert per trein aardolie en lpg vanaf Fort McMurray, het hart van de olievelden van Alberta, naar verschillende zeehavens.'

Benton kijkt nu naar haar, zonder enige emotie te tonen.

'Hij heeft verschillende trips naar enkele van de olieraffinaderijen gemaakt.' Burke praat nu met luide stem. 'En vorig jaar heeft een van zijn dochterondernemingen een aanzienlijk bedrag

gedoneerd aan het dinosaurusmuseum dat in Grande Prairie gebouwd gaat worden.'

'Welke dochteronderneming was dat?' Hahn fronst haar
wenkbrauwen, alsof dit informatie is die Burke niet met haar
gedeeld heeft.

'Crystal Carbon-Two,' zegt Burke tegen Briggs.

Hij kijkt weer naar iets op zijn bureaublad, en ik kan het altijd
zien als hij genoeg heeft van een gesprek.

'*Milieuvriendelijke* reinigingsapparatuur die in de voedings-
industrie wordt gebruikt, voor het verwijderen van verflagen,
het schoonmaken van drukpersen en van machines in de papier-
industrie,' zegt Burke. 'Er komen geen schadelijke stoffen vrij,
en er worden geen giftige chemicaliën gebruikt. Een vaste vorm
van kooldioxide wordt met kracht op het te reinigen oppervlak
gestraald. Die techniek wordt ook steeds meer in olieraffinaderijen toegepast.'

'Gisteren was een slechte dag voor onze mariniers,' zegt
Briggs, maar Burke is niet van plan zich de mond te laten snoeren.

Ze vertelt ons dat Channing Lott zijn apparatuur met name
in het noordwesten van Alberta afzet, en uit vliegplannen die
zijn ingediend blijkt dat hij de afgelopen twee jaar zes keer in
zijn Gulfstream-jet naar Edmonton en Calgary is gevlogen. Emma Shubert was een zeer uitgesproken milieuactivist, en haar
vondsten zouden worden tentoongesteld in het museum dat hij
probeerde van de grond te krijgen.

'Ik heb verschillende artikelen gevonden.' Hahn haakt in op
wat ze net te horen heeft gekregen. 'Verklaringen over zijn do-
naties, vorig jaar vijf miljoen dollar. Hij is zonder enige twijfel
in Grande Prairie geweest.'

Briggs knikt naar iemand die we niet kunnen zien en gebaart
dat hij er zo aankomt.

'Channing Lott en zijn vrouw zijn op een Dino Ball geweest,
waar ze eregasten waren en een onderscheiding uitgereikt kregen. Er werd gememoreerd aan de donatie van Crystal Carbon-
Two.' Hahn leest het voor terwijl ze over het beeldscherm scrolt.
'Dat was afgelopen juli een jaar geleden.'

'Ik heb nog heel wat andere zaken, en het is een zware dag

geweest.' Generaal Briggs heeft genoeg gehoord. 'Weer een helikopter, verdomme, die Chinook die gisteren in het oosten van Afghanistan is neergehaald. De C-17 met de twaalf gevallen helden aan boord staat op het punt te landen. Ik heb dokter Lopez gevraagd om je te bellen zo gauw hij meer weet, Kay,' zegt Briggs tegen me. Dan staat hij op en is op de lcd-schermen alleen nog zijn blauwgroene operatieschort te zien. 'Dan kun je kijken of er overeenkomsten te vinden zijn.'

Dan schakelt hij zijn webcam uit en is hij verdwenen.

'Hoe zit het met persoonlijke bezittingen? Kleren, sieraden? Is er iets op het lichaam gevonden?' vraag ik aan Benton. 'Los van haar kleren, haar regenjas? Haar mobieltje bijvoorbeeld?'

'Geen mobieltje,' verklaart hij.

Ik vertel niet wat Lucy heeft gezegd over de oude iPhone van Emma Shubert en de misleidende e-mailaccounts en proxyservers.

'Ik snap niet goed wat daar het belang van is,' zegt Hahn tegen Benton. Ze weet het.

Misschien heeft Benton haar op discrete manier duidelijk gemaakt waar Lucy bijna onmiddellijk en op illegale wijze achter kwam, maar Hahn heeft ontdekt wat ze wilde weten, namelijk dat het filmpje van de laatste jetboottrip van Emma Shubert met haar eigen iPhone is opgenomen. Ik vermoed dat het filmpje door een collega gemaakt is toen de paleontologen onderweg waren naar de Wapiti-site, op een van de schaarse momenten dat de zon scheen, een filmpje dat voor de grap gemaakt is, niet is gewist, en dat later door een onmens bekeken is. Waarschijnlijk heeft hij alle bestanden op haar mobieltje bekeken, hetzelfde toestel waarmee hij een afgesneden oor heeft gefotografeerd, het oor waarvan we geacht worden te denken dat het haar oor is.

Hetzelfde toestel waarmee het filmpje en de jpeg naar mij zijn gemaild.

'Het is gegaan zoals hij het wilde.' Douglas Burke duwt haar stoel achteruit, maar niemand reageert op haar. 'Hij is weer vrij, mag gaan en staan waar hij wil, toch?' Ze lijkt razend. 'Channing Lott heeft geprofiteerd van wat er is gebeurd, en in feite is hij de enige die daarvan geprofiteerd heeft.'

Ze staat op en loopt naar de dichte deur van de vergaderzaal.

Ze lijkt boos genoeg om iemand aan te kunnen vliegen.

'Hij zat in de cel toen Peggy Stanton verdween.' Benton kijkt in alle rust naar haar, en ze kijkt verbolgen terug. 'Hij zat in de cel toen Emma Shubert verdween. Hij heeft haar in elk geval niet vermoord, want hij zat toen opgesloten.'

'Misdrijven die zo ingewikkeld in scène zijn gezet dat we moeten denken dat het om seriemoorden gaat. Waarom?' Burke zegt dit tegen Benton, alsof Val Hahn en ik er helemaal niet zijn. 'Om de boel te maskeren, om het uiteindelijke doel te versluieren, namelijk om zijn vrouw uit de weg te ruimen en er ook nog mee weg te komen.'

'Hij zat in de cel. Dat is gewoon een feit,' zegt Benton.

'Dan heeft hij iemand anders het vuile werk laten opknappen,' zegt Burke. 'Iemand zorgt ervoor dat het lijk van Peggy Stanton juist op dat moment opduikt en dat daar een filmpje van wordt gemaakt, en vervolgens wordt hij vrijgesproken. Geniaal, moet ik zeggen. Ongelofelijk wat je met geld allemaal voor elkaar kunt krijgen.'

'Deze moordenaar opereert in z'n eentje,' zegt Benton. 'Ingewikkeld? Zeker. Maar niet zo ingewikkeld dat we moeten dénken dat het om seriemoorden gaat. Het zíjn seriemoorden.'

'Zal ik jou eens wat vertellen, Benton?' Ze doet de deur van de vergaderzaal open. 'Je hebt niet altijd gelijk.'

38

Ik heb zin in pasta of pizza en dus heb ik Benton gevraagd onderweg naar huis iets te halen. Maar dat zal nog een hele tijd duren, waarschuwde hij toen we elk afzonderlijk weggingen bij het CFC.

Allebei alleen. Elk bezig met onze eigen gedachten en zorgen. Allebei met een andere bestemming, en dat is waar het bij ons op uitdraait, zowel individueel als samen. Ik weet heel goed wanneer iets alleen voor mij belangrijk is.

'Eten,' zei ik tegen mijn man toen ik alleen de parkeerplaats af reed. 'God, wat heb ik een honger. Ik sterf van de honger.' Ik moet iets doen waarmee niemand anders zich wil bezighouden. In mijn achteruitkijkspiegel zie ik de donkerblauwe Ford LTD vlak achter me.

Ik volg de kronkelende Charles River, die net zo bochtig is als de gangen in mijn gebouw en me naar de plek voert waar het is begonnen en geëindigd, waar ik al geweest ben en weer naartoe moet. Nogmaals langs het DeWolfe Boathouse, langs de speelplaats van de Morse School, op weg naar de buurt waar Howard Roth woonde en waar Fayth House staat. De donkerblauwe Ford zit nog steeds op mijn bumper en in mijn achteruitkijkspiegel zie ik het gezicht met de donkere bril.

Ze houdt me in het oog, ze daagt me uit. Ze rijdt brutaal achter me aan.

'Eten en wijn,' heb ik even geleden via de telefoon tegen Benton gezegd. Ik wist toen nog niet dat dit zou gebeuren, en ik ben geschokt.

Ik ben woedend en kan het bijna niet geloven, maar tegelijkertijd weet ik niet waarom het me verrast.

'Dan eten we samen, met zijn allen,' zei ik, alleen en hongerig. Ik begin het allemaal behoorlijk zat te worden, maar aan de donkere horizon van mijn sombere gedachten brandt een enkele vraag.

Ik houd de auto achter me in het oog en mijn hart verhardt zich als iets dat doodgaat en versteent in mijn eigen emotionele fossielbed. *Nu ben je te ver gegaan*, denk ik. *Nu ben je echt te ver gegaan.* Ik kijk uit naar het diner met Lucy, Benton en Marino. Ik heb honger en ik ben boos en ik wil bij mensen zijn om wie ik geef. Ik heb er genoeg van, het is op dit moment gewoon te veel. Ik ga rechtsaf River Street in en Douglas Burke volgt mijn voorbeeld. Haar donkere bril blijft strak op mij gericht.

Bij de kruising van Blackstone Street en River Street rijd ik het parkeerterrein van de Rite Aid op om duidelijk te maken dat ik weet dat ze me al tien minuten volgt en dat ik niet van plan ben me lastig te laten vallen of bang te laten maken. Ik laat het raampje van mijn SUV zakken en dan staan we portier aan portier als twee politieagenten, als kameraden, wat we zeker niet zijn.

We zijn vijanden, en dat laat ze me openlijk merken.

'Wat is er, Douglas?' Ik heb haar nooit Doug of Dougie kunnen noemen.

Het kost me al moeite om überhaupt iets tegen haar te zeggen.

'Ik wilde dit niet zeggen waar iedereen bij was.' Haar brillenglazen zijn donkergroen of zwart. De zon staat laag en de lage oude gebouwen van Cambridge werpen lange schaduwen op deze late middag in de aanloop naar de somberste tijd van het jaar, de strenge winter van New England.

'Uit respect ben ik er in de vergaderzaal niet over begonnen, waar ze allemaal bij zaten,' zegt ze.

'Ze?' vraag ik. Ze heeft voor niemand respect, en al helemaal niet voor mij.

Ze blijft me vanachter haar donkere bril aanstaren.

'Je bedoelt waar Benton bij was,' neem ik aan.

'Ik weet het van je nicht.' Ze spuugt de woorden uit alsof het dieren zijn die agressief een kant uit worden gedreven.

Ik geef geen antwoord.

'Hoe ze gebruikmaakt van zwakke plekken in websites en zo informatie vergaart.' Ze zegt het hatelijk, alsof ze ervan overtuigd is dat ze weet waarmee ze me kan kwetsen. 'Geweldig hoe hackers hun werk omschrijven. In het geval van jouw nicht is het niets meer dan een frontale aanval op elke server waarvoor zij belangstelling heeft, met het vooropgezette doel de loop van het recht te belemmeren.'

'Een frontale aanval? Daar hebben meer mensen een handje van.' Ik kijk haar aan.

Ze wijst met twee vingers naar haar schuilgaande ogen en dan naar mij.

'Ik houd jullie in de gaten,' zegt ze theatraal. 'Zeg maar tegen Lucy dat ze niet zo slim is als ze denkt, en dat jij medeplichtig bent aan haar stunts. En waarvoor? Zodat ze vijf minuten eerder ergens achter is dan wij? Dan de FBI? Omdat ze jaloers is.'

'Lucy is niet het type om jaloers te worden.' Ik blijf volkomen redelijk. 'Maar jij wel, denk ik.'

'Het moet echt afschuwelijk zijn om te worden ontslagen door een instantie waar je vervolgens dagelijks mee te maken hebt.'

'Ja, dat moet afschuwelijk zijn,' zeg ik spits, want Douglas Burke heeft dagelijks te maken met Benton en met herinneringen aan hem, en ze is door hem ontslagen. Ze is ontslagen als zijn partner en hij wil dat ze overgeplaatst wordt naar een plek ver bij hem vandaan. En impliciet wil hij daar nog iets anders mee zeggen. FBI-agent Douglas Burke is haar penning niet waardig. Ze hoort geen pistool te dragen of iemand te arresteren, en ik vertel haar zo diplomatiek mogelijk dat ze het maar beter niet met Lucy aan de stok moet krijgen. Het zou niet verstandig zijn om op het terrein van mijn nicht op te duiken, onaangekondigd langs te komen of haar te volgen zoals ze net met mij heeft gedaan.

'Je kent haar voorgeschiedenis, dus ik denk dat je wel begrijpt wat ik bedoel,' zeg ik tegen Burke, die waarschijnlijk precies weet welke wapens Lucy in haar bezit heeft en voor welke handwapens en welk zwaarder wapentuig ze in Massachusetts een vergunning heeft.

'Is dat een dreigement?' Ze glimlacht, en op dat moment ben ik er helemaal zeker van dat ze volkomen labiel is. Ze is niet in orde en mogelijk gewelddadig.

'Het is niets voor mij om mensen te bedreigen.' Ik maak me inmiddels grote zorgen.

'Ik ben niet bang deze zaak op te lossen, hoor,' zegt ze dan. 'In tegenstelling tot andere mensen, schijnt het. Ik ben niet bang en ik kan niet worden omgekocht.'

Ik maak me zorgen om haar, om haar veiligheid. En ook om die van andere mensen.

'Ik laat me niet intimideren of beïnvloeden door politieke connecties of geld,' zegt ze. 'Ik sta niet op goede voet met federale rechters en openbaar aanklagers, en ik ben niet zo stom om te geloven dat iemand die in de gevangenis zit daarbuiten geen mensen heeft die doen wat hij wil. Hij komt er makkelijk af. Een halfjaar cel om de vrouw te dumpen die je bent gaan haten.'

'En dat weet jij zeker? Dat hij haar haatte? Waar heb je dat vandaan?' Eigenlijk wil ik helemaal geen discussie aangaan met iemand die niet meer logisch kan nadenken.

'Ik wil alleen weten waarom jullie hem beschermen. Dat je je niet beschermt, snap ik, maar waarom Channing Lott?'

'Je moet hiermee ophouden.' Er valt niet meer met haar te praten.

'Wat heeft hij je beloofd?'

'Je moet hiermee ophouden voor het uit de hand loopt.'

'Hij is je komen opzoeken,' zegt ze. 'Is dat niet prachtig? Wat heeft hij allemaal tegen je gezegd, Kay? Heeft hij het gehad over die vermiste hond? Hoe bang zijn vrouw was en al dat soort onzin? Heeft hij zijn zaak voor je bepleit terwijl je nicht door firewalls breekt en jij probeert me de stad uit te jagen en me kapot te maken? Denk je soms dat je dat zal lukken?'

'Ik wil niet dat je jezelf kapot maakt.'

Ik waarschuw haar dat ze ernstige problemen krijgt als ze me blijft volgen en allerlei wilde beschuldigingen blijft uiten. Ik ben degene die zich bedreigd voelt.

'Je kunt maar beter weer naar je kantoor gaan.' Ik heb een sterk vermoeden wat ze van plan is en ik denk aan wat Benton allemaal over haar gezegd heeft en over hoe ze zich iedere keer gedroeg als ze Lucy zag. Tegelijkertijd weet ik beter.

Het is niet alleen de pseudo-efedrine of wat ze verder ook mag slikken. Douglas Burke wil iets bewijzen en ze gaat niet luisteren, want dat kan ze niet.

'Hij is zoveel beter af met mij.' Ze bedoelt Benton.

De zaak die Douglas Burke eigenlijk moet oplossen in haar leven, is geen bankoverval of een serie moorden, maar het misdrijf van haar eigen bestaan. Ik weet niet wat er met haar gebeurd is, waarschijnlijk iets in haar vroege jeugd. Het kan me ook niet schelen.

'En dat weet hij zelf ook,' zegt ze tegen me door het open raampje van haar FBI-wagen. 'Jammer dat jij niet het beste voor hem wilt. Je kunt mij tegenwerken, maar daarmee red je je huwelijk niet of wat daarvoor moet doorgaan, Kay.'

'Ga naar kantoor en praat met iemand.' Ik doe mijn uiterste best haar niet te provoceren. 'Vertel iemand wat je net aan mij hebt verteld, heb het er met iemand over. Misschien met je leidinggevende, met Jim.' Ik zeg het nuchter en kalm, bijna vriendelijk. 'Je moet met iemand praten.'

Ze heeft hulp nodig, maar die gaat ze niet zoeken. Ik heb sterk het gevoel dat ik weet wat ze gaat doen en als ik wegrijd in de richting van het centrum van Cambridge laat ik dat Benton weten.

'Ik denk dat ze de confrontatie met Channing Lott zal zoeken.' Ik spreek een bericht in omdat hij zijn telefoon niet opneemt. 'Ze is helemaal de weg kwijt en iemand moet tussenbeide komen. Ze moet onmiddellijk tegengehouden en tegen zichzelf beschermd worden.'

Ik stop bij een Starbucks om koffie te halen, extra sterk en zwart, alsof dat zal helpen alles op een rijtje te krijgen, alsof de cafeïne me zal kalmeren. Weer in mijn auto probeer ik Benton nog eens te bellen. Daarna sms ik hem om er zeker van te zijn dat hij meteen in actie zal komen, voordat Douglas Burke iets doms en gevaarlijks doet en onherstelbare schade aanricht. Ze is labiel en geobsedeerd en gewapend. Ik gooi de nog halfvolle koffiebeker in de afvalbak en terwijl ik wegrijd, vraag ik me af of ik Lucy moet waarschuwen. Ik zie ervan af, omdat ik niet weet wat ze zou kunnen doen.

Het is donker en de zon is achter een zwarte horizon verdwenen als ik bij Fayth House aankom, een keurig en relatief modern bakstenen complex met strategisch geplaatste bloembedden en bomen. Er rijdt net een zilvergrijze SUV weg als ik het terrein oprijd, en er staan nog maar heel weinig auto's op de parkeerplaats. Ik vermoed dat de meeste bewoners van het complex geen auto meer rijden. Ik loop een aangename hal in met blauwe vloerbedekking, blauw meubilair, zijden bloemen en aan de muren reproducties en posters van Amerikaanse taferelen, die me doen denken aan de cheques van Peggy Stanton.

De receptioniste is een stevig gebouwde vrouw met bruin kroeshaar en dikke brillenglazen, en ik vraag haar wie hier de leiding heeft.

'Voor welke bewoner komt u?' vraagt ze met een opgewekte glimlach.

Ik vraag of de directeur aanwezig is. Ik weet dat het na kantoortijd is, maar is er misschien iemand van de directie die ik kan spreken? Het is belangrijk, laat ik weten.

'Ik geloof niet dat mevrouw Hoyt al weg is. Ze had nog een vergadering.' De receptioniste pakt de telefoon om na te gaan of dat klopt. Op een tafel achter haar zie ik een vers herfstboeket staan met bordeauxrode lelies, paarse lisianthus, oranje rozen en gele eikenbladeren.

Een boeket zonder kaart. Iemand, waarschijnlijk de receptioniste, heeft een memoblaadje van Fayth House op de vaas geplakt waarop een naam en een kamernummer geschreven staan die ik van waar ik sta niet kan lezen. Maar wat ik wel kan onderscheiden, zijn de onderstreepte en groot geschreven woorden ZE IS JARIG.

'Cindy? Er is iemand voor je. Neemt u me niet kwalijk,' zegt de receptioniste tegen mij. 'Wat is uw naam?'

Ik word naar een kantoor aan het eind van een lange gang verwezen en kom langs een fleurige eetkamer waar de bewoners net klaar zijn met het diner. Sommigen zitten in rolstoelen en er staan een heleboel rollators en stokken bij de tafels. De schoonheidssalon is al gesloten en in een muziekkamer zit een oudere man piano te spelen. Bij de bibliotheek staat een karretje met schoonmaakartikelen. Ik zie er een paar dozen met vuilniszakken op liggen, honderd stuks per doos, van hetzelfde merk als ik in het huis van Howard Roth heb aangetroffen.

Ik loop door naar het directiekantoor achter in de gang en klop op de open deur, waar een jonge en hoogzwangere mevrouw Hoyt net haar jas aantrekt. Ik stel me voor en schud de hand van de verbaasde vrouw.

'Ja, ik herkende uw naam toen Betty die net noemde,' zegt ze. 'Hebt u hier familie? Ik heb u gisteren op het nieuws gezien. Met die enorme schildpad op de brandweerboot en daarna met die arme vrouw. Waar kan ik u mee helpen? Hebt u hier familie?' vraagt ze nogmaals. 'Die zou ik dan toch moeten kennen.'

Ze gaat met haar jas aan achter haar bureau zitten.

'Of misschien overweegt u iemand in Fayth House onder te brengen?'

Ik neem de stoel tegenover haar en zeg dat mijn moeder in Miami woont en haar huis niet uit wil, hoewel ze waarschijnlijk niet meer alleen zou moeten wonen. Wat is dit een prachtig complex, zeg ik.

'Ik vroeg me af of u Howard Roth kende,' begin ik dan. 'Hij woonde hier in de buurt, een paar straten verderop. Hij deed allerlei karweitjes als klusjesman.'

'Ja.' Ze maakt een flesje water open en giet er wat van in een koffiekopje. 'Hij was heel aardig, hoewel hij wel wat problemen had. Ik heb gehoord wat er gebeurd is. Dat hij van de trap is gevallen. Heel triest; hij heeft een tragisch leven gehad.' Ze kijkt naar me alsof ze wil zeggen dat ze niet begrijpt waarom ik naar hem vraag.

Ze heeft geen idee wat ik kom doen.

Ik vraag naar de vrijwilligers en of daar misschien een vrouw uit Cambridge bij is die Peggy Stanton heet.

'Ik weet niet wat er met haar gebeurd is,' zegt mevrouw Hoyt. 'Opeens kwam ze niet meer opdagen. Waarom vraagt u naar haar?'

'U kende haar dus?'

Ze kijkt me verbaasd aan; ze heeft natuurlijk geen enkele reden om te denken dat Peggy Stanton dood is.

'Aha,' zegt ze, en zo langzamerhand raakt ze van streek. 'U wilt me toch niet vertellen...'

Even lijkt het erop dat ze zal gaan huilen.

'Ach, ze is zo'n lieve vrouw. U zou hier niet zijn als er niets aan de hand was,' zegt ze.

'Wanneer hebt u haar voor het laatst gezien?' vraag ik.

'Dat weet ik niet precies.' Ze typt nerveus iets in op haar toetsenbord. 'Ik kan het nagaan. Ik hoef alleen maar even naar ons vrijwilligersrooster te kijken. We hebben een fantastische groep mensen die het leven van de bewoners zoveel aangenamer maken, mensen die vreugde en hoop brengen die er anders niet zouden zijn. Het spijt me. Ik ratel maar door. Ik ben gewoon een beetje van streek.'

Ze vraagt me wat er gebeurd is, en ik vertel haar dat Peggy Stanton is overleden. We willen die informatie morgenochtend vroeg aan de media prijsgeven, maar haar lichaam is met zekerheid geïdentificeerd.

'Goede God, wat erg. O, Heer,' zegt ze. 'Lieve help. Wat verschrikkelijk. Volgens mij was dat dit voorjaar, en dat is inderdaad zo. Dit is vreselijk. De bewoners zullen er kapot van zijn als ze het horen. Ze was zo populair en hielp hier al zo lang.'

De laatste keer dat Peggy Stanton hier was, was op de dag dat ze is verdwenen, vrijdag 27 april. Ze had gegeten met de groep waarmee ze werkte, legt de directrice uit. Ze hadden die dag een collage gemaakt.

'Daar was ze echt dol op,' zegt ze. 'De mensen hobby's aanbieden, dingen die ze met hun handen konden doen. Peggy probeerde altijd hun zelfvertrouwen te vergroten, zodat ze minder nerveus en depressief werden. En met je eigen handen iets maken en het zien uitgroeien tot een kunstwerk: een betere therapie is er eigenlijk niet,' voegt ze eraan toe. Ze beschrijft Peggy Stanton als een prima vrouw die in haar privéleven verwoestende klappen had gekregen en een onvoorstelbaar verlies had geleden.

'Ze had helende handen, zou je kunnen zeggen. Misschien door wat ze in haar eigen leven had meegemaakt. Ze was net begonnen met pottenbakken,' legt ze uit. 'Maar toen kwam ze ineens niet meer.'

Ze had aangenomen dat Peggy Stanton naar Florida was gegaan, of misschien naar haar huisje aan een meer in de buurt van Chicago.

'Ik maakte me geen zorgen, ik was alleen een beetje teleurgesteld, want we hadden ons verdiept in de aanschaf van ovens,' zegt ze, en ik denk aan Peggy Stantons kelder, aan de elektra die daar onlangs is aangelegd en aan de ongebruikelijke spullen die daar op de tafel lagen.

Niet voor het bakken van taarten, maar voor pottenbakken. Ik vraag of Peggy Stanton er misschien over gedacht kan hebben een oven in haar eigen kelder te installeren en of ze Howard Roth kan hebben ingeschakeld om af en toe een klusje voor haar te doen. Heel goed mogelijk, zegt ze, maar ze weet het niet zeker. Ze biedt aan me Fayth House te laten zien.

'Ik heb u al lang genoeg opgehouden,' antwoord ik, en terwijl ik haar bedank, tingelt mijn telefoon.

Een sms van Lucy.

Wie is Jasmine? lees ik terwijl ik naar buiten loop.

Mildred Lotts vermiste hond die later weer is opgedoken, sms ik terug terwijl ik mijn auto opzoek, die naast een andere suv staat die er eerder niet was.

Een zilvergrijze Jeep Cherokee met een zilverkleurige gaasgrille, vlak naast mijn auto terwijl de rest van de parkeerplaats verdomme praktisch leeg is. Ik krijg een raar gevoel, alsof er iets fladdert in mijn borstkas.

Vermist??? Waarom staat ze het beest dan buiten te roepen? Stap net in de auto. Bel je terug, antwoord ik.

Dan bedenk ik dat het de zilvergrijze Jeep Cherokee is die net wegreed toen ik hier aankwam. Dezelfde die ik eerder op mijn eigen parkeerplaats heb gezien, of net zo een. Ik richt mijn sleutel op mijn suv om hem van het slot te doen, maar iets in mij wil het op een rennen zetten. Dan hoor ik het tingeltje van weer een binnenkomende sms.

Jasmine! Jasmine! Waar ben je? Kom dan!

39

Ik ben door piraten overmeesterd.

De boot waarin ik lig heeft een metalen boeg en vloerbedekking. Het vaartuig verplaatst zich snel over een ruige zee. Het is er koud en claustrofobisch krap, en ik ben versuft en heb pijn. Ik wil slapen.

Niet gaan slapen.

Ik word misselijk, ben bewegingsziek, draaierig. Mijn maag speelt op alsof hij door mijn keel omhoog wil komen, en ik vraag me af of ze me een klap op mijn hoofd hebben gegeven, of ze me op die manier hier hebben gekregen en me in het ruim van een oude boot hebben neergelegd. Op mijn rug, gevangen in een visnet. De misselijkheid neemt toe, ik moet bijna kokhalzen. Mijn maag is leeg, en ik wil niet gaan kotsen, niet ongecontroleerd gaan kokhalzen. Ze kunnen niet weten dat ik bij kennis ben, en ik concentreer me op elk deel van mijn lichaam om erachter te komen of ik gewond ben geraakt. Ik heb geen pijn, alleen bonst mijn hoofd.

'Ben je bijgekomen?' vraagt een man met luide stem.

Die stem heb ik eerder gehoord.

Ik reageer niet, en het klaart op in mijn hoofd. Ik ben in een auto. In de laadruimte achterin. Hij wordt met tussenpozen beschenen door de koplampen van tegemoetkomend verkeer. Er staan rechthoekige vormen om me heen. Ik doe mijn best om me in duisternis te hullen. Om me erin te verstoppen.

Laat hem in de waan dat je dood bent.

'Je zou zo langzamerhand bijgekomen moeten zijn,' zegt de man. Hij rijdt in een kleine cross-over, een wagen die mij uitermate geschikt leek voor het CFC.

Ik probeer me zijn naam voor de geest te halen en zie zijn complete gebrek aan empathie toen hij tegenover me zat. Zielloos. Leeg. Zonder enige emotie.

'Hou je maar niet van de domme,' zegt hij.

Doe alsof je dood bent.

'Daar heb je nu niets meer aan.'

Ik herken de stof van de kleren die ik vanmorgen heb aangetrokken, althans ik denk dat het vanmorgen was. De corduroy broek, de kabeltrui, en het donsjack dat ik heb aangedaan omdat het ijskoud was.

Ik wrijf mijn blote voeten tegen elkaar, ze zijn heel koud, en ik duw ze tegen het net. Ik voel de weerstand van iets hards en vierkants. Het is pikdonker, en ik hoor verkeer. Hoewel ik me niet meer kan herinneren wat er gebeurd is, raak ik er geleidelijk aan van doordrongen dat ik het wel weet. Vervolgens denk ik dat ik in een droom verzeild ben geraakt.

Dit is een nare droom. Ik moet wakker worden. Dit is een afschuwelijke droom, en er is niets aan de hand.

Ik haal diep adem en slik gal weg. Mijn hoofd bonst, en ik adem nog een paar keer diep in en uit. Dan besef ik dat ik wakker ben. Ik ben echt wakker, en dit gebeurt allemaal echt. Ik mag niet in paniek raken. Ik duw met mijn in netten verstrikte voeten tegen de harde vierkante vorm, die nu iets van zijn plaats komt en als plastic aanvoelt.

Een sporenkoffer.

Hij zegt weer wat van achter het stuur, vraagt op luide toon of ik bij kennis ben, en weer reageer ik niet. Ik weet wie hij is.

'Nu zul je erachter komen hoe het zit,' zegt Al Galbraith. Aan het geluid van zijn stem, aan de fluctuaties ervan, hoor ik dat hij zich steeds naar me omdraait.

Ik beweeg me zodanig dat hij dat niet kan zien. De hele ruimte achter in de suv is ingericht als laadbak, de achterbank ligt permanent plat, en ik probeer me een beeld te vormen van wat er staat. Het kost me moeite om na te denken, te ademen. Mijn handen zijn los. Hij heeft me niet vastgebonden, maar alleen het net om me heen gewikkeld, en dat zit tamelijk strak. Ik denk aan dieren die in een net verstrikt zijn geraakt, aan de grote lederschildpad en wat me daarover verteld is. Als ze tegen een draad aankomen, raken ze in paniek, maken een draaiende beweging, raken erin verstrikt en verdrinken dan.

Niet in paniek raken. Rustig en diep ademhalen.

Mijn mobieltje is weg. Hij heeft mijn mobieltje. Hij heeft mijn schoudertas, tenzij de tas en mijn telefoon op de parkeerplaats van Fayth House liggen en hij ze daar heeft achtergelaten.

Hij zou ze daar nooit laten liggen.

Mijn handen zitten strak tegen mijn borst. Ik beweeg ze, duw mijn vingers door mazen. Ik besef dat het het net is waarmee we onze apparatuur vastzetten. Ik voel een knoop en probeer die los te maken, maar dat lukt me niet. Mijn vingers zijn stijf en koud, en ik lig te trillen alsof ik bibber van de kou, mijn tanden klapperen bijna, en ik moet me concentreren om rustig te worden.

'Je zou nu weer bij kennis moeten zijn,' zegt hij. 'Zoveel heb ik je niet gegeven. Ik heb me altijd afgevraagd of ze het konden ruiken. De zoete geur des doods.'

Ik kan me helemaal niets meer herinneren, maar ik weet wat hij heeft gedaan. Waarschijnlijk heeft hij altijd een fles met dat spul in zijn auto liggen, in die zilvergrijze Jeep Cherokee van hem, voor als de drang hem overvalt. Zijn moordsetje.

Klootzak.

'Natuurlijk reageert iedereen weer net even anders,' zegt hij. 'Dat is het risico en de sport. Gebruik je te veel, dan is het voortijdig afgelopen, zoals bij die dame in Canada. Ik moest haar steeds onder zeil brengen omdat ik achter het stuur zat.'

Uit het geluid van het wegdek onder me en de verandering in het geronk van de motor maak ik op dat we door een tunnel rijden.

'Ze lag met haar hoofd op mijn schoot, en ik wist dat ze me zou aanvallen als ik geen doek onder handbereik hield. Maar op een gegeven moment bleef ze erin. Ik kreeg niet de kans om haar te vertellen wat ze had moeten horen. Ontzettend stom, zonde van de moeite. Ze heeft nooit een woord gehoord. Geen enkel woord.'

Ik wurm mijn vingers door het net en voel de ruwe plastic buitenkant van een ander koffertje.

'Ze had geen flauw benul. Sleutels in de hand, maakte in de stromende regen de deur open, en dat was het laatste wat ze deed. Gewoon zonde. Echt zonde na alle moeite die ik had gedaan. Daarom moest ik er ook iets van maken. Ik bedoel, ik wilde niet dat het allemaal voor niks was geweest. Ik heb het in elk geval nog een beetje interessant gemaakt. Het komt allemaal op de juiste timing aan. Ik kan goed afwachten. Maar sommige dingen kun je nou eenmaal niet voorzien. Zie je wat er gebeurt als anderen zich ermee gaan bemoeien?'

Ik weet niet welk sporenkoffertje dit is.

'Hoe wist je dat het de verjaardag van mijn geliefde moeder was? Misschien wist je dat niet. Ben je bij haar langsgegaan? Zal wel niet. Maakt niks uit. Ze kan toch niet praten.'

Ik probeer me voor de geest te halen hoe de koffers hier achterin gegroepeerd stonden.

'Je moet toch toegeven dat het interessanter werd toen ik je wat toestuurde. Moet je kijken wat dat voor gevolgen had.'

Hij klinkt verbitterd.

'Het is waarschijnlijk het beste als je baas niet in de cel zit, tenzij je zelf degene bent die daarvoor verantwoordelijk is. Maar het eindresultaat was niet gepland. Dat moet je goed begrijpen, en ook dat dat deels jouw schuld is. Het is nooit mijn bedoeling geweest dat hij er als winnaar uit tevoorschijn zou komen. Hij had moeten wegrotten. Het was het perfecte moment om ieders aandacht te trekken, en het is jammer dat hij nu niet in een stinkende cel wegrot en niets meer aan al dat geld van hem heeft.'

Hij zal wat spullen aan de kant hebben geschoven om mij hier kwijt te kunnen.

'Ik moet bekennen dat ik eerst wat teerhartig was. Ik heb het niet over dat walgelijke oude kadaver waar jij het nieuws mee gehaald hebt. Ze was al een oud karkas toen ze nog leefde, zo'n tuttekop die mijn moeder wel even zou vertellen hoe ze een collage moest maken en wilde dat ze allerlei domme hobby's ging doen en me helemaal niet met het nodige fatsoen behandelde toen ik op bezoek kwam. Zij was eerder dan de bottendame en toen durfde ik nog niet zoveel, maar dat hoefde ook helemaal niet. Ik had alle tijd voor ons gesprekje, om haar te vertellen over haar dwalingen. Ik heb het over die andere, die zonde van de moeite was. Echt vreselijk zonde.'

Ik weet niet welk plastic koffertje waar staat. Sommige zijn oranje, andere zwart, maar het is hier te donker om kleuren te kunnen onderscheiden.

'Mijn maag draaide om van het geluid van het mes door het kraakbeen. En als je hiervan nog niet wakker wordt, dame, dan denk ik dat je echt dood bent.'

Hij lacht. Het is een beheerst gegrinnik waar geen enkele vreugde uit spreekt.

'Het ene oor in en het andere oor uit. Ergens geen oren naar hebben. Noem alle duffe clichés met het woord *oor* maar op. Je wilde niet luisteren. Had je dat maar gedaan. Waarom hebben mensen oren van God gekregen als ze nooit luisteren?'

Ik wil niet de verkeerde koffer openmaken.

'Nu ben je wel gedwongen te luisteren. Omdat dat nu het enige is wat je kunt. Grappig hoe de dingen kunnen lopen.'

Laat me alsjeblieft niet de verkeerde koffer openmaken.

'Ben je nou al bij kennis of niet!' schreeuwt hij. 'Het leukste ruik je niet. Of misschien een soort ozongeur. Ze zeggen toch wel eens dat iets adembenemend mooi kan zijn? Straks zul je zelf zien dat dat letterlijk kan.'

Wat ik nodig heb, zit in een Pelican-koffer, wat Marino een zestien-dertig noemt.

'Luister je wel naar me? Wakker worden!'

Ik voel een uitklapbare greep, en dat kan een goed teken zijn, maar het kost me moeite om me überhaupt iets te herinneren.

'Ik heb je fatsoenlijk behandeld, en kijk wat ik ervoor terugkrijg. Ik geef je bloemen en houd je weerzinwekkende hand vast.' Hij heeft het tegen mij, maar eigenlijk tegen iemand anders.

Uiterst langzaam duw ik een plastic klem omhoog. Ik laat mijn vingers langs de zijkant van de koffer gaan tot ik bij weer een klem kom, en nog een.

'Plichtsgetrouw, perfect, echt waar, en ik heb gezorgd dat je op de beste plek terechtkwam, terwijl ik je eigenlijk recht in je gezicht had moeten spugen. Weet je wel wat het me al die jaren gekost heeft dat jij me zo laat gekregen hebt en ik ben opgevoed door een walgelijke ouwe tang? Je hebt het allemaal aan mij te danken. Fayth House, en jij doet niet aardig, bent me niet dankbaar. Je bent een verdomde hypocriet, en het wordt tijd dat je dat eens toegeeft. Nou, dat zal gebeuren ook. Nog even en je zult je excuses aanbieden.'

Laat er alsjeblieft niet alleen maar handschoenen en beschermende kleding in zitten.

Maar het lijkt het goede formaat. Een Pelican-koffer, die aanvoelt als een grote gereedschapskist. De koffers met wegwerpkleding en lakens lijken meer op hobbydozen met stalen grendels. Dat weet ik vrij zeker. Ik doe ontzettend mijn best om na te denken. Mijn hart gaat tekeer als een doodsbange vogel.

'Je bent een ijskoude heks, en ik had je gewoon moeten laten doodgaan, want dat wilde je in feite. En dat is precies de reden waarom ik dat niet heb gedaan. Je hersens zijn pulp, je bent een stuk fruit of groente zoals je in je bed voor je uit ligt te staren of wezenloos in je stoel zit. En zelf kun je niets meer zeggen, je hebt nu niet meer van die vlotte praatjes, huichelachtig kreng dat je bent. Je bent niet langer de deugdzame weldoenster. Ik heb je in leven gelaten omdat ik het heerlijk vind om je zo te zien. Voor het eerst vind ik het echt leuk om bij jou op bezoek te gaan, om te zien hoe je jezelf onderschijt en -pist. Elke dag word je lelijker en weerzinwekkender en ga je meer stinken. Wie is er nu de held, hè?'

Ik duw het deksel een paar centimeter omhoog en betast de inhoud zonder de koffer helemaal open te doen, omdat hij zwaar is en ik geen geluid wil maken. Ik voel de schuimrubberen bekleding.

'Ik weet wel dat je bij kennis bent!' schreeuwt hij, en ik verstijf. 'Geef me de code van je mobieltje!'

Langzaam, heel voorzichtig onderzoek ik de inhoud van de koffer. Ik voel markeerstiften, een nietmachine en plastic zakjes om bewijsmateriaal veilig te stellen. Nu weet ik dat ik de goeie te pakken heb. Ik voel de ronde stalen handgreep van de kleine schaar, haal die eruit en begin het net door te knippen. De suv mindert snel vaart. Ik zie hoge lantaarnpalen en ingegooide ramen en gevels met aluminium platen die langs de bovenkant van de donkergetinte autoramen glijden. Sommige gebouwen die we passeren zijn dichtgetimmerd.

Ik manoeuvreer zo behoedzaam mogelijk en wurm mijn armen en mijn hoofd uit het net, en even later zijn mijn voeten ook los. Ze voelen bevroren aan, alsof ze versteend zijn. Ik steek mijn hand weer in de koffer en zoek op de tast naar het metalen handvat.

'Wakker worden!'

Plastic en glas, en ik herken pillendoosjes en flesjes, en het stalen handvat van een scalpel. Hij rijdt heel langzaam over een ongelijkmatig wegdek in een duistere, afgelegen buurt met oude verlaten pakhuizen.

'Ik weet dat je bij kennis bent. Zoveel heb ik je niet gegeven,' zegt hij nog eens. 'Straks stop ik en haal ik je eruit, en dan heeft het geen zin als je geintjes probeert uit te halen. Nog even een dutje en dan zal ik je iets laten zien wat je nog nooit gezien hebt. Ik denk dat je erg onder de indruk zult zijn.'

Ik vind het plastic zakje met wegwerpmesjes voor scalpels.

'De perfecte misdaad,' zegt hij. 'En ik heb die bedacht, jij niet.'

Langzaam, zonder geluid te maken, doe ik het zakje open.

'Een manier om iemand om zeep te brengen zonder dat het sporen achterlaat. Niemand kan achterhalen hoe het gegaan is. Een milieuvriendelijke manier. Je zult *groen* de pijp uitgaan.' Weer dat vreugdeloze lachje. 'Ze gaan allemaal groen de pijp uit. Behalve de bottenmevrouw. Dat was heel jammer. Dat zit me echt nog dwars. Het had namelijk niet gehoeven. Het is allemaal jouw schuld. Waarom moest je je neus in zaken steken waar je niets mee te maken had? Timing is altijd belangrijk, maar jouw tijd zit erop.'

Ik zet een mes vast in het handvat, er klinkt een zachte klik van staal op staal, en ik ben bang dat hij het gehoord heeft.

'Wat zullen we nou krijgen?'

Hij zet de auto ineens stil en doet zijn portier open.

'Waar ben jij in hemelsnaam mee bezig?' zegt hij terwijl hij uitstapt.

Hij heeft gehoord dat ik het mes heb vastgezet, en in een nieuwe golf van paniek besef ik dat ik niet weet welk portier hij zal openen. Ik weet niet of hij een van de achterportieren of de laadklep zal opendoen, en ik zal heel snel moeten toeslaan, omdat hij onmiddellijk zal zien dat ik niet meer in het net vastzit.

'Waar denk jij verdomme dat je mee bezig bent?'

Ik ga voor zijn hoofd, zijn hals, zijn gezicht, zijn ogen, maar het zal niet meevallen hem te zien. Waar we nu zijn, is het heel donker, en het lampje in de auto staat uit. Dat heeft hij uitgezet om me ongezien in en uit de auto te krijgen, en ineens besef ik dat de motor nog draait. Bovendien heeft hij het portier open laten staan, want de auto bliept. De motor bromt hard, en het klinkt anders, alsof hij het gaspedaal indrukt, maar toch ook weer niet, en hij is niet in de auto. Ik snap niet goed wat ik hoor, en ik pak het stalen handvat vast op een manier waarop ik nog nooit een scalpel heb beetgepakt.

Als een mes om mee uit te halen, mee te steken.

'Dit is privéterrein,' zegt hij. Ik realiseer me dat hij het niet tegen mij heeft.

Ik ga rechtop zitten, met het scalpel in de aanslag, en ik zie veel busjes, witte busjes van diverse afmetingen met CRYSTAL CARBON-TWO en een logo erop, en in de verte zie ik de lichten van een landingsbaan en de verkeerstoren van Logan.

We zijn aan de andere kant van de haven, tegenover het vliegveld, op een schiereiland van het Marine Industrial Park, waar de *Comfort* in het droogdok ligt, een hospitaalschip van het Amerikaanse leger. De witte schoorsteen met het rode kruis tekent zich trots tegen de donkere lucht af, en dan zie ik hem in het schijnsel van de koplampen, bleek in het felle licht, dreigend, woedend. Hij houdt een flesje vast, en een doek zo groot als een luier, en hij loopt achteruit, bij de suv vandaan. Het flesje valt op het wegdek kapot, en de doek wappert als een spook weg als hij ervandoor gaat.

Ik doe het achterportier open en stap onvast uit, op blote voeten. Het asfalt is plotseling een chaos van zwaailichten, politieauto's en andere wagens die aan komen scheuren. Hij rent naar een oud stenen pakhuis bij het water, en Marino en Lucy sprinten achter hem aan.

Hij struikelt, gaat in zijn volle lengte onderuit, alsof hij in het asfalt duikt, of misschien heeft Lucy zijn benen onder hem vandaan geschopt, dat kan ik niet zien. Maar Marino duikt boven op hem, schreeuwt en slaat hem, en dan verschijnt er een jonge vrouw, alsof ze met een toverspreuk is opgeroepen. Even vraag ik me af of ik weer droom.

40

Ze duikt op uit de duisternis tussen de felle zwaailichten, van achter mijn SUV, waar ik nu een zwarte Maserati met ronkende motor zie staan. Ze vraagt of alles goed met me is en ik zeg van wel. Ik ken haar niet, en toch wel.

'Straks vermoordt hij hem nog. Oké, Marino. Zo is het wel genoeg. Ik kan het hem niet kwalijk nemen.' Ze kijkt in de richting van het pakhuis en ik kijk naar haar gezicht. 'Weet je zeker dat alles goed met je is? Kom maar achter in een patrouillewagen zitten, dan zoek ik iets om aan je voeten te doen.'

Haar haar is heel kort geknipt en lijkt eerder blond dan bruin. Ze is nog steeds heel knap, maar wel ouder geworden. Halverwege de dertig, ongeveer even oud als Lucy. Ik heb haar voor het laatst gezien toen ze amper twintig was. Ze slaat een arm om me heen en loopt met me naar de Crown Vic van Sil Machado, die net uitstapt. Ik ga op de achterbank zitten, met het portier wijd open, en wrijf mijn voeten warm.

'Ik neem aan dat iemand wel komt uitleggen wat er aan de hand is,' zeg ik tegen Janet.

De laatste keer dat ik haar zag moet vijftien jaar geleden zijn geweest, toen zij en Lucy samen een appartement hadden in Washington D.C. Lucy zat bij de ATF en Janet bij de FBI. Ik heb haar altijd graag gemogen. Ze waren een goed stel; Lucy heeft het nooit meer zo goed gehad als toen.

'Ik zie dat je geen wapen bij je hebt en er blijkbaar niet op uit bent om iemand te arresteren,' zeg ik tegen haar. 'Het spijt me dat ik zo suf ben. Kon mijn hoofd er maar af. Dan hield het misschien op met bonzen.'

'Ik zit niet meer bij de FBI, zelfs niet bij de politie,' zegt Janet. 'Ik ben tegenwoordig advocaat, een van die afschuwelijke mensen, maar dan nog erger. Ik ben gespecialiseerd in milieuwetgeving, dus iedereen haat me zo'n beetje.'

'Als je maar geen varken adopteert. Lucy dreigt ermee. Dan moet ik voor zo'n beest zorgen als ze de stad uit is, en dat gebeurt om de haverklap.'

'Je weet zeker niet wat hij met je schoenen heeft gedaan.'

'Achterin moet een doos met schoenhoesjes staan.' Ik wijs naar de suv waarin ik ontvoerd ben, en dan bedenk ik dat alle voertuigen van het CFC een satellietverbinding hebben en een locatiesignaal uitzenden. 'Die met een PVC-zooltje, zodat ik erop kan lopen,' zeg ik tegen haar. 'Jullie zijn me gevolgd. Maar waarom?'

'Je had in je sms aan Lucy geschreven dat je haar zou bellen zodra je in de auto zat,' zegt ze. 'En dat deed je niet.'

'En dat was genoeg reden om me te gaan opsporen?'

'Ze doet het vaker dan je denkt. Ze volgt jou, mij, zo'n beetje iedereen. En ze kon zien dat je bij Fayth House was en vandaar op weg ging naar Boston in plaats van naar huis. Bovendien had je een paar dringende berichten voor Benton achtergelaten.'

Ze legt uit dat ze toch al dicht bij Fayth House waren omdat ze Marino terugbrachten naar zijn huis in Cambridge en zaten te praten over wat het betekende dat Mildred Lott in het donker naar buiten was gegaan.

'Ze dacht dat ze Jasmine in de tuin hoorde,' zegt Janet. 'Ze riep de naam van haar hond.'

Het is me bekend dat Lucy met Britse en Duitse wetenschappers heeft gewerkt aan een manier om via de computer te liplezen, en Janet zegt dat de software nu zo goed is dat die ook werkt als de spreker tot honderdzestig graden opzij staat gedraaid. Met andere woorden, je kunt de mond bijna niet zien bewegen, maar de computer kan dat wel.

'Zij stond ook weggedraaid van de camera en keek in de richting van waar ze iets gehoord had,' zegt Janet. 'De beveiligingscamera filmde haar van opzij, en dan lijkt het een heel klein beetje alsof ze de naam van haar man zegt.'

Ik kijk of ik Benton zie en vraag me af of hij er is. Als hij de

FBI en de politie heeft gealarmeerd, weet ik wat dat betekent. Hij heeft ingezien dat mijn angst terecht was. Douglas Burke is hierheen gekomen om de strijd aan te gaan met Channing Lott, wiens hoofdkantoor iets verderop staat, achter het droogdok met het hospitaalschip. Het is een groot, wit gebouw van voor de oorlog met honderden ramen, waarvan de meeste op dit uur onverlicht zijn.

'Ik begreep wel waarom een openbaar aanklager dat zou denken of zou willen denken,' zegt Janet. 'Maar het was niet *Channing*, maar *Jasmine*. Ze riep haar hond en zag er heel blij uit, opgewonden en blij, maar ook over haar toeren, en we weten nu waarom.'

Ik voel mijn voeten weer, maar nu jeuken ze.

'Niet precies,' antwoord ik. 'Waarom dacht ze dat haar hond daar was?'

'Misschien had hij de hond bij zich, maar het is waarschijnlijker dat hij een geluidsopname van het dier had gemaakt,' zegt ze. 'Hij kan de hond dagen eerder hebben meegenomen en zijn geblaf hebben opgenomen.'

Ik blijf mijn voeten wrijven terwijl Janet naar de SUV loopt en de achterklep opendoet.

'Kijk maar in een van die grote oranje koffers,' roep ik. Overal is politie, en Al Galbraith wordt inmiddels met handboeien om in een auto van de FBI gezet.

Ik kijk naar de politie uit Boston, de FBI-mensen en Machado, en dan zie ik Benton met een paar geüniformeerde politieagenten, die de deur van het pakhuis forceren. Maar van Douglas Burke is geen spoor te bekennen. Drie harde klappen met een lichtgewicht stormram en de deur geeft mee en is open. In de grote, open ruimte brandt licht, en ik zie rijen glanzende stalen apparaten op wielen en opgerolde slangen en honderden houten vaten tegen de achtermuur.

Benton en de anderen lopen op een gesloten metalen deur af, en ik zie dat de vloer rood is en hoor iets wat lijkt op ontsnappende stoom. Ik denk aan Burkes beschuldigende commentaar op Crystal Carbon-Two en hun milieuvriendelijke reinigingsapparatuur. Met een vaste vorm van kooldioxide, zei ze. Met supersonische snelheid worden droogijskorrels onder druk op het te reinigen oppervlak gestraald. Kooldioxide is een eenvoudige verbinding en een van de meest voorkomende oorzaken van verstikking.

Het is kleurloos en geurloos en anderhalf keer zo zwaar als lucht, dus stroomt het naar beneden en blijft daar hangen, zodat de zuurstof verdrongen wordt. In een gesloten ruimte verliest een mens bij een concentratie van tien procent kooldioxide binnen een minuut het bewustzijn en dan stikt hij. Al Galbraith had gelijk.

Bij een sectie zal niets te zien zijn, helemaal niets, tenzij het slachtoffer bevriezingsletsel oploopt. Bij meer dan zeventig graden onder nul veroorzaakt droogijs bevriezingsverschijnselen en het effect is hetzelfde als bij verbranding. Ik denk aan de vreemde, harde, bruine plekjes op Peggy Stantons arm en aan haar gebroken nagels en gescheurde panty.

Hij heeft haar in de ruimte achter die dichte metalen deur opgesloten en het apparaat aangezet, en ze wist dat ze doodging als ze er niet in slaagde het uit te zetten. Dus kwam ze heel dicht bij de witte mist die uit het rooster in de muur kwam. Ze stak haar handen ernaar uit, schopte ernaar en liep bevriezingen op. Ik stel me voor hoe ze heen en weer heeft gerend, op de deur heeft gebonsd, de panty die niet van haar was kapot heeft gescheurd en de afgescheurde stukken wellicht om haar handen heeft gewikkeld om die te beschermen toen ze het nog eens probeerde en de concentratie kooldioxide steeg.

Janet komt terug met de schoenhoesjes en ik trek ze aan. Wat frustrerend dat ik mijn telefoon niet heb. Ik stap uit de auto en omdat mijn voeten nog steeds niet helemaal bij mijn lichaam lijken te horen, draaf ik onhandig naar het pakhuis. Alle vrachtwagens staan ervoor geparkeerd en vanachter de dichte metalen deur komt het geluid van blazende perslucht. Hij moet op slot zijn, want de agenten hebben de stormram al in de aanslag.

Rode, houtachtige vezels liggen als een dunne laag aarde op rekken vol benodigdheden, slangen, spuitstukken, gevoerde handschoenen. Het fijne stof bedekt de roestvrijstalen straalmachines en tientallen geïsoleerde koelboxen en kratten, waarin de droogijskorrels vervoerd worden.

'Je zult strikte veiligheidsmaatregelen moeten nemen. Je kunt ongelofelijk snel bewusteloos raken zonder dat je het voelt aankomen,' zeg ik tegen Benton, en ik leg mijn hand op zijn arm. 'We moeten eerst zeker weten dat alle kooldioxide weg is.'

'Dat weet ik,' zegt hij, en ik zie het in zijn ogen.

Hij is bang dat Douglas Burke zich in die ruimte bevindt.

'Ze is hierheen gegaan,' zegt Benton.

'Hij moet hier ook zijn geweest en daarna naar Fayth House zijn gegaan om zijn moeder te bezoeken en bloemen te geven, omdat ze jarig was. Hij moet me hebben gezien toen ik het parkeerterrein op reed.'

'Achteruit allemaal!' De agent zet zich schrap en zwaait de stormram naar achteren.

'Een secretaresse heeft Doug verteld dat Channing Lott de rest van de dag afwezig was en haar naar zijn operationeel manager verwezen. Naar deze plek. Dat was om ongeveer halfzes,' zegt Benton.

De ijzeren stormram beukt tegen de deur.

'Niet lang nadat ik haar gesproken had,' zeg ik. 'Ze volgde me en toen heb ik die berichten op je telefoontje ingesproken.'

'Waarom heb je een scalpel in je hand?' vraagt Benton.

Hij heeft geen idee wat ik heb doorgemaakt.

'Ik heb een lift gekregen waar ik niet om gevraagd had,' zeg ik als de stormram nog een keer naar achteren zwaait, weer op de deur bonst en het geluid van splinterend hout klinkt.

Het slot springt los van het houten kozijn en de metalen deur zwaait naar binnen open. Het sissende geluid zwelt aan. Door een wolk van bevroren kooldioxide condenseert het vocht in de lucht, en we worden omgeven door een koude, witte nevel.

TWEE AVONDEN LATER

Lucy heeft over meerdere zaken op haar stulpje op het platteland haar mond gehouden, en ik herinner Marino eraan dat een hond nogal veel aandacht nodig heeft.

'Ik heb heel wat huisdieren gezien die verwaarloosd waren.' Ik fruit knoflook uit de pers in olijfolie. 'Het is net alsof je een kind hebt.' Ik had eerder met de saus moeten beginnen.

Maar tot nu toe heb ik geen tijd gehad om iets beschaafds te doen. De afgelopen twee dagen zijn één grote maalstroom van gebeurtenissen geweest zonder dat ik tijd had om te koken of te slapen of iets fatsoenlijks te eten. Ik blijf me afvragen hoe het afgelopen zou zijn als Lucy er niet op had aangedrongen gps-zenders op het voltallige wagenpark van het CFC te zetten en als ze mijn SUV niet had kunnen volgen. Ik word achtervolgd door gedachten aan wat er had kunnen gebeuren.

'Honden hebben veel aandacht nodig,' zeg ik tegen Marino. Ik roer vers basilicum en verse oregano door de saus. 'Daarom hebben Bryce en Ethan altijd katten gehad.'

'Dat meen je toch niet? We weten allemaal waarom het Odd Couple katten heeft. Homo's houden van katten.'

'Wat een afschuwelijk cliché zeg, om niet te zeggen: belachelijk.' Een klein beetje bruine suiker erbij zou lekker zijn, en wat rode peper.

'Dezelfde vent die Felix Unger speelde, speelde ook Quincy. Sta jij daar wel eens bij stil en bij hoe lang geleden dat wel niet is?'

'Jack Klugman speelde Quincy. Niet Tony Randall,' zeg ik. 'Een hond is heel veel werk, Marino.'

'Ik weet niet. Het is gewoon zo vreemd, doc. Waar de tijd

blijft. Ik weet nog dat ik naar dat programma keek voordat ik oud genoeg was om te beseffen hoe stom het eigenlijk was, zoals in die aflevering waarin het kankergezwel muteerde en aan het moorden sloeg. En een vent kreeg zijn arm er weer aan, maar toen begon zijn goede arm rare dingen te doen. Jezus, dat moet minstens dertig jaar geleden zijn. Ik bokste toen nog en begon net bij de NYPD. Ik was nog nooit een echte Quincy tegengekomen, en nu werk ik met jou samen. Iedereen denkt dat alleen anderen oud worden. Maar ineens ben je vijftig en denk je: hoe heeft dit in hemelsnaam kunnen gebeuren?'

Ik haal de vochtige doek van een schaal en controleer het deeg, en Marino zit op de grond, met zijn rug tegen de muur en zijn lange benen recht voor zich uit, helemaal op zijn gemak in mijn keuken met een ranke jonge Duitse herder, een hond die Lucy van een varkensfokkerij heeft gehaald die ze onlangs hebben gesloten. Grote poten, grote bruine ogen en opstaande oren, zwart en bruin, zo'n vier maanden oud, opgerold bij Marino op schoot, en mijn greyhound Sock naast hem op het kleed.

'Cambridge wilde wel een hondenbrigade opzetten, maar toen was er geen budget voor.' Marino pakt zijn biertje. In het bijzijn van de pup gedraagt hij zich anders dan anders.

Marino is zachtaardig. Zelfs zijn stem klinkt anders.

'Het probleem is dat degene die de hond heeft, extra betaald zou moeten worden, maar in mijn geval ben ik bereid het gratis te doen, en de vakbonden zullen ook niet moeilijk gaan doen want daar ben ik niet bij aangesloten. Wil jij later als je groot bent naar lijken gaan zoeken?' zegt hij tegen zijn pup.

'Ambitieus plan.' Ik verdeel het deeg in drie bollen.

'Dan zou ik hem naar het werk kunnen meenemen. Dat zou jij wel leuk vinden, hè? Ja, hè? Mag je elke dag met mij naar mijn mooie grote kantoor,' zegt hij met een volstrekt lachwekkend stemmetje tegen de hond. Het beest likt zijn hand. 'Dat zou toch wel mogen, doc? Ik zal hem africhten, zodat ik hem kan meenemen naar een plaats delict, en dan leer ik hem naar allerlei dingen te zoeken. Dat zou toch prachtig zijn?'

Het maakt me allemaal niets meer uit. Op het werk blijven slapen, een hond op kantoor, het lijkt allemaal van geen enkel belang meer. Ik heb er zo vaak aan teruggedacht en kan de meest fundamentele vraag niet beantwoorden. Zou ik hem ernstig genoeg hebben verwond om mezelf te redden? Niet dat ik het niet geprobeerd zou hebben, want ik zou zonder meer naar zijn gezicht hebben uitgehaald, maar een scalpel heeft maar een heel kort en smal blad, dat gemakkelijk bij het handvat kan afbreken.

Ik had een kleine kans, een kans die ik uiteindelijk niet hoefde te benutten, maar ik denk er steeds aan terug omdat ik er eens te meer mee geconfronteerd ben dat er met het gereedschap van mijn vak geen mensenlevens worden gered. Toch weet ik dat dat niet helemaal waar is, en ik wil dat deze negatieve gedachtestroom ophoudt.

'Ik heb mijn hersens afgebeuld om een naam te bedenken,' zegt Marino. 'Misschien Quincy. Zal ik jou Quincy noemen?' zegt hij tegen de hond. Ik kan het niet uitstaan als ik zo negatief ben.

Je zou zeker kunnen zeggen dat ik een leven red als ik een moordenaar tegenhoud, misschien zelfs meer dan één leven, dat meer geweld wordt voorkomen door waar ik me 's morgens, 's middags en 's avonds mee bezighoud, en Al Galbraith was nog lang niet klaar. Benton zegt dat hij net op gang kwam, en dat zijn bejaarde moeder, Mary Galbraith, die al jaren in Fayth House zit, ongeveer tien maanden geleden een beroerte heeft gehad en haar cognitieve functies nooit meer heeft teruggekregen. Dat lijkt de aanleiding te zijn geweest, voor zover het mogelijk is datgene te verklaren wat niet verklaard kan worden.

Hij was het jongste kind uit een filantropisch gezin uit Pennsylvania dat wat met boerderijen en paarden en wijn deed. Hij had aan Yale gestudeerd, was nooit getrouwd en had een hartgrondige hekel aan zijn moeder. Ze was een ontwikkeld type, was lid van de Society of Civil War Historians en gaf als archivaris adviezen aan de scouting. Hij kon haar niet vaak genoeg vermoorden.

'Welke wijn?' Lucy komt binnen met een paar verschillende flessen in haar handen.

Janet heeft zichzelf al een glas ingeschonken, en ik veeg mijn handen aan mijn schort af en bekijk de etiketten.

'Nee.' Ik richt mijn aandacht weer op de deegbollen, bestrooi ze met bloem en rol ze voorzichtig uit. 'Die pinot uit Oregon.' Ik druk het deeg plat met mijn knokkels, zodat er geen gaten in komen. 'Dat lekkere kistje dat ik op mijn verjaardag van jou heb gekregen, die Domaine Drouhin die in de kelder ligt.'

Janet zegt dat zij de wijn wel even zal halen. Ik draai het deeg een kwartslag en druk het nog platter. Dit wordt de eerste pizza, met champignons, extra saus, extra kaas, extra ui, dubbel gerookt spek, en ingelegde jalapeñopepers. De pizza à la Marino. Ik vraag Lucy of ze de versgeraspte Parmigiano-Reggiano en de mozzarella uit koelkast twee wil halen, en ik vraag Marino of hij misschien even met de twee honden naar buiten wil gaan om ze uit te laten, achter het huis.

'Snap je?' zeg ik tegen Lucy als hij verdwenen is. 'Ik moet het hem vrágen. Dat zit me dwars. Het zou bij hem zelf moeten opkomen dat hij zijn hond moet uitlaten.'

'Het komt helemaal goed, tante Kay. Hij is dol op die hond.'

'Dat is soms niet voldoende. Je moet ook voor zo'n beest kunnen zorgen.' Ik begin aan de volgende pizzabodem.

'Misschien is dat wat hij nog moet leren. Hoe hij voor zo'n hond moet zorgen, en ook voor zichzelf. Misschien wordt het tijd dat hij dat leert.' Lucy zet schalen met kaas op het aanrecht. 'Misschien heeft hij een aanleiding nodig om al die moeite te doen. Misschien moet je eerst heel graag iets willen om uiteindelijk minder zelfzuchtig te worden.'

'Ik ben blij dat je er zo over denkt.' Ik leg de pizzabodem in een ingeoliede en met bloem bestoven pizzapan, en ik weet dat Lucy het over zichzelf heeft en over wat er op dit moment in haar leven gaande is. 'Ik snap alleen niet waarom je het idee had dat je dat niet aan mij kon vertellen. Zou je de uien en de champignons uit koelkast één kunnen halen? We moeten die fruiten en laten uitlekken, zodat al het vocht eruitgaat.'

'Ik was bang dat ik het zou verknallen,' zegt ze. 'Ik wilde eerst kijken of het wel wat zou worden. Meestal wordt het niks als je weer iets met iemand begint met wie je eerder ook al wat gehad hebt.' Ze pakt een snijplank en een mes. 'Ik weet dat jij altijd overal van op de hoogte gehouden wil worden, maar zelf moet ik soms even geen anderen om me heen hebben, om te voelen wat ik voel.'

'Ik vind helemaal niet dat ik altijd overal van op de hoogte gehouden moet worden.' Ik leg de derde pizzabodem in een pan. 'Als ik zo in elkaar stak, kon ik mijn huwelijk wel vergeten.'

Ik heb Benton niet meer gezien sinds hij gisteren bij me op kantoor was. Ik heb Douglas Burke voor mijn rekening genomen omdat ik vond dat een ander daar minder geschikt voor zou zijn. Benton heeft niet over mijn schouder meegekeken, maar hij was wel de hele tijd in de snijkamer aanwezig. Hij wilde vooral weten of ze zich verzet heeft, of ze enige poging heeft ondernomen zichzelf te verdedigen. Burke had een 9mm-pistool bij zich, en Benton snapt niet wat er gebeurd kan zijn, waarom ze zich niet verweerd heeft.

Ze heeft alleen maar op die stomme deur geschoten, en dat had weinig effect, zei hij steeds maar weer.

Naar de gaten en butsen in de deur en de deurpost te oordelen heeft ze geprobeerd het slot kapot te schieten.

Waarom heeft ze hem niet neergeschoten? Benton heeft dat wel tien keer gevraagd, en ik heb steeds uitgelegd wat alle anderen allang duidelijk was.

Burke was zo gefixeerd op Channing Lott, ze was zo overtuigd dat ze het bij het rechte eind had, dat ze niet zag wie ze voor zich had. Ze besefte pas wie de moordenaar was toen hij haar naar de kamer zonder ramen bracht, die Al Galbraith veranderd had in een sterfkamer, een lege opslagruimte met afsluitbare koelcellen en een inlaatopening in een bakstenen muur. Achter de muur stond de droogijsstraler die Galbraith dan aanzette, een krachtig industrieel apparaat met een reservoir voor zoveel blokken droogijs dat er urenlang bevroren kooldioxide de kamer ingeblazen kon worden.

Galbraith had de machine op een zo laag mogelijke stand gezet, omdat hij het apparaat niet hoefde te gebruiken om schimmel, aanslag, vet, oude verflagen, lak of roest te verwijderen. Hij gebruikte dit afschuwelijke apparaat niet om de binnenkant van wijnvaten schoon te maken, maar om mensen te vermoorden. Hij stelde de druk in op 5,5 bar, waardoor er 27 kilo droogijs per uur in de kamer werd geblazen. Het kooldioxidegehalte nam langzaam toe, terwijl de temperatuur daalde. Het kabaal van de compressielucht moet onverdraaglijk zijn geweest.

Douglas Burke is geen gevecht met hem aangegaan; ze had geen schijn van kans. Ik vermoed dat hij haar met een list die kamer in heeft gelokt en dat hij de deur toen achter haar op slot heeft gedaan. Het beste wat ze kon doen was haar hele pistool leegschieten op de deur, maar ze kreeg hem niet open. Waarschijnlijk had ze weinig tijd om dat te proberen.

Ik kan niet met zekerheid zeggen hoe lang ze nog geleefd heeft, maar tegen de tijd dat we haar vonden, begon ze te vriesdrogen. Ze was al deels bevroren in die ijskoude luchtdichte kamer, waar in het midden van de met rode vezels bezaaide betonnen vloer een stoel was neergezet. Daar had Peggy Stanton gezeten toen hij haar verbaal vernederde, vermoedt Benton. En daar zat Mildred Lott ook, die hij persoonlijk kende en die hem 'als een lilliputter' behandelde, zei Galbraith tegen de FBI.

Het is bijna tien uur in de avond wanneer Benton komt aanrijden. Sock staat op en drentelt op z'n gemak naar de zijdeur. Quincy stuitert achter hem aan. Ik ben blij dat ze het zo goed met elkaar kunnen vinden. Een kleine maan steekt boven de daken achter ons huis in Cambridge uit, en vanuit de achtertuin, waar Benton en ik zijn gaan zitten, licht het dierentafereel van het glas-in-loodraam boven het bordes van de trap als edelstenen op in het donker. De lage stenen muur rond de magnolia voelt koud aan, en ik besef dat het winter is.

'Nog niet eens Halloween, en nu al zo koud dat het best eens kan gaan sneeuwen,' zeg ik in het donker tegen Benton. Hij heeft zijn arm om me heen geslagen en trekt me tegen zich aan.

'Probeer wat minder pessimistisch te zijn,' zeg ik tegen hem nadat hij me verteld heeft hoe zijn dag is verlopen en hoe weinig vertrouwen hij heeft in een goede afloop van deze zaak. 'Dat zit ik mezelf ook al de hele avond te vertellen. Je hoeft Marino geen preek te geven, en je hoeft Lucy geen preek te geven. Wees niet zo hard voor jezelf en denk niet dat het allemaal niets uitmaakt.'

'Ik wou dat hij zichzelf in de cel gewoon van kant maakte.' Benton neemt een slokje van zijn pure Scotch. 'Hè hè. Het is eruit. Dat zou de overheid een proces besparen. Maar dat soort tuig maakt zichzelf niet van kant. Krijgen we dezelfde poppenkast nog een keer. Niet te geloven dat Donoghue en co hem weer gaan bijstaan, en waarschijnlijk krijgen we rechter Conry ook weer, en dan mag jij ook weer op komen draven.'

'Deze keer zal ik niet door haar worden opgeroepen.' Jill Donoghue zal me niet dagvaarden. 'Dit is een zaak voor het OM. Een schot voor open doel.'

'Dan Steward is een sukkel.'

Ik vertel hem dat het bewijsmateriaal voor zich spreekt. Galbraith heeft ze allemaal vermoord. Er zijn vingerafdrukken van hem aangetroffen op de afvalzakken, op de bierfles en op het zakje kattensnoepjes. Bovendien zijn er houtvezels uit wat de politie nu het 'droogijshuis' noemt aangetroffen op het lichaam van Peggy Stanton en in haar auto. Een van de vingerafdrukken op het achteruitkijkspiegeltje is van hem, en er zitten vingerafdrukken van hem op de cheques die hij vervalst heeft om haar rekeningen te betalen.

De met wijn verzadigde vezels van Amerikaans eiken zijn ook aangetroffen in een oude vissersboot die Galbraith in een haven had afgemeerd, breng ik Benton in herinnering, in een poging hem een hart onder de riem te steken. De politie heeft kleren van Peggy Stanton en de nachtpon van Mildred Lott in een la in zijn huis in Cohasset Harbor aangetroffen, waar hij ook de persoonlijke bezittingen had neergelegd van zijn eens zo ontzagwekkende moeder. Zelfs een sukkel kan een zaak als deze niet verliezen, zeg ik tegen Benton.

'Ik heb er alle vertrouwen in dat er ook DNA gevonden zal worden,' verzeker ik hem. 'Verfmonsters van de vissersboot komen overeen met de verfstreep op de bamboestok, en hetzelfde residu zat op de zeepok die ik van de schildpad heb gehaald. Dat toont aan dat zijn boot in het gebied is geweest waar het lichaam van Peggy Stanton is gevonden, waar hij die schildpad tegenkwam. Bovendien had hij haar mobieltje en haar cheques. Hij had ook het mobieltje van Emma Shubert, en in zijn magazijn lag een range extender waarmee hij op het draadloos netwerk van Logan kon inloggen. En dan is er natuurlijk nog het lijk van Mildred Lott, een veelzeggend detail.'

Ik zeg dat het zelfs voor Jill Donoghue moeilijk zal zijn aannemelijk te maken waarom het lichaam van Mildred Lott in bevroren toestand is aangetroffen in een van de vrieskisten van Al Galbraith.

'Donoghue zal aanvoeren dat Channing Lott er iets mee te maken had of er zelfs geheel verantwoordelijk voor is, en het afschuwelijke is dat hij niet nog een keer voor de rechter kan worden gesleept.' Benton klinkt mistroostig. Zijn kin rust op mijn kruin.

'Kijk, dat zou nog eens een goed argument zijn.' Ik voel zijn hart door mijn jack heen kloppen, en ik breng mijn hoofd omhoog om hem te zoenen. 'Ik ben blij dat jij in deze zaak niet de advocaat bent. Laten we gaan eten.'

WOORD VAN DANK

Zoals altijd ben ik iedereen dankbaar die me op deze Scarpetta-reis zo welwillend en deskundig heeft bijgestaan. Jullie hebben allen aan de betovering bijgedragen.

Dank aan dr. Marcella Fierro voor alle forensisch-pathologi-sche adviezen, en zoals altijd ben ik ook dr. Nicholas Petraco dankbaar, de goeroe van het sporenonderzoek.

Ik ben dank verschuldigd aan Stephen Braga, voor zijn advies in juridische kwesties en rechtbankprocedures, en aan recher-cheur Danny Marshall van het politiekorps van Cambridge om-dat hij me op sleeptouw heeft genomen.

Knuffels voor Dan en Donna Aykroyd omdat ze de moed heb-ben gehad Staci en mij mee te nemen naar een opgravingssite in het noordwesten van Canada, waar ik een zeventig miljoen jaar oude dinosaurustand heb gevonden, wat me op het idee voor dit boek bracht.

Wat fantastisch dat ik mee mocht aan boord van de snelle bo-ten van de Amerikaanse kustwacht (San Diego) en de mariene afdeling van de brandweer van Boston.

Ik sta voor eeuwig bij je in het krijt, Connie Merigo, hoofd van de reddingsbrigade van het New England Aquarium, omdat je me alles over zeeschildpadden hebt geleerd, en omdat ik zo dicht bij een zeldzame lederschildpad mocht komen dat ik het dier kon aanraken en ruiken.

En woorden schieten tekort om mijn partner te bedanken, dr. Staci Gruber, mijn muze op technologisch gebied, mijn muze in alles.